De levens van Jan Six

GEERT MAK

De levens van Jan Six

Een familiegeschiedenis

Uitgeverij Atlas Contact
Amsterdam/Antwerpen

Eerste druk, gebonden, augustus 2016
Tweede druk, paperback, augustus 2016
Derde druk, paperback, september 2016
Vierde druk, gebonden, september 2016
Vijfde druk, paperback, september 2016
Zesde druk, paperback, november 2016
Zevende druk, gebonden, november 2016
Achtste druk, paperback, november 2016
Negende druk, gebonden, januari 2017
Tiende druk, paperback, februari 2017
Elfde druk, paperback, april 2017

Omslagontwerp Roald Triebels
Foto auteur Merlijn Doomernik
Typografie binnenwerk Sander Pinkse Boekproductie
Lithografie Bert van der Horst, BFC, Amersfoort
Drukkerij Wilco, Amersfoort

ISBN 978 90 450 3184 2
D/2016/0108/766
NUR 320/680

www.atlascontact.nl
www.geertmak.nl

Wilt u op de hoogte gehouden worden van het laatste
nieuws, lezingen en nieuw werk van Geert Mak, stuur
dan een mail met uw adresgegevens onder vermelding
van Geert Mak naar info@atlascontact.nl.

Er is geen leven dat nooit,
Al was het maar voor een ogenblik
Onsterfelijk is geweest.

Wisława Szymborska

Inhoud

I

Amstel *9*

II

Anna *19*

III

'Schone Chloris d'ik beminne...' *37*

IV

'Het lot draait als een tol...' *57*

V

Jan's konstkamer *75*

VI

Twee gezichten *91*

VII

Flarden van een vriendschap *109*

VIII

Onze eeuwige ziel *127*

IX

Jonker Jan *153*

X

Rampjaar *165*

XI

Bloedband *181*

XII

'Omnia Orta Occidunt' *197*

XIII

De verre toekomst *213*

XIV

Liberté, égalité, fraternité *239*

XV

'Grappen, nare grappen' *257*

XVI
Lucretia *277*
XVII
'Electriciteit, Nijverheid, Stoom' *309*
XVIII
Revanche *333*
XIX
Dubbellevens *365*
XX
Epiloog *401*

Verantwoording *413*
Literatuur *425*
Register *437*
Stamboom *446*

I

Amstel

Nu ik al zo lang door deze gangen en kamers loop, de portretten ken als oude vrienden, nu ik hun brieven doorlees, dozen vol, dag na dag, nu beginnen stemmen te klinken. Ik wist dat dit moment zou komen. Ik hoor ze vanaf de muren en vanuit de bibliotheek, fluisterend vaak, soms ook scherp, eentje slist, met zijn gouden kunstgebit uit zeventienhonderd zoveel.

Ze kijken mee, ik voel hun blikken, en vanuit het archief op zolder hoor ik hun stemmen, in duizenden brieven en notities:

'Om warmoes te kooken neemt men kervel, de eerste snede. Biet, peterselie, uien, dit doorstrooit men met tarwemeel als men 't hakt. Dan in water dat kookt, daar wat zout bijgedaan, op 't lest rijst mee, wat tarwebrood bij, en wat boter.'

'k Verander huysche zeden
Om uwentwil alleen
Ik had gezworen nimmermeer te minnen
Maar toen 'k u zag veranderde ik van zinnen...'

'De Raad van State zal waarschijnlijk aan mijn Man
komen, en de Generaliteit aan de burgemeester Sautijn.
Witsen heeft de helft van zijn posterij neergelegt voor de
burgemeester Munter.'

''t Bevalt ons tot nog toe vrijwel alhier, schoon wij geen
grote partijen bijwonen, wij zijn eens aan 't hof geweest,
en die partij was zeer mooi.'

'Na de vele onaangenaamheden, die gij mij opnieuw gisteren en eergisteren veroorzaakt hebt [...] door U volstrekt
niet te willen schikken naar hetgeen U uwe plicht als
vrouw gebiedt, namelijk het huis aangenaam te maken aan
U man gedurende de tijd dat hij er is...'

'Lieve kinderen, knolleboutjes. Ik heb noch vijf minuut-
jes om met u te praaten en u te vragen hoe gij het toch
maakt met het slegte weder. Deze morgen heeft het hier
zoo geweldig geregent, dat wij op het kantoor niet genoeg
konden zien om ons werk te doen...'

'Wanneer zal ik u hier zien, daar verlang ik zeer naar
want het is al drie weken dat ik u niet gezien heb? Hoe
veel lijsters hebt gij al gevangen. De lijsters die Papa ons
heeft gezonden waren zeer goed.'

'Ga je zo te bed zonder mij eens te zoenen? En zal ik u dan
eens zoenen?'

In de zaal, bij de piano uit de tijd van Napoleon, hoor ik een
kwijnende stem zingen op de muziek die er staat, *Rondeau de
Gulnare*:

'Sexe charmant, j'adore ton Empire,
mon bonheur est de te céder...'

Ik heb hun boeken in handen gehad, hun gedichten, hun
speelgoed, hun eerste kladbriefje aan een dierbare tante, met
grote aarzelende letters:

Lieve tante,
Ik heb een mooi servies van grootmama gekregen en
balletjes en ik ben naar meer en berg geweest toen papa
jarig was heeft hij een vuurwerk afgestoken en ik heb een
tekening gemaakt en mijn beurs is af. Dag lieve Tante ik
ben u liefhebbende nigt Anna van Lennep
20 Julij 1814

Nooit zal ik vergeten hoe ik hier de eerste keer voor de deur
stond en omhoogkeek. Het had een deftig gezicht, dit huis.
Het had wangen van steen, een hoge stoep met twee mon-
den en zeker twaalf ogen. Het had iets strengs, maar rond de
voordeur leek het permanent bal. De poort, het schelpenbeeld
daarboven, de twee lantaarns, links en rechts, alles krulde en
draaide. Op het dak ging het opeens weer zoals het hoort, de
twee schoorstenen troonden ferm vierkant boven alles uit.
Langs de kade stroomde de rivier, lui en verveeld.

Binnen geurde het naar koffie, met een zweem van boen-
was. Ik stapte onder in het huis een brede gang in. Op de
harde tegelwand ploegde een landman vredig voort, pape-
gaaien krijsten en kwetterden, de klok stond eindeloos op
halfelf, zwarte handen hielden het licht hoog. Aan de muren,
verderop, langgerekte gravures. Daar was het IJ, met daarachter de stad in haar gouden jaren, alle gevels, torens en scheeps-
masten minutieus vastgelegd. Daar galoppeerde een edelman,
naast de koets van een vorstelijk duo, fier op zijn steigerend
paard. Een jaartal: 1660.

De heer des huizes leidde me rond. In een rommelige zijkamer
stonden archiefkasten vol 18e-eeuws papier: kadastrale tekeningen, nota's van aankopen, bevroren burenruzies. Ze hadden te maken met een landgoed in Hillegom, ergens omstreeks

1730, 1740, maar niemand had die spullen ooit goed uitgezocht. Er hingen portretten: trotse mannen, verstijfde vrouwen, kinderen als draperie, stil bezien ze de schilder. Daarnaast, achteloos, een 19e-eeuws wintertafereeltje.

Een familie van stand sleept wat mee door de tijd. Dit huis heeft kastplanken vol zilveren eierdopjes, drinkglazen, antieke pijpenkoppen en ivoren tandenborstels – met duizend gaatjes, de haren zijn verteerd. Er staat Venetiaans glaswerk en sommige smalle drinkglazen van de 17e-eeuwse voorouders zijn er ook nog, dun en hoog om de enorme kanten kragen te ontzien. Er hangt een pomander, een fraai bewerkt korfje met amber dat deftige dames vroeger aan een kettinkje tussen de plooien van hun rokken hingen om luizen en schaamlucht te weren. Gedenkpenningen en ridderordes liggen er, wat losjes op een stapel, naast een diamanten ring van tsaar Aleksandr I, een cadeautje toen hij op bezoek kwam: 'L'empereur Alexandre à M. Van Winter, 4 Juillet 1814.' In de bibliotheek: duizenden tekeningen, dagboeken, kattebelletjes, brieven, vele eeuwen bij elkaar, en nog altijd springlevend.

Bij de trap kijkt een meisje schuw de wereld in. Ze is ergens in het midden van de 18e eeuw geboren. Ze is stijf ingesnoerd, een zwaar gewatteerde valhoed had ze om haar hoofd, zo leerden rijke kinderen toen veilig lopen. In haar hand houdt ze een pop gekneld, een poppetje met een pop.

Boven ligt de zaal, de grote woonkamer die elk grachtenhuis kent. De ramen zijn er hoog en licht, ze zien uit op een tuin met hoge bomen, buxushagen, rozenperken, hortensia's, rododendrons. Het is een oase van stilte waar soms een groene vlucht ontheemde parkieten langs kwettert, met een stokoud speelhuisje voor de kinderen en in het midden een strenge zonnewijzer.

Vanaf hier oogt de tuin als een uitstalkast: in het verleden zijn de bomen zo kunstig gegroepeerd, met zoveel gevoel voor lijn en perspectief, dat de toeschouwer zich op een klein landgoed waant, midden tussen de Amsterdamse straten.

Aan de oranjegele wanden is het inmiddels een drukte van belang. 'Hier hebben we Nicolaes Tulp,' zegt de heer des huizes. Hij heeft het over een van zijn voorouders, de centrale figuur van Rembrandt's befaamde *Anatomische les van Tulp*, later was hij een van de machtigste mannen van de stad. Op een eerste portret is hij jong, met een baardje, een driftige kop. Daarna zijn portret uit 1658. Hij zit nu in zijn grote stoel, statig in het zwart. In zijn ogen fonkelt iets van ironie – misschien omdat hij al eeuwenlang aankijkt tegen zijn zoon, die zich, in tegenstelling tot zijn sobere vader, heeft gehuld in de kleurigste stoffen, met een enorme pruik die viel tot voorbij zijn borst.

Daar is ook grootmoeder Tulp, aan een zijwand heeft ze een plekje weten te vinden. Vredig zit ze onder een boom te kijken naar het golfspel van haar kleinkinderen, daarnaast de dokterskoets van haar beroemde zoon. Maar wat een rare familiewapens zijn daar later overheen geschilderd, als stickers die je op een ijskast plakt. Dat is, zo begrijp ik, het werk van een treurige oom ergens in de 19e eeuw, een verdorde tak die nooit trouwde. Hij had een bochel, omdat hij, zo gaat het verhaal, als kind met zijn oog in een schaar was gevallen.

Stil is het hier nooit, allemaal kijken ze mee over mijn schouder. Achter me hangt een vroegtijdige Byron, met brandende ogen, een donkere pruik, een stoppelbaard en stevig borsthaar. 'Dit is de womanizer van het huis, Jan van den Bempden, eind 17e eeuw.' Een klein 16e-eeuws paneeltje van Pieter Brueghel de Oude – het stelde een advocaat voor. Een verlovingsportret, zo te zien een eeuw later. Ach, wat kijkt ze treurig, voor eeuwig vastgelegd, enkel vanwege het geld en de familie. 'Was dit niet het meisje Clifford?'

Dit huis telt meer dan veertig kamers, met zo'n tweeduizend prenten, tekeningen en schilderijen, en in het archief liggen, naar men zegt, zeker honderdduizend documenten. Er zijn kasten vol zilveren kandelaars, damasten tafelkleden en complete serviezen – met name het 'korenbloempje' was geliefd, 'als je deftig was at je van niets anders'. Plus alle rarigheden die daarbij hoorden, zoals zilveren drinkmolentjes en andere attributen om een 17e-eeuws gezelschap razendsnel onder tafel te krijgen.

De heer des huizes loodst me naar het souterrain, naar de keuken, het hart van het huis. De balken zijn laag, de schouw is groot en wijd, de sfeer zweeft heen en weer tussen de 19e en de 21e eeuw. Hier wordt dag na dag koffiegedronken en geluncht – melk, kaas, hagelslag, jam in alle varianten – en iedereen schuift aan: Annabelle, de vrouw des huizes, de zonen Jan en Bas, de restauratoren, de medewerkers van het archief en het secretariaat, en wie er maar verder in huis is. De gesprekken springen alle kanten op. 'Ha, die etsplaat van Rembrandt is ook weer binnen, heb je ooit zo'n ding in handen gehad?' 'Ja, dat is een interessant stuk.' 'Lieve hemel, heeft tante Totie daar ook op zitten krabbelen?'

Het is en blijft een familiehuis, dit huis van de familie Six. Om precies te zijn: de tak Six van Hillegom, en de oudste zonen heten – bijna – allemaal Jan. Het is een reeks Jannen die in 1618 begon met de eerste Jan Six – lakenverver, dichter, kunstliefhebber, burgemeester van Amsterdam, vriend van Rembrandt en Joost van den Vondel. De huidige heer des huizes is de tiende Jan Six, zijn zoon, kunsthandelaar, is de elfde en Jan de twaalfde is er ook al, een glanzend jochie in een buggy.

Toen ik zo'n tien jaar geleden kennismaakte met het huis en de familie, moest de grote restauratie van het pand nog beginnen. Alles had de sleetsheid van jaren gebruik, de tijd zat in elke nerf en elke plooi van het tapijt. Het was een huis vol kunst en geschiedenis, het was tegelijk een huis waar kinderen hadden rondgerend, waar was gelachen en gestorven, waar gasten waren ontvangen en ruzies waren uitgevochten.

Het was een huis waar de traditionele feesten – Sint-Nicolaas, Kerstmis, Nieuwjaar, Pasen – tot voor kort nog als grootse familierituelen waren gevierd, waar altijd gepaste kleding was gedragen – voor de jongens waren vroeger matrozenpakjes verplicht –, waar iedereen zijn of haar plaats wist. Maar waar de vader des huizes ook weleens een emmer water over een al te hevig brandende kerstboom had gegooid. En wanneer daarbij per ongeluk een pets water op een of andere deftige voorouder terechtkwam: soit.

Dit huis heeft iets betoverends. Dat gevoel heeft, daar kwam ik langzaam achter, vooral te maken met de diepe continuïteit rondom deze familie, generatie na generatie. Stel je voor: er was een 17e-eeuwse Jan Six, hij leefde voort als Jan Six in het Amsterdam van de 18e eeuw, in zijn zoon, kleinzoon en achterkleinzoon. Met de stad raakte ook de familie in verval, maar in de 19e eeuw pakte Six de draad weer op en hij bereikte grote hoogten: als kunsthistoricus, rector magnificus, een van de grondleggers van het Rijksmuseum. In de 20e eeuw werd hij zakelijker: directeur van een brouwerij, reclameman. Nu is hij weer in de kunst.

In de bovengang en de zijkamers hangen ze nog steeds, al die gedaanten van Jan Six. De eerste Jan, briljant geschilderd door zijn vriend Rembrandt op het keerpunt van zijn leven, wijs en melancholiek tegelijk. Zijn zoon, zestienmaal burgemeester, een typisch 18e-eeuwse regent, pafferig en zwaar bepruikt. Een kinderportretje van de kleinzoon, ook weer Jan, verkleed als keizertje, omringd door symbolen: een fluit, bloemetjes – ach, dat jongetje heeft maar een paar jaar geleefd. Een tweede kleinzoon Jan, een arrogante 18e-eeuwer. Een klein silhouetje van diens zoon Jan, een onfortuinlijke dienaar van Napoleon – zijn dochter liep weg met een schoutsdienaar, een eeuw later ging ze nog over de tong. Zijn zoon Hendrik, die de familie er weer bovenop hielp door met de dochter van een steenrijke houthandelaar te trouwen. De 19e-eeuwse Jan Six, een grijze, wat weemoedige man, een befaamd verzamelaar van munten. Zijn zoon, professor, een knappe man met een Sean Connery-baard – maar nu stappen we al de 20e eeuw binnen.

En daar zijn de vrouwen: de robuuste oermoeder, Anna Wijmer, geschilderd door Rembrandt, de zachte, zwangere Margaretha Tulp, die aan de eerste Jan was uitgehuwelijkt, de harde gezichten van haar schoondochters, de onstuimige Lucretia van Winter die zich in 1822 omwille van geld en status door Hendrik in een gouden kooi liet opsluiten, de knappe Hieronyma Bosch Reitz, die als 'Grootemoes' tientallen jaren, tot 1951, deze familie regeerde.

Het is een familie van verzamelaars en koesteraars, de Sixen. Familieportretten werden sowieso nooit verkocht, dat was – en is – in deze kringen ongebruikelijk, die bleven meestal bij de oudste zoon. Vandaar dat dit het enige familiehuis ter wereld is waar nog twee voorouderlijke portretten van Rembrandt hangen. Dat gold bij de Sixen echter ook voor de serviezen, het zilverwerk, de drinkglazen en duizend andere gebruiksvoorwerpen, groot en klein. Zoals een familielid schreef: 'Het is fascinerend te beseffen dat je vandaag je mond afveegt aan een damasten servet dat de grootmoeder van je overgrootvader ook voor haar lieve gezichtje heeft gebruikt.'

Al die voorwerpen fungeren als bruggen. Als bruggen in de tijd – bijvoorbeeld de penning die aan de Amsterdamse burgemeesters op 27 juli 1655 werd aangeboden ter gelegenheid van de inwijding van het stadhuis – later Paleis – op de Dam. Als bruggen in de ruimte – zoals de donkergroene jaspisschaal die de eerste Jan ergens rond 1643, na zijn Italiaanse reis, over de Alpen mee terugzeulde. Als bruggen, bijna als relikwieën, tussen aarde en hemel, tussen sterfelijkheid en onsterfelijkheid – bijvoorbeeld dat prachtig versierde doosje dat ergens verdwaald in een vitrine ligt, met twee tere haarlokjes – van wie ze zijn weet niemand meer.

Stuk voor stuk waren de Sixen wel degelijk kinderen van hun tijd. Ze maakten al die jaren deel uit van de stadsmachinerie, dikwijls hadden ze zelfs, met anderen, het roer in handen. Ze gingen mee met de mode, ze moesten zich aanpassen aan politieke omwentelingen, technische revoluties en een zich almaar vernieuwende stad, ze draaiden soms als windwijzers in het rond.

Toch droegen ze, elke generatie, dat opeengestapelde verleden met zich mee. Letterlijk, door een huis te koesteren vol portretten, brieven, pijpenkoppen, kale tandenborstels en 17e-eeuwse zakdoeken. Figuurlijk, door bepaalde eigenschappen en talenten, hetzij aangeboren, hetzij door traditie aangeleerd, vast te houden en te cultiveren. De kunstzinnige kwaliteiten van de 17e-eeuwse Jan Six duiken in de latere generaties voortdurend weer op, tot op de dag van vandaag. De zakelijke talenten van de 18e-eeuwse Jan Six kom je ook telkens weer tegen.

'Zo voel ik het,' zegt de elfde Jan Six. 'Ik heb eigenschappen van mijn betovergrootvader, de kunsthistoricus, dat weet ik zeker. En misschien wel van de eerste Jan. Maar ik draag ook stukken van al die andere Jannen met me mee, en van al die andere zijtakken. Zo leeft je familie in je door.'

'Maar,' voegt hij eraan toe, 'tegelijk ben ik mezelf.'

In een voorkamer stuit ik op een portret van een jonge vrouw. Ze is een jaar of negentien. Ze kijkt stil en wat verlegen. Het is een bruidsportret: de zwarte bruidskleding – wit werd pas mode in de 19e eeuw – is uitbundig bewerkt, ze draagt haar trouwring aan de rechterwijsvinger, ze heeft rond haar middel een grote ketting – het gebruikelijke huwelijksgeschenk – voor de sleutels van de kasten van het echtelijke huis. En, warempel, ze draagt net zo'n pomander als hier wordt bewaard.

Dit was duidelijk een meisje van goede komaf: in haar linkerhand houdt ze een paar schitterend geborduurde bruidshandschoenen, flonkerend van de pareltjes en het gouddraad.

'Nog geen jaar later was ze dood,' zegt de heer des huizes. Ze overleefde de geboorte van haar eerste kind niet. Hij trekt een lade open. 'Wil je de handschoen die je op dit portret ziet misschien even vasthouden?'

Opeens heb ik de originele huwelijkshandschoen in mijn handen, de parels en het harde gouddraad, de wat stugge stof.

Even is het 1612.

II

Anna

Het is, op een bepaalde manier, een mysterieus schilderij, het portret van Anna Wijmer dat in een van de bovenkamers hangt, de vrouw van Jean Six, de moeder van de eerste Jan Six. Het dateert uit 1641 en het is van de hand van Rembrandt. Anna oogt opvallend jong voor een vrouw van midden vijftig, alleen bij haar kapje springen een paar grijze haren naar voren.

Op een ochtend, toen ik even langsging, heerste daarover aan de keukentafel enige beroering. De Zweedse kunstfotografe Margareta Svensson was op bezoek geweest, ze kwam foto's maken van de Rembrandts die hier hangen. Het waren hightech opnames, groter en scherper zou je ze niet kunnen krijgen. En ja, de achterkant moest op precies diezelfde manier worden vastgelegd. Zo werd Anna Wijmer tot in haar vezels gefotografeerd en vervolgens werd ze omgedraaid.

Nu is Anna Wijmer niet op een doek geschilderd maar op een loodzwaar houten paneel, dat gaat niet zo gemakkelijk.

Maar toen ze weer hing deed deze expert met haar ultrascherpe camera's een verrassende vondst: de zaagsnede aan de onderkant zag er net even anders uit dan aan de drie andere zijden. Ofwel: de Anna Wijmer is afgezaagd, en wel door Rembrandt zelf, die op deze manier een staand portret had omgewerkt tot een zittend portret. De restaurator van het schilderij, Laurent Sozanni, had al zo'n vermoeden – onder de oude vernislaag bleek dat op bepaalde plekken wel heel veel was gecorrigeerd en overgeschilderd – maar nu was er zekerheid.

'Kom mee,' zegt de heer des huizes, 'dan kun je het zelf zien.' We lopen naar boven. We draaien Anna om, het dikke tropische hout is inderdaad bijna niet te tillen. 'Zie je die vierkante uitsparingen? Dat zijn de resten van de scharnieren. Het was waarschijnlijk het deksel van een kist waarmee allerlei spullen uit Brazilië naar Amsterdam zijn versleept. En kijk, die zaagsnede. Heel anders, toch?'

We draaien het schilderij weer terug. 'Toen die vernislaag eraf was zagen we in één oogopslag Rembrandt aan het werk. De correcties waren al die eeuwen gecamoufleerd door een bruinige laag. Nu viel opeens op dat aan Anna's zwarte rok een stukje was bijgeschilderd. Dat gold ook voor de stoel, die staat zo raar achter haar, als je goed kijkt zie je dat hij die wel drie keer heeft overgeschilderd. Zo maakte hij van een staand portret een zittend. Dat zoeken, dat telkens veranderen, dat is typerend voor Rembrandt.'

Waarom? 'Het was duidelijk beter voor de compositie, de nadruk kwam zo veel meer op haar gezicht te liggen. Bovendien: staand was ze een willekeurige vrouw gebleven. Zittend werd ze een matrone, een waardige dame, de machtige koopvrouw die ze in de loop der jaren was geworden.'

Veel is niet bekend over deze Anna Wijmer. Ze was al jong weduwe, haar man, de verver en lakenhandelaar Jean Six, was in 1617 overleden en zij had zijn zaak daarna voortgezet. Sommige vrouwen – vaak weduwen – ontpopten zich in het 17e-eeuwse Amsterdam als voortreffelijke ondernemers, en ook Anna hoorde daartoe. De dichter Vondel leek de familieverhoudingen goed te kennen toen hij in een bruiloftsgedicht schreef:

Wat was het een vermaeck voor d'oude weduwvrouwe
Zich dus te zien gedient door haer gehoorzaem bloet!

Anna moet een sterke en doortastende dame zijn geweest, ze was decennialang de stuwende kracht achter de familie Six. Haar ouders waren afkomstig uit de Zuidelijke Nederlanden – de naam 'Wijmer' stamt vermoedelijk van het Vlaamse Wimmerewe, de huidige gemeente Wimereux bij Boulogne-sur-Mer –, ze kwam uit een protestantse familie die rond 1585 naar het Noorden vluchtte toen de vervolging van 'ketters' en andersdenkenden onverdraaglijk werd.

Een soortgelijk lot had ook de Sixen getroffen. De familie kwam oorspronkelijk uit de buurt van Kamerijk, het huidige Cambray in Noord-Frankrijk. De bibliotheek ligt vol stambomen, charters en ander materiaal over de vroegste Sixen en uit die documentatie rijst het beeld op van een vooraanstaande familie die wellicht al vanaf de 11e eeuw behoorde tot de – lagere – adel.

Het was ook al vroeg een vermogende familie: een zekere Alexandre Six vocht in 1415 mee in de slag bij Azincourt – de historische botsing tussen Karel vi van Frankrijk en Hendrik v van Engeland –, werd door de Britten gevangengenomen en kon zich voor een forse som aan losgeld laten vrijkopen, wat vrij uitzonderlijk was. Voor de rest van de Franse aristocratie was de slag één grote slachtpartij, met hun zware helmen en harnassen waren al die ridders en graven geen partij voor de beweeglijke Britse boogschutters. Honderden edellieden, zelfs hertogen, werden ongenadig afgemaakt.

Op den duur hield de familie het niet vol in deze ridderlijke sferen. In 1511, zo meldt een lokale kroniekschrijver, trok een Jean Six, 'erkend edelman en geëerd schildknaap', zich terug in Vlaanderen, 'ziende dat de adel dagelijks veel van haar oude privileges verloor en dat dit geen groot voordeel meer bood'. Via Armentières en Lille trok de familie naar Saint-Omer, waar Jean's zoon Charles, de vader van Jean Six en de schoonvader van Anna Wijmer, 'de koophandel' ter hand nam.

Wanneer de Sixen overgingen op de handel in laken en kostbare kleuren is niet duidelijk, maar dat ze het al snel in die richting zochten ligt voor de hand. Saint-Omer is tegenwoordig een wat sleets stadje, de abdij van Saint-Bertin, voorheen een van de machtigste kerken van Noord-Frankrijk, is van pure ellende half ingestort, maar aan de wanden van het lokale museum is de kleurige rijkdom van dit oude handelscentrum nog altijd overrompelend. Saint-Omer vormde een dynamisch voorportaal van Brugge en Gent, een essentieel onderdeel van de handelslijn van Venetië naar Antwerpen, de stedelijke ruggengraat van het toenmalige Europa.

Kleuren hoorden bij dit rijke stadsleven. Het waren de sprankelende uitzonderingen in een wereld die voor de rest meestal grauw en sleets oogde. Wie vroeger kleuren nodig had – om te schilderen, om stoffen te verven, om kerken te versieren, om glazen een tint te geven – had daarvoor een natuurlijke basis nodig, iets anders was er niet. Voor de kleuren van schilderijen werden soms kleurrijke stenen en mineralen chemisch bewerkt. Ze werden gemalen en voorzien van bindmiddelen als lijnolie, kalk of Arabische gom. Duits blauw werd bijvoorbeeld gemaakt van de blauwige uitslag van koper, loodwit werd bereid uit lood en azijn, kopergroen uit koper en azijn, groen uit kamperfoeliebessen, goudgeel uit de stampers van de saffraankrokus, rode lak uit de gom van klimop, gekookt in urine.

'Overzees blauw' maakten schilders – vraag niet hoe – uit de intens blauwe lapis lazuli, een edelsteen die werd gewonnen op slechts één plek ter wereld, een vallei in Noordoost-Afghanistan. Een gram lapis was dan ook eeuwenlang net zo duur als een gram goud. Gewoon blauw haalden de kleurenmakers uit kobalt. Uit gemalen schildluizen trokken ze rode kleuren als 'karmozijn' – of ze gebruikten het maalsel van een tropische houtsoort.

Ook voor het verven van kleding werden opvallende grondstoffen gebruikt. Plantensap was bijvoorbeeld goed voor groene kleuren. Blauwe tinten werden getrokken uit de bladeren van wede, nu een zeldzame plant. Later kwam ook een zwartblauw in zwang dat veel kleurvaster was, via een ingewikkeld procedé met indigo, galnoot en ijzererts, mooi zwart was peperduur. Tyrisch purper was afkomstig uit de purperslak – toen een onderzoeker eeuwen later nog eens echt purper wilde maken merkte hij hoe krankzinnig duur het procedé moet zijn geweest: voor 1,4 gram kleurstof bleek hij maar liefst 12 000 purperslakken nodig te hebben.

Vooral op het platteland bleef kleding maar al te vaak ongekleurd, de mensen hadden daarvoor het geld noch de techniek. De meeste kleren waren bruin, naturel, wittig, soms wat wazig groen. Het grauw, als term voor het arme volk, was tot ver na de Middeleeuwen gewoon zoals het was, een weerspiegeling van de realiteit.

Gekleurde kleding hoorde bij de koopmansstad. Daar kwamen de handelaren die beschikten over de zeldzame grondstoffen om kleuren te maken, zoals lapis lazuli en indigo. Daar leefden rijke kooplieden en machtige regenten, daar was het geld, daar bepaalde kleding de sociale posities die met tinten als zwart, groen, rood, geel en donkerblauw letterlijk waren ingekleurd. Niet de stof en de vorm van een jas of een mantel telde, maar bovenal de kleur – puur omdat kleuren zo duur konden zijn.

Rang, stand, leeftijd, alles kon worden afgelezen aan bepaalde kleuren. Blauw was bijvoorbeeld de kleur van het hemelse, zwart was de kleur van soberheid, nederigheid en afstand van het aardse, bonte kleuren stonden voor volks vertier.

De advocaat op het 16e-eeuwse paneeltje van Brueghel in het huis aan de Amstel heeft een felrode mantel aan: 'Die het kromme recht kan maken. Die magh dragen Root Scharlaken.' De vrome oude Tulp is altijd keurig in het zwart. Stamvader Jan Six is op één portret in het zwart, op twee andere portretten draagt hij een kostbare rode cape. Hij was daar blijkbaar zeer op gesteld, en zulke capes konden bovendien een leven lang meegaan.

Het is, kortom, niet toevallig dat het gele bakstenen 'zegelhuis' van het lakengilde in Saint-Omer de Grote Markt volledig domineerde: vooral in de afwerkingsfase werd in de handel in laken en kleuren goud verdiend.

Ook de ververij hoorde bij het rijke stadsleven. Schilders en lakenververs streden onderling in een voortdurende compctitie, met duizenden verfrecepten, het ene nog ingewikkelder dan het andere. Ze moesten bovendien een feilloos oog hebben voor kleuren en mengverhoudingen: omdat de verf snel uit- droogde moesten ze dag na dag nieuwe porties kunnen maken van precies hetzelfde mengsel. Het verversbedrijf, en zeker het zijde- en lakenverven, was dan ook een sector die omringd was met vernuft en geheimen. Kleurenmakers waren een soort al- chemisten.

Saint-Omer genoot daarbij een bijzondere faam. De stad was al vanaf de 13e eeuw beroemd vanwege de kwaliteit van de stoffen die daar werden geweven en geverfd. De lakenindus- trie was er strak georganiseerd, er waren meerdere kwaliteiten – 'categorieën' – waaraan, via inspecties, stipt de hand werd gehouden, en dat gold ook voor de kleuren. In heel Frankrijk droegen vorsten, hertogen, graven en hovelingen kleuren uit Saint-Omer.

Het is, met de schaarse bronnen die we hebben, moeilijk een indruk van de toenmalige familie te krijgen, afgezien van een handvol namen en geboortedata, plus kwalificaties als 'bur- ger van Sint-Omaars' of 'lakenhandelaar'. Ook van grootva- der Charles is vrijwel niets bewaard gebleven. Hij leefde van 1535 tot 1595 en onvermijdelijk werd hij meegezogen in de grote maatschappelijke en godsdienstige bewegingen van die tijd. De vreemde werelden van Amerika en het Verre Oosten gingen langzaam open, met hun verbluffende culturen. Dank- zij de uitvinding van de boekdrukkunst konden ook leken als Charles opeens kennismaken met opvattingen die voorheen waren voorbehouden aan de geestelijkheid en een handvol we- tenschappers. Dat ging allemaal heel snel, vooral in de Lage Landen: toen de Spaanse troonopvolger Filips II er in 1549 rondreisde – hij bracht onder andere een bezoek aan Saint- Omer – verbaasden zijn hovelingen zich erover dat bijna iedereen hier al kon lezen, zelfs vrouwen, tot in de verste uit- hoeken van het land.

De vaste waarheden van de Middeleeuwen werden zo vanaf het begin van de 16e eeuw overal in Europa op losse schroeven gezet. Er begon een sfeer van vrijzinnigheid te ontstaan, te- genover de alom tegenwoordige autoriteit van Kerk en Staat. Wat vorsten en pausen leerden, en wat je zelf dacht, het was niet langer één geheel. Daarmee werd de weg gebaand voor een scheiding tussen het wereldlijke en kerkelijke gezag en het persoonlijke geloof. Individuele vrijheid werd steeds belangrijker, er ontstond een roep naar grondrechten, het begin van het recht op individualiteit en gewetensvrijheid.

Daardoorheen zoemden, overal op het continent, de disputen over de Reformatie. In dit deel van Europa werden de meeste protestanten, ook de families Six en Wijmer, vooral geïnspireerd door de Geneefse hervormer Calvijn. Verwonderlijk was dat niet. Calvijns eigen familie was afkomstig uit deze streken, zijn vrome moeder kwam, net als de Sixen, uit Kamerijk.

Een principiële breuk met de almachtige Katholieke Kerk kon in die tijd enorme gevolgen hebben. Het minste was wel een gedwongen verhuizing, naar een stad of streek die wel de eigen godsdienst aanhing. Een zekere Salomon Six werd bijvoorbeeld in 1593 voor tien jaar uit Lille verbannen omdat hij een van zijn kinderen door een predikant had laten dopen. Hij zou naar Engeland vertrekken, zijn naam komen we later weer tegen onder de protestantse predikanten in Sandwich.

De consequenties konden echter nog veel ernstiger zijn: gevangenschap, verminking, ballingschap en niet zelden de brandstapel. Zo werd bijvoorbeeld in het naburige Menen tijdens een van de vele ketterjachten Claudine le Vettre opgepakt, een vrome doopsgezinde vrouw. Haar man, gewaarschuwd door een vriend, wist zich nog net op tijd uit de voeten te maken, met een zoontje van drie. Zij, met een ander kind op de arm, kon niet snel genoeg wegkomen. Samen met haar broer werd ze gearresteerd. In de gevangenis beurde Claudine iedereen op met haar liederen en haar prachtige stem. Het kind dat ze zoogde werd haar afgenomen en verdween. Haar broer werd verbrand. Na een showproces in Ieper, waarbij ze standvastig haar geloof bleef belijden, werd ze levend begraven.

Voor Charles Six moet de geloofskwestie een buitengewoon ernstige zaak zijn geweest: aan deze uiterst vrome familie zou hij later zijn dochter Chrétienne uithuwelijken, aan dat ene zoontje dat met zijn vader ontkwam.

Er is in huis één voorwerp dat herinnert aan Charles Six: een rond stuk lood. Het is vrij grof, onregelmatig geponst, onder aan het wapen van de stad Amsterdam, daarboven de tekst 'Gheverft Amsterdam door Charles Six van Armentier', en dan het jaartal: 1589. Het is een lakenlood, een merkteken van de staalmeesters die het toezicht hielden op de kwaliteit en de kleur van het aangeboden laken. Dit soort merktekens werden bij honderden geslagen, maar waarschijnlijk is dit exemplaar ooit bewaard omdat het een bijzondere betekenis had: het eerste lakenlood dat in Amsterdam voor de Sixen werd geslagen. De eerste Jan Six maakt er in zijn notities al melding van, en ook het jaartal kan kloppen. Want inderdaad, aan het eind van de 16e eeuw opereren de Sixen opeens in Amsterdam. Zoals talloze andere families hadden ze het rijke Saint-Omer verlaten.

De uittocht begon ruim twintig jaar eerder. Toen in 1565 de oogsten mislukten en de aanvoer van graan uit het Oostzeegebied stagneerde, vlogen de graan- en broodprijzen omhoog. Hier en daar ontstonden hongersnoden. De nieuwe koning, Filips II, had na de dood van zijn vader de ketterjacht bovendien weer stevig opgepakt. De toch al geladen stemming in de Nederlanden werd ronduit grimmig.

Vanuit zijn Madrileense studeerkamer regeerde deze Filips over een gigantisch wereldrijk, van Spanje en Portugal tot Chili en de Filipijnen. Met de Lage Landen had hij geen enkele affiniteit, hij sprak geen woord Nederlands, zelfs de taal van de adel, het Frans, was hij niet machtig. Het bestuur liet hij over aan een 'landvoogdes' in Brussel, zijn halfzuster, Margaretha van Parma.

In 1566 kwam alles wat broeide – protestantisme, humanisme, de afkalvende macht van de adel, extreme belastingen, geloofsvervolging, honger, en tegelijk een almaar toenemend burgerbewustzijn – tot een explosie. Zo'n vijfhonderd leden van de lagere adel vroegen in een 'smeekschrift' aan de landvoogdes om verzachting in het optreden jegens de protestanten. Door sommige leden van de hofhouding werden ze weggehoond – 'Ils ne sont que des gueux!', 'Het zijn maar bedelaars!' spotte de koningsgezinde graaf Charles de Berlaymont, maar onder de bevolking werden deze edellieden met gejuich begroet: 'Leve

26

de geuzen!' Zo werd een scheldwoord in een oogwenk een eretitel. De rebellen hadden een naam: geuzen.

De landvoogdes moest het smeekschrift wel serieus nemen. Ze staakte de ketterjacht, maar verdere maatregelen bleven uit. Nu begon ook de burgerij het gezag uit te dagen: de calvinistische predikers maakten direct gebruik van hun nieuwe vrijheid en begonnen diezelfde zomer vlak buiten de steden openluchtdiensten te houden, zogenaamde hagenpreken. De diensten, waarin de predikers fulmineerden tegen de weelde en 'de wereldse lusten' van 'de paapse afgodendienst', werden massaal bezocht. Ondertussen bleven de prijzen stijgen.

Uitgerekend in de omgeving van Saint-Omer kwam het tot de eerste gewelddadigheden. Op 1 augustus 1566 meldde een zekere Sebastian Matte, een protestantse balling die uit Engeland was teruggekeerd, zich met tweeduizend man voor de poorten van het naburige Veurne. Hij werd tegengehouden, maar op 10 augustus wisten zijn aanhangers, na een felle preek buiten de muren van Steenvoorde, een klooster te bestormen. Alles wat heilig en van waarde was werd kapotgeslagen of meegepikt. Daarna was er geen houden meer aan: binnen een week waren meer dan honderd kerken geplunderd en vernield. In Ieper hielden de protestantse rebellen twee dagen lang huis, geen kerk bleef onbeschadigd. In Antwerpen trok een grote menigte van kerk tot kerk, rovend en plunderend. In Amsterdam werd een priester tijdens de mis overstemd door het geroep van kerkgangers: 'Gij paap! Houd op de duivel uit de kinderen te zweren! Gij hebt de wereld al lang genoeg bedrogen!' Jongens begonnen stenen naar het altaar te gooien, de maagd Maria kreeg een pantoffel tegen het hoofd.

Saint-Omer zelf ontsnapte, als een van de weinige Vlaamse steden, aan deze beeldenstorm. Nog net op tijd wisten de magistraten de poorten voor een tierende menigte te sluiten. De kerken bleven behouden, maar de protestantse minderheid in de stad, waaronder Charles en zijn familie, kreeg het door deze rellen wel steeds moeilijker. Er gingen stemmen op om alle calvinisten simpelweg de stad uit te jagen. Zover kwam het nog net niet.

Al die nieuwsberichten drongen, met enige vertraging, ook

door tot de kleine werkkamer van Filips II. De koning reageerde fel. Het ging allereerst om grote economische belangen. De Nederlanden waren, voor die tijd, dichtbevolkt – er woonden rond 1565 zo'n 3 miljoen mensen, tegenover 7 miljoen in Spanje en 4 miljoen in Engeland. Onrust in de Nederlanden kon het Spaanse imperium zich onmogelijk permitteren.

Het was echter niet alleen berekening. Filips II liet zich vooral leiden door pure woede. Hij stuurde halsoverkop een Spaans en Italiaans huurleger onder leiding van de hertog van Alva naar de Nederlanden. Een zesjarig schrikbewind volgde – Claudine le Vettre die in Ieper levend werd begraven, was een van de duizenden slachtoffers.

Als het ging om de oude geloofswaarden van de Katholieke Kerk was Filips II even rechtlijnig als de steilste calvinist. In zijn razernij leverde hij echter, onbedoeld, een belangrijke bijdrage aan het begin van de Opstand: door zijn fanatisme ontstond een onvoorziene gelegenheidscoalitie tussen adel, protestanten en burgers. Het was een bondgenootschap dat jaar na jaar standhield in gezamenlijke successen en tegenslagen.

Tekenend voor deze chaotische periode is de rol van de andere hoofdrolspeler, de latere leider van de Opstand, Willem, prins van Oranje. Hij was luthers opgevoed en op zijn elfde had hij opeens een enorme nalatenschap in handen gekregen – waaronder het Franse vorstendom Orange en grote lappen grond in Brabant, Holland, Zeeland, Luxemburg en Luik. Daarna werd hij gezien als een veelbelovende adellijke telg, keizer Karel V nam hem persoonlijk onder zijn hoede, en aan het Brusselse hof kreeg hij een gedegen katholieke nascholing. Hij was een charmante en intelligente jongeman, een van de grote favorieten van de oude vorst. Ook Filips II had direct oog voor zijn kwaliteiten: hij benoemde hem tot lid van de Raad van State en stadhouder van Holland en Zeeland.

Een grote protestantse geloofsheld was deze Willem van Oranje bepaald niet. Hij bleef nog lang katholiek en voelde zich thuis in het verdraagzame denken van vroege humanisten als Desiderius Erasmus en Dirck Volkertsz. Coornhert. Een geboren vrijheidsstrijder was hij evenmin. Hij was vooral een krachtig pleitbezorger van de belangen van de adel en de beschermer van hun traditionele rechten tegenover de vorst.

Het is dan ook zeer de vraag of Willem van Oranje naar het kamp van de rebellen zou zijn overgestapt als Filips en Alva niet waren begonnen met hun hardhandige wraakexpedities, inclusief een regen van doodvonnissen tegen al of niet vermeende opstandelingen. Zelfs edellieden werden zonder pardon geëxecuteerd, mannen zoals Oranje zelf, zijn vege lijf had hij maar nauwelijks kunnen redden. Daarna had hij geen keuze. Willem van Oranje werd een verzetsleider tegen wil en dank die pas gaandeweg in zijn rol groeide als symbool van een nieuwe natie, als 'vader des vaderlands'.

Het was een 'ijzeren eeuw', een 'siècle de fer', schreef de opgejaagde hugenoot Jean-Nicolas de Parival, een eeuw 'wier bittere vruchten van onrecht en angst niets anders zijn dan ononderbroken stromen bloed en een eeuwige stortvloed van tranen'.

In dat vervloekte Europa, vol rondtrekkende legerbenden, lag Saint-Omer er relatief veilig bij. Toch nam ook in deze streken het verzet tegen de Spanjaarden toe, met name vanwege de voortdurende plunderpartijen van rondtrekkende Spaanse huurtroepen. Als hun soldij maandenlang niet werd betaald – en dat kwam bij Filips II steeds vaker voor – vergrepen ze zich aan welke naburige plaats ook. In Antwerpen hielden muitende Spaanse huursoldaten zelfs zo hevig huis – zo'n achtduizend burgers werden afgeslacht – dat men sprak van een Spaanse Furie.

Willem van Oranje, de enige die voldoende charisma bezat om de noordelijke en zuidelijke steden bijeen te houden, werd op 10 juli 1584 vermoord. Na zijn dood viel de ene Vlaamse stad na de andere in Spaanse handen: Brussel in maart 1585, Mechelen in juli en eind augustus viel ook de hoofdprijs, Antwerpen. De Spanjaarden, wijs geworden, lieten de burgers nu ongemoeid: er werd niet geplunderd, wie wilde kon zijn spullen bij elkaar pakken en vertrekken.

Het moet tegen die tijd voor grootvader Charles duidelijk zijn geworden dat hij en zijn familie in Saint-Omer geen toekomst meer hadden. Rond 1580 maakte de familie de grote reis naar het noorden. Eerst naar Leiden – in de volkstelling van 1581 vinden we Charles aan de Breestraat, met vrouw, kinderen en dienstmaagd Jacqueline –, daarna naar Amsterdam. Uit het huisarchief blijkt dat Charles Six, gevlucht uit Saint-Omer, zich op 15 augustus 1586 met zijn vrouw Alix de Lattre en zijn kinderen Guillaume, Chrétienne, Charles en Jean vestigde aan de Nieuwezijds Achterburgwal, in 'Het Roode Liggende Hart (= Hert)', bij de Sint Nicolaassteeg.

In Amsterdam had de politieke omwenteling acht jaar voor hun komst plaatsgevonden: op 26 mei 1578 waren de burgemeesters en de vroedschap door de aanhangers van de geuzen uit het stadhuis gegooid, de pastoor van de Nieuwe Kerk en de meest gehate geestelijken, de minderbroeders, waren 'onder geroep en smadelijke taal' over straat gedreven, vervolgens was het hele gezelschap 'holderdebolder over elkaar' in een schip gesmeten, de stad uit gevaren en ten slotte op de dijk gezet, 'vanwaar iedereen lopend zijns weegs mocht gaan'.

Dat was het nogal abrupte einde van het middeleeuwse Amsterdam en de 'sacrale eenheid' van de stad. Voortaan was er binnen deze muren plaats voor meerdere religies. Een nieuwe generatie kooplieden kwam nu aan de macht, protestantse families die vanwege hun principes enorme risico's hadden genomen, die vaak jarenlang in ballingschap hadden moeten leven maar die daardoor nieuwe netwerken hadden opgebouwd en, bovenal, in andere verhoudingen hadden leren denken. De Amsterdamse katholieken hadden hun ambten, kerken en kloosters moeten opgeven, vervolgd werden ze niet. Het calvinisme was de officiële religie geworden, maar niet meer dan dat: iedereen was in principe vrij om te geloven wat hij maar wilde.

Amsterdam was door deze gouden formule voor iemand als Charles Six – een koopman, maar vermoedelijk ook een erudiete burger – een bijna vanzelfsprekende bestemming. Het meest bijzondere van Amsterdam was misschien wel dat de stad, zoals men zei, rijk én vrij was, terwijl andere toenmalige steden misschien wel rijk waren, maar allesbehalve vrij. Die combinatie was, in de ogen van buitenstaanders, verbazingwekkend, fascinerend en niet zelden ook jaloersmakend.

Lang niet alle Sixen trokken naar Amsterdam. Nog altijd hoort de naam Six tot de vijftig meest voorkomende achternamen in Artois. Andere Sixen verhuisden naar Duitsland of Engeland – de Britse Sixen voeren nog steeds hetzelfde wapen als de Nederlandse. De aanleiding voor hun emigratie had dezelfde grond: geloofsvervolging en economisch verval.

Onze Sixen belandden zo, na het verscheurde en gaandeweg verstilde Saint-Omer, in een compleet andere wereld. Het toenmalige Amsterdam was minstens zo druk als het huidige. Groot was het niet. De stad stond nog vol met middeleeuwse huizen, half hout, half steen, met vooroverhellende puntdaken. De bebouwing hield al zo'n beetje halverwege het huidige centrum op: bij de Oude Schans, de Munt en de Haarlemmersluis. Het IJ was groot en breed, bijna een klein meer. Op de plaats van het tegenwoordige Centraal Station begon, langs de hele oever, een merkwaardig overgangsgebied, een zoutig, klotsend waterlandschap, een lange strook van steigers en rottende meerpalen, met overal dobberende zeeschepen, zover het oog reikte.

Door de nauwe straten perste zich dagelijks een ongekende mensenmassa. De Engelse reiziger Fynes Moryson zag 'een veld of marktplaats' bij de haven – hij bedoelde de huidige Dam – waar de burgers 'hun uitzeilende bloedverwanten en vrienden' uitzwaaiden. 'In de zomer komen de kooplieden in groten getale op de brug bijeen en 's winters in de Oude Kerk, waar ze in twee stromen op en neer lopen. Er bestaat geen gelegenheid om eruit te komen dan zich in de stroom te laten meevoeren tot ergens bij een deur.'

Het was allemaal totaal anders dan Charles en de zijnen gewend waren. En overal klonken liedjes: op straat, in herbergen, in de schuiten, op markten, in koor maar net zo goed solo. Het viel alle buitenlandse bezoekers op, ze schreven over de leuke melodietjes die ze hoorden, ze verbaasden zich over de muzikaliteit van die verder nogal botte Hollanders. *Het Nieuw Geuzenliedboek*, een klein, goedkoop zakboekje, droeg de halve stad met zich mee. Het lied verbond, het lied deed de harten kloppen, het lied was een geweldig propaganda-instrument in de voortwoedende oorlog.

In het Zuiden pakte de inname van Antwerpen, die de Spanjaarden uitbundig hadden gevierd, totaal verkeerd uit. De geuzen blokkeerden onmiddellijk de Schelde, de levensader van de stad. Binnen een paar jaar trokken tienduizenden protestanten en andere emigranten weg naar het Noorden, met medeneming van hun kennis, kunde en handelsnetwerken. Het ooit zo bloeiende Antwerpen zou de slag nooit meer helemaal te boven komen: het inwonertal van de stad daalde binnen enkele jaren tot de helft. Brabant verloor zijn machtige positie.

De Noordelijke Nederlanden werden, aan de andere kant, overspoeld met vluchtelingen en immigranten. Het ging daarbij om minstens honderdduizend mensen, wellicht zelfs honderdvijftigduizend, en dat op een toenmalige Noord-Nederlandse bevolking van weinig meer dan een miljoen. Het inwonertal van Leiden en Haarlem verdubbelde binnen enkele decennia, Amsterdam telde in 1620 driemaal zoveel zielen als in 1550. De voertaal binnen de stad veranderde van een soort boers Hollands in een zangerig Antwerps.

En dat niet alleen, ook de mentaliteit veranderde. Met de Sixen en al die andere kooplieden verhuisden niet alleen de zuidelijke handel en technieken naar het Noorden, maar ook de schilderkunst en de literatuur, de cultuur van zwier, allure en kosmopolitisme. In steden als Brugge en Gent werd de traditionele koopmanscultuur zo gaandeweg vervangen door de Spaanse hofcultuur van Brussel. In het Noorden zou deze immigratie leiden tot een spectaculaire Gouden Eeuw. De Sixen hoefden zich, kortom, als zuidelijke immigranten nauwelijks aan te passen. Amsterdam voegde zich naar hén.

De enorme uittocht van Zuid naar Noord moet onvoorstelbare taferelen hebben opgeleverd, met duizenden schepen en karren vol huisraad, kleding, stoffen en kostbaarheden. Het was een van de grootste migratiebewegingen uit de vroegmoderne tijd. Het was, daarbij, een buitengewoon succesvolle immigratie: binnen één generatie hadden de Zuid-Nederlanders een derde van de Amsterdamse stapelmarkt in handen.

Dat gold ook voor de zuidelijke textielwerkers, die met hun lichtere stoffen en vernuftige verfrecepten meer dan welkom waren: van de 344 mannen die tussen 1585 en 1601 als zijdewevers stonden geregistreerd, waren 286 afkomstig uit de Zuidelijke Nederlanden.

Charles Six had, kortom, het tij mee. Hij had al snel een nieuw adres, hij woonde en werkte, aldus zijn kleinzoon Jan Six, in 'De Kluizenaar', achter het oude stadhuis, 'alwaar mijn Grootvader lakens verkocht bij een stempel van anno 1588, ziet zijne boeken van die tijt onder mij berustende'. (Huize De Kluizenaar kon overigens in het Stadsarchief niet worden teruggevonden, wellicht bedoelde Jan het huis De Blauwe Kluis, waar inderdaad een ververij was gevestigd.)

De Sixen woonden toen vlak naast de schepen Frans Reael en het is niet onwaarschijnlijk dat ze tijdens die eerste jaren door de machtige Reael en andere families zijn geholpen. Die hadden immers zelf, als protestantse families, jarenlang in ballingschap geleefd. Hun eigen ontreddering en ontheemdheid lagen nog vers in het geheugen, een zekere solidariteit met lot- en geloofsgenoten was in die jaren niet meer dan vanzelfsprekend. Jan Six wijst daar twee regels verder ook op: 'Wie in de zware tijden van religie of anders hier overgekomen zijn is men de meeste dank voor haar hulp schuldig.'

Grootvader Charles was, naar men zei, een expert in het blauwverven en een uitstekende ondernemer bovendien. Hij had met zijn lakenhandel in Saint-Omer vermoedelijk al een flink vermogen opgebouwd en hij had klaarblijkelijk nog steeds voldoende kapitaal voor een paar stevige investeringen. Buiten de Heiligewegspoort – bij de huidige Leidsestraat – begon hij een boratfabriek, waar zware stoffen van wol en zijde werden geproduceerd. Daarnaast exploiteerde hij in de ververswijk, aan de Raamgracht, de lakenververij Het Swarte Laeken.

Toen hij in 1595 overleed en zijn zonen Guillaume en Jean de zaken overnamen was de familie alweer in goeden doen, en wellicht zelfs meer dan dat. De Sixen hadden, daarbij, in die geheimzinnige wereld van kleuren en verven een uitstekende reputatie. Over Guillaume schreef de Leidense lakenverver Van der Heyden later dat hij zijn leerlingen de kunst van het karmozijnverven, 'zo in 't rood, purper, paars of anders', net zo goed en perfect wilden leren 'als Guillaume Six en de weduwe van gemelde Guillaume gewend zijn'.

De Sixen hadden de wind mee: Amsterdam bloeide als nooit tevoren. In 1602 werd de Vereenigde Oostindische Compagnie opgericht, de eerste multinational ter wereld die draaide op het fenomeen 'aandeel'. Daardoor ontstond een totaal nieuw systeem van investeren en risico's spreiden. In die sfeer opende in 1611 de eerste Amsterdamse koopmansbeurs – met alles wat die beurs verder meebracht: de eerste kranten, de eerste wisselbank met het eerste papiergeld ter wereld. Een Duitse bezoeker: 'Ze is even groot als de Antwerpse maar mooier. Onder de menigte kooplieden daarbinnen ziet en hoort men dagelijks het nieuws uit de hele wereld. De kranten worden op de dagen dat deze met de post aankomen, als predicaties voorgelezen.'

Al die innovaties op handels- en cultureel terrein maakten Amsterdam tot een vroege voorpost van de moderne tijd. De Sixen gingen mee in dit opgaande tij. Guillaume kocht in 1609 een kapitaal pand op de Turfmarkt, het huis Vredenburgh, in 1615 wist hij een huwelijk te regelen tussen zijn dochter Aeltge en een zoon van de puissant rijke Amsterdamse burgemeester-speculant Cromhout. Zijn broer Jean vestigde zich, ook in 1609, in 'De Drie Codden' aan de Nieuwezijds Voorburgwal, vlak bij de huidige Paleisstraat, en ook zijn kinderen trouwden met de beste families van de stad. De Sixen waren toen al, naar hedendaagse maatstaven, multimiljonair: toen Jean in 1617 overleed liet hij een vermogen na van 353 000 gulden, zo'n 25 miljoen euro anno 2016. De familie belegde al dit geld, voor zover bekend, niet in voc-aandelen maar ze kocht land, met name in de pas drooggemalen polder van de Beemster – ook al zo'n product van risicospreiding en nieuw vernuft. En, zoals een tijdgenoot schreef, de Sixen werden bovenal rijk 'met eerlijk verdiend geld'.

Lange tijd hielden de vluchtelingen uit Saint-Omer en omgeving elkaar vast. De voertaal binnen de families bleef grotendeels Frans – bij de Sixen, zoals bij veel elitefamilies, tot in de eerste decennia van de twintigste eeuw. Ze gingen graag naar de Waalse Kerk, waar uitsluitend Frans werd gesproken, ze hadden daar ook aanvankelijk hun familiegraf.

Ook de huwelijkspartners kwamen aanvankelijk nog allemaal uit het eigen kringetje. De oudste dochter van grootvader

Charles, Chrétienne, trouwde, zoals gezegd, met de zoon van de vrome Claudine de Vettre, Nicolaas Mulerius uit Menen. Mulerius was een wetenschappelijke veelvraat: als arts, als de eerste Groningse hoogleraar wis- en natuurkunde, tegelijkertijd als expert in oosterse talen en astronomie. Guillaume en Jean vonden hun vrouwen in Vlissingen, twee zusters, Johanna en Anna Wijmer. Zo ontstonden er twee takken Six. Jean en Anna Wijmer stonden aan het begin van de 'Amsterdamse' tak Six van Hillegom – ze waren de ouders van 'onze' eerste Jan Six. Guillaume zou de stamvader worden van de zogenaamde Haagse tak van de Sixen, Six van Oterleek.

Deze 'Oterleeks' laat ik hier verder rusten, al is hun geschiedenis eveneens de moeite waard. Ze zouden generatie na generatie stedelijke magistraten voortbrengen, later ook hofdignitarissen en een minister. Een achterachterkleinzoon, gezant in Sint-Petersburg, zou zelfs even opduiken in Tolstoj's *Oorlog en vrede* als Hollandse ambassadeur die op een feestje furore maakte, 'een oude man met een overvloed aan zilvergrijs krullend haar, omringd door dames die lachten om een opmerking die hij maakte'.

Ik ga nog eens even bij Anna langs. Vanuit haar vergulde lijst kijkt ze rustig de kamer in, oog in oog met haar zoon Jan, die tegenover haar hangt. Het middaglicht strijkt over haar ronde gezicht, haar – toen al ouderwetse – molensteenkraag, haar donkere kleding, deftig en vroom. Zij – of, beter, haar portret – had geheimen. Een paragnost die langskwam beweerde ooit stellig: 'Deze vrouw had een verhouding met de schilder.' Vondel schreef, naar men zegt over dit schilderij:

Aldus schynt Anna hier te leven
Die Six het leven heeft gegeven
Zy deckt de borsten die hij zoogh
Men kent den zoon uit 's moeders oogh.

Alleen: passen schilderij en tekst wel echt bij elkaar? Haar rechterhand ligt in haar schoot, met haar linkerhand 'deckt' ze totaal niet 'de borsten die hij zoogh', die ligt zo'n beetje bij haar middel. En dat oog – tja.

Er is lang getwijfeld of dit portret werkelijk van de hand van Rembrandt is. Daarover zijn de experts het nu wel eens: dat almaar corrigeren was juist typerend voor Rembrandt, die vaak impulsief werkte, graag experimenteerde en niet snel tevreden was.

Diezelfde specialisten hebben echter, in het kader van het Rembrandt Research Project, ook wel eens gesuggereerd dat onze Anna Wijmer niet de echte Anna Wijmer was. Ze is veel te jong.

Maar daarmee moet je niet aankomen bij de heer des huizes. 'Moet je horen: toen ik drie was zat ik al op de arm van mijn grootvader naar die twee schilderijen te kijken. "Dat is je voorvader Jan de eerste," zei mijn grootvader dan. "En dat is zijn moeder." Dat had hij weer van zíjn grootvader gehoord, de 19e-eeuwse Jan, en die weer van de zijne, die nog in de 18e eeuw leefde, en die moet nog wel een paar van die 17e-eeuwers hebben gekend. Dan kom je dichtbij, hoor! De overlevering kan toch kloppen.'

Kijken, goed kijken, dat is het enige wat erop zit. Anna Wijmer oogt inderdaad opvallend jong, dat valt niet te ontkennen. Maar ja, die handen. En die dikkere kin. En bij haar nek die plooien en dat grijze haartje... Mooie huid, dat nog wel...

Anna houdt haar geheimen.

III

'Schone Chloris d'ik beminne...'

'Ik ben twee maanden en een dach na mijn vader Jean Six overlijden geboren,' zou Jan Six later schrijven, in een van de duizenden krabbels en notities die hij naliet. Hij kwam op 14 januari 1618 ter wereld, Jean was op 13 november 1617 overleden. Hij werd, zoals gebruikelijk was in dit soort gevallen, vernoemd naar zijn vader: als Jehanne werd hij in de Waalse Kerk gedoopt, hij heette ook wel Jean of Joannus, maar meestal was het toch Jan. Er waren twee broers, Karel en Pieter, en vermoedelijk ook twee dochters, Marie en Alix, over wie we verder niets weten. Toen Jan veertien was stierf Karel, Pieter bleef over, een leven lang zouden de broers samen optrekken, al verschilden ze in karakter.

Tientallen jaren leefde Jan onder de klokslag van de Zuiderkerk. Ik weet niet waar moeder Anna Wijmer en haar zonen kort na de dood van vader Jean woonden, zeker is dat de fa-

37

milie op een gegeven moment verhuisde naar de buurt waar alle ververijen van de stad waren geconcentreerd, pal achter de Oude Cingel, de huidige Kloveniersburgwal.

Die speciale verversbuurt was ontstaan uit een van de eerste milieumaatregelen van de stad: sinds 1593 mochten ververs hun bedrijf alleen nog maar uitoefenen in een stukje polder aan de rand van de wallen. De straatnamen spreken voor zich: de Raamgracht – naar de 'ramen', de rekken, waar de stoffen te drogen hingen, de Staalstraat – naar het gildehuis waar de staalmeesters de kwaliteit van het laken keurden – en natuurlijk de Verversstraat. Daar woonden de Sixen volgens de belastingaanslag voor de 'tweehonderdste penning' van 1631, in de Voorste Verversstraat, bij de Groenburgwal.

De Kloveniersburgwal lag op de grens van dit werkgebied, ruw en chic tegelijk. In 1626 kocht Anna's broer, Pieter Wijmer, er de Blauwe Arent, de huidige nummers 101 en 103, vrijwel om de hoek. Ooit was daar een glasblazerij gevestigd – ook zo'n bedrijf dat men, vanwege het brandgevaar, liever niet in de stad zag –, later een ververij. Op een vogelvluchtkaart uit 1625 is het totale complex duidelijk zichtbaar: in de tuin zie je het grote dak van de fabriek – ooit werkten daar zo'n zeventig mensen –, daarvoor ligt de binnenplaats, dan, maar liefst drie trapgevels breed, het enorme woonhuis.

In 1631 zou Anna Wijmer er definitief neerstrijken, met haar dan dertienjarige zoon Jan. Ze was op dat moment voor de belastingen goed voor een vermogen van 100 000 gulden. Om een idee te geven: een geschoolde arbeider verdiende in die tijd zo'n 300 gulden per jaar. Ik vermoed dat een groot deel van Jean's erfenis toen al bij haar zonen was beland. Maar ook Anna Wijmer hoorde nog altijd tot de toplaag, in het Amsterdamse belastingregister een lijst met vijfentachtig namen.

Toen haar broer Pieter, een vrijgezel, in 1637 overleed kreeg Anna het complete huis in handen, plus later ook nog eens een tweede achterhuis, dat helemaal doorliep tot de Groenburgwal. In deze doolhof van panden zou Jan zeker de helft van zijn leven doorbrengen.

Willen we iets begrijpen van Jan's jeugdjaren, dan moeten we allereerst de straat op. Het was een bijzonder stukje Amsterdam waar hij opgroeide, die paar huizenblokken tussen de Jodenbreestraat en de Kloveniersburgwal, met daartussen de Raamgracht en de Groenburgwal. De Kloveniersburgwal was pas kort daarvoor afgedankt als stadswal, de buitenterreinen waren nog maar net aangeplempt en toen Jan werd geboren was de Zuiderkerk brandnieuw.

In *De klucht van de koe* laat de Amsterdamse volksdichter Bredero twee boeren 's ochtends vroeg langs de Amstel naar de stad lopen en je hoort hun verbazing over de splinternieuwe buurt die voor hen oprijst:

Hoe heerlijk doet het land hem op, met al die nieuwe
      huizen
Dit hele land, hoor ik, wierd gehouden met dijken en
      met sluizen
't is een wonder, nietwaar, hoe fray siet men de
      Zuyderkerk
Die witte steenen toren; 't is wel een treflijck werk!
Hoe flickert de son met weerlichtend geschimmer
Op die verglaasde daken en op dat nuw getimmer

Sindsdien hebben de meeste huizen in dit buurtje andere voorgevels gekregen, met de 17e-, 18e- en 19e-eeuwse modetrends mee, en de daken zijn vaak ook nog eens opgekrikt om er één of twee verdiepingen tussen te schuiven. Door die hoge gevelwanden lijkt alles – huizen, straten, grachtjes – nu smaller dan toen. Het patroon van de pleintjes en doorgangen ligt er echter nog net zo bij als vier eeuwen geleden, je kunt nog steeds probleemloos Jan's toenmalige routes nalopen. En dan wordt duidelijk wat hier in die jaren aan de hand was.

Op vier minuten lopen van huize Six lag de oude uitvalsweg naar het oosten, de Breestraat – een deel was herdoopt tot Jodenbreestraat vanwege alle Joodse kooplieden die zich daar verzamelden, met hun vaak enorme kennis en eruditie. Het was ook de straat waar de eerste kunstschilders uit de Zuidelijke Nederlanden neerstreken: Philip Vingboons, Torrentius, Jan Tengnagel en nog zeker tien anderen. Hendrick van Uylenburgh had er, op de hoek van de St. Anthonissluis, zijn legendarische schildersatelier – voor Jan vijf minuten gaans. Rembrandt was tijdens zijn eerste Amsterdamse jaren in de leer in het atelier van Pieter Lastman, tegenover de Zuiderkerk – drie minuten. Later trok hij bij Van Uylenburgh in, trouwde met diens nichtje Saskia en betrok ook een woning annex schilderijenfabriek aan de Jodenbreestraat – vijf minuten.

Pal om de hoek, aan de Houtgracht, groeide tegelijkertijd Baruch Spinoza op, de grote Europese denker – vier minuten. Het Oost-Indisch Huis, van waaruit de enorme voc werd bestuurd, lag even verderop aan de burgwal – vier minuten. Daarachter lag weer de Dam met het stadhuis, het zakelijke en bestuurlijke hart van de stad – acht minuten.

En dan was er het huis van de Sixen zelf. Van het oude Glashuys resteert nu alleen nog het pand Kloveniersburgwal 105. De rest is sinds de 18e eeuw onherkenbaar veranderd, het werd gesplitst in twee panden. In Jan's tijd was er in het midden één voordeur en een centrale gang, in de 18e eeuw werden het linkerdeel – nummer 103 – plus de gang afgebroken en vervangen door een compleet nieuw huis, gebouwd volgens de laatste mode, op-en-top barok, met een schitterend gebeeldhouwde ingangspartij. Jan zou het allemaal fantastisch hebben gevonden, met name de geraffineerde, naar binnen gebogen voordeur. Nog later werd ook het linkerdeel afgebroken en herbouwd. Hetzelfde gebeurde met de achterhuizen.

Wie het huidige pand Kloveniersburgwal 103 binnentreedt kan enkel in het souterrain nog een paar sporen vinden van het grote huis waarin Anna Wijmer met Jan woonde: wat balken, een paar stukken metselwerk, een verbindingsboog. Opvallend is de enorme nepgevel die helemaal achteraan in de tuin is neergezet, om de achterzijde van het pakhuis aan de Groenburgwal te camoufleren. Het sierlijke bouwsel – drie verdiepingen hoog, met een fraaie nep-ingang en keurige nep-vensters – heeft geen enkel nut, het dient alleen maar om het uitzicht van het huis aan de tuinkant te verfraaien.

Volgens de familielegende had Jan Six deze schijnvertoning persoonlijk neergezet, het uitzicht op die grofstoffelijke pakhuisgevel kon hij niet verdragen. Nu was zo'n uitspatting inderdaad typisch iets voor Jan, alleen klopt er een kleinigheid niet: vorm en stijl zijn typisch 18e-eeuws, een volle eeuw later dus. Volgens andere bronnen was de opdrachtgever een excentrieke burgemeester uit die tijd. Daar moeten we het dan maar op houden.

Centraal in dit buurtje stond – en staat – de Zuiderkerk. Het kerkgebouw was gefundeerd op de enorme bult stenen van de oude Amsterdamse stadsmuren die was overgebleven na de sloop van de middeleeuwse omwalling. En tegelijk was het een ultramodern godshuis: dit was de eerste Amsterdamse kerk die speciaal werd gebouwd voor de calvinistische eredienst.

De toenmalige bouwmeesters hadden daarmee geen enkele ervaring. Qua uiterlijk was de Zuiderkerk dan ook een min of meer traditionele kerk. De gilden hadden, als vanouds, gezorgd voor kleurrijke glas-in-loodramen – nu verdwenen – en in de muren zaten, zoals altijd, nissen voor een compleet peloton heiligenbeelden. Maar het interieur was wel degelijk vernieuwend: met de twee rijen zuilen, de rechthoekige ramen in plaats van gotische spitsbogen en de rustige klassieke uitstraling werd het gebouw door de toenmalige Amsterdammers als ronduit revolutionair beschouwd.

Dat gold in nog sterkere mate voor de vorm van de toren. Architect Hendrick de Keyser had daarin de vrije hand gekregen en daarvan maakte hij dankbaar gebruik. Hij hoefde zich slechts aan twee eisen te houden: er moest ruimte blijven voor een klokkenspel en een klok met een wijzerplaat. Ook dat was tekenend: in het nieuwe Amsterdam was tijd een kostbaar goed geworden.

Een paar jaar later werden meer protestantse kerken neergezet, overal in de nieuwe buurten, en de vorm was sinds 1619 streng calvinistisch: enorme preekhallen zoals de Noorderkerk en de Oosterkerk, gebouwd rondom een preekstoel, de galmende dominee in het centrum. De Zuiderkerk en de Zuidertoren koesterden daarentegen een eigen schoonheid, tekenend voor een stad die nog op zoek was naar vormen die pasten bij de nieuwe eeuw, bij de jonge republiek.

Jan bracht in deze omgeving het grootste deel van zijn jeugd door. Al snel werd hij naar de Latijnse school van de geleerde Mattheus Sladus gestuurd. Die werd gehouden in de oude kerkgewelven van het voormalige Bethaniënklooster in de Koestraat, slechts een halve gracht en een brug van Jan's ouderlijk huis.

Sladus, een Engelse balling, leefde zelf in het koor van de kerk – de ruimte was zo'n beetje vertimmerd tot dienstwoning. Hij gold als een buitengewoon knappe lastpak. In de geschiedenis van zijn kerkgenootschap – de zogenaamde brownisten – wordt hij beschreven als een fanatieke scheurmaker die ook zijn collega's van de Latijnse school 'op verre van aangename wijze' behandelde. (Later zou een aantal van Sladus' brownisten zich voegen bij de legendarische Pilgrim Fathers, de eerste Engelse blanken die in Noord-Amerika aanspoelden. Sladus had het gezelschap toen allang met veel ruzie verlaten.)

Latijn was in de 17e eeuw de sleutel voor iedere hogere opleiding, het was de algemene voertaal van de Europese universitaire en culturele elite. De Latijnse scholen – de voorlopers van het huidige gymnasium – waren dan ook, een enkele uitzondering daargelaten, typische stampscholen: op alle mogelijke manieren werd het Latijn erin geramd. Onderling mochten de leerlingen alleen maar Latijn spreken, veel klassieke teksten werden letterlijk uit het hoofd geleerd, Latijnse toneelstukken werden nagespeeld voor een publiek van vrienden en familieleden. De belangrijkste vakken waren grammatica, retorica en dialectica, daarnaast kreeg de jeugd ook nog een beetje Grieks, wat logica en uiteraard een paar uur godsdienst.

Een slechte opleiding kan de school van Sladus niet zijn geweest: Jan schreef en sprak de rest van zijn leven vloeiend Frans en Latijn en uit alles blijkt dat hij zijn klassieken grondig kende. Hij zat in de klas met zijn naamgenoot Jan Six van Chandelier – overigens geen familie. Omdat beiden hun werk ondertekenden met J. Six werd onze Jan aangeduid als 'de grote' en de andere Six als 'de kleine'. In het huisarchief liggen een paar dichtregels waarop Six van Chandelier, op latere leeftijd, nog eens terugkijkt op die jaren:

Doe doordacht ik 't jonger leeven
Van ons saame schoole gaan
Hoewe leerende, onder aan
Ons Latyn, noch 't selfde schreeven

En tot beider onderscheid
Ik de kleine, uwe eedelheit
Six de groote wierd gesegt

Terecht, voegt de dichter daar complimenteus aan toe.

Het Amsterdam waarin Jan opgroeide was vuil, druk en donker. De grachten fungeerden als riool, tijdens hete zomers was het in de stad soms niet te harden van de stank. 's Nachts was het in de stad, zoals overal in die tijd, aardedonker, met slechts hier en daar de vlam van een oliepit en de toorts van een nachtwacht. Bij het vallen van de duisternis sloten de huizen zich als een fort, de enorme schuiven en grendels op sommige antieke voordeuren zijn nog altijd veelzeggend. Wie toch naar buiten moest liet zich vergezellen door een potige knecht met een lantaarn. Op mistige herfstavonden raakten wandelaars maar al te vaak de weg kwijt. In een gracht vallen en verdrinken was geen ongebruikelijke doodsoorzaak in het oude Amsterdam – het zou, veel later, ook nog een Six overkomen.

Tegelijkertijd was de stad een buitengewoon dynamische gemeenschap, het centrum van het historische experiment dat de Republiek toen was. Amsterdam dreunde in die jaren van het geklop, gehamer, geroep en geknars. Tienduizenden arbeiders, vooral Duitse immigranten, werkten aan de twee nieuwe grachten die rond de Herengracht werden aangelegd. Ze groeven de grond weg, metselden de kademuren, sleepten zand aan voor de ondergrond van de huizen, timmerden en metselden vele tientallen bruggen – en daarna kwam nog eens de bouw van de honderden huizen zelf. Een waanzinnig project. Er was geld in overvloed.

Toen Jan acht jaar oud was 'kochten' de Hollanders Manhattan van de indianen voor een handvol spullen ter waarde van zestig gulden. In diezelfde tijd was Indië 'gepacificeerd' – de bevolking van de Banda-eilanden werd vrijwel helemaal uitgemoord. Toen Jan tien was kaapte admiraal Piet Hein op Cuba de Spaanse Zilvervloot – de waarde van de buit bedroeg meer dan 12 miljoen toenmalige guldens. Het jaar daarop veroverde de nieuwe stadhouder, bijgenaamd 'de stedendwinger', met 24.000 man voetvolk en 4.000 ruiters – mede gefinancierd

uit buit van de Zilvervloot – 's-Hertogenbosch op de Spanjaarden. 'Hier is, hier is het oorlogsende,' dichtte Vondel. 'Maar
Fredrik heeft het werk volwrocht.'

De burgerhuizen die bij honderden aan die nieuwe grachten
werden neergezet, weerspiegelden de rijkdom van de Amsterdamse families die in dit succesverhaal waren komen boven-
drijven. Hun huizen waren meestal gebouwd op vrij smalle
kavels, volgens de vaste regels en principes van een ingetogen
Hollands classicisme. Maar dan wel met de duurste materialen – en de werkelijke rijkdom openbaarde zich pas achter de
voordeuren. Achter dit begin van de grachtengordel verrees
tegelijkertijd een nieuwe volkswijk, de Jordaan, ook in een
tiental jaren uit de grond gestampt.

Er is wel gezegd dat dit hele project voortkwam uit één
geniaal concept, het eerste voorbeeld van moderne en groot-
schalige stedenplanning. Nu was, wat de omvang betreft, de
aanleg van de grachtengordel inderdaad uniek: sinds de Romeinse tijd was in Europa niet meer zo'n groot stuk stad in één
klap neergezet. Er heeft waarschijnlijk een groot plan bestaan
waarover lang zal zijn gediscussieerd, maar dat is verdwenen.
En wellicht hebben de esthetische normen van die tijd – waarbij de goddelijke orde weerspiegeld moest worden in de maten
van stad en huis – daarin een zekere rol gespeeld, maar duidelijk is die allerminst. De historicus Jaap Evert Abrahamse, die
zo'n vierduizend documenten doornam die met deze 'Uitleg' te
maken hadden, vond er geen spoor van terug.

In werkelijkheid was het project helemaal niet zo modern.
De halfronde vorm was simpelweg een eis van de vestingbou-
wers. Amsterdam was tenslotte nog altijd in oorlog met de
Spaanse koning. Voor het stratenplan van de Jordaan werd
gewoon het patroon van de oude poldersloten aangehouden.
Ook het systeem van grachten en woonhuizen met zolders die
tegelijk fungeerden als pakhuis was een rechtstreekse voortzetting van de werkformule van de oude stad.

Toen een paar voortvarende regenten opperden om de Keizersgracht niet uit te graven maar daar, volgens de laatste
trend, een chique en belommerde stadslaan aan te leggen – zoiets als de Lange Voorhout in Den Haag – werd dat voorstel
dan ook weggestemd. Het moest en zou gewoon een gracht

blijven. Dat had ook praktische redenen: de grachten vormden belangrijker verkeersaders, het meeste vervoer binnen Amsterdam verliep over het water. Bovendien waren al die grachten hard nodig om bij zware regens het boezemwater op te vangen en weg te werken.

Net als de Zuiderkerk vormde de grachtengordel zo een verrassende combinatie van nieuw en oud, en dat was typerend voor het Amsterdam waarin Jan volwassen werd. De middeleeuwse stad had zich in een paar decennia grondig vernieuwd, en bijna alles stond in het teken van het geldelijk gewin: de pakhuizen, de havens, de beurs, de unieke stadswisselbank, de eerste kranten die berichtten over verre oorlogen en misoogsten, de stadsregering waarbinnen koopmanschap en bestuur in elkaar overgingen, de efficiëntie en betrouwbaarheid waarmee al die radertjes ineengrepen.

Moderne technieken kregen in dat klimaat alle kansen. Naast de Latijnse school van Jan, in datzelfde voormalige Bethaniënklooster, werkte later de schilder Jan van der Heijden aan zijn technische bedenksels – onder andere aan een sterk verbeterde brandspuit. Aan de Oude Schans, vlak bij de 'pikeurschool', legde Jan Swammerdam de basis voor de insectenleer en de biologie. In Delft bouwde de lakenhandelaar en wetenschapper Antoni van Leeuwenhoek de vergrootglazen die gebruikt werden om stoffen te controleren – de zogenaamde dradentellers – uit tot ongekend krachtige microscopen. Met zijn topmodel kon hij objecten tot 270 maal vergroten. Hij was de eerste ter wereld die zo een glimp oppikte van bacteriën, spermatozoïden, bloedlichaampjes en de werking van een vliegenoog.

De Zaanstreek ontwikkelde zich ondertussen tot het industriegebied van Amsterdam, alles draaiend op wind en hout, met bijna tweehonderd industriële windmolens. De Amsterdamse en Zaanse werven bouwden aan de lopende band zeeschepen volgens een vast ontwerp, honderden per jaar. Het waren voornamelijk zogenaamde fluiten, ingenieuze zeilschepen die met minder bemanning veel meer lading konden vervoeren dan de traditionele schepen van andere handelsnaties. Alleen al op de werven in de Zaanstreek werkten naar schatting zo'n tienduizend arbeiders.

In deze stad leefde Anna Wijmer als een spin in het web. Na de dood van haar man had ze de leiding van de firma stevig in handen genomen, eerst in compagnonschap met haar neven, later met haar eigen zonen. De jongens moesten, voordat ze de zaken zouden overnemen, eerst de culturele vorming krijgen die paste bij het toenmalige ideaalbeeld van de 'mercator sapiens', de wijze, erudiete koopman. Haar man, Jean, had dat zo gewild. Op 26 september 1617 – Jean was wellicht al ziek, twee maanden later overleed hij – had het echtpaar een testament opgesteld waarin ook een kapitaaltje werd vrijgehouden voor de 'cost, clederen, school gaen en exercitie leren' van zijn zonen.

Pieter stuurde ze in 1626 naar zijn oom en tante Chrétienne en Nicolaas Mulerius in Groningen. In hun huis kon hij, onder hoede van haar erudiete zwager, een perfecte opleiding krijgen. Toen Mulerius vier jaar later overleed, stuurde ze haar zoon naar de Leidse universiteit. Er zijn aanwijzingen dat Jan ook even in Groningen naar school is gegaan, vaststaat dat op 4 maart 1634 een zekere Johannes Six Amstelodamensis, oud 20 jaar, in Leiden als student werd ingeschreven. Dat kon niemand anders zijn dan Jan, al was hij op dat moment in werkelijkheid nog maar zestien. Hij studeerde er rechten en 'artes liberales', een vrije studierichting in de kunsten.

Jan was niet enkel een studeerkamerman, en zeker niet in deze periode. De opvallende rode cape die hij op maar liefst twee portretten draagt is veelzeggend. Alles wijst erop dat hij, net als zijn broer Pieter en zijn vrienden Joan Huydecoper, Pieter Stoop, Arnout Tholincx en Hendrik Hooft, deel uitmaakte van een galant ruitergezelschap. Onder de rijke en deftige jongelui van het 17e-eeuwse Amsterdam waren dat soort clubs zeer in zwang. Ze trainden voortdurend, wedijverden met de mooiste paarden en de duurste uitrusting en mochten op hoogtijdagen, schitterend aangekleed, vorstelijke bezoekers en andere hoogheden escorteren. In de woorden van tijdgenoot Casper van Baerle: 'Dit was geen bende die voor soldij diende, maar die bestond uit de beste en aanzienlijkste jeugd; die niet bijeen placht te komen uit oorlogsnoodzaak of op last van de prins of de magistraat, maar vrijwillig, om het lichaam te oefenen en de geest eerlijk te vermaken.' Hij beschrijft hun kleding:

de een droeg fluweel, de ander satijn, 'elk om het fraaiste en het sierlijkste. Het bovenste kleed was meestal een wambuis van buffelleer, zoals krijgslieden die dragen.'

Jan beschikte over een eigen paardenstal, daar aan de Kloveniersburgwal. Bovendien konden hij en zijn vrienden zoveel oefenen als ze wilden aan de Oude Schans, daar vlakbij, op de befaamde pikeurschool. Het was een dure grap: een rijmeester kostte een veelvoud van een dansmeester. Jan's bibliotheek bevatte meerdere titels over de paardrijkunst, waaronder het handboek van de Italiaan Federico Grisone, helemaal gericht op de echte specialist. Hij moet er intensief mee bezig zijn geweest.

Jan roerde zich ook elders. In de Amsterdamse Universiteitsbibliotheek stuitte ik op een anoniem pamflet dat in 1640 in de stad circuleerde onder de titel *St. Nicolaes milde gaven aan d'Amstelse ionckheyt*. Het is, zo weten we nu, een product van de aartsprovocateur Mattheus Tengnagel. Hij schreef een hilarisch schimpgedicht waarin de Sint, zittend op een schoorsteen, de stad overziet en weemoedig mijmert over alle kuiperijen en schandalen van het afgelopen jaar. 'Och, dat ick in mijn hoogen ouderdom sulck een droevigen en verkeerden staet moet beleven,' verzucht de Sint op zijn schoorsteen, om vervolgens stevig uit te pakken.

Al die rijkeluiszoontjes roken 'stinckende toback', zwelgen in het 'nieuwe Spaanse vocht' – vermoedelijk romenij, een zoete wijnsoort – en dragen kleertjes 'naar de mode van het Hof'. Sinterklaas beschrijft vervolgens smakelijk hoe de jonge heren vanwege de 'lieve duifjes' door de Warmoesstraat flaneren en hoe ze 'een juffrouw' met hun praatjes gemakkelijk kunnen laten 'ontsteken in de min'. Een van de heertjes vergelijkt hij met een mooi, groot gebouw, altijd koud en donker. Een ander is 'zo'n hete kater' dat hij 'krolt in ieders huis'.

Want *hij springt* wel over 't Water [= het Damrak]
Als hij *ziet* een mooie puys [= poes]

Het schotschrift wemelt van de dubbelzinnigheden, voor de Amsterdammers anno 1640 waarschijnlijk volkomen doorzichtig, voor ons een voortdurend raadsel. Eerlijk gezegd was ik, toen ik het schotschrift nog eens herlas, op zoek naar een heel andere figuur, maar tot mijn verrassing passeerde halverwege ook de naam Six, geschreven als Sicx, tijdens de beschrijving van een zekere 'jonker'. Die is 'zo lieflijk gemaakt' dat 'hij dikwijls in het donker / bij een snollig schaapje raakt'. Six en zijn vrienden Bontemantel, Van Campen en Hasselaar zijn jongeren die 'in dien handel' zijn opgevoed en die, zoals de dichter het op zijn subtiele wijze zegt, wel weten 'met wat quackjes (= drankjes) / dat men 't glaesje vegen moet'. De auteur waarschuwt Six: pas op 'dat zijn grote adel niet versterft in dit gewest'.

Op wie van de twee broers slaan deze regels? Iets in mij zegt dat het níét de degelijke, hardwerkende Pieter is.

Bij een brede culturele vorming hoorde in de 17e en 18e eeuw, bijna onvermijdelijk, ook een zogenaamde grand tour. Dat was voor kinderen van welgestelde ouders een reis – meestal naar Italië – om de culturele opleiding te vervolmaken, de resten van de klassieke wereld en de hoogtepunten van de Renaissance met eigen ogen te bestuderen en om tegelijkertijd de handelscontacten van de familie te onderhouden. De zware en lange tocht, meestal te paard, gold als een soort initiatierite: wie over de Alpen was getrokken, wie rovers, oplichters en andere gevaren had getrotseerd, wie het licht van Italië had gezien, zo'n jongeman kwam thuis met een unieke portie levenservaring. Zelfverzekerd en wereldwijs kon hij vervolgens de familiezaken ter hand nemen. Dat was wellicht ook de bedoeling van Anna Wijmer, toen ze haar zoon Jan rond zijn drieëntwintigste op pad stuurde.

In de praktijk was de Italiaanse reis voor veel rijke jongeren zo'n allesbepalende ervaring dat ze daarna nooit meer dezelfde waren. De Amsterdamse koopmanszoon Pieter Cornelisz. Hooft bijvoorbeeld, die door zijn vader vooral naar het Zuiden was gestuurd om zijn handelsnetwerk uit te bouwen, kwam terug als een bevlogen dichter. Hij had vloeiend Italiaans geleerd, hij had zich een voor Holland ongekende flair en grandeur eigen gemaakt en hij was vastbesloten om de Nederlandse dichtkunst tot een Italiaans niveau te verheffen.

Er waren ook jongens die bleven hangen in de 'Roomse' verleidingen. Jan's voormalige klasgenoot Six van Chandelier schreef in diezelfde tijd uit Rome een klikbrief op rijm 'aan een vader':

De heren taaf'len wel des noens, op zang en snaar.
De mage kookt de spijs, in wijnen licht en zwaar.
De vroege avond werd vernacht bij courtisanen,
Of and're gaan ter kroeg, op Bacchus dart'le tranen.

De jonge edelman Matthijs van der Merwede publiceerde na zijn terugkeer zelfs een dikke dichtbundel over zijn 'Roomse min-trioomfen', een gedetailleerd verslag van zijn erotische avonturen. Smakelijk weidt hij uit over een geheel onervaren 'twaalfjarig wicht' dat haar oog heeft laten vallen op zijn 'gelukkig bed' – ook nu nog heeft het vers schandaleuze trekken.

Het is niet duidelijk hoe Jan zelf zijn grand tour maakte, laat staan wanneer en met wie. In een van de voorkamers van het huis aan de Amstel hangen, in zwaar vergulde lijsten, twee ovale portretjes. Ooit vormden ze samen de binnenkant van een plat gouden medaillon, een meisjesportret op de bodem, een mannenportret onder het deksel. Nu zijn bodem en deksel gescheiden, maar wie goed kijkt ziet aan de rand van de portretjes nog steeds het goud waarop ze zijn geschilderd.

Bij het portretje van de man gaat het duidelijk om Jan zelf. Het is het eerste portret dat we van hem kennen. Hij heeft zijn rode cape aan, ook hier heeft hij al van die vermoeide ogen en een wat ouwelijk gezicht. Het meisjesportretje is veel mysterieuzer. Anders dan al die arrogante dames die in de gang op ons neerkijken, zien we hier opeens een buitengewoon lief meisje, met een zacht rond gezicht en open, vriendelijke ogen. Ze zat, merkwaardig genoeg, binnen dat gouden doosje eeuwenlang verstopt onder een laagje zwarte lak. Pas ergens in het midden van de 19e eeuw werd het ontdekt – naar verluidt toen een van de Sixen het doosje wilde schoonmaken en met een pen die lelijke zwarte lak begon weg te krassen.

Het meisjesportret wordt sindsdien aangeduid als Chloris. In 1651 zou Jan een liefdesgedicht publiceren aan een onbekende geliefde onder deze pastorale naam, vandaar dat ze zo heet:

Schone Chloris d'ik beminne
Helaas! Laat u mijn diensten toch eens behagen...

Een anoniem gedicht dat ook wel aan Jan Six wordt toegeschreven draagt de titel 'Brief aan Chloris', en ook dat knarst van liefdessmart:

Geeft u de liefde zulken raat
Dat gij mijn min betaalt met haat?

Waarom Jan niet met het meisje van het portret kon trouwen is onduidelijk. Van de straat was ze bepaald niet, ze draagt een schitterende kanten kraag en opvallend mooie sieraden – maar ik begeef me nu op glad ijs. Misschien liep hij, uiteindelijk, gewoon een blauwtje.

Binnen de familie ging men er lang van uit dat Jan dit doosje met portret meedroeg tijdens zijn Italiaanse reis, als kostbaar souvenir, en dat hij zijn eigen portret er pas in Rome bij had laten maken, en wel door Gerard ter Borch jr. Achterop staat dan ook: '*te Romen geschilderd in 1640*', maar dat is er pas in de 19e eeuw bij geschreven.

Nu is het portretje van Jan een tikje anders opgezet dan dat van Chloris, er kunnen hier dus inderdaad twee verschillende schilders aan het werk zijn geweest. En Ter Borch heeft wel degelijk in Rome gewoond – alleen was dat in 1640, toen Jan arriveerde was hij alweer vertrokken. Bovendien kan, volgens kenners, het portretje van Chloris niet voor 1645 zijn gemaakt. Pas toen raakte het soort kraag dat ze draagt in de mode. Het blijft raadselachtig.

Over de Italiaanse reis zelf, die voor Jan toch heel belangrijk is geweest, valt vrijwel niets meer terug te vinden. Zelfs de datering is niet helemaal duidelijk. In 1640 was Jan in elk geval nog in Amsterdam, hij kocht toen namens zijn moeder een reeks landerijen. In maart 1643 schreef hij aan een Leuvense professor dat hij net terug was van een reis naar Italië. Vermoedelijk is Jan dus vanaf de zomer van 1641 tot het vroege voorjaar van 1643 onderweg geweest – wat ook klopt met het feit dat hij nergens wordt genoemd bij de glorieuze intocht van de vrouw van Willem II, de Engelse prinses Maria Henriëtte Stuart in Amsterdam op 20 mei 1642, terwijl zijn hele vriendenclub, inclusief zijn broer Pieter, in het ruiterescorte wel aanwezig was.

Jan reisde, als voortreffelijk ruiter, vrijwel zeker te paard. In zijn latere aantekeningen is welgeteld nog één notitie terug te vinden over zijn tocht: 'Monte Latte heeft mijn *Psyche* geschilderd, was een Italiaan in Duitsland wonende.' Hij doelde waarschijnlijk op de Florentijnse schilder Francesco Montelatici, die indertijd in Innsbruck woonde. Is Jan daar langsgekomen?

In een vitrine van het huis prijken een prachtige jaspisschaal, een bijbehorend etui met daarnaast een paar stukken agaat. Het zijn de enige tastbare voorwerpen die van Jan's grand tour zijn overgebleven. Het ging, net zoals eerder bij P.C. Hooft, om zijn geestelijke bagage. Hij had in Italië een levenshouding aangetroffen die hij zeldzaam aantrekkelijk vond, de *sprezzatura,* de bestudeerde nonchalance van de ware aristocraat, de losheid jegens alle aardse problemen, de verfijnde distantie van een erudiete geest. Jan was, tot zekere hoogte, een ander mens geworden, met een duidelijk idee over de man die hij wilde zijn, de aristocraat die hij wilde worden.

Ondertussen bleef de ververij en lakenhandel van de firma Six uiterst lucratief. Op het eind van haar leven schommelde het vermogen van Anna Wijmer tussen de 350 000 en 450 000 gulden. Ze stak haar geld voornamelijk in grond. In 1612 hadden Sixen, onder wie haar man Jean, al meegedaan aan het grote droogmakingsproject in de Beemster. In 1632 kocht Anna een boerenhofstede bij Ouderkerk, daarna deed ze allerlei aankopen aan de duinrand bij Lisse en in 1640 kocht ze voor ruim 20 000 gulden een groot stuk land plus een hofstede die ze ging gebruiken als zomerverblijf, Sixenburg. Uiteindelijk was dat allemaal bestemd voor Pieter.

Voor Jan kocht ze iets zuidelijker, onder Hillegom, in 1642 het landgoed Elsbroek, een vierkante klassieke buitenwoning, ooit neergezet door jonker Albrecht van Beieren, heer van

Schagen. Het moet een flink huis zijn geweest, in een latere boedelinventaris wordt gesproken over zestien kamers, inclusief een boekenkamer, een keuken, een eetzaal en een hele reeks slaapkamers. In een beschrijving wordt gesproken over een 'zeer vermakelijk oord, hebbende van voren een deftig bos dat zich tot de duinen uitstrekt'.

Jan kon er volop zijn hobby's uitleven, ruimte voor paarden en stallen was er genoeg. Zoals Joost van den Vondel later zou schrijven:

Hier leeft hij in zijn element,
Die lust schept in het onderzoeken
Van kunst en uitgeleerde boeken. [...]
De vogel zingt rondom zijn bed
Verdrijft, in krieken van de morgen,
Alle ijdele en onnutte zorgen.

De beide zonen, Jan en Pieter, werkten vanaf 1643 mee in de familiefirma. Ze hadden met hun neef Willem een contract gesloten om gezamenlijk de lakenververij te exploiteren, maar Willem overleed al vrij snel. Daarna kwam de klad in de samenwerking tussen de broers. Pieter bleef vermoedelijk doorgaan als koopman – hij verdiende bovendien goud met zijn aandelen in de voc –, maar alles wijst erop dat Jan al na een paar jaar genoeg had van iedere vorm van aards geploeter. Hij was toen net dertig, en hij had duidelijk besloten om de rest van zijn leven te wijden aan de schone kunsten.

'Zijde verft men schoon root met Sa Floers [= saffloer of verfdistel],' noteerde hij. En: 'De lakens op kuffelaars [= een helder rode verfstof] gezoden [= gekookt] en met spiritus nitri [= sterkwater van salpeter] schielijk uitgemaakt zouden beste zijn.' Meer aantekeningen die betrekking hebben op de directe broodwinning van de Sixen ben ik, tussen zijn duizenden notities, niet tegengekomen. Kapitaal was er in overvloed: gezien zijn aankopen en zijn leefstijl moet Jan over enorme fondsen hebben beschikt.

In de top 250 van rijksten van de Gouden Eeuw, een lijst die overigens voornamelijk is gebaseerd op belastingregisters, staat hij op nummer 169. In 1674 werd hij aangeslagen voor een vermogen van 280 000 gulden, de taxatie zal aan de lage kant zijn geweest. Uitgaande van de jaarinkomens van gewone Amsterdammers is dat een bedrag dat vandaag gelijkstaat aan zo'n 18 miljoen euro.

Wat Jan daarmee kon doen is een ander verhaal. Voedsel was bijvoorbeeld relatief veel prijziger dan nu, net als kleding en andere materiële goederen. Elsbroek werd aangekocht voor 36 825 gulden, ruim 2,5 miljoen euro. Arbeidskracht was daarentegen zeer goedkoop. Wie beschikte over een bovenmodaal vermogen kon zich probleemloos laten omringen door een stoet bedienden. 'Die mij benijdt om mijn profijt / Verslijt zijn tijd en barst van nijd,' noteerde Jan zelf.

Zijn vriend en geestverwant, de libertijn en boekengek Isaac Vossius, zou zich later openlijk beklagen over de manier waarop Jan tijdens boekenveilingen de prijzen opjoeg. Hijzelf wist vaak nog wel een paar mooie handschriften op de kop te tikken, schreef Vossius, maar 'toch kosten ze me veel, wat ik evenwel alleen aan Six te danken heb, die nog nooit heeft toegestaan dat ik welk boek ook ooit goedkoop gekocht heb. Zo nadelig was voor mij steeds zijn vriendschap. En toch zijn wij vrienden en zullen dat altijd zijn.'

Ik heb me vaak afgevraagd hoe de Sixen binnen twee generaties tot zo'n grote welstand konden komen. Bij hun emigratie hadden ze – dat is evident – flink wat kapitaal meegenomen. In Amsterdam konden ze direct al een paar stevige investeringen doen, ze zullen daarbij ook nog eens het nodige achter de hand hebben gehad. Het grootste deel van hun enorme vermogen hebben ze echter vermoedelijk pas daarna opgebouwd. Zo'n sprint op de maatschappelijke ladder was niet zo uitzonderlijk als het lijkt. Neem een van de latere buren van Six aan de Kloveniersburgwal, de steenrijke burgemeester Louis Trip: de kleinzoon van een ijzerhandelaar uit het Dordtse. Of Nicolaes Tulp, begonnen als dokter, eindigend als een van de machtigste mannen van de stad.

Het Amsterdam van de Gouden Eeuw was, op de keper beschouwd, één grote geldmachine. De Amsterdamse kooplieden bedachten het ene bankproduct na het andere – zelfs het 'going short' met aandelen, een van de oorzaken van de bankencrisis van 2008, hadden ze al uitgevonden. Maar het was een dienstbare machine, een machine die rangen en standen doorbrak en die ook een kleinzoon van een Dordtse schipper de kans bood om steenrijk te worden.

De lijnen tussen de handel en de stadsregering waren aanvankelijk dan ook kort: tijdens het eerste kwart van de 17e eeuw waren gemiddeld drie van de vier gekozen regenten tegelijkertijd succesvolle kooplieden. Terwijl in de rest van Europa het leven nog grotendeels bepaald werd door de adel, ontstond zo in Nederland, en in het bijzonder in Amsterdam, een samenleving waarin burgers de toon zetten en waar aristocraten geen duidelijke rol speelden. De republikeinse staatsvorm die deze nieuwe natie tijdens de Opstand noodgedwongen had omhelsd – er is nog even tevergeefs gezocht naar een vorst die het land onder zijn hoede wilde nemen – kreeg zo gaandeweg steeds meer vorm en inhoud.

Hoe modern en dynamisch het toenmalige Amsterdam ook mocht zijn, het bleef echter tegelijk een jonge stad uit de Late Middeleeuwen. Net als in de Zuiderkerk zaten nog overal nissen voor middeleeuwse instituties en praktijken. De regenten die de stad in ijltempo moderniseerden waren tegelijkertijd strenggelovige mannen voor wie hel en verdoemenis bijna letterlijk om de hoek lagen. Het laagje moderniteit was vaak maar dun.

De traditionele schutterijen bleven bijvoorbeeld de kern van de stedelijke defensie, al kregen ze langzamerhand meer een rituele functie. De gilden gingen door op de oude voet, al groeiden ze enorm en maakten ze onderling nog meer ruzie dan voorheen. Dat gold ook voor de armen- en weeshuizen, die nu moesten functioneren in een stad die veel groter was dan het middeleeuwse Amsterdam. Hun omvang was, in de ogen van buitenlanders, spectaculair: het Aalmoezeniersweeshuis herbergde bijvoorbeeld soms meer dan achthonderd wezen op kosten van de stad. Toch bleef hun organisatievorm puur middeleeuws.

Dat alles gold in extreme mate voor de Vereenigde Oostindische Compagnie en de Westindische Compagnie. Beide compagnieën waren, puur bedrijfsmatig gezien en los van morele overwegingen, buitengewoon effectieve en vernieuwende

54

ondernemingen. Toch werden ze, als het erop aankwam, bestuurd als een middeleeuwse polderhuishouding. Alle macht lag uiteindelijk in handen van de vertegenwoordigers van Amsterdam, Zeeland en een aantal kleinere steden, collectieven die enkel met een boel compromissen, achterkamertjespolitiek en 'persuasie' tot beslissingen konden komen.

Op dezelfde manier werd de Republiek geregeerd: via een eindeloos gepalaver tussen de zeven provincies onderling, tussen de provincies en de stadhouder en tussen de steden en de oude ridderschappen. En daardoorheen voerde dan ook nog eens een eigenzinnige grootmacht als Amsterdam een eigen politiek. Een duidelijk staatshoofd, zelfs een duidelijke regering ontbraken. Een onmogelijke constructie en toch was die kleine Republiek tijdens een groot deel van de 17e eeuw, mede dankzij een paar opzienbarende persoonlijkheden, een economische grootmacht. En, zeker op zee, een geduchte militaire tegenstander.

Je kunt misschien wel zeggen: dat succes kwam niet ondanks die losse en chaotische staatsstructuur, maar juist daardoor. Juist door die unieke combinatie van Middeleeuwen en moderniteit, van klein- en grootschaligheid, kon de Republiek in de 17e eeuw zo groot en zo belangrijk worden. De Republiek was, in de kern, een typische vertrouwenssamenleving. Beter gezegd: het was een optelsom van tientallen lokale vertrouwenssamenlevingen, vertrouwen dat als vanzelfsprekend hoorde bij de kleinschaligheid van al die steden, stadjes en provincies. Dat vertrouwen was zo sterk dat de burgers allerlei vormen van gezamenlijke investeringen aandurfden, iets wat in de rest van Europa bepaald niet gebruikelijk was. Met veel kunst- en vliegwerk wist die kleine Republiek zo dat enorme handelsnetwerk – inclusief een gezamenlijke defensie en een gezamenlijk buitenlands beleid – overeind te houden. Zeker een eeuw lang. En dat was precies de eeuw van Jan.

IV

'Het lot draait als een tol...'

Het was altijd oorlog geweest, tot zijn dertigste wist Jan niet beter. De strijd van de Republiek tegen Spanje, maar ook het gevecht van deze eigenzinnige burgersamenleving om een erkende plek binnen Europa, het speelde mee in iedere politieke beslissing. Zelfs de vorm van de Amsterdamse grachtengordel werd erdoor bepaald: tenslotte moest de fortificatie van de stad wel een Spaanse belegering kunnen doorstaan. Met de concrete wreedheid van de strijd, met het schieten, doden en vernielen, werd zijn generatie echter niet meer geconfronteerd. De feitelijke oorlogshandelingen vonden in Jan's jeugdjaren voornamelijk nog plaats op zee en aan de buitengrenzen.

De Amsterdammers hadden daar dus weinig last meer van, sterker nog, ze verdienden er flink aan. De wurgende blokkade van hun grote concurrent Antwerpen kon hun niet lang genoeg duren. Het gigantische stadspaleis dat de broers Louis en Hendrick Trip later vlak bij het huis van de Sixen zouden neerzetten, werd bekroond door twee enorme schoorstenen in de vorm van mortieren. Inderdaad, daar hadden ze hun fortuin mee verdiend. En ze hadden al dat wapentuig net zo vlot geleverd aan de Spanjaarden als aan hun eigen mensen, met dezelfde vrome gemoedsrust.

Opeens was dat allemaal voorbij. 'De wederzijdse onderzaten zullen goed verstand en vriendschap onderhouden, en samen koophandel drijven, te water en te lande,' zo stelde het vredesverdrag dat de delegaties van Spanje en de Republiek op 30 januari 1648 in Münster overeenkwamen – met nog duizend andere bepalingen, want het was een hels ingewikkelde regeling. Het duurde een halfjaar, vol conflicten en moeizame compromissen tussen steden en provincies, voordat het verdrag op vrijdag 5 juni 1648 publiekelijk kon worden afgekondigd. Een paar dagen later werd overal in het land een plechtige dankdag gehouden. In de meeste steden werd 'met schieten, vuren en branden van pektonnen grote vreugde bedreven'. Schutterijen lieten zichzelf heldhaftig en feestelijk portretteren, aan bonte en blijde tafels, met de vreugdevuren op de achtergrond. Alleen in Zeeland bleef het doodstil, de Zeeuwen hadden geweigerd te tekenen, ze zijn, voor zover ik weet, tot op de dag van vandaag nog in oorlog met Spanje.

De vrede van Münster was zulke festiviteiten meer dan waard. Het akkoord betekende, na tachtig jaar strijd, de formele erkenning van de Republiek door Spanje, Frankrijk, Zweden en de andere grootmachten. Maar, hoe essentieel ook voor de Nederlanders, het vredesverdrag met Spanje was slechts een onderdeeltje van een veel omvangrijker verdragssysteem, binnen Europa beter bekend als de Vrede van Westfalen. Daarmee werd, na een lange lijdensweg, ook een einde gemaakt aan de Dertigjarige Oorlog tussen de Duitse vorsten van het Heilige Roomse Rijk. Naar schatting een derde van de Duitse bevolking was daarbij om het leven gekomen.

Westfalen was het product van een ongeëvenaard staaltje van diplomatieke acrobatiek. Bijna alle Europese mogendheden namen eraan deel: alleen al het Heilige Roomse Rijk was vertegenwoordigd door 178 afgevaardigden, afkomstig uit alle mogelijke staten, steden, vorstendommen, bisschoppelijke zetels en wat dies meer zij. En tegelijk was het resultaat buitengewoon simpel, en door die helderheid en eenvoud was het systeem van Westfalen dan ook opvallend bestendig.

De kern van de internationale orde was voortaan de staat, een territorium met duidelijke grenzen. Wat daarbinnen gebeurde was een zaak voor de machthebbers binnen die staat – koningen, keizers of stedelijke regenten, dat deed er niet toe – en voor de rest ging het niemand wat aan. Je kunt zeggen dat daar in Westfalen het begrip soevereiniteit werd vastgelegd. Dat gold ook voor religie: de machthebbers beslisten, ieder voor zich, welke vormen van godsdienst waren toegestaan. De eeuw van chaotische godsdienstoorlogen, waardoor ook Charles Six en de zijnen op drift waren geslagen, was zo eindelijk voorbij.

Reden dus voor uitbundige feesten, met name in Amsterdam. Jan Six verkeerde in de bloei van zijn leven en ongetwijfeld deed hij gretig mee. Zijn kompanen Jan Vos en Geraerdt Brandt waren, samen met de oude Samuel Coster, de ontwerpers van de magistrale tableaux vivants die op de Dam werden opgevoerd – en later ook nog in de Schouwburg. Zijn oude vriend Joost van den Vondel had voor de gelegenheid een avondvullend toneelstuk geschreven, *Leeuwendalers*, een loflied op de vrede en op een hernieuwd samengaan van de Noordelijke en Zuidelijke Nederlanden. Vondel en Vos waren ook nauw betrokken bij de ideeënwereld achter het glorieuze stadhuis dat inmiddels op de Dam in aanbouw was, onder leiding van de eigenzinnige schilder en bouwmeester Jacob van Campen. Allemaal vrienden van Jan.

Jan verzamelde. Jan verzamelde boeken, hij verzamelde kunst en rariteiten, hij verzamelde schilderijen. En hij verzamelde mensen.

Verzamelen was die jaren de grote mode onder de elite. Allereerst onder de vorsten en de adel, maar al snel ook onder de vermogende burgers van een stad als Amsterdam. Er werden boeken en schilderijen verzameld, naast allerlei kostbare snuisterijen.

In de grote glazen vitrine van het huis aan de Amstel staat bijvoorbeeld een 'Hansje in de Kelder', een fraai bewerkte zilveren schaal uit 1624 waaruit, als je er wijn in goot, een poppetje opdook: het teken waarmee de heer des huizes aankondigde dat er nieuw leven op komst was. Er is een felgroen knottekistje waarin de rituele goudstukken zaten waarmee een jongeman de gunsten kocht van zijn bruid in spe. Een met fluweel overtrokken kruithoorn van een zekere Dirk van der Sluys, 1648. Een ingenieus inktflesje met een zegelstempel in de dop – waarschijnlijk van een getrouwde vrouw, want het familiewapen is ovaal. Er liggen trouwpenningen die aan bruiloftsgasten werden uitgedeeld:

Soo bloeit de trouw
Als man en vrouw
Haar plicht betrachten
En op God wachten.

En, tegelijk, ringen met flonkerende stenen waaronder, als je ze openklapt, minuscule holtes tevoorschijn komen: ringen met gifdoosjes, ook daarvan was de familie ruimschoots voorzien.

Amsterdam was voor verzamelaars een eldorado. Ieder groot grachtenhuis had wel een kast met zogenaamde rariteiten. Dagelijks kwamen schepen binnen uit alle meer of minder bekende uithoeken van de aarde, en iedere zeeman probeerde wat bij te verdienen met handeltjes in exotische voorwerpen en preparaten van de vreemdste diersoorten.

In 1711 trok een Duitser bijna zes weken door de stad om alle rariteitenkabinetten van de stad te bekijken, en toen had hij ze nog niet allemaal gezien. Het ging daarbij steevast om voorwerpen die zeldzaam waren, algemeen begeerd en peperduur. Al die zaken brachten nieuwe kennis mee over God's schepping, dat was tenminste de bedoeling. Het was het begin van wetenschappelijk onderzoek. In de praktijk draaide het echter, bij al deze verzameldrift, voornamelijk om prestige, en weinig anders.

Rembrandt, ook zo'n gretige 'liefhebber' of 'amateur', beschikte bijvoorbeeld over een aparte 'kunstcaemer' waar, zo blijkt uit een boedelbeschrijving, tientallen zeldzaamheden stonden opgesteld: beelden van Romeinse keizers en filosofen, twee globes, albums met prenten en tekeningen, Venetiaans glaswerk, opgezette dieren, stukken koraal, resten van een paradijsvogel, 'een leeue en een leeuwinnenhuyt' en 'een groote quantiteit hoorens, seegewassen, gietwerk op 't leven afgegooten en veel andere rariteiten'.

In de grote uitstalkast van de Sixen liggen nog een paar restanten van hun − ongetwijfeld uitbundige − rariteitencollectie. Bijvoorbeeld een kunstig portretje, gemaakt van geperste walvisbaleinen, met daar vlakbij een opgezet krokodilletje. Het beestje is tijdens de lange reis naar Amsterdam zo bijgewerkt dat het blazend op zijn achterpootjes lijkt te staan, een heus drakenkind! 'En mijnheer,' hoor je de zeeman zeggen, 'u had die ouders moeten zien, die spogen werkelijk vuur!'

Alleen al in Amsterdam bestonden tussen 1600 en 1740 bijna honderd privécollecties. De eerder genoemde Jan Swammerdam had in zijn huis aan de Oude Schans een verzameling aangelegd van drieduizend insecten. Aan de Egelantiersgracht woonde een van de belangrijkste Europese boekenverzamelaars: de geheimzinnige bibliomaan Suffridus Sixtinus, met, naar men zei, een fabelachtige collectie van antieke handschriften. De koopman Herman Becker had de wanden van zijn huis aan de Keizersgracht behangen met maar liefst 231 schilderijen, vooral van Nederlandse meesters. Aan de Herengracht bezat Joseph Deutz een pakhuis vol schilderijen − hij specialiseerde zich in Italianen.

Simpele ambachtslieden hadden echter − uniek in het toenmalige Europa − ook graag een landschapje of een Bijbels tafereeltje aan de muur. Dagboeken van buitenlandse bezoekers maken melding van grote markten met soms wel honderd schilderijen per kraam. Schilders als Rembrandt en Jacob van Ruisdael leidden hele 'schilderfabriecken' − Van Ruisdael produceerde zelfs zoveel kopieën van een gezicht op Haarlem dat daarvoor een speciale soortnaam ontstond, het 'haarlempje'. Wat we nu nog in musea en particuliere collecties aantreffen is enkel het topje van een enorme berg schilderijen, ooit massaal aanwezig in de grachtenhuizen en daarbuiten, nu voor het leeuwendeel van de aardbodem verdwenen.

Ook boeken waren uitermate geliefd bij de burgers van de Republiek. De bekende Amsterdamse boekverkoper Johan Blaeu had bijvoorbeeld, zo blijkt uit zijn magazijncatalogus, in 1659 minstens twaalfduizend titels in voorraad. Toch was de manier waarop men omging met boeken heel anders dan nu. Ze waren duur, ze werden goed gelezen en ze gaven status. Boeken dienden, daarbij, letterlijk als bron waaruit eindeloos wetenswaardigheden en citaten konden worden geput. Klassieke werken en 'historiën' werden geplunderd voor allerlei concrete doeleinden, of het nu ging om beroemde toespraken, militaire strategieën of de architectuur van 'ideale' steden en gebouwen.

Dat gold ook voor gedichten en liederen: ze dienden vooral praktische doeleinden. Natuurlijk bestonden er wel ideeën over wat 'mooi' of 'goed' was, maar in de praktijk was een eigengemaakt lied of gedicht toch vooral van belang om de auteur in het zonnetje te zetten en om relaties te vriend te houden. Veel burgers hadden hun techniek verfijnd in speciale kunstgezelschappen, de rederijkerskamers. Het was dus vrij normaal dat prominente 17e-eeuwers als Johan de Witt, Peter Stuyvesant, Pieter Corneliszoon Hooft en raadpensionaris Jacob Cats verzen schreven – de laatste twee zelfs frequent, en met veel succes. De prinselijke secretaris Constantijn Huygens was, wat dit betreft, een heel bijzonder geval. Hij was niet alleen een voortreffelijk dichter, hij schreef ook nog eens zo'n achthonderd, vaak schitterende, composities – waarvan overigens maar een handvol bewaard is gebleven. Hij experimenteerde daarnaast met lenzen en microscopen, hij was bevriend met Descartes, hij schreef in drie dagen tijd een van de ruigste kluchten uit de 17e eeuw, *Trijntje Cornelis*, en tegelijk diende hij drie stadhouders.

Ook Jan Six schreef poëzie. Hij had die aanleg geërfd van zijn vader Jean. In het huisarchief ligt een opschrijfboekje van zijn hand, met een handvol zelfgeschreven gedichten, ook zijn vriend François Touret leverde bijdragen. Het is nog afkomstig uit Saint-Omer. Touret prijst Jean Six om zijn vakmanschap maar ook vanwege zijn beschaving. Altijd zit hij, net als later zijn zoon, met zijn neus in de boeken:

Mon chèr Jean Six, vous ester adonné
A comtempler tousjours quelque écriture;
Or Dieu vous a aussy l'esprit donné
Pour discerner le sens de la figure.

Ofwel: Mijn beste Jean Six / die zich heeft overgegeven / Aan de studie van zekere geschriften, telkens weer; / God heeft u echter ook de geest gegeven / Om het gevoel en de cijfers te onderscheiden.

Zoon Jan deed echter meer: hij schreef niet alleen een reeks verzen – soms in het Latijn – voor vrienden en geliefden, hij schiep ook een paar complete dichtwerken: *Muiderberg* – een ode aan een nieuw landgoed – en zelfs een toneelstuk op rijm, *Medea*, dat in 1647 een aantal malen in de Stadsschouwburg werd opgevoerd. Later zou hij zich nog aan een tweede stuk wagen, *Onschult*, een bewerking uit het Spaans – met matig succes overigens.

Samen met onder anderen Jan Vos stelde hij een poëzie-bloemlezing samen, waarin anoniem zes gedichten van zijn eigen hand waren opgenomen: *Verscheyde Nederduytsche ge-dichten*. Thuis puzzelde hij, zo blijkt uit zijn aantekeningen, bovendien ruim tweehonderd zogenaamde chronosticha in elkaar, 'tijdverzen', kunstige Latijnse gedichten waarin een jaartal was verstopt. Bijvoorbeeld op het huis aan de Herengracht dat hij later zou betrekken: 'saLVs hVIC DoMVI', 'heil en vrede aan dit huis', met daarin verstopt in Romeinse cijfers 1667, het jaar van de bouw.

Er komen, vreemd genoeg, in zijn aantekeningen ook chronosticha voor die verwijzen naar veel latere jaren. Bijvoorbeeld 'oMnIa orta oCCIDVnt', 1707, 'Al wat ontstaan is, vergaat', het opschrift op het huis dat een van zijn zonen later zou neerzetten. Dat kan erop wijzen dat anderen naderhand nog hebben gerommeld in deze notities en chronosticha. En voor wie gelooft in helderziendheid: tussen Jan's aantekeningen staat opeens ook het tijdvers 'VICtI fLent ast VICtoreM VICtorIa perDIt', ofwel 'de overwonnenen wenen, maar de overwinning brengt de overwinnaar ten verderf', met als jaartal 1871, het jaar van de Duitse overwinning in de Frans-Duitse oorlog.

Jan's boekencollectie was redelijk groot: bijna tweeduizend titels, viermaal zoveel als het boekenbezit van een gemiddelde academicus in die tijd. Het was echter vooral de kwaliteit die telde. Ook hier was status van groot belang: de ware mercator sapiens ging graag buurten bij andere geleerden en aristocraten, boekenverzamelingen werden uitvoerig bekeken en becommentarieerd, en het bezit van een middeleeuws handschrift – of, liever nog, een klassieke tekst in een middeleeuws handschrift – gold als hoogst benijdenswaardig. Jan besefte dat. En in 1650 sloeg hij de slag van zijn leven: op een veiling kocht hij, als nieuwkomer, het grootste deel van de bibliotheek van de geheimzinnige Suffridus Sixtinus. Het wereldje van de bibliofielen was met stomheid geslagen.

Sixtinus was een boekengek, tegelijkertijd was hij een onvoorstelbare sjoemelaar. Hij had tijdens de Dertigjarige Oorlog via list en bedrog de hand weten te leggen op een groot deel van de collectie zeldzaamheden van de Antwerpse geleerde Janus Gruterus, roofgoed dat men eigenlijk wilde overdragen aan de Vaticaanse bibliotheek. Sixtinus had zich vervolgens met deze collectie verschanst aan de Egelantiersgracht en daar had hij zich doodgedronken.

De veiling van zijn 'unsichtbare Sammlung', in mei 1650, was in de bibliofiele wereld dus een grote gebeurtenis. Alle ogen waren gericht op de kostbare collectie van Gruterus en vooral op de zogenaamde Caesar-codex, een uniek handschrift van Julius Caesar's *De bello gallico*, in de 9e of 10e eeuw door de monniken van het beroemde klooster Fleury aan de Loire op schrift gesteld. Het had oorlogen en plunderingen doorstaan, het was uitgeleend aan Gruterus – en nooit teruggegeven – en ten slotte beland bij Sixtinus. Het manuscript bestond enkel uit een bundel perkamentvellen met grote gaten, maar het was – en is – de meest getrouwe versie van deze klassieker ter wereld.

Jan betrad, als volstrekte nieuwkomer, dit wereldje, en hij sloeg op spectaculaire wijze toe. Met zijn enorme geldbuidel veegde hij elk ander bod weg – vandaar de klacht van Isaac Vossius dat hij, dankzij Jan, nooit 'welk boek ook ooit goedkoop had gekocht'. Met andere zeldzaamheden van Gruterus kreeg hij zo ook het kroonjuweel in handen, de felbegeerde

Caesar-codex. Vossius en de andere bibliofielen hadden het na-kijken. Ze hadden één troost: Jan was, in tegenstelling tot Six-tinus, genereus. Iedereen mocht komen kijken, hij leende zelfs handschriften uit. Een jaar na de veilig schreef de verzamelaar Nicolaas Heinsius opgetogen over de prachtige handschriften die hij had gezien bij de 'in alle opzichten voortreffelijke jon-geling' Jan Six.

Veel later, na Jan's overlijden, werd zijn hele verzameling ge-inventariseerd en die opsomming zegt alles over zijn smaak. Een deel van zijn bibliotheek bestond, zoals te verwachten viel, uit de oude collectie van Gruterus. Daarnaast bezat hij veel gedrukte werken over de geschiedenis van Nederland en Neder-Duitsland, plus een aantal middeleeuwse handschrif-ten. Hij had echter duidelijk afstand genomen van het traditi-onele idee van de universele bibliotheek, waarin alle studie- en denkrichtingen evenwichtig vertegenwoordigd waren.

Slechts een kwart van zijn collectie had te maken met theo-logie, rechten of medicijnen. Hij had een grote collectie fi-losofische boeken bijeengebracht, in allerlei talen: Spaans, Portugees, Frans, Italiaans, Latijn en natuurlijk Nederlands. Er stonden bovendien zo'n zestig plaatwerken in zijn kasten, boeken vol tekeningen van Rafaël, Michelangelo en Leonardo da Vinci, wellicht uit Italië meegesleept, en bijvoorbeeld ook een omvangrijke collectie Chinese prenten en tekeningen – waaronder honderden getekende vissen. Tegelijkertijd las hij opvallend veel literatuur, werken van Spaanse, Italiaanse en klassieke auteurs, en ook van Nederlandse vrienden en tijd-genoten.

Jan wist wat hij wilde, liet zich duidelijk leiden door zijn eigen voorkeuren en die waren vooral gericht op de schone letteren. En op het leven als een edelman: hij bezat maar liefst drie exemplaren van het beroemde goede-manierenboek van de Italiaanse Baldassare Castiglione *Il libro del cortegiano*. De handleiding was eeuwenlang hét ijkpunt voor de Franse *hon-nête homme* en de Britse *gentleman*. De volmaakte hoveling moest bovenal thuis zijn in de letteren en de schone kunsten. Sprezzatura, de nonchalante, onthechte levenshouding, daar draaide alles om. Het was het centrale thema in het leven van

Jan – althans, in de eerste helft. Onder zijn auspiciën kwam later zelfs een Nederlandse vertaling van Castiglione tot stand: *De volmaeckte hovelinck*.

Deze 'volmaeckte hovelinck' moest, aldus Castiglione, een verzamelaar zijn, en de gebroeders Six handelden daarnaar. Hun verzamelingen genoten grote faam. De chroniqueur van het toenmalige schildersleven, Arnold Houbraken, schreef over de modieuze schilder Govert Flinck dat hij, wanneer hij op zondag 'de Kerkplicht had waargenomen', de rest van die dag besteedde 'om konstenaren en konstlievenden' te bezoeken, en wel vooral Jan Six en zijn broer Pieter, 'die naderhand vele treffelijke Italiaanse schilderijen en ook uitmuntende papierkonst bezaten'.

Jan is waarschijnlijk begonnen met verzamelen in Italië, tijdens zijn grand tour. Zijn huis moet eruit hebben gezien als een volgepropt museum – als je tenminste afgaat op de catalogus van de veiling van Jan's kunstcollectie, op 6 april 1702. Alleen al aan beeldhouwwerken kwamen toen zo'n vijfenvijftig onder de hamer, plus eenennegentig stuks curiosa en honderdvijftig schilderijen. En dan bleef een flink deel van zijn collectie nog buiten beeld, die werd niet verkocht. In de kamers en gangen hingen, om een idee te geven, zeker vijf Rembrandts – o.a. *Anna Wijmer*, een portret van Jan zelf, *Saskia*, de *Prediking van St.-Jan* en *Abraham onthaalt de engelen* –, een Anthony van Dyck – *de Zeven Hoofdzonden* –, een Holbein, een Brueghel de Oude – *De Boerendans* –, een Torrentius, vier Jan van Scorels, een Frans Hals, een Ferdinand Bol, een Rubens, vier Tintoretto's en vier Titiaans.

Jan volgde hierin de klassieken: portretten en andere schilderstukken dienden tot navolging en waarschuwing. En overal school een dubbele bodem. Wie door Jan's huis wandelde zag, waar hij ook keek, vensters op de wereld: op de binnen- en de buitenwereld, op het aardse en het heilige, op het al zichtbare en alles wat nog gezien moest worden.

Jan Six groeide snel uit tot een kunstliefhebber met gezag. Hij werd gefêteerd op de feesten van het Sint-Lucasgilde, het gilde van kunstschilders. Zelf schreef hij poëzie en toneelstukken.

Vondel dichtte over zijn portret:

Zo maalt men Six, in 't bloeiendst van zijn jeugd
Verliefd op Kunst, en wetenschap en deugd
Die schoonder blinkt dan iemands pen kan schrijven.
De verf vergaat; de deugd zal eeuwig blijven.

Er is wel beweerd dat Jan, met al zijn verdiensten, ook lid moet zijn geweest van de zogenaamde Muiderkring, het legendarische gezelschap van dichters, schrijvers, componisten en wetenschappers. Gastheer was de dichter P.C. Hooft, van 1615 tot 1647 kwam het los-vaste gezelschap tijdens de zomermaanden regelmatig bijeen op diens 'huys te Muyden', het Muiderslot, waar hij slotvoogd was. Het waren niets dan klinkende namen die daar verschenen: de mercator sapiens Roemer Visscher met zijn getalenteerde dochters Maria Tesselschade en Anna Roemer, Constantijn Huygens, de jurist Hugo de Groot, de geleerde Caspar Barlaeus, Joost van den Vondel, de componist Jan Sweelinck, de stadsdichter en theaterman Jan Vos en anderen.

Vooral in de 19e eeuw werd er veel over geschreven, tot laat in de 20e eeuw hingen op veel Nederlandse scholen zelfs grote platen waarin het samenzijn van al deze grote geesten kleurrijk werd vastgelegd. Het maakte diepe indruk: wie wilde daar niet bij horen!

Jan kan echter nooit lid zijn geweest van dit illustere gezelschap, in de literatuur over de Muiderkring komt Jan's naam nergens voor. En omgekeerd, in zijn eigen vriendenboek, zien we slechts twee kringleden terug: Vondel en Vos.

Er is nog een andere reden: de Muiderkring, althans het georganiseerde gezelschap dat we kennen van de schoolplaten, heeft in werkelijkheid nooit bestaan. Zeker, Hooft was invloedrijk en gastvrij, het was een komen en gaan van interessante gasten, er is op het Muiderslot eindeloos gediscussieerd over wetenschap en literatuur, er is veel gemusiceerd en gewandeld en er is uitbundig getafeld. 'De vrienden waren ontboden, de spelende gezellen besproken om onder het verschaffen van spijzen mijn kluchten aan te richten,' schreef Constantijn Huygens bijvoorbeeld op 20 september 1630. 'Mr. Dick, uitmuntend organist en zoon van mr. Jan Sweelinck, kwam een uur of twee te laat om de klavecim te roeren. Al windvang, zal U-edele zeggen, maar wat dan nog...'

De rest van deze romantische mythe is door hedendaagse historici echter vakkundig doorgeprikt. Er was geen vaste kring, geen georganiseerde 'Cercle de Muyde'. Hooft en Cats, op al die platen vrolijk converserend afgebeeld, hebben elkaar nooit in Muiden ontmoet. Constantijn Huygens en Tessel-schade, die met Hooft werden beschouwd als de kern van het gezelschap, zijn elkaar daar in twintig jaar tijd maar twee keer tegen het lijf gelopen. Inderdaad, 'al windvang'...

Waar kwamen al die dichters en denkers van het 17e-eeuwse Amsterdam elkaar dan wel tegen? Eén plek kunnen we met zekerheid aanwijzen: de boekhandel van de dichter, uitgever en drukker Jacob Lescaille en zijn vrouw Aeltje Verwou op de Middeldam – schuin tegenover de Nieuwe Kerk. Aeltje had, nadat ze getrouwd was met Lescaille, de leiding van de zaak overgenomen en langzamerhand groeide haar 'Huis onder het Zeil' uit tot een soort kunstenaarssociëteit: 'Men gaat aan Ael-tje's deur niet voorbij, of ziet er dichteren zij aan zij.'

Jan Vos liep er regelmatig binnen, Joost van den Vondel, Spinoza waarschijnlijk ook, en zeker Jan Six. Er bestaan twee schetsjes van zo'n boekwinkel, in Amsterdam of Haarlem, ge-tekend door een tijdgenoot, Salomon de Bray. De sfeer lijkt informeel en wat rommelig, met kasten vol banden, op de bo-venste planken wereldbollen, aan de wanden platen, daarvoor een handvol converserende klanten, mannen met hoeden en losse mantels, plus een loslopende hond. Op de toonbank losse vellen – pamfletten? –, daarachter een vrouw. In een hoekje een boekbinderspers. Het kan de zaak van Jacob en Aeltje zijn geweest.

Jan stond duidelijk op goede voet met Lescaille. Hij liet zijn toneelstukken *Medea* en *Onschult* door hem drukken, later deed hij dat ook, zelfs in een peperdure editie, met zijn dicht-werk *Muiderberg*. Lescaille schreef, op zijn beurt, op kerst-avond 1653 in Jan's vriendenboek een sonnet, 'Kerstnacht', dat hij 'tot een eeuwig teken van de eerbiedigste genegenheid' aan hem opdroeg. Ook maakte hij een gedicht op Jan in zijn studeerkamer, zoals Rembrandt hem in 1647 etste.

Hier ziet gij Six, gelijk hij, neerstig in zijn boeken,
Zijn ziel verguikt met pit van wijsheid op te zoeken.
Dus weit zijn geest, en blinkt in heldre poëzij;
Die hem veel schooner ciert dan print of schilderij.

Het huis aan de Amstel bewaart in de bibliotheek nog altijd de drukproef van *Medea*. Het is een klein, strak gebonden boekje, naar men zegt een van de oudste drukproeven ter wereld. De titelpagina bestaat uit een originele ets van Rembrandt en in de kantlijn stuit ik al snel op krabbeltjes van Jan zelf, regieaanwijzingen: 'Jason moet het gulden vlies aan een blauw lint hebben.' 'Medea, met een zon onder haar linkerborst geborduurt. De Rey volgt zingende.'

Nu de kluis toch opengaat: daar ligt ook de drukproef van *Muiderberg*. Het is een fors album. Alles blijkt in goud te zijn gedrukt, een uniek staaltje van vakmanschap omdat het bladgoud bij het drukken heel precies moest worden aangebracht, het werd op de nog natte zwarte inkt geplakt. 'Bij Jacob Lescaille, boekverkoper op de Middeldam, in 't jaar 1675.' Een drukproef van de herdruk van *Muiderberg* is er ook, nu met de naam Six in rode letters op de omslag, opnieuw met bladgoud gedrukt.

'Wat een werk,' mompel ik. 'Ja, en er wordt maar zelden naar gekeken,' zegt de heer des huizes. 'Ik heb dit misschien vier keer in handen gehad, mijn vader ook zoiets. Moet je je voorstellen, in al die generaties zijn deze bijzondere stukken in totaal misschien veertig keer bekeken. Waar deden ze het voor?'

Blijft de nuchtere vraag of Jan Six, ondanks al deze prachtdrukken, ondanks alle gejubel uit zijn entourage, werkelijk zo'n bijzondere dichter was. *Muiderberg* is bijvoorbeeld weinig meer dan een flauw aftreksel van het diepzinnige epos *Hofwyck* van Constantijn Huygens, de losse verzen die overal in zijn aantekeningen opduiken zijn vaak tenenkrommend. Het blijspel *Onschult* wordt in de literatuur betiteld als 'onleesbaar vervelend'. Ook de lezing van *Medea* beveel ik een hedendaagse lezer niet direct aan, veel passages zijn in onze ogen ronduit slaapverwekkend.

Toch oordelen de specialisten redelijk positief over Jan's dichtwerk. Zijn chronogrammen zijn vaak knap gecomponeerd en Jan's versie van *Medea* vinden ze zelfs heel interessant. Het thema komt uit de Griekse mythologie: Medea is een tovenares die Jason, de leider van de Argonauten, helpt om het Gulden Vlies van haar vader te stelen. Hij trouwt met haar en ze krijgen twee zonen. Ze verhuizen naar Korinthe en daar verlaat Jason haar voor de dochter van de koning. Een razende Medea doodt de koning, zijn dochter en uiteindelijk ook haar eigen kinderen.

Veel toneelschrijvers – bijvoorbeeld Seneca en ook Jan's vriend en tijdgenoot Jan Vos – presenteerden het stuk voornamelijk als een horrordrama, een avond lekker griezelen voor het grote publiek. Medea was in hun ogen enkel en alleen een enge toverkol, een verdorven vrouw.

Six zette zich daartegen af, hij benaderde haar op een nieuwe manier. Hij vond, schreef hij in de inleiding, dat Medea, ondanks haar gruweldaad, 'nochtans groot medelijden haerwaerts verweckt'. Zij had immers niet verdiend om door Jason te worden weggestuurd en van haar kinderen te worden beroofd. In Jan's ogen was het de ontrouw van Jason die haar 'tot soo dolle wanhoop, en soo fel tot wraeck' dreef.

Bij Seneca ontpopte Medea zich tot een ware duivelin, ze vertrok tenslotte op een wagen getrokken door vuurspuwende draken. De Medea van Six is veel gecompliceerder, ze is dader en slachtoffer tegelijk, een figuur die zweeft tussen goed en kwaad en die ten slotte, in haar woede, ook zichzelf vernietigt. Jan was daarin, als toneelschrijver, opvallend modern en vernieuwend. Hij wilde een echte, geloofwaardige hoofdpersoon scheppen, met alle twijfels en dilemma's die daarbij horen. 'Bij Six,' schrijft de kunsthistoricus Caroline Rhodius, 'werd de eerste échte tragische heldin geboren.'

Jan Six had ook een eigen clubhuis. Zijn kunstvrienden waren regelmatig te gast op zijn buitengoed Elsbroek bij Hillegom, aan de rand van het toenmalige Haarlemmermeer. Aanvankelijk gebruikte hij het duingebied vooral als jachtterrein. De duinen en moerassen rond Elsbroek waren daarvoor uitermate geschikt, het wemelde er van de reigers, hazen en konijnen.

Er bestaat een jachttafereel van David Bailly van een jonge man in wat slobberige kleren, met naast zich een jachthond en daarachter een knecht met een enorm vuurroer over zijn schouder en een paar geschoten reigers in de hand. Op de achtergrond rust het overige gezelschap, ontspannen converserend. Het woud en de duinen, op de achtergrond, zijn groots en intiem tegelijk. Sommige kunstkenners vermoeden dat we hier met een stoere jonge Jan Six te maken hebben.

Is dat tafereel geromantiseerd? Waarschijnlijk niet – en dat geldt voor meer 17e-eeuwse landschapstaferelen. Elsbroek moet inderdaad een schitterende plek zijn geweest. Het Hollandse landschap, met zijn bossen, meren en weidegebieden, doorsneden door heggen en honderden poldersloten, met uitbundige bloeiende weilanden en korenvelden, het moet in al zijn kleuren en afwisseling ooit een grote schoonheid hebben gehad.

Dat was de wereld van Jan Six. Hij was een gretige jager – wellicht ook om daarmee zijn adellijke levenswijze aan te geven. Hij had een jachtvergunning, zijn bibliotheek bevatte een uitvoerige verhandeling over de Hollandse jachtregels en toen Rembrandt hem in 1647 tekende, in een voorstudie voor een latere ets, was dat aanvankelijk in een typische pose voor een jager. Vrolijk sprong een hazewindhond tegen hem op.

Is Rembrandt ooit op Elsbroek geweest? De familie beschikt over een leuke ets van Rembrandt uit 1645 met twee pratende mannen, hangend over de leuning van een brug. Generaties lang, al vanaf de 18e eeuw, heette het tafereel *Het bruggetje van Six*. Volgens de familieoverlevering had Rembrandt de ets gemaakt tijdens een logeerpartij op Elsbroek, en wel in de tijdspanne die een bediende nodig had om naar het dorp te gaan, mosterd te kopen en weer terug te lopen. De twee mannen waren uiteraard Jan en Rembrandt zelf, het etsje was een teken van hun vriendschap. Alleen: bij Hillegom was helemaal niet zo'n bruggetje. De locatie ligt volgens kenners vast, het was in werkelijkheid het bruggetje aan de Amstel bij het landgoed Klein-Kostverloren. De eigenaar was de Amsterdamse schepen Albert Coenraads Burgh, hij woonde net als Jan aan de Kloveniersburgwal, wat verderop. Op een andere druk van de ets staat een 18e-eeuwse inscriptie: 'mijn

Heer Six en Burgh', wat een verband met Jan Six zou kunnen leggen. Maar Rembrandt zelf: nee.

Er ontstond daar op Elsbroek gaandeweg een balans. Jan richtte zich er niet alleen op de jacht, in welke vorm ook. Waarschijnlijk besefte hij wel dat zijn aanvankelijke beeld van het 'pure' boerenleven veel te romantisch was – zijn latere aantekeningen staan vol sneren aan boeren en buitenlui in de trant van: 'Een boer is een varken in mensche kleeren.' Uit een inventaris blijkt dat hij op Elsbroek ook een 'boekekamertje' had ingericht. Vondel beschreef in een berijmde bedankbrief hoe Jan daar buiten totaal in zijn element was, met de stilte van zijn 'hoef en errefstede' en de 'boomgaert, hof en duin, en weiden', maar ook met zijn 'uitgeleerde boeken'. De dichter en geleerde Petrus Francius, die er ook logeerde, bejubelde de opbloeiende natuur, de snelle beek, de nachtegaal die 'met heldere zang' het groen openbreekt, de feestelijke maaltijden, de 'rijkelijk gevulde vaten' die 'de verre Rijn' liet aanrollen.

In het gedicht *Landt-leven*, opgedragen aan zijn beste vriend Hendrik Hooft, is Jan zelf aan het woord. Voor hem gaat het vooral om een streven naar meditatie en eenvoud:

Ghij vraagt Heer wat ick doe als ick geselchap mis;
Men weet waer 't Leydsche Meer dichts aen de duynen is;
Hier, achter eenen muur gerustighlijk geseten,
Bouw ick een andere muur van een oprecht geweten:
Steeds denck ick wat ick ben, en op het wesen van
Den mensch, en hoe hy noch hoovaerdigh wesen kan.

En:

Het Lot draait als een Tol, ick leer 'er van [af] te blijven,
Heer Hooft, dit is in 't kort hoe dat ick leev' op 't landt;
Daer ghy alleen ontbreekt, of yets van uwe handt.

Jan genoot van het landleven, in alle opzichten. In een lange Latijnse brief aan zijn vriend Joan Huydecoper, uit januari 1654, beschrijft hij zijn verblijf op Elsbroek – geheel in de traditie van het 'ideale landleven' van die tijd – als een manier

'om te ontkomen aan de onaangename toestand van de damp-
kring en aan de zorgen van de staat' en als een plek waar hij
dacht 'het meest eigen baas te zijn'.

Hij vervolgt dan zijn brief met een bekentenis:

'Wat denkt gij, o merkwaardige speling der Fortuin,
dat mij daar overkomt? Ik werp mijn blik op een meisje.
En wat voor een meisje! Wis en waarachtig een van het
soort dat blanker is dan melk, dan sneeuw, dan leliën.
Wat zeg ik? Blanker? Neen, zij is de blankheid zelve, de
lieflijkheid zelve, de verpersoonlijkte Venus. Ja maar,
zult gij zeggen, nietswaardig is wat wij zomaar kunnen
krijgen, alles wat met moeite gewonnen moet worden,
schijnt het beste te zijn en door tegenslagen wordt de
eetlust opnieuw opgewekt, want gij pleegt uw uitgangspunt bij Petronius te nemen. Ik echter antwoord: dat
het voor een verzadigde moeilijk is zich te verplaatsen in
de mentaliteit van een hongerige. O, gij gelukkige, voor
wie het overduidelijk is geworden hoezeer abstinentie
niet zou stroken met de aard van Uw meisje. Ik ben, na
het maximum in het werk gesteld te hebben, ten slotte
met moeite tot haar doorgedrongen en heb haar, de
tegenstribbelende, een zoentje ontwrongen: maar het
leven heeft voor mij geen waarde als het mij niet lukt
het bloed van de maagd te offeren op het altaar van mijn
geduld.'

Een jaar later was Six getrouwd. Met een ander.

V

Jan's konstkamer

De middag waarop ik de *Kleine Pandora* voor het eerst bekeek sneeuwde het. Het was een donkere decemberdag. Ik was op bezoek geweest op de zolder, waar op dat moment de restauratoren aan de gang waren. Het huis was stil. De kamers waren halfdonker, Anna Wijmer had zich teruggetrokken in de schemer. Buiten werd het steeds witter, totdat huis en tuin er als betoverd bij lagen. Het was een mooi moment, vond de heer des huizes, om de *Kleine Pandora* tevoorschijn te halen: 'Blader er maar eens in, neem de tijd.'

Ik kreeg een album in handen met een perkamenten band, in totaal honderdzestig bladzijden, met lichtgroene zijden linten om het geheel dicht te knopen, halfvergaan. Dit was dus Jan's veelbesproken 'vriendenboek', zijn 'album amicorum'. Op de omslag stond in sierlijke letters 'Pandora' en het jaartal 1651. In het album lag een los strookje papier in Jan's handschrift, met de tekst:

Les Dieux enrichissent
PANDORE
de leurs dons précieux
pour la rendre agréable
aux Hommes

Ofwel: De goden verrijken/Pandora/met hun kostbare ge-
schenken/om haar in welgevallen over te geven/aan de mens.

Pandora was, in de Griekse mythologie, een beeldschone
vrouw die door Hephaestus was geschapen uit aarde en vuur
en die door de goden was overladen met geschenken, voordat
ze naar de aarde werd gestuurd. Ze kreeg, om de mensheid te
straffen, een paar plagen mee als 'geschenk' – vandaar dat ze
ook symbool was van het 'beeldschone kwaad'. In de Middeleeuwen overheerste echter het positieve beeld van Pandora,
degene die overladen was met hemelse gaven. Het is duidelijk
dat Jan deze Pandora voor ogen had. Tussen de bladzijden lag
ze zelf, naakt, op een afgesneden schilderstuk, nu broos papier.

De *Kleine Pandora* bleek een huis op zich, een uitbundige collectie, vol verrassingen. Een traditioneel liber amicorum was
het bepaald niet, het was eerder, zoals een van Jan's vrienden terecht schreef, een 'Konstkamer' waar Jan Six verzen en
tekeningen verzamelde van dichters en kunstenaars die hem
na aan het hart lagen. Jan hield deze miniverzameling bijna
veertig jaar bij, de eerste bijdrage is van 1647, de laatste, van
Jan zelf, van 1686.
    Al bladerend stuitte ik op vier handgeschreven gedichten
van Vondel, twee pentekeningen van Rembrandt, een pagina
schoonschrift van Hendrik Hooft, twee gedichten van Jan Vos,
schitterende architectuurtekeningen van Adriaan Dortsman,
vier gedichten van Jan zelf, in totaal eenentwintig geschreven
bijdragen en elf tekeningen. En dat allemaal in één album.

Dortsman is een figuur die er direct uit springt, een bouwmeester uit Vlissingen die zich, wellicht onder invloed van
Jan, ontwikkelde van een degelijk ambachtsman tot een baan-
brekend architect. Hij zou in Amsterdam de Oosterkerk ont-

werpen en voor Jan Six een nieuw huis aan de Herengracht. Ook daarna bleef het duo samenwerken, als een soort project-ontwikkelaars avant la lettre. Naast het nieuwe huis van Jan lag nog een heel stuk grond braak, tot om de hoek bij de Am-stel, en ze bedachten een plan – en voerden dat uit – om ook dat stuk grond te bebouwen. Het project leidde tot eindeloze financiële strubbelingen, de vriendschap bleef desondanks in stand.

In dit album is Dortsman echter alleen aanwezig met teke-ningen van een stadspoort en een buitenhuis. Plus, los tussen de bladzijden, de plattegrond van een enorme tuin, compleet met hoofd- en bijgebouwen, bossen, lanen, vijvers en parken. Het is allemaal nooit aangelegd, het moet voor Jan een soort droomtuin zijn geweest – wat ook blijkt uit de nadere beschrij-ving die eveneens los in het album ligt: 'koetshuis voor zes koetsen en vier knechtskamers', 'stalling voor veertig paarden met vier knechtskamers', 'kastelijnswoning', 'plein achter de stal en bonhuis met acht lindebomen, kan ook voor moestuin dienen', 'plaats voor oranjebomen', 'plaats voor allerleij ghe-vogelt', enzovoorts.

Hendrik Hooft is natuurlijk van de partij, een prominent figuur in de stadspolitiek, de vriend aan wie Jan zijn gedich-ten *Landt-leven* en *Muiderberg* opdroeg. Hooft, op zijn beurt, schreef voor Jan op de laatste bladzijde van het album een vreemd gedichtje waarin hij bovendien nogal zat te knoeien, met allerlei correcties in de marge, met als teneur: geschreven woorden zijn maar inkt, enkel gesproken woorden kunnen winnen.

Minder bekende gasten wandelen ook door Jan's Konstka-mer, van de verzenbakker Antonides vander Goes – 'Koralen, die om 't poezle kopje speelt / Van Rozemont, en streelt die malsche wangen...' – tot collega-lakenhandelaar Michiel Ko-mans en de predikant Geraerdt Brandt, biograaf van Vondel en Michiel de Ruyter. Voor Jan schreef hij een 'gekdicht' op de verjaardag van 'een juffrouw' dat opnieuw hint op een ho-peloze verliefdheid – weer die raadselachtige Chloris?

De meest sobere bijdrage in Jan's *Pandora* is die van Coen-raad van Beuningen, een prominent regent. Hij schreef enkel zijn handtekening, de datum – 4 november 1671 – en de woorden: 'Nemo malus felix'. Ofwel: 'Geen slecht mens is gelukkig', een citaat van de Romeinse satiricus Juvenalis.

Jan Six en Van Beuningen moeten elkaar goed hebben gekend. Ze groeiden tegelijkertijd op aan de Kloveniersburgwal, ze bezochten samen de Latijnse school van Sladus en allebei studeerden ze rechten in Leiden. Daarna gingen hun paden uiteen: terwijl Jan genoot van het leven en de schone kunsten, maakte Van Beuningen carrière als diplomaat en als secretaris – later raadpensionaris – van de stad Amsterdam. Hij groeide uit tot een fenomeen op zich, overal trad hij op als bemiddelaar, aanvankelijk in Zweden, Denemarken en Noorwegen, later ook in Frankrijk en Engeland. Hij was, met enige overdrijving, de Henry Kissinger van de Republiek Amsterdam.

Toch vonden de schoolvrienden elkaar terug, en vreemd is dat niet. Ze woonden in later jaren vlak bij elkaar en Van Beuningen had, net als Jan, een grote belangstelling voor literatuur en filosofie. Hij was een zoeker en een piekeraar, hij hoorde tot die dwarse mensensoort waartoe Jan zich altijd weer voelde aangetrokken. Maar er was ook iets geks met hem aan de hand. De vroegere burgemeester Oetgens had wel eens tegen hem gezegd dat hij nog eens 'door een beulshand' zou sterven. Waarop een van de dames in het gezelschap had geroepen: 'Of een hoer trouwen!' Zelf vertelde hij het verhaal met smaak rond.

Ik blader verder, voorzichtig. Na de tekeningen van Dortsman verschijnt weer een gedicht:

> Vraagt gij, o Six! wat ik kan maaken
> Nu ik voor hooft ter Schouburg gaa?
> Ik bou er hemelhooge daaken.
> Ik kies, alleen door mijn gena,
> Meer kaizers dan de zeven keuren,
> Die in 't beroemd Garmanje zijn.

Het is de pen van Jan Vos, ook zo'n vaste klant van Lescaille, een onontkoombare figuur in het toenmalige Amsterdamse wereldje en uiteraard ook in Jan's *Pandora*. Hij had een glazenmakerij in de Kalverstraat, kende geen Latijn, deed niet aan grootse literatuurtheorieën, maar als gelegenheidsdichter was hij ongeëvenaard. Hij was een typisch voorbeeld van een dichter die zijn poëzie vooral gebruikte voor praktische doeleinden, met name om zijn netwerk te onderhouden en te verstevigen.

Zijn leven lang bleef hij aan het werk als glazenier. Zoals hij zelf zei: het dichten van vensters brengt meer op dan het dichten van verzen. En dus schreef hij veel van zijn gedichten voornamelijk om klanten te werven. Bij de bouw van de nieuwe Bank van Lening aan de Nes droeg hij zelfs ongegeneerd een vers op aan de Amsterdamse magistraten, met als slotzin: 'Verzoek het Leeninghuis te dichten met mijn glas.'

Juist die combinatie van ambachtelijkheid, handelsgeest en poëtisch talent maakten Vos tot een unieke figuur in de stad. In 1641 wekte hij grote beroering met het lugubere spektakelstuk *Aran en Titus, of wraak en weerwraak* – het stuk is in de kwarteeuw daarna meer dan honderd keer opgevoerd. Het publiek droeg hem op handen, en dat gold ook voor de Amsterdamse elite. Bij belangrijke gebeurtenissen – bijvoorbeeld bij de feesten rond de vrede van Münster – was hij de man die voor de tableaux vivants en andere spektakelstukken zorgde. Vanaf 1647 was hij, als regent van de schouwburg, bepalend voor het Amsterdamse theaterleven.

Het bovenstaande vers in de *Pandora* – hij schreef er verderop nog eentje, op een schilderij van Rubens – wordt wel beschouwd als een dankgedicht. Jan Vos zou zijn benoeming als schouwburgregent te danken hebben gehad aan de bemoeienissen van Jan Six. Was onze Jan daartoe echter wel in staat? Hij was in die fase van zijn leven, oneerbiedig gezegd, voornamelijk een rijke flierefluiter, erudiet en gerespecteerd, maar zonder politieke macht. Die bleef voor hem, als immigrantenzoon, voorlopig onbereikbaar.

Aan de andere kant: al een paar maanden na zijn benoeming bracht Vos de *Medea* van Jan Six op de planken, waarschijnlijk onder zijn eigen regie. Het was een sober drama dat helemaal niet paste bij de persoonlijke voorkeur van Jan Vos, noch bij de smaak van zijn publiek. Het stuk is dan ook niet meer dan vijf keer opgevoerd. Zou hier sprake zijn geweest van een vriendendienst?

Jan Vos was een showman. Het theater veranderde sterk in die tijd, het werd veel dynamischer. Aanvankelijk was het toneel nog statisch, als er iets gebeurde – een moord, een ramp, een drama – vernam de toeschouwer dat meestal indirect, een bode kwam het bijvoorbeeld in fraaie zinnen vertellen. Jan Vos wilde daarentegen op het toneel laten zien wat er werkelijk gebeurde, zoals hij zelf zei 'toneel voor het oog' in plaats van 'toneel voor het oor'. Met dat doel werd 'zijn' schouwburg – die toen aan de Keizersgracht stond – in 1665 geschikt gemaakt voor de meest spectaculaire drama's. Het podium werd fors vergroot, met snel verwisselbare decors. En er kwam ongekend kunst- en vliegwerk: hemelwagens, liften, een golvenmachine, zelfs een zogenaamde glorie, een wonderbaarlijke lift die een acteur met één zwaai ten hemel liet varen terwijl de wolken zich boven hem openden. De Amsterdammers stonden paf.

Als eerste stuk na deze verbouwing bracht Vos zijn eigen versie van *Medea* op de planken, vol gruwelen en spectaculaire luchtvertoningen. Nu kon immers, dankzij deze nieuwe technieken, Medea haar kind iedere avond opnieuw vanaf het balkon te pletter laten vallen. Zoals Jan Vos schreef in het voorwoord van het stuk: 'Wie het volk in den schouwburg wil houden, moet hun oogen met de koorden van gevoegelijke bekoorelijkheden aan het Toneel binden.'

Misschien moeten we het vers dat Jan Vos zo mooi neerschreef in het album van Jan Six dan ook vooral lezen als een jubelzang: Vos was gewoon dolblij met deze benoeming, hij had eindelijk zijn bestemming gevonden. Hij kon meer 'keizers' kiezen dan alle keurvorsten van Duitsland bij elkaar, hij heeft 'de rijken in mijn handen', de 'schenners van het heilig recht' zal hij vernederen en ontwapenen. Maar met al deze macht zal hij toch, zo schrijft hij, een eenvoudig man blijven. Wie daaraan twijfelt moet maar naar zijn 'voorhuys' komen, zijn winkel. 'Hier doet de buik mij glazen maken.' Dat zou altijd voor hem het belangrijkste blijven. Zijn relatiepoëzie wierp echter wel vruchten af. In 1652 werd hij benoemd tot 'stadsglazenier'. Net op tijd: alle ruiten van het gigantische nieuwe stadhuis waren voor hem.

Een soortgelijke figuur – ook een middenstander, maar een veel betere dichter – was Joost van den Vondel. Aan Jan's vriendenalbum leverde hij een vers op een portret van Jan – ik kom daar nog op terug –, een vers op een schilderij van Pieter Lastman, *Offerstaetsi* – toen in Jan's bezit, nu in Warschau –, een vers op het marmeren borstbeeld van Nicolaes Tulp – het staat nog steeds in de bovengang van het Amstelhuis – en ten slotte een dankdicht 'voor zijn ooft en wildbraet my uit zyne hofsteden toegezonden'. Alleen het eerste vers is direct in het album geschreven, de andere drie staan op losse vellen die er later zijn in geplakt. Aan het dankdicht is zelfs nog te zien dat het ooit een brief was, compleet met adres. Het laatste vers is, zacht gezegd, niet Vondels beste werk, veel meer dan een veredeld sinterklaasgedicht is het niet. 'Veel varkens maken dunne spoeling, gelijk die veelschrijverij, gelijk Vondel in zijn leste,' schreef Jan later over hem. Toch achtte hij de dichter blijkbaar zo hoog dat hij ook dit gerijmel in zijn album opnam.

De banden tussen Vondel en Six waren vermoedelijk hecht. Beide families – de Vondels waren doopsgezinden uit Antwerpen – herkenden in elkaar het gemeenschappelijke lot van de zuidelijke ballingen. Vondel schreef een vers op het portret van Anna Wijmer en hij pakte helemaal groots uit bij het latere huwelijk van Jan, met een uitbundig bruiloftsgedicht. Jan zou, van zijn kant, voor zijn oude vriend het grafschrift dichten.

Vondel dreef jarenlang met succes een zijde- annex kousenhandel aan de drukke Warmoesstraat. Tegelijkertijd was hij op literair gebied uiterst productief, met een eindeloze reeks verzen, hekeldichten, epische werken en theaterstukken. Hij was een echte stadsdichter, hij volgde scherp de ontwikkeling van het nieuwe, glorieuze Amsterdam, met als hoogtepunt zijn lyrische beschrijving van het stadhuis dat in 1655 werd ingewijd, het latere Paleis op de Dam, 'het achtste wereldwonder'. Net als Jan Vos krikte hij zijn inkomen nog verder op met een vloed aan gelegenheidsgedichten. Geen elitekind trouwde of Vondel was van de partij.

Op het Sint-Lucasfeest van 20 oktober 1653, een avond waar bijna heel schilderend, dichtend en kunstminnend Amsterdam aanwezig was – inclusief onze Jan –, was hij de eregast. Op het hoogtepunt was hij echter opeens weg, nadat hij

Govert Flinck over de tafel een briefje had toegeschoven met de tekst:

Govert! – Ick verschrick van kampen,
Vechten, drincken en slampampen,
Razen, buldren, trappen, trampen,
Maegh en darmen vol te stampen
By de kaers of by de lampen,
Hier uit spruyten duizent rampen,
Hooftpijn, zinkingen en dampen,
Zenu-krimpingen en krampen.
Wiltghe blijven? – ick gae schampen.

Vondel was duidelijk geen societyfiguur, eerder een man van de studeerkamer, in tegenstelling tot Jan Vos. Ook in zijn zaken had hij niet zoveel geluk als zijn collega-dichter. Rond zijn zestigste droeg Vondel zijn kousenwinkel over aan zijn zoon. Hij had genoeg gespaard voor een mooie, dichterlijke oude dag. Joost junior joeg echter, samen met zijn 'spilzieke' vrouw, de zaak binnen een paar jaar naar de kelder en Joost senior, die garant had gestaan, verloor zijn complete vermogen, zo'n 40 000 gulden. De zoon vertrok naar Indië en stierf onderweg. Vondel was opeens straatarm.

De dichter-kousenhandelaar had toen al een enorme reputatie. Hij schreef meer dan dertig toneelstukken – waarvan *Gijsbreght van Aemstel* en *Lucifer* de bekendste zijn –, onder collega's gold hij als 'de prins der dichters' en bij zijn overlijden sloeg de stad Amsterdam een speciale munt met de tekst ''s Lands oudste en grootste poëet'.

'Hierdoor was hij wel beschermd tegen armoede, maar,' zo schrijft Geraerdt Brandt in zijn biografische schets, hij was 'verplicht de ganse dag toezicht te houden bij de bank, en de heren die daar van stadswege het beleid voerden, blootshoofds ten dienste te staan'. 'Vondel had zijn tong in de lombert gebracht,' grapte Jan in een van zijn notities. Hij bleef verzen schrijven om zijn inkomen aan te vullen. Pas op zijn tachtigste kreeg hij een bescheiden jaargeld voor de rest van zijn leven.

Als ik het hierbij zou laten zou ik Vondel echter groot onrecht doen. Onze nationale dichter was meer dan een brave kousenkoopman, hij was daarnaast op-en-top een politiek dier. En hij was moedig, hij was bereid grote risico's te nemen. In 1618, op het hoogtepunt van een machtsstrijd tussen de orthodoxe en meer vrijzinnige protestanten, werd de oude, integere raadpensionaris Johan van Oldenbarnevelt beschuldigd van landverraad en onthoofd. Vondel was diep geschokt, ook omdat de intrige was opgezet door stadhouder Maurits, de zoon en opvolger van Willem van Oranje. In 1625 publiceerde hij een toneelstuk over de rechtschapen Griekse held Palamedes, die tijdens het beleg van Troje door een jaloerse Odysseus werd beschuldigd van verraad en ter dood gebracht.

Toentertijd was iedere welopgeleide Amsterdammer doordrenkt met metaforen uit de Bijbel en de Oudheid, die taal kende men door en door. De orthodoxe kliek die in die jaren Amsterdam regeerde verstond Vondel's verborgen boodschap dus maar al te goed. *Palamedes* of *Vermoorde onnoosselheit* werd gedrukt, verboden, vervolgens opnieuw uitgegeven – zelfs herhaalde malen – en pas veertig jaar later, in 1663, voor het eerst opgevoerd (niet toevallig in een periode waarin de Oranjes buitenspel stonden). Een titelloos schilderij van Rembrandt uit 1626 zou volgens sommigen ook verwijzen naar het drama van Palamedes – en dus van Oldenbarnevelt.

Vondel werd aangeklaagd bij het hoogste rechtscollege van het land, het Hof van Holland in Den Haag. Onder het regime van de fundamentalistische burgemeester Reinier Pauw had de dichter, net als Oldenbarnevelt, voor zijn verzen de doodstraf kunnen krijgen. De na hem gekozen libertijnse burgemeesters voelden daar echter niets voor. Vondel dook een poosje onder en uiteindelijk werd de kwestie afgedaan met een geldboete van 300 gulden.

Vondel bleef zich in dit 'verraad' vastbijten, hij was geliefd en gehaat om zijn venijnige hekeldichten, jaren later schreef hij nog 'Het stockske':

Het stockske van Johan van Oldenbarnevelt, Vader des
Vaderlants
Myn wensch behoede u onverrot,
O stock en stut, die geen' verrader,

Maar 's vrydoms stut en Hollandts Vader
Gestut hebt op dat wreet schavot...

Ten slotte besloot hij, omwille van zijn gemoedsrust, over te stappen naar de Katholieke Kerk. Zijn openlijke 'bekering' veranderde niets aan zijn maatschappelijke positie, ook niet toen hij de schijnheilige orthodoxen in een paar snijdende gedichten de maat nam. In 1646 presenteerde hij *Maria Stuart*, een drama over het conflict tussen de protestantse Elizabeth I en de katholieke Maria Stuart, waarbij hij voluit de kant koos van zijn katholieke martelares. De predikanten waren woedend, het stuk werd verboden – net als later ook gebeurde met het 'godslasterlijke' *Lucifer*. Vondel was voor de ultrarechtzinnige preekheren de satan zelf, de schouwburg een voorportaal van de hel.

Joost van den Vondel hoorde tot de oudere generatie, hij scheelde ruim dertig jaar met Jan Six. Toch voelde Jan zich tot hem aangetrokken, wellicht zelfs meer dan tot zijn leeftijdsgenoot Jan Vos. Hij had duidelijk een zwak voor degenen die afweken van het normale pad, was geïnteresseerd in hun opvattingen, zocht mee naar nieuwe vormen en ideeën. Dat gold in nog sterkere mate voor de, in onze ogen, belangrijkste figuur binnen zijn vriendenkring.

Waarschijnlijk hebben Rembrandt en Jan Six elkaar leren kennen op het atelier van Hendrick van Uylenburgh, een goede bekende van Six. Toen Rembrandt in 1641 het portret van Anna Wijmer schilderde was Jan drieëntwintig, hij woonde nog bij zijn moeder. Rembrandt en hij hebben elkaar sindsdien waarschijnlijk regelmatig ontmoet. Dat contact zal intensiever zijn geworden na Jan's grote Italiaanse reis. Ze woonden in die tijd nog geen vijf minuten bij elkaar vandaan, ze hadden veel gemeenschappelijke interesses – boeken, rariteiten, Italiaanse meesters –, en Rembrandt zal de opgetogen verhalen van zijn jonge vriend over de zuidelijke levensstijl en het Italiaanse licht met grote gretigheid hebben aangehoord.

Ik schrijf 'waarschijnlijk' omdat het verloop van deze vriendschap slechts aan de hand van losse scherven kan worden gereconstrueerd. Het was een vriendschap die geen brieven naliet, maar wel een ander, helder spoor: een kleine stroom van opdrachten en vriendschappelijke gestes zoals die onder kunstenaars en hun vrienden gebruikelijk was. Jan Six was de eerste vooraanstaande Amsterdammer die Rembrandt na een zware tijd – na de dood van zijn vrouw Saskia in 1642 en een conflict met de Amsterdamse elite over de betaling van een portret was jarenlang vrijwel niets uit zijn handen gekomen – weer een belangrijke opdracht gaf, een ets. Hij liet ook zijn monogram door hem ontwerpen, en het titelblad van *Medea* (1647).

In de *Pandora* is Rembrandt dan ook prominent aanwezig, met twee schitterende sepia tekeningen uit 1652, eentje van Minerva in haar studeerkamer – wellicht een allegorie op Anna Wijmer –, en een verzen voordragende Homerus. Jan Six moet een groot zwak hebben gehad voor de blinde dichter: in zijn bibliotheek bevonden zich in totaal dertien uitgaven van diens werk, in diverse talen, en Rembrandt kende Jan goed genoeg om dat te weten.

Dat de humeurige Rembrandt iets in een vriendenboek tekende was sowieso bijzonder. Hij heeft zoiets, in zijn hele loopbaan, maar drie keer gedaan. In de ondertekening liet hij in Jan's album zelfs het gebruikelijke 'Heer' of 'Mijnheer' weg, het was voor hem gewoon 'Joanus', zoals onder vertrouwde vrienden.

Rembrandt en Jan gingen een paar jaar lang intensief met elkaar om, dat blijkt uit alles. De Franse kunsthandelaar en prentenkenner Edmé-François Gersaint, in 1702 aanwezig bij de veiling van Jan's verzamelingen, noemde hem 'de hechte vriend van Rembrandt' – wellicht heeft hij toen nog verhalen uit de eerste hand gehoord.

In een hoek van een vitrine in huize Six liggen nog harde verfzakjes, gerimpeld als kaboutergezichtjes, rood, bruingeel, blauw en wit. Ooit waren het stukjes darm of blaas vol verf, met een kopspijker als stop, er hangen nog leren strookjes aan, etiketten met vergane letters. Ernaast een kwastje, gemaakt van een stokje waaraan, met heel strak garen, een bundel haartjes is vastgesnoerd, de bezem van een poppenhuis. Volgens de familielegende zijn ze afkomstig van Rembrandt zelf. Onwaarschijnlijk is dat niet: uit laboratoriumonderzoek blijkt dat ze inderdaad dateren uit de periode rond 1650.

Ik gebruik het woord vriendschap hier voortdurend met enige aarzeling. Vriendschappen hadden in de 17e eeuw een ander karakter dan nu. Ze fungeerden, net als familieverbanden, in onzekere tijden als een soort verzekering tegen de wisselvalligheden van het lot: ziektes, ongelukken, financiële rampen. Met vriendschappen tussen kunstenaars en hun welgestelde begunstigers was het niet anders. Zonder de steun van zo'n mecenas zouden veel kunstenaars het niet redden, aan de andere kant was de vriendschap met een gerenommeerde kunstenaar een permanente bron van prestige. Dat gold zeker voor de verhouding tussen Rembrandt en Jan Six.

Toen de schilder in 1652 in geldnood raakte – de feestende Amsterdamse economie kreeg opeens een enorme dreun door de Eerste Zeeoorlog met de Britten – hielp Jan hem uit de brand. Hij kocht twee belangrijke, oudere schilderijen van hem, *Simeon in de Tempel* en *De prediking van Johannes de Doper*. Toen Rembrandt's geldproblemen almaar toenamen leende Six hem ook nog eens renteloos 1000 gulden – een aanzienlijk bedrag. In diezelfde periode verkocht Rembrandt hem het portret van Saskia, het mooiste en ongetwijfeld dierbaarste schilderij van zijn overleden vrouw.

Rembrandt, van zijn kant, besteedde opvallend veel aandacht aan de opdrachten die Jan hem gaf. Die zorg valt heel duidelijk af te lezen aan de ets die hij in 1647 van Jan Six maakte, lezend voor een raam in de voorkamer van de Blauwe Arent. Dat kun je zien aan de ets zelf: Rembrandt was een razend knappe etser, en dit schilderachtige portret, met zijn subtiele toonschakeringen en het naar Jan's gezicht weerkaatsende licht, via het opengeslagen boek, is ronduit een meesterstuk. Zo werd het toentertijd al gezien. Een paar jaar later, in 1655, zou Rembrandt in een contract vastleggen dat hij voor een van zijn klanten een 'conterfeijtsel [...] naar 't leven' zou etsen dat minstens zo goed was als 'het conterfeitsel van d'Heer Six', voor het bedrag van 400 gulden.

Je kunt die aandacht ook aflezen aan alles wat er verder nog rond die ets aan de Amstel bewaard wordt: de diverse voorstudies in potlood en inkt – voor een ets van Rembrandt zeer ongebruikelijk –, de originele koperen plaat waarmee de schilder zijn afdrukken maakte, en ten slotte de verschillende staten van de ets zelf. Rembrandt's werkmethode is hier – en dat is uniek – van begin tot eind zichtbaar. En, natuurlijk, de nauwe samenwerking met Jan.

Op een van de eerste voorstudies springt een hondje vrolijk tegen Jan's benen, symbool van trouw en vriendschap. Jan gaf echter duidelijk de voorkeur aan de meer plechtige pose van de lezende kunstliefhebber, staande bij het raam, op de lichte grensstreep van de buitenwereld en het innerlijke leven. Dat werd de definitieve versie.

Nu ik schrijf over deze vriendschap: wat zou het mooi zijn om, in navolging van Rembrandtkenner Gary Schwartz, een 'aardige en hartverwarmende anekdote' te vertellen over Rembrandt als vriend en leermeester. Dat kunnen we vergeten. Alles wat er over Rembrandt is verzameld wijst erop dat Rembrandt een moeilijk mens was. Van de verhalen over zijn persoonlijkheid word je zelfs, in de woorden van Schwartz, 'koud om het hart'. Bijna zonder uitzondering illustreren ze zijn 'schraperigheid, zijn slechte humeur tegenover zijn leerlingen en zijn lompheid'. Vriendschappen met beschermers en collega's eindigden 'verdacht abrupt' – als er al niet een rechter aan te pas kwam. Hoe gerespecteerd ook als kunstenaar, op het eerder genoemde Sint-Lucasfeest hoorde hij niet tot de gasten.

Hij knoeide met de aantallen afdrukken van etsen. Zeker de helft van de erfenis van zijn zoon Titus joeg hij erdoorheen. Hij deelde jarenlang het bed met zijn huishoudster, zodra echter een leuk jong dienstmeisje zijn huis binnenstapte, Hendrickje Stoffels, dumpte hij haar zonder genade, hij zag zelfs kans haar in een inrichting op te laten sluiten.

Toch had Jan vermoedelijk een groot zwak voor de kunstenaar. Uit Rembrandt's werk blijkt immers ook telkens weer een diep menselijk inzicht, een intense gevoeligheid en een grote empathie. Vincent van Gogh noemde het 'de tederheid in de blikken', iets wat je bijna bij geen andere schilder aantreft. Constantijn Huygens zag dat al direct: in 1630 schreef hij over de toen vierentwintigjarige Rembrandt van Rijn – 'meer kind dan jongeman' – dat hij uitmuntte 'in trefzekerheid en levendigheid van emoties'. Hij 'concentreert zich graag vol overgave op een klein schilderij en bereikt in het kleine een resultaat dat men in de grootste stukken van anderen tevergeefs zal zoeken'. Later ontwikkelde Rembrandt een opvallend losse schilderstijl en daar hield voor velen de bewondering op: hij was te 'wild' vonden veel tijdgenoten, hij 'rotzooide maar wat aan'. Maar, zo vond ook Arnold Houbraken, zijn vermogen om emoties en 'menigerlei hartstochten' weer te geven was ongeëvenaard.

Was Rembrandt daarin een eenzaam genie, zoals vroeger zo vaak werd beweerd? Dat romantische idee staat helaas haaks op de realiteit. Kunstenaars werden in de 17e eeuw voornamelijk gewaardeerd als getalenteerde en bekwame ambachtslieden, niet als halve goden. Zo dachten ze er zelf ook over.

Zelfs Shakespeare schiep zijn toneelstukken bepaald niet in diepe eenzaamheid: hij pikte, leende, bewerkte en herschreef voortdurend het werk van voorgangers en tijdgenoten. Bij Rembrandt ging het net zo. Toen diens boedel later werd geveild bevond zich daartussen een hele reeks platenboeken met prenten van vrijwel alle grote meesters van de Renaissance – Titiaan, Dürer, Lucas van Leyden – die hij voortdurend weer gebruikte als inspiratiebron.

Ik kan me voorstellen dat Rembrandt, net als Govert Flinck dat later deed, graag langsging bij Jan Six om wat te grasduinen in zijn rijke Italiaanse collectie, met alle discussies die daarbij hoorden. Zijn tekening van Homerus in de *Pandora* is bijvoorbeeld duidelijk geïnspireerd op Rafaël's Vaticaanse fresco *Apollo en de muzen op de Parnassus*. Hij had de compositie vermoedelijk gezien op een van de reproductiegravures van de 16e-eeuwse prentenmaker Marcantonio Raimondi waarvan zowel hij als Six een hele collectie had aangelegd.

De ets van Rembrandt die de titelpagina van *Medea* sierde – Rembrandt deed zoiets normaliter nooit – was vermoedelijk ook het product van zo'n gezamenlijke gedachtevorming. Ik sla het boekje – uit 1648 – nog eens op. Je ziet de huwelijksvoltrekking van Jason en zijn nieuwe vrouw Creusa, terwijl in een donker hoekje Medea toekijkt, de dolk en het kistje met vergif al in haar handen. Daaronder de woorden:

Creus' en Iason hier elckandren Trouw beloven:
Medea Iasons vrouw, onwaerdighlijck verschoven,
Werdt opgehitst van spijt, de wraecksucht voert haer aen.
Helaes! Ontrouwigheydt, wat komt ghij dier te staen!

De boodschap van Six is, opnieuw, overduidelijk: de schuldige aan dit drama is Jason, de sympathie van de dichter ligt duidelijk bij de 'heks' Medea. Het erkennen van die tragiek, het onder ogen zien van al die tegenstrijdige gevoelens en daar niet voor weglopen, het was voor die tijd iets heel nieuws. De twee vrienden moeten elkaar ook hierin hebben gevonden. Rembrandt stond immers op dezelfde bijzondere manier tegenover veel van zijn onderwerpen.

Al in 1630 schilderde hij Judas, de alom verachte verrader van Christus, op een volstrekt onconventionele manier: het is bij Rembrandt een gebroken man die de zilverlingen terugbrengt die hij voor zijn verraad had ontvangen, zo vol wroeging dat je alleen nog maar medelijden met hem kunt hebben. En neem zijn Bathseba uit 1654, deze naakte, nadenkende en tragische vrouw die, verleid door koning David, op het punt staat om haar man te verraden. Gary Schwartz verwijst in dit verband rechtstreeks naar de opvattingen van Jan Six over Medea. 'Net zoals Six onze sympathie wekt voor een vrouw die anders altijd wordt beschreven in termen van het kwaad, zo doet Rembrandt dat voor een heldin die in andere schilderijen geldt als een voorbeeld van de zonde,' schrijft hij. Het thema is, daarbij, identiek: 'Medea en Bathseba waren beide seksuele slachtoffers, machteloos tegenover de lusten van een vorstelijk personage, beiden verwikkeld in een gedoemde strijd met het eigen geweten, gedwongen tot een fatale zonde door de overspelige verlangens van een ander.'

Hier hebben die twee over gediscussieerd, dat staat buiten kijf, en misschien wel vaak en veel. Blijft de vraag wiens opvattingen bepalend waren. Wist Jan Rembrandt tot andere gedachten te brengen? Of overtuigde Rembrandt Jan?

VI

Twee gezichten

Aan de voet van de trap naar de tweede verdieping staat zijn borstbeeld. In wit marmer had de dokter en magistraat zijn kop door de grote beeldhouwer Artus Quellinus laten uithouwen, compleet met sik, snor en kalotje. Een krullende lok piept daar nog net onderuit. In de houten sokkel een kunstig gesneden tulp.

Het interieur van het stadhuis in aanbouw was één ode aan de beeldhouwkunst, in de ateliers op de bouwplaatsen waren de beste beeldhouwers van Europa aan het werk, waarom zou daarvan niet iets afstralen op de machtigste mannen van de stad? Collega-burgemeester Huydecoper was ermee begonnen, Nicolaes Tulp was de tweede die het waagde: dit was de manier waarop een Amsterdamse magistraat zich moest laten vereeuwigen, als een senator van het oude Rome. Toen het af was bestelde hij bij Vondel een lofzang:

Zo komt beeldhouwery gedachtenis te hulp.
Men ziet in 't beeld den geest en 't leven van ons Tulp.

En tegelijk is er dat dikke, bijna vierkante boekje, weggestopt
achter het glas van een muurkast in de bibliotheek. Het is stevig gebonden in wit leer, met elegante flappen over de zijkant,
op de snee ligt een piepdun laagje goud. *'Davids Psalmen' 'Geschreeven'*. Je slaat een pagina op: geen woord is gedrukt, alle
honderdvijftig psalmen van David staan daar in strak en helder schoonschrift, de titels fijntjes versierd, met de dunste pen.

> 'Wel gelucksalig is de Man die niet en wandelt in den
> Raedt der Godlosen noch staet op den wech der Sondaren,
> noch sit in het ghestoelte der spotteren. Maer syn lust is
> in des' Heeren Wet, en hij overdenckt sijne wet dach ende
> Nacht.'

Voorin de naam van de man die daar avond na avond mee bezig moet zijn geweest, in vrome rust en concentratie: Nicolai
Tulpii.

Jan had nooit een vader gekend. Deze man met twee gezichten zou zijn leven ondersteboven keren.

Het huidige huis aan de Amstel draagt nog overal zijn sporen. In de vitrine glanst de vermaarde verguld-zilveren 'tulp-
beker', een kunststuk van de befaamde zilversmid Johannes
Lutma, met een kelk in de vorm van een heuse tulp. Nicolaes
Tulp gaf hem in 1652 aan het chirurgijnsgilde cadeau, bij zijn
aftreden als *praelector*, na bijna een kwarteeuw dit hoogste
medische ambt te hebben vervuld.

Er zijn portretten. Er is een herdenkingspenning om de inwijding van het stadhuis te vieren, op 29 juli 1655. Er ligt nog
een penning, een huldeblijk aan Tulp uit 1672. En over de hele
wereld is Tulp voor eeuwig befaamd als de chirurgijn die op
Rembrandt's *Anatomische les van dr. Nicolaes Tulp* kwiek de
linkerarm van de gehangene, Adriaen – Aris – Adriaenszoon
bijgenaamd Kint, openlegt terwijl zijn vakgenoten ademloos
toekijken. Tulp, net veertig jaar oud, verkeerde toen op de toppen van zijn medische kunnen.

Claes Pieterszoon, zoals Nicolaes Tulp oorspronkelijk heette, kwam uit een Zaanse familie die, net als de Sixen, rond 1590 in de Amsterdamse lakenhandel was beland. Zijn oudste broer moest de zaak overnemen, Nicolaes mocht in Leiden medicijnen studeren en toen hij in 1614 terugkwam had zijn naam een Latijns vernisje gekregen: dr. Nicolaes Petreius. In 1617 trouwde hij, tegen de zin van zijn familie, met Eva van der Voech, 'bekoord door hare schoonheid'. Aan zijn huis aan de Prinsengracht – later aan de Keizersgracht – hing de jonge doctor het uithangbord 'de Tulp'.

Tegelijkertijd begon Tulp een carrière binnen de stedelijke magistratuur. Ongebruikelijk was dat niet: goede artsen waren zeldzaam, veel steden probeerden ze vast te houden door hun overheidsfuncties aan te bieden. In 1622 werd hij tot schepen gekozen, hij zou de rest van zijn leven vrijwel permanent openbare ambten uitoefenen, inclusief het burgemeesterschap. Hij had echter nog geen familiewapen om documenten mee te kunnen verzegelen, zo deftig was zijn afkomst nu ook weer niet. Daarom gebruikte hij de tulp als teken in zijn schepenzegel. Zo werd het al snel Nicolaes Tulp in plaats van Nicolaes Petreius – al bleef hij zichzelf, volgens tijdgenoten, meestal Claes Pieters noemen, want 'hij was een heer van vrindelijcke en minnelijcke aenspraak'.

Het ging hem in alle opzichten voor de wind. Typerend is het schilderij uit circa 1624 van grootmoeder Tulp die naar het golfspel van haar kleinkinderen zit te kijken: de luxe en kleurige kledij van de golf spelende kinderen vormen een opvallend contrast met de soberheid van de oude moeder. Toen zijn eerste vrouw in 1628 stierf hertrouwde hij, statusgevoelig als hij was, binnen twee jaar met de rijke burgemeestersdochter Margaretha de Vlaming van Oudshoorn. Wel haalde Nicolaes ijlings de tulp van zijn voorgevel toen in 1635 de zogenaamde tulpenrage uitbrak, de windhandel waarbij voor tulpenbollen opeens krankzinnige bedragen werden neergeteld. Met zulke woeste speculaties wilde hij niets van doen hebben. Hij verving de tulp door twee spreuken: 'Wandelt met Godt' en 'Soeckt het eeuwich leeven'.

Nicolaes Tulp is moeilijk te doorgronden. 'Een evenwichtige man met een heldere precieze geest.' 'Zelfdiscipline en een zeer grote wilskracht.' Zijn strakke handschrift, zeker in die tijd, duidt op 'gebrek aan effectbejag en vertoon van pretentie'. 'Sociaal zeer dienstbaar ten opzichte van zijn patiënten en medeheelmeesters.'

Dat zijn de conclusies van een onderzoek naar Tulp's handschrift, verricht in het kader van een groot biografisch Tulp-project in 1991. Hoe men daar ook over mag denken, deze bevindingen komen in veel opzichten overeen met het oordeel van tijdgenoten. Maar er staat ook: 'Opvallend is het zich steeds vertonend dualisme. Enerzijds zijn toch wel wat conservatieve en behoudende vasthouden aan bestaande toestanden en aan de andere kant de drang tot hervorming.' En: 'In geval van conflictsituaties en meningsverschillen zal hij echter opvallen door star en verbeten dogmatisch en vaak onverdraagzaam optreden. Hij duldt geen tegenspraak en zijn opstelling is compromisloos.'

In een kamertje in het voorhuis hangt een schilderij met een allegorie op de berechting van de bejaarde staatsman Johan van Oldenbarnevelt. Het is een bonte voorstelling, een bizar 17e-eeuws tafereel. De rechters en toeschouwers zijn stuk voor stuk geschilderd als roofdieren, alleen Van Oldenbarnevelt zelf is afgebeeld als mens, als eenzaam middelpunt van dit vileine gericht. Stadhouder Maurits zit erbij als een vos, er staan draken en wolven te kijken, een olifant houdt een Nederlandse vlag in zijn slurf. Het is een bijna bruegheliaans tafereel, vreemd en dreigend, en het tekent de politieke sfeer toen Tulp in 1622 zijn eerste ambt aanvaardde.

Die spanningen hadden alles te maken met het individualistische karakter van het calvinisme. Calvijn had zijn aanhangers bevrijd van oude dogma's en instituties, nu was het aan henzelf om te oordelen wat het ware geloof was. Het allesbepalende theologische vraagstuk van die jaren draaide om de persoonlijke verantwoordelijkheid van de mens. De aandacht was vooral gericht op de zogenaamde predestinatie, de vraag of God al van tevoren had bepaald wie in de hemel zou komen en wie in de hel. De volgelingen van de Leidse theoloog

Franciscus Gomarus – de 'gomaristen', ook wel aangeduid met 'preciezen' of 'vromen' – meenden dat de alwetende God alles al bij voorbaat had beslist, geen mens kon daar meer iets aan veranderen. Het was een fatalistische levenshouding die vooral populair was onder het gewone kerkvolk, aangevoerd door predikanten als Petrus Plancius en een burgemeester als Reinier Pauw, de man die vanwege Palamedes op Vondel joeg.

In Amsterdam was echter onder invloed van de predikant Jacobus Arminius de oude liberale stroming weer tot bloei gekomen, een theologie waarbij de mens wel degelijk een keuze kon maken: door deugdzaam te leven kon men het eigen heil bevorderen, samen met de genade Gods. Dit was de leer van de arminianen ofwel 'libertijnen' of 'remonstranten'. Onder hen bevonden zich een reeks prominente Amsterdamse families: De Graeff, Van Beuningen, Schrijver, Reael, Burgh en Huydecoper.

Het was een tegenstelling die in toenemende mate ook een rol speelde binnen de landelijke politiek. De Staten van Holland, onder leiding van landsadvocaat Van Oldenbarnevelt, waren libertijns. Stadhouder Maurits besefte daarentegen dat hij voor het vrome volk moest kiezen, hoewel geloofszaken hem nauwelijks interesseerden. Onder deze religieuze tegenstelling lag, zoals vaker, een ordinaire machtsstrijd: moeten we doorgaan met de oorlog – Maurits – of streven naar een definitieve vrede – Oldenbarnevelt? En daar weer onder lag de vraag waar alles om draaide: wie heeft in deze nieuwe republiek het laatste woord, en niet alleen in strategische kwesties?

Toen de Tachtigjarige Oorlog luwde – tussen 1609 en 1621 bestond er tussen Spanje en de Republiek een wapenstilstand – barstte deze godsdienststrijd in volle hevigheid los. In 1618 werd het pleit beslecht door een staatsgreep. Maurits meende dat hij snel en hard moest ingrijpen, wilde hij het land bijeenhouden. Hij liet de landsadvocaat – ooit een trouwe strijdmakker – arresteren en terechtstellen. Daarna riep hij in Dordrecht een grote kerkelijke vergadering bijeen om de religieuze eenheid te herstellen. Die bepaalde dat de orthodoxe richting het enige ware geloof was. Alle tweehonderd remonstrantse predikanten werden uit hun ambt gezet.

Amsterdam had, onder leiding van burgemeester Pauw,

deze machtsgreep gesteund. Zijn vrome collega Frederick de Vrij had in 1620 zelfs de sinterklaasmarkt, de traditionele verkoop van snoep en 'kinderpoppegoed', van de Dam gejaagd omdat de geschenken de jeugd 'van God's heiligen woord afleidden'. Lang duurde de glorie van de 'preciezen' echter niet. In 1621 stroomde de vroedschap alweer vol met meer gematigde leden, al snel mochten de remonstranten een eigen kerk neerzetten en in 1627 werd Pauw definitief onttroond door Andries Bicker, een nuchtere koopman die niets moest hebben van fanatieke preekheren. De schaduw van dit conflict zou echter nog decennialang voelbaar zijn.

Al deze kwesties speelden tijdens de vroege jeugd van Jan Six, hij zal er persoonlijk weinig van hebben gemerkt. Zoals de meeste dichters en kunstenaars was hij waarschijnlijk geneigd tot de libertijnse richting: 'Ik hoor liever het geluid van een braadspit dan van het orgel.' Zijn hele vriendenclub zat in die hoek: Vondel, Van Beuningen, Huydecoper, Jan Vos, Rembrandt, er zat geen enkele vrome en precieze ziel tussen. 'Gereformeerd – Gedeformeerd' 'Lidmaten – Likmaten' noteerde hij zelf. En: 'De Gereformeerden maken God hoogst, de mens laagst.' En het woordenspel: 'Van Oldenbarnevelt – Bewaarde Holland.'

Nicolaes Tulp was een ander geval. Hij was verknoopt met de vroomste families van de stad, maar hij was te nuchter en te diplomatiek om zich te laten meezuigen in het gekrakeel van de predikanten. Mede daarom werd hij waarschijnlijk al snel tot schepen benoemd. Als het hem politiek uitkwam stemde hij zonder problemen mee met de 'rekkelijken', hij werd zo in de loop der jaren een behendige 'waggelmus', een van 'de lui die op twee benen hinken'.

Het burgemeesterschap ging echter jarenlang aan hem voorbij. Hij was en bleef 'wat te veel predikantsgezind', zoals een collega uit de vroedschap opmerkte. Dat was goed gezien: toen Tulp die toppositie tenslotte toch had bereikt – hij werd viermaal tot burgemeester gekozen – bleek onder het minzame uiterlijk van de dokter een opvallend starre en onverdraagzame notabele te leven.

Tulp was een geliefde dokter, bijna veertig jaar lang. Hij

maakte geen onderscheid tussen arm en rijk, werkte keihard en gold als een voortreffelijk vakman. Volgens de overlevering stond de gang van zijn huis dagelijks vol volk dat vroeg om hulp en goede raad. De middelen waarover hij beschikte waren echter zeer beperkt: piskijken om een diagnose te stellen, aderlaten, braak- en laxeermiddelen en een keur aan medicijnen. Ik lees ze terug in zijn handboeken: soms klassieke medische kruiden, soms ook bizarre mengsels van hazenurine, brandewijn, terpentijn, sap van een palmboom, andijvie, ongebluste kalk, kwikzilver, wijn, geraniums, oesters en meer.

Officieel was Tulp, als gestudeerd arts, een 'doctor medicinae'. Daarnaast werkten in een stad als Amsterdam zo'n tweehonderdvijftig chirurgijns. Er bestond een strikte taakverdeling: de doctores mochten zich niet met chirurgie bezighouden, dat was voorbehouden aan de chirurgen. Die moesten echter wel de aanwijzingen van de doctores volgen, bovendien was de behandeling van inwendige ziektes voor hen taboe.

Chirurgie was een ambacht, het gold als de hoogste trede in het kappersvak. De chirurgijns konden zeer behendig wonden hechten, tumoren uitsnijden en breuken herstellen. Het waren vaardigheden die in groot aanzien stonden. De operaties vonden immers zonder verdoving plaats, de patiënt kreeg een stuk hout tussen de tanden om op te bijten en daarbij bleef het meestal. Een goede chirurgijn was dus buitengewoon vlug en bedreven. Hoe sneller er gewerkt kon worden, des te beter.

De chirurgijns hadden een stevige beroepsopleiding achter de rug maar kenden geen Latijn. Daardoor konden ze de toenmalige medische verhandelingen – voor wat ze waard waren, trouwens – niet lezen. De 'doctores' konden dat allemaal wel. Ze hoorden tot de 'aanzienlijke burgerij'. Rijk waren ze meestal niet, maar net als predikanten beschikten ze over een academische opleiding waarmee ze toegang hadden tot hogere kringen: officieren, stedelijke ambtenaren, boekverkopers, kooplieden. Ze konden zo verder klimmen op de sociale ladder en sommigen, zoals Tulp, konden het ver schoppen.

Als een van de eersten gebruikte Nicolaes Tulp voor zijn visites een koets, een opzienbarende nieuwigheid in Amsterdam, waar vrijwel iedereen te voet ging – het ding staat zelfs nadrukkelijk te pronk op het schilderij van zijn golf spelende kinderen. Een revolutionair was hij echter niet, de kennis die Jan Swammerdam en Antoni van Leeuwenhoek verzamelden met hun microscopen, de nieuwe inzichten over de bloedsomloop van William Harvey – hij moest er niets van hebben.

Hij bleef trouw aan de klassieke ziekteleer van de Griek Galenus. Bij deze medische benadering draaide alles om de vier lichaamssappen: gele en zwarte gal, bloed en slijm. Die sappen kwamen, in dezelfde volgorde, overeen met de vier elementen: vuur, aarde, lucht en water. De manier waarop deze sappen bij ieder mens waren vermengd bepaalde ook zijn 'temperament' ofwel karakter: cholerisch, melancholisch, sanguinisch of flegmatisch. Als het evenwicht tussen de sappen te veel verstoord raakte of als een orgaan te veel van een bepaald sap produceerde, werd iemand ziek. Om die balans weer te herstellen moesten bepaalde vochten aan het lichaam worden onttrokken, vandaar dat Tulp en zijn collega's eindeloos in de weer waren met braakmiddelen, aderlatingen, bloedzuigers, zweetkompressen, klisteerspuiten en andere paardenmiddelen.

Tot ver in de 19e eeuw zou dat, op een paar uitzonderingen na, de gangbare benadering blijven. Wassen en baden werd eeuwenlang beschouwd als gevaarlijk: de poriën in de huid gingen open en daardoor konden 'kwalijke dampen' binnendringen. Het was beter om de huid af te sluiten met vuil en oud zweet. Vandaar dat in het gedetailleerde dagboek van een Engelse kasteeldame bijvoorbeeld valt te lezen dat ze haar benen en voeten waste op 22 februari, terwijl ze dat de laatste keer deed op 13 december. Vandaar ook de sterk geurende pomander op dat portret van die mooie jonge vrouw uit 1612 die een jaar later alweer dood zou zijn.

Mensen wisten meestal niet waaraan ze stierven. Dat een kwaal wel eens te maken kon hebben met gebrek aan hygiëne of eenzijdige voeding, het kwam bij niemand op. Tulp zou, als arts, driemaal een alles ontwrichtende pestepidemie meemaken waarbij telkens weer duizenden doden vielen. In 1635 en 1636 stierven zelfs zo'n twintigduizend Amsterdammers, ongeveer één op de tien inwoners. Voor de tientallen dagelijkse begrafenissen werd voor de kerkhoven een hele dienstregeling ingesteld: kinderen en ongehuwden moesten voor negen uur onder de zoden, daarna was er tijd voor alle anderen. Het stadsbestuur deed alles om besmetting te voorkomen, van het systematisch reinigen van de straatgoten tot een verbod op het dragen van rouwmantels die uit 'pesthuizen' afkomstig waren. 'Pestvogels' – aalscholvers – kregen de schuld, er werd gretig op gejaagd. Dat de werkelijke oorzaak lag bij de vlooien van de bruine en de zwarte rat – men had geen idee.

Dokters konden wel iets uitrichten, veel bleef echter 'in God's hand'. Nooit zou de vrome Tulp tegen die gegeven ordening rebelleren.

Desondanks genoot Nicolaes Tulp een groot prestige. Uit al zijn geschriften blijkt een enorme betrokkenheid bij het wel en wee van zijn patiënten. Hij bleef bovendien uitermate nieuwsgierig. Al snel, in 1628, werd hij van stadswege benoemd tot *praelector anatomiae*, de academisch geschoolde arts die het gildeonderwijs van de chirurgijns en hun knechts verzorgde. Het was een erebaan die hij met grote inzet zou vervullen.

Onder zijn leiding werd in 1636 voor de Amsterdamse apothekers – die aanvankelijk nauwelijks wisten wat ze deden – een voorschriftenboek samengesteld waaraan ze zich voortaan strikt moesten houden, 'sonder enige murmuratie ofte wederspannigheit'. Aanleiding was de hevige pestepidemie die mede vanwege alle ondeugdelijke geneesmiddelen zo dodelijk was. Tulp's *Pharmacopoea Amstelodamum* bleef ruim anderhalve eeuw in heel Nederland in gebruik.

Minstens zo belangrijk waren de anatomische lessen die hij gaf. De secties, zoals afgebeeld in Rembrandt's *Anatomische les*, vonden altijd in de winter plaats. Er bestonden immers nog geen middelen om lijken lang goed te houden. De ontledingen duurden daarom een paar dagen achtereen, totdat het lichaam totaal uiteenlag, en de meest bederfelijke delen, zoals de maag en de ingewanden, kwamen het eerste aan de beurt.

De *Anatomische les* is, op de keper beschouwd, een briljante momentopname van Tulp als docent. Let eens op de geconcentreerde aandacht van de toeschouwers en volg hun blik: ze kijken niet zozeer naar het lijk van Adriaen Adriaenszoon, als wel naar de linkerhand van Tulp. Tulp trekt met zijn rechterhand aan de pezen en spieren in de opengelegde arm van Adriaen en vermoedelijk laat hij tegelijkertijd het effect van zo'n samentrekking zien aan zijn eigen linkerhand – vandaar dat de meeste aandacht is gericht op de levende hand van Tulp en niet op de dode hand van Adriaen.

Toch moet Rembrandt het tafereel van Tulp's anatomische les hebben geflatteerd: zo blank en gaaf kan deze dode gauwdief er onmogelijk bij hebben gelegen toen Tulp zijn linkerarm openlegde. Zijn buik zal toen al een groot gat hebben vertoond en in de oorspronkelijke opzet eindigde de rechterarm, zo laten röntgenopnames zien, in een stomp – wellicht was de hand er bij de executie af gehakt, zoals dat vaker gebeurde bij dieven. Rembrandt schilderde er weer een keurig exemplaar aan vast.

Datzelfde geldt voor de geprepareerde linkerarm. Ook die is waarschijnlijk pas achteraf aan het lichaam geschilderd. De arm ziet er mede zo vreemd en plat uit omdat het hier vermoedelijk om een verwijzing gaat naar het leerboek van de befaamde anatoom Andreas Vesalius. Door dit 'citaat' verleent Rembrandt aan Tulp eenzelfde status. In deze gestileerde vorm kon hij bovendien de nadruk leggen op de concentratie van de toeschouwers en op het bijna religieuze karakter van de ontleding van een menselijk lichaam.

Zo'n sessie gold in het calvinistische Nederland immers ook als een morele les – in Leiden werden de skeletten van criminelen zelfs in allerlei poses tentoongesteld. En bovenal ging het, zeker in de ogen van Tulp, bij anatomie om de openbaring van de genialiteit van de Schepper, om de onthulling van de goddelijke vonk die ieder menselijk omhulsel in zich draagt. Anatomie was een drama, het Amsterdamse Theatrum Anatomicum was, inderdaad, een theater.

De rol van de anatomie tekent de mentaliteit van dit tijdperk, balancerend tussen een intense hang naar het onbekende en een diepe eerbied voor de goddelijke orde. Anatomische lessen dienden beide doelen. Ze werden per advertentie aangekondigd en iedereen kon aanschuiven. Entree: vier stuivers. Met name voor buitenlanders en de betere burgerij was het een populair uitje, er waren soms honderden toeschouwers. Het moet er vaak een bende zijn geweest, de notulen van het chirurgijnsgilde staan vol klachten over ruzies, vechtpartijen en ander wangedrag. Er golden strenge regels: er mocht onderling niet worden gepraat en gelachen, het lijk mocht niet worden aangeraakt, stukjes lichaam mochten niet worden weggenomen. Vragen waren toegestaan, mits men 'alle smadelijkheyt en belachelijkheyt vermijd'.

Jan Six had op dit vlak zijn eigen interesses. Zo schreef hij later in zijn notities gedetailleerd over de sectie van een 'gezonde, sterke, schone meid van omtrent zesentwintig jaar' die op 20 januari 1672 bij Jan Swammerdam op de snijtafel was beland. Ze had zich verhangen omdat haar meesteres had geïnsinueerd dat ze zwanger was van de zoon des huizes. Maar op de snijtafel werd geconstateerd dat ze nog maagd was, wat duidelijk te zien was 'aan een vel dat rondom zat als in een verrekijker het blik om 't glas, zodat er geen pink door mocht'.

Het Theatrum Anatomicum in de Waag op de Nieuwmarkt was het domein bij uitstek van Nicolaes Tulp. Hij zou Europese vermaardheid verwerven met zijn *Observationes Medicae* – het manuscript van zijn medische wederwaardigheden stond in een kast van huize Six onder de titel '*Genees-insighten*', in 1641 met fijne en nauwkeurige pen op het papier gezet. Hij ontdekte bij het ontleden de 'Darmclap', de klep in de dikke darm. Hij waarschuwde – toen al – voor de risico's van het roken van tabak, dat gaf 'pimpel parse stippels op de long'. Hij had zeer velen 'onder de kluiten' zien raken die 'nagt en dag dit pijpien in de mond hadden'. Bij borstkanker was 'tijdig snijden' de enige oplossing om te voorkomen dat men 'in een onuitkomelijk doolhof' belandt. Dat 'uitlichten' van borstkanker moest wel heel precies gebeuren: 'Wondheler, zie wel toe dat het hondje niet bijt, het keffertje is vrij bits.'

Tulp hoorde, ondanks zijn orthodoxe overtuigingen, tot een selecte groep van 17e-eeuwse onderzoekers. Het waren artsen, lenzenslijpers en wetenschappers die, inventief en eigenwijs, de raadsels van mens en natuur op een compleet nieuwe manier benaderden, veel meer vertrouwend op de eigen waarneming en het eigen oordeel dan voorgaande generaties. 'Men weet weinig opdat wij ons vernederen en God de Schepper Zijn eer geven,' schreef Jan in een van zijn notities. Maar nadat christenen eeuwenlang de wereld en hun leven als het verlengstuk van een goddelijk heilsplan hadden aanvaard, begonnen na 1600 natuurwetenschappers als Niels Stensen en filosofen als René Descartes – hij woonde bij Tulp om de hoek, liep regelmatig binnen bij de slager in de Kalverstraat om te zien hoe geslachte dieren er vanbinnen uitzagen – de wereld opnieuw te verkennen, van het heelal tot de microkosmos van de bacterie.

Ook Jan had zo zijn theorieën. 'Vliegende mieren worden oorwurmen,' schreef hij stellig. Over het heelal: 'Het waarschijnlijkst is, dat de aarde zich beweegt tegen de zon zoals een kip aan 't spit zich tegen 't vuur beweegt: zoals het absurd zou zijn als het vuur rondom zo'n kip zou bewegen en draaien.' En is de ziel een soort mechaniek, een horloge? Nee, schrijft hij, want een horloge kan niet denken. En een lichaam is het ook niet, 'al zijn er dunne lichamen gelijk de lucht – want die lichaampjes moesten dan weer zielen hebben om te doen denken'.

'Cogito ergo sum' – Ik denk, dus ik ben –, schreef Descartes – maar hij bedoelde: 'Ik twijfel, dus ik ben.' Twijfel was geen zwakte meer, maar een deugd, het kenmerk van een denker. De mens veroverde de natuur, de waarneming werd zijn wapen. Die nieuwe onderzoekers ontdekten dingen die niemand voor mogelijk had gehouden – nieuwe werelddelen, maar ook micro-organismen en spermatozoïden –, ze rebelleerden soms tegen alle wetenschappelijke en theologische tradities. En ze begonnen vragen te stellen, nu voor de hand liggend, toen revolutionair. Bijvoorbeeld: wat is bloed, en wat doet het precies? Of: is een zenuw hetzelfde als een pees? Of: waarom heeft de maan verschillende standen? Of: is de Noordpool werkelijk zo koud, het gebied staat soms toch ook het dichtste bij de zon? Kortom: wat is werkelijkheid, wat is illusie? En God, waar is Hij?

En toch ging hun verlichte en puur rationele arbeid al te vaak ook weer gepaard met een intense vroomheid. Het was alsof ze terugschrokken van hun eigen bevindingen. De grote natuurkundige Jan Swammerdam leverde zich bijvoorbeeld aan het eind van zijn leven met huid en haar over aan een vrouw die beweerde dat zij in rechtstreeks contact stond met God. Zijn geestverwant en medeonderzoeker, de Deen Niels Stensen, bekeerde zich tot het katholicisme en eindigde als bisschop van Hannover. De Amsterdamse predikant en cartograaf Petrus Plancius was de drijvende kracht achter een aantal belangrijke verkenningstochten – onder andere de expeditie waarbij Henry Hudson voet aan wal zette in Manhattan –, tegelijkertijd was hij een felle fundamentalistische theoloog.

Nicolaes Tulp vertoonde soortgelijk gedrag. Het was alsof hij voorvoelde dat al die onderzoeken en experimenten niet vrijblijvend waren maar de kiem vormden van een revolutionaire omwenteling, het begin van een fundamentele verandering in het menselijk denken.

In de achterzaal van het huis hangen twee portretjes van Tulp en zijn tweede vrouw, Margaretha de Vlaming. Het echtpaar is door Johan Thopas minutieus getekend toen Tulp zich op het hoogtepunt van zijn macht bevond, omstreeks 1655. Zijn zwarte pak wordt enkel versierd door een bontkraag rond zijn zwarte tabberd, zijn vrouw zit er al even deftig en sober bij. Achter hem is, via een doorkijkje, het stadhuis zichtbaar, achter haar de daarnaast gelegen Nieuwe Kerk. Dat was hun levenssfeer.

Als president-schepen had hij in 1642 een lid van de Waalse gemeente, die door de kerk in de ban was gedaan wegens het verkondigen van ketterse ideeën, veroordeeld tot eeuwige opsluiting in het tuchthuis en verbeurdverklaring van zijn geld en goederen. In het liberale Amsterdam was zo'n vermenging van strafrecht en kerkelijke tucht volstrekt ongehoord en het werd een groot schandaal. De man werd gerehabiliteerd, zijn vermogen bleef echter spoorloos. Het is de vraag of Tulp daar iets mee van doen had, toch werd de affaire hem zwaar aangerekend, zijn leven lang. Hij zou nooit meer in de schepenbank plaatsnemen.

Toen hij in 1654 ten slotte burgemeester was geworden ontpopte hij zich als een volbloed fundamentalist. Hij probeerde, tot ergernis van zijn medeburgemeesters, de bouw van een tweede lutherse kerk te blokkeren op grond van teksten uit het Nieuwe Testament. Hij was de man achter de zogenaamde Weeldewetten: het verbod op al te uitbundige 'grootsheyd, overdaet ende onnutte verquistinge van middelen' bij bruiloften en partijen, 'door 't welck den toorn God's tegen deselve wordt verweckt'. Doorgaans konden bruiloften zeven tot negen dagen duren, het waren onvoorstelbare zuip- en eetpartijen. Nu mochten feesten niet langer dan twee dagen duren, met maximaal vijftig gasten, niet meer dan twee gangen per maaltijd – zonder suikerwerk – en begeleid door hoogstens zes muzikanten.

Toen Maria Henriëtte Stuart en haar zoon Willem III in 1660 de stad bezochten, verzette Tulp zich hevig tegen de bijbehorende stoet praalwagens in antieke stijl. Hij wilde niet nog eens 'sulcke hydense goden en godinnen op triumphwagens' door de stad zien rijden – de optocht verliep uiteindelijk volgens plan, met Tulp's zoon Diederick in het officiële ruiterescorte.

Tegelijkertijd was hij weinig principieel. Toen burgemeester Cornelis Bicker in september 1654 onverwacht overleed was het Nicolaes Tulp die de benoeming van de meest voor de hand liggende kandidaat, de calvinist Spiegel, blokkeerde. Met beloften en zoete praat hadden de gematigden hem ervan weten te overtuigen om voor hun alternatief te stemmen. De calvinisten waren razend over Tulp's desertie. Een van hen, Gerard Schaep, doorbrak zelfs de heilige stilte tijdens het ambtsgebed, woedend over alle schijnheiligheid: 'Wat sal men een gebet doen, daer sulcke cuyperijen omgaen!'

En dan was er zijn dochter. Margaretha Tulp was eenentwintig toen ze met Jan Six trouwde. Oorspronkelijk heette ze waarschijnlijk gewoon Griet, onder vrienden werd het Margriet en uit een brief van een tijdgenote weten we dat ze 'onder de jonge luyden' gewoonlijk 'Susjen Tulp' werd genoemd. Het was een mooi meisje, afgaand op haar portretten in de bovengang en in een van de voorkamers. Het ene portret is haar bruidsportret, geschilderd door Govert Flinck; de linkerhand heeft ze vol bloemen, met de rechterhand houdt ze een roos voor haar borst. Op het andere portret is ze waarschijnlijk al zwanger, ze heeft een wat bollig gezicht, met dromerige, naïeve ogen.

Vermoedelijk nam ze het leven zoals het kwam, uit niets blijkt dat ze bijzonder ondernemend was, zoals haar vader en haar schoonmoeder. Vrouwen en mannen in deze kringen leidden in vergaande mate gescheiden levens, en bij Jan en Margaretha zal dat niet anders zijn geweest. 'Een perle' noemt Vondel haar, Jan zelf heeft het over 'een parel van een wijf'. 'Wat houdt me [tegen] dat ik je niet doodzoen?' (Even verderop schrijft hij droogjes: 'De adem van mijn vrouw stinkt.') En ze was gewild, zelfs de machtigste man van het land, de Dordtse raadpensionaris Johan de Witt, dong enige tijd naar haar hand.

Maar wat moest Jan Six in hemelsnaam met deze familie? Wat moest hij met een schoonvader die zo star en stijf was dat hij de sinterklaasmarkt – speculaaspoppen waren 'heidense afgoderij' – wilde verbieden? Die de antieke praalwagens van zijn vriend Jan Vos – want die had de hele show rond Maria Henriëtte Stuart bedacht – tot iedere prijs van de straat wilde weren? Die de schouwburg, waar Jan dolgraag voor werkte en schreef, beschouwde als een poel des verderfs? Die in 1637 tevergeefs probeerde om *Gijsbrecht van Aemstel* van Jan's vriend Vondel te verbieden vanwege alle 'paapse stoutigheden', wat hem in 1654 wel lukte met Vondel's *Lucifer*?

De verklaring is simpel: Jan's smaak speelde hierin slechts een beperkte rol. Huwelijken hadden in die tijd nog lang niet de emotionele waarde die daar nu aan gehecht wordt. Het waren in de allereerste plaats familiecontracten. Beter gezegd: bondgenootschappen tussen familieclans. Dat waren de termen waarin men in de 17e eeuw nog dacht, en lang daarna, en ook bij Jan, zullen die de doorslag hebben gegeven. De persoonlijke vrijheid die op allerlei andere terreinen steeds meer gemeengoed werd speelde in dit soort kwesties nog altijd een ondergeschikte rol. Het idee, nu algemeen gangbaar, dat weerstand tegen sociale druk ook moedig kan zijn, was toen volstrekt ongehoord. Het zou nog ruim anderhalve eeuw duren voordat een rebelse Six – een vrouw – de moed had om openlijk uit dit keurslijf te breken.

De familie bleef het voertuig waarmee men, collectief, goede en kwade tijden trotseerde. Jan en Pieter, en ook de andere Sixen, trokken altijd samen op, ondanks hun verschillen. De familie was, in een wereld zonder enig sociaal vangnet, de enige zekerheid waarop men in barre tijden altijd kon terugvallen. Bij een huwelijk stond het voortbestaan van het 'huis' centraal, niet het individuele verlangen van de huwelijkspartners – wie weigerde of dwarslag kon immers worden onterfd.

Het ging daarbij om een heel complex aan factoren: zakelijke en politieke relaties, religie, geld, status, traditie en meer. Zelfs liefde kon een rol spelen, althans wat ervoor doorging, want soms kon een huwelijk alsnog afketsen als er wederzijds geen 'inclinatie' bestond. Dat kon naderhand immers te veel ellende geven. Huwelijken uit pure passie waren, om dezelfde reden, evenmin gewenst. Alles was erop gericht om risico's te vermijden.

Kort voor Jan's verbintenis met de familie Tulp, in 1654, schilderde Rembrandt het portret van zijn vriend. Ik voeg eraan toe: vermoedelijk in 1654, want deze datering is enkel gebaseerd op een van Jan's Latijnse tijddichten:

aonIDas tenerIs qVI sVM VeneratVs ab annIs
taLIs ego IanVs sIXIVs ora tVLI. op mijn schilderij.

Ofwel: 'Zo zag ik, Ianus Six, eruit, die van kindsbeen af de muzen eerde.' In die tekst zit dan, in Latijnse cijfers, het jaar 1654 verstopt. Maar geen woord over Rembrandt.

Jan lijkt, met zijn melancholieke blik, ouder dan de man van zesendertig jaar die hij in 1654 was. Dat kan werkelijk zo zijn geweest: ook op andere portretten zag Jan er al vroeg ouwelijk en pokdalig uit, een robuuste familie was het niet. Donkere en diepliggende ogen, peinzende gelaatstrekken, ze werden in die tijd ook graag nog eens geaccentueerd. Melancholie was de grote modeziekte van de 17e eeuw, een niet onaangename somberheid waarin men ongekende dieptes en vergezichten kon ervaren. Dat kon ook wel eens enorm uit de hand lopen: Casper Barlaeus dacht soms dat hij enkel nog van stro was, hij verdronk zichzelf ten slotte in een put omdat hij, volgens zeggen, in de waan verkeerde dat zijn stro in brand was gevlogen.

Het feit dat Jan zich in dit gedicht niet Ioannis maar Janus noemt past bovendien precies bij dit portret. Janus is immers de Italische god met twee gezichten, die daarmee tegelijk naar voren en naar achteren kon kijken. Dit schilderij speelt ook die dubbelheid, met 'jong' en 'oud', met 'donker' en 'licht', met 'eb' en 'vloed'. En het draagt alle sporen van Rembrandt's stijl in die periode.

Er hangen portretten in dit huis waarmee je in gesprek raakt, er zijn er ook die je vriendelijk groetend kunt passeren, bij sommige is zelfs een afgewend hoofd op zijn plaats. Maar voor dit schilderij moet je de tijd nemen.

We zien Jan half naar ons toegekeerd, hij lijkt in gedachten. Over één schouder hangt zijn rode cape. Het is dezelfde als op het portretje in het gouden doosje, wellicht maakte hij in deze ruiterkleding ook zijn Italiaanse reis. In het Rijksmuseum ligt een vrijwel identiek reiskostuum, van de Friese stadhouder Ernst Casimir.

De kleuren zijn warm. De basis is Jan's olijfgrijze ruitermantel, daaruit komen de witte kraag en mouwen van zijn hemd scherp naar voren. Dat wit wordt nog eens extra opgelicht door een paar lichte vegen erboven, op de mouwen, schijnbaar zinloos maar geniaal voor het effect. Jan begint zijn beige handschoenen aan te trekken. Het tafereel is losjes, vol zelfbewuste nonchalance, vol sprezzatura. Maar alles is ook zo intiem, zo vol leven, dat het lijkt alsof Jan ieder moment uit de lijst kan stappen.

Het schilderij heeft alle verhuizingen van de familie meegemaakt, je ziet het telkens weer opduiken in boedelbeschrijvingen en soms zelfs op familietaferelen. Nu hangt het, verstild, in een van de voorkamers aan de Amstel. Het is niet gesigneerd maar, in de woorden van Rembrandt-expert Ernst van de Wetering, 'de meest echte Rembrandt die ik ken'. Het is van een verbijsterende kracht en schoonheid, en tegelijk warm en intiem. Het is, zo laten röntgenopnames zien, in één beweging op het doek gezet, zonder enige correctie achteraf. Hier en daar is het al bijna impressionistisch – Van Gogh adviseerde zijn broer om de 'magiër' Rembrandt eindeloos te bestuderen, waarbij 'je altijd het portret van de oude Six voor ogen moet houden'.

Wat Van Gogh ongetwijfeld fascineerde was ook het schilderwerk zelf, het doek en de verf, het ruige vlak van al die dikke en dunne lagen die op een eigen manier het licht vangen en bespelen. Jan's hoed is bijvoorbeeld bijna niet zichtbaar, alleen als het licht er op een bepaalde manier langsstrijkt. Ogenschijnlijk is het portret op een vrije en losse manier geschilderd, pas wie beter kijkt ziet hoe knap dat is gebeurd. Het is een spelen met tegenstellingen: Jan's gezicht is vrij nauwkeurig uitgewerkt, met alle oneffenheden in zijn huid, zijn lichtblauwe ogen staan er zelfs haarfijn op. De handen zijn daarentegen met grote vegen neergezet, net als het gouden borduursel op zijn overjas en zijn mouw, je kunt Rembrandt's kwaststreken zien. Maar die streken zijn feilloos. En met deze impressionistische stijl was hij zijn tijd zeker twee en een halve eeuw vooruit.

Rembrandt experimenteerde in zijn late jaren steeds vaker met zulke grove, 'natuurlijke' methoden, juist toen een meer gladde stijl in de mode raakte. Hij kreeg veel kritiek op dit dwarse, in de woorden van collega Gérard de Lairesse, 'futselen, vroeten en morssen'. Anderen prezen hem echter als een briljant navolger van Titiaan, de grote meester die op latere leeftijd ook steeds ruwer ging schilderen, 'uitgevoerd met forse streken en afgewerkt met een brede en bijna lompe veeg van de kwast,' zoals de schilder en kunsthistoricus Giorgio Vasari al in 1550 schreef. Zijn werk leek daardoor 'zeer kunstig' over te komen, 'terwijl het de inspanning verhult'.

De Engelse dichter John Elsum zag dat ook, in zijn gedicht – uit 1700 – op een oudemannenportret van Rembrandt:

What a coarse rugged Way of Painting's here
Stroaks upon Stroaks, Dabbs upon Dabbs appear

Maar:

Rembrant! Thy Pencil plays a subtil Part
This Roughness is contriv'd to hide thy Art.

De ware kunst is, met andere woorden, de ontkenning van de inspanning, het verbergen van de prestatie. Dit schilderij toont die schijnbare nonchalance in het kwadraat: de sprezzatura, het aristocratische losse leven van Six zelf, geschilderd met de sprezzatura van Rembrandt.

Zo was Jan, in zijn laatste jaar als vrij man.

VII

Flarden van een vriendschap

Ja, die datering van Rembrandt's portret. Beneden in het huis, in de keuken, hebben we het er soms over. De meeste experts die langskomen houden het op 1654. Sommigen denken daar anders over. De enige bron is immers die vage Latijnse regel van Jan Six, en die verwijst niet naar een concreet schilderij. De pagina is vol doorhalingen, de grammatica klopt niet, alles toont trekken van een probeersel. Jan Six was, zo menen ze, duidelijk ouder toen zijn portret geschilderd werd. Vincent van Gogh had het idee dat zo iemand 'toch wel een mooi en ernstig leven moest hebben gehad'. Rembrandt was waarheidlievend, hij schilderde puisten, rimpels, ouderdomsvlekken, bijna altijd naar het leven. 'Dit is niet iemand van zesendertig, dit is iemand die is getekend door het leven,' zegt zoon Jan, kunsthandelaar en kenner van oude meesters. 'Loop maar eens naar boven, ga er eens rustig voor zitten, kijk! Laat dat portret maar voor zichzelf spreken!'

Ik neem de proef op de som. Het is stil in de gangen en de kamers, alleen de klokken tikken. De eerste Jan kijkt me rustig en aandachtig aan. Ik kijk naar zijn handen. Handen zijn klassieke symbolen van vriendschap: hier raakt de naakte hand de hand die zich al in zeemleer heeft gehuld, het persoonlijke leven maakt zich al op voor het publieke bestaan. Dit portret markeerde een keerpunt, zoveel is zeker.

Jan trouwde met Margaretha Tulp op dinsdag 20 juli 1655, anderhalve week voor de plechtige inwijding van het nieuwe stadhuis. Het was geen gemakkelijke tijd. De eerste oorlog met de Engelsen was net voorbij – er zouden er meer volgen, allemaal om de hegemonie op zee – de bloeiende stadseconomie had een forse klap gekregen, er begon weer een pestepidemie, Amsterdammers stierven bij duizenden, de weeshuizen puilden uit.

Anna Wijmer maakte de bruiloft niet meer mee, zij was een jaar eerder overleden, op 21 juni 1654. Ze was vier dagen later begraven in de Waalse Kerk, naast haar broer Pieter. Uit het huwelijksgedicht van Vondel valt op te maken dat ze nog een stevige hand had in de verbintenis:

> Hoe ze in haeren tijt, bekommert voor den soon.
> Uyt duyzend maegden een zoo zedig koos als schoon,
> Een zuivre Tulp, het puick van allerhande bloemen;
> Toen 't oog op deze viel, die wy de Parle noemen...

In praktisch opzicht was het voor beide families een interessant huwelijk, met aan de ene kant de machtsposities van Tulp en aan de andere kant het aristocratische aureool van de Sixen, plus het culturele prestige van Jan. De vermogens van beide families liepen niet sterk uiteen, al was Anna Wijmer nog een fractie rijker dan Nicolaes Tulp. Bovendien: Jan was lang genoeg vrijgezel geweest, hij was boven de vijfendertig, hij had een gat in de hand, er moest een degelijke schoonfamilie gevonden worden, Anna Wijmer had haast.

Toch ontstond er nog een complicatie: begin 1655 liet Johan de Witt, de raadpensionaris van Holland, eveneens zijn oog vallen op Margaretha Tulp. Dat had alles te maken met de politieke aspiraties van De Witt. De betrekkingen tussen de Staten van Holland en de machtige stad Amsterdam waren niet altijd even soepel. De benoeming van De Witt was door de andere steden doorgedrukt, tegen de zin van Amsterdam. Een huwelijk met een dochter uit een prominente Amsterdamse familie zou de betrekkingen enorm kunnen verbeteren en zijn leven een stuk aangenamer maken.

In 1655 begon De Witt zijn zoektocht naar een geschikte Amsterdamse dame. Den Haag zag dat jaar weinig van hem, voortdurend was hij in Amsterdam voor bezigheden waarvan, zoals hij schreef, 'velen getuigen dat ze wel de sterkste hersenen troebleren'. Eerst maakte hij een zekere juffrouw Bernarts het hof, daarna Margaretha. Ten slotte koos hij voor Wendela Bicker, de dochter van oud-burgemeester Jan Bicker, een nichtje van de machtigste man van de stad, Cornelis de Graeff. Wendela gaf zich echter niet zomaar gewonnen, ze liet duidelijk merken dat ze geen 'stoute-bil' was, een vrouw die uit alle macht wil trouwen. Pas op 16 februari 1656 vierde het paar een luisterrijk huwelijksfeest. Op de gracht werd gestrooid met bruidssuikers en geldstukken, de bruid droeg een gewaad van zwarte zijde, Vondel declameerde en gaf het huwelijk een plaats in de wereldgeschiedenis, Jacob Cats zorgde voor tomeloos gelach met zijn wens 'dat gij malkander tot flarden moogt beminnen'.

Waarom duurde de flirt van De Witt met de familie Tulp maar zo kort? Het is mogelijk dat Margaretha zelf de doorslag heeft gegeven door direct al haar voorkeur uit te spreken voor Jan. Hij was in alle opzichten een gemakkelijke kandidaat. Het kan dus zijn dat Tulp al snel 'nee' heeft gezegd op de avances van de trouwlustige Johan de Witt.

Toch geloof ik dat niet. Alles wijst erop dat eerder het omgekeerde heeft plaatsgevonden. Tulp was een man met een enorme ambitie, de kans op een verbintenis met, toen al, de machtigste man van de Republiek zal hij zich niet zomaar hebben laten ontnemen. De toenaderingen van De Witt in het vroege voorjaar van 1655 blokkeerde hij dan ook niet, hoewel de onderhandelingen met de familie Six al zeker sinds de voorzomer van 1654 gaande waren – Anna Wijmer had ze immers nog zelf grotendeels kunnen voeren.

Voor Johan de Witt was het, aan de andere kant, van groot belang om een duurzame en centrale plek te verwerven in het Amsterdamse systeem van zogenaamde maagschappen, de families met aanhang die al vanaf de Middeleeuwen de stad bestuurden. De machtigste man in dat systeem werd aangeduid als de 'magnificus', de president-burgemeester. Die topfuncties werden gedurende een groot deel van de 17e eeuw bekleed door de familie Bicker en hun clan. Nicolaes Tulp zou, als omstreden figuur, daar nooit deel van uitmaken. Bovendien was zijn positie niet sterk: in 1654 was hij wel burgemeester maar in 1655 werd hij niet herkozen. Hoe lief Margaretha Tulp ook uit haar ogen keek, een politiek dier als Johan de Witt wist al snel waar hij werkelijk moest zijn.

Wendela was, in tegenstelling tot Margaretha, bepaald geen mooi meisje, ze had een flets gezicht met kleine bolle ogen. Briljant was ze evenmin: haar brieven zijn buitengewoon kreupel geschreven. Met de 'inclinatie' tussen die twee was echter niets mis: De Witt was, zoals uit zijn correspondentie blijkt, dol op 'zijn' Wendela. En in politiek opzicht bleek het inderdaad een belangrijke en succesvolle alliantie waarvan De Witt volop zou profiteren.

Hij placht ieder volgend jaar rond Kerstmis bij zijn Amsterdamse familie op bezoek te gaan, en passant regelde hij dan ook de nodige staatszaken. Toen hij een keer werd uitgenodigd om aan de traditionele schepenmaaltijd deel te nemen vroegen de burgemeesters hem zelfs om aan het hoofd van de tafel plaats te nemen – een ongekend eerbetoon omdat die erezetel vanouds toekwam aan de schout. Ze kregen er geen spijt van: de raadpensionaris gedroeg zich, volgens een van de aanwezigen, 'volgend sijn natuur seer vrolijk' en heeft met 'serieuse en aengenaeme discoursen, de heeren en dames grootelijk gerespecteeert en met dansen, spelen op de violon, greepen met de caert en andere matematische consten tot verwondering vermaekt'.

Over de bruiloft van Jan en Margaretha zijn geen berichten bewaard gebleven. Volgens de familielegende ging Tulp tot de uiterste grenzen van zijn eigen, pas ingevoerde Weeldewet, en voor de rest zal het ongeveer net zo zijn gegaan als op het huwelijksfeest van Johan de Witt en Wendela Bicker. Ook hier droeg Joost van den Vondel zijn kwatrijnen voor:

De Liefde ontsteeckt aldus des jongelings gemoedt,
Gelyck de vlam een torts. al d'aders, al zyn bloet
Veranderen in vier, dat krachtigh van vermogen,
Hem uitstraelt uit gebaer, en aengezicht, en oogen,
En niet te blusschen is, zoo lang het voedtsel vint.
Waer twee vereenigen, daer strengelt en verbint
De Liefde tien aen een...

De beginnende pestepidemie, de angst en onzekerheid die daarbij hoorden, het zal zeker een schaduw hebben gelegd over de feestelijkheden. Dat jaar zouden volgens de stedelijke administratie in totaal 16 727 Amsterdammers aan de pest bezwijken. Voor Jan wachtte, na alle festiviteiten, een totaal nieuw bestaan.

Door zijn huwelijk was Jan opeens in het 'systeem Tulp' terechtgekomen, en wel op een centrale plaats. Het woord 'systeem' is hier op zijn plaats omdat de macht van een bestuurder in die tijd veel verder ging dan enkel zijn formele bevoegdheden. Tot op de dag van vandaag bestaat binnen de elites van iedere stad, zoals overal, een soort informele economie van diensten en wederdiensten. Men helpt een collega uit de brand, steunt een oude vriend bij een nieuwe functie, regelt de financiering van een dierbaar project, en vroeg of laat wordt dat 'beloond' met een tegenprestatie. Zelden of nooit wordt daarover gepraat, maar zo werkt het. In het 17e-eeuwse Amsterdam ging het precies zo, alleen was dat systeem daar in hoge mate geformaliseerd.

Iedere magistraat, en zeker iedere burgemeester, was een soort 'godfather'. Hij kon vrijgekomen ambten – plus de inkomsten daaruit – binnenhalen en weer doorgeven, een ingenieus patronagesysteem waarmee familieleden hun invloed tot in alle uithoeken van de stedelijke samenleving konden laten gelden. Van Nicolaes Tulp en Jan Six zijn hierover geen notities bewaard gebleven, maar wel van Jan's jeugdvriend

Joan Huydecoper. Die hield zelfs een hele boekhouding bij: ontvangen en gegeven geschenken, invitaties en contra-invitaties, diensten en wederdiensten. Huydecoper ging ver in zijn administratie: hij noteerde ook iedere keer dat zijn vrouw hem haar gunsten had verleend, met een c. In 1659 gebeurde dat, zo rekende hij uit, vijfenzeventig keer, met tweemaal c op nieuwjaarsdag.

Huydecoper's 'dagregisters' waren, zoals de historicus Luuc Kooijmans schrijft, 'een lopende balans, waarin credit en debet werden gewogen – niet op het financiële maar op het sociale vlak'. Tegenover 'presenten bij mij ontfangen' stonden 'presenten door mijn gedaen', tegenover de 'vrinden die bij mij sijn gelogeert' stonden de 'vrinden daer ick logeerde'.

De 'ampten door mijn begeven' varieerden van hoge functies voor de naaste familieleden tot baantjes voor de man van de min en de zwager van de naaister. Zijn oude tuinman speelde hij een baan als schipper toe – niet dat de man zelf moest gaan varen, dat deed weer een vervanger, maar hij kon wel een groot deel van de inkomsten opstrijken, een goede voorziening van de oude dag. Als burgemeester kon Huydecoper over vele tientallen ambten beschikken, regelmatig schoof hij zo'n vrijgekomen baantje door aan een vriend of familielid die daarmee weer goede sier kon maken bij eigen ondergeschikten.

Voor de burgemeesterskamer van het fonkelnieuwe stadhuis hadden Huydecoper, Tulp en de andere magistraten bij Ferdinand Bol een enorm schilderij besteld, met de Romeinse consul Fabricius die niet buigt voor de omkoping en intimidatie van de steenrijke koning Pyrrhus. Eronder een dichtregel van Vondel: 'Zoo zwicht geen man van Staet voor gaven nog gerucht.' Wat zich in diezelfde burgemeesterskamer afspeelde was, zacht gezegd, niet zo heroïsch, er was echter wel een grens: de tegenprestatie bleef een morele verplichting, niets meer. Het was een kwestie van eer, geen handel maar vriendschap. Zodra voor een gunst of een dienst betaald werd, was er sprake van corruptie en dat gold als een schande.

De bron van al deze macht was en bleef een functie in de stadsregering: commissaris, lid van de vroedschap, schepen, schout en bovenal burgemeester. Op dat niveau gold een soortgelijk systeem van protectie en patronage, in een voortdurend verschuivende balans tussen de verschillende familiesystemen. In de woorden van Jan zelf: 'Ze zwieren om dat officie [= ambt] te hebben gelijk de muggen om de vlam.' Ieder jaar vond op het stadhuis dan ook een stevige stoelendans plaats als op Vrouwendag – 2 februari, Maria-Lichtmis – de ambtstermijnen verlopen waren. Maar altijd werd een regent wel weer ergens herbenoemd: 'Wie eenmaal in het regeringsschuitje plaats had genomen voer mee, tot de dood hem eruit haalde.'

De Sixen maakten, als immigranten, geen deel uit van deze machtsmachine. Openbare ambten hadden ze in Amsterdam nooit vervuld, ze hadden ook nooit hoeven voldoen aan de eisen die daaraan werden gesteld. Aan die onafhankelijkheid maakte Tulp een einde, en hij liet er geen gras over groeien.

Hij schoof Jan op de eerstvolgende Vrouwendag direct zijn eerste ambt toe: commissaris van Huwelijkse Zaken, een college dat namens de schepenen de meeste rechtszaken rond familiekwesties afhandelde – een belangrijk onderdeel stond bekend als de 'Huwelijkskrakeelkamer'. Eenzaam was hij niet. In het 'regeringsschuitje' waarin Jan plaatsnam zaten onder andere zijn schoonvader Tulp – herbenoemd tot burgemeester –, zijn oude vrienden Hendrik Hooft en Joan Huydecoper – schepen – en Hans Bontemantel, kameraad uit zijn jeugd – president-commissaris van Jan's Krakeelkamer.

De Krakeelkamer was een gangbare baan voor 'aankomelingen', beginnende regenten die gaandeweg konden doorstromen naar hogere ambten, culminerend in het burgemeesterschap. Een officierschap bij de schutterij had dezelfde rol, daarna volgde vaak een benoeming tot schepen – belast met de rechtspraak –, schout – een soort officier van justitie – of lid van de vroedschap – lees: de raad van de stad. Vandaar dat Jan in datzelfde voorjaar gebombardeerd werd tot luitenant van de schutterij van wijk 28, een weinig chique buurt bij het huidige Rembrandtplein waarvan de officieren meestal werden gerekruteerd uit de deftige families in de omgeving. Zo werd Jan direct meegetrokken in het wel en wee van het 'systeem Tulp'. Voor de rest van zijn leven.

Daarbij bleef het niet. Ook de persoon en het gedachtegoed van Nicolaes Tulp zelf zetten al snel een stempel op Jan's denken. Jan was daar ontvankelijk voor: hij zal wellicht in Tulp, ondanks al hun verschillen, de vaderfiguur hebben gevonden die hij altijd miste. Na de verkoop van de Blauwe Arent, in 1664, woonde hij met Margaretha zelfs jarenlang bij zijn schoonouders in huis, totdat hun nieuwe behuizing klaar was. Jan's notities dragen duidelijk sporen van hun conversaties, er is zelfs een apart hoofdstukje gewijd aan de soms cryptische adviezen van 'mijn schoonvader Nicolaes Tulp'. Bijvoorbeeld: 'Het Pesthuis dient voorzien te worden van een hekwerk om de Overtoom te beschermen.' '5400 Roedendijks onnodig, als de hinderdam te Muiden komt.' Of een vondst in de oude 'registers' van de vroedschap: Amsterdam blijkt ooit de hertog van Alva 200 000 gulden te hebben geboden om te voorkomen dat de Spanjaarden in de stad een kasteel zouden bouwen, 'op redelijke termijnen te betalen, die voor een gedeelte betaald zijn, niet alle'.

Tulp zal, van zijn kant, ongetwijfeld blij zijn geweest met deze nieuwe schoonzoon, een serieuze denker, net als hijzelf. Op zijn eigen zoon Diederick, zijn 'troonopvolger', had hij weinig vat. De oudste zoon, Pieter, was enkele jaren eerder overleden, zevenentwintig jaar, ook een medicus. Tulp had Pieter altijd als zijn opvolger beschouwd, voor hem had hij zijn *Observationes Medicae* geschreven. Zoals hij in het voorwoord van de tweede druk verzucht: 'Ik had voor hem, die toen nog op de drempel der wetenschap stond, de oogst willen bereiden, waartoe hij als man zou kunnen ingaan.'

Pieter's dood was voor Tulp een enorme slag geweest. In die leemte stapte Jan Six.

Jan's nagelaten notities laten her en der die innerlijke ontwikkeling zien. Er zijn onleesbaar gemaakte passages, ook zijn halve pagina's uitgescheurd, vooral in zijn collectie obscene grappen en verhalen. Die ingrepen zijn, vermoed ik, grotendeels het werk van latere generaties, maar het is goed mogelijk dat de familie Tulp hierin al een rol heeft gespeeld. Het vakkundig weglakken van het portretje van de raadselachtige Chloris kan daar ook wel eens mee te maken hebben gehad.

Jan lijkt daarnaast een duidelijke scheidslijn te trekken tussen zijn 'oude' en zijn 'nieuwe' bestaan: opvallend genoeg heeft geen van zijn nieuwe familieleden en collega-regenten ooit een bijdrage geleverd aan zijn *Pandora* – met uitzondering van zijn oude vrienden Hendrik Hooft en Coenraad van Beuningen. Aan hun artistieke kwaliteiten kan het niet hebben gelegen: Nicolaes Tulp was bijvoorbeeld een uitstekend en puntig auteur. Het lijkt erop dat Jan deze twee werelden apart wilde houden, zoals hij zijn bestaan op Elsbroek nadrukkelijk scheidde van zijn activiteiten in Amsterdam.

Onder invloed van Tulp probeerde hij ondertussen zijn weg te vinden in het mijnenveld van het 17e-eeuwse calvinisme. In zijn notities zie je hem moeizaam zoeken naar een eigen standpunt in het grote theologische twistpunt van die tijd, de strijd tussen de rekkelijken en de orthodoxen over de vraag of de mens wel enige vrije keuze heeft als de alwetende en onfeilbare God alles toch al bij voorbaat heeft vastgelegd. Soms is Jan daarin nog volop de vrijdenker die hij waarschijnlijk ooit was. 'God heeft de mensen allen goed geschapen, doch met een keus,' schrijft hij bijvoorbeeld. 'Indien hij kwalijk kiest, zo wil God's rechtvaardigheid niet dat hij ongestraft blijft. Daarom kiest wel: als wij het licht verwerpen verdienen wij duisternis.'

Elders is de stem van de orthodoxe Tulp echter duidelijk hoorbaar. 'Door ons bidden verandert God 't geen Hij zich voorgenomen heeft nooit (dan was God de mensen gelijk),' schrijft hij bijvoorbeeld. En: 'Men moet geloven dat wij wormen en stof zijn, onrein, en gelovende dat geen onreine in het Koninkrijk der Hemelen zal komen en dat de Heilige Geest in het onreine niet [wil] wonen. Wel moet men trachten onze verdorven natuur beminde genegenheid te doen, vertrouwende op God's Woord, dat Hij zal helpen.'

Zulk vroom fatalisme had weinig meer van doen met de vrijzinnige Jan Six, de geestverwant van dissidenten als Vondel, Vos en Van Beuningen, de humanist die de draak had gestoken met de 'Gedeformeerde likmaten' die 'God het hoogst' neerzetten en 'de mens het laagst'.

Jan was, net als na zijn Italiaanse reis, opnieuw een ander mens geworden.

Een paar oude vrienden behield hij. Vondel schreef nog verzen voor hem. Van Beuningen en Hooft werden collega's in de stadspolitiek. Adriaan Dortsman ontwierp het huis dat hij uiteindelijk met Margaretha betrok, een voor die tijd ultramodern ontwerp aan het laatste stukje van de nieuwbouw aan de Herengracht. Het staat er nog steeds, als nummer 619.

Met Rembrandt liep het mis. Zoals er, in ieder geval vanaf 1647, een duidelijk spoor zichtbaar is van vriendschappelijke gestes tussen Six en Rembrandt, culminerend in het grote portret, zo wijst alles erop dat er rond 1655 plotseling een breuk ontstond.

Het eerste teken was de opdracht voor het huwelijksportret: niet Rembrandt maar diens rivaal Govert Flinck werd gevraagd om Margaretha te schilderen. Een opvallend gebaar omdat Flinck sinds 1650 nauwelijks meer portretten had geschilderd. Bovendien verkocht Jan de leenbrief van zijn oude vriend – het ging om de 1000 gulden die hij in januari 1653 renteloos aan Rembrandt had geleend – door aan een van de rijkste kooplieden van de stad. Deze Gerbrand Ornia kende geen pardon, vroeg wél een stevige rente en eiste bovendien al snel het bedrag terug. En Rembrandt verkeerde op dat moment toch al in grote financiële problemen.

Dit gebaar van Jan kan op twee manieren worden uitgelegd. Het afschuiven van Rembrandt's lening aan een derde kan hebben plaatsgevonden op grond van een onderhandse afspraak tussen Jan en Rembrandt. Bij Rembrandt was op dat moment immers niets meer te halen, misschien besloot het tweetal om hun vriendschap verder niet met zo'n geldkwestie te belasten.

Zelf neig ik tot een andere interpretatie. Binnen de toenmalige Amsterdamse verhoudingen betekende het omzetten van zo'n persoonlijke en vriendschappelijke lening in een harde verhandelbare wissel immers meestal niet veel goeds. De boodschap van zo'n gebaar was duidelijk: Rembrandt had zowel Jan's vriendschap verloren als zijn protectie. Hij werd uit het circuit rondom Six verstoten.

Waarom? Rembrandt stond, net als Vondel, al jaren op gespannen voet met de Amsterdamse elite. Zijn talenten werden algemeen erkend en geprezen, zijn politieke opvattingen speelden geen rol, bij Rembrandt ging het om zijn persoonlijkheid. Zijn dwarse en moeilijke karaktereigenschappen werden sterker naarmate hij ouder werd.

Volgens de Florentijn Filippo Baldinucci, die in 1686 zijn levensschets schreef, kwam Rembrandt's levensstijl in later jaren geheel overeen 'met zijn extravagante wijze van schilderen', want 'hij was zeer humeurig en verachtte allen'. 'Het slechte figuur dat hij sloeg door zijn lelijke en volkse gezicht ging samen met zijn verwerpelijke en smerige kleding.'

Jan had zich daar nooit veel van aangetrokken. Altijd was hij door het leven gegaan als een non-conformist en dat typeerde ook zijn relatie met Rembrandt. Hem ging het om de kunst en om de talenten van de kunstenaar, niet om zijn levenswijze. Op den duur moet het standsverschil, dat hun relatie altijd al in lichte mate bepaalde, zijn verscherpt. Terwijl Six omhoogzeilde tot de bovenste lagen van de Amsterdamse elite, verkeerde Rembrandt, in de woorden van Houbraken, 'in den herfst van zijn leven wel meest met gemeene luiden' – ofwel: gewone mensen. Zijn levensstijl werd steeds eenvoudiger, hij at voornamelijk brood, kaas en haring. Houbraken: 'Hij had ten Huisvrouw een boerinnetje van Raarep of Ransdorp in Waterlant, wat klein van persoon maar welgemaakt van wezen en poezel van lichaam.' In Rembrandt's eigen woorden: 'Als ik mijn geest uitspanning wil geven, dan is het niet eer die ik zoek, maar vrijheid.'

Vanwege datzelfde 'boerinnetje van Raarep' – zijn huishoudster Geertje Dircx – was Rembrandt in een onsmakelijk huiselijk drama verzeild geraakt. Hij had haar immers aan de kant gezet voor Hendrickje Stoffels. Dircx pikte dat niet en eiste bij de Huwelijkskrakeelkamer een jaargeld van 200 gulden. Ze maakte bovendien in Rembrandt's keuken een enorme scène, riep dat de schilder haar een trouwbelofte had gedaan en met haar had geslapen, en dat ze van dat beetje geld dat Rembrandt haar bood niet kon leven.

Na veel geharrewar werd haar die 200 gulden inderdaad toegekend. Rembrandt wist Geertje echter het zwijgen op te leggen door haar, met medewerking van haar corrupte broer en een paar valse getuigen, te laten opsluiten in het spinhuis van Gouda. Ondertussen werd Hendrickje – Rembrandt was geen lidmaat – voor de kerkenraad gedaagd omdat ze 'in hoererij' met de schilder samenleefde. Toen Geertje Dircx in 1656, na zeven jaar, eindelijk vrijkwam, barstte ook dat schandaal in volle hevigheid los.

Als commissaris in diezelfde Krakeelkamer zou Jan Six mogelijk over zijn oude vriend hebben moeten oordelen. Het zal hun omgang niet gemakkelijker hebben gemaakt.

Natuurlijk stond Nicolaes Tulp, reputatiegevoelig als hij was, niet te juichen bij de omgang van zijn nieuwe schoonzoon met die onbehouwen kunstschilder. Maar het huwelijk met Margaretha kan nooit de enige oorzaak van de breuk zijn geweest. Veel wijst erop dat ook de artistieke voorkeuren van beide vrienden uiteen begonnen te lopen. Rembrandt bleef, ook in zijn latere werk, een geniale maar ruwe schilder. Six volgde, zo valt uit zijn kunst- en boekencollectie af te leiden, liever de heersende mode, die neigde naar orde en beheersing.

In Jan's notities, vermoedelijk grotendeels gemaakt na 1655, staan her en der schildersnamen, maar nergens valt meer de naam Rembrandt. Toen later de bezittingen van Gerrit van Uylenburgh werden geveild, de zoon van Rembrandt's vroegere patroon, beperkte Jan's aanschaf zich tot een, volgens een van zijn nazaten, 'derderangs Italiaan', terwijl hij zijn verzameling had kunnen verrijken met Rembrandts 'die hij te kust en te keur had kunnen krijgen'.

In de Amsterdamse kunstenaarswereld zette niet Rembrandt maar zijn leerling Govert Flinck de toon – dezelfde die het portret schilderde van Margaretha Tulp. Diens werk neigde steeds meer naar het classicisme. Het was een beweging met strakke, beheerste en formele vormen, teruggrijpend op de Oudheid, het tegendeel van Rembrandt's losse stijl. Jacob van Campen had voor Amsterdam de trend gezet met zijn oogverblindende stadhuis, het schoolvoorbeeld van deze nieuwe stijl, het Hollands classicisme. Dit betekende dat alle beeldhouwers en schilders die eraan meewerkten – en dat waren er tientallen – die lijn min of meer moesten volgen.

Tekenend was de inwijding van de 'Broederschap der Schilderkunst' door het Sint-Lucasgilde, op 21 oktober 1654. Het was een historische avond, daar in de Voetboogdoelen: voor het eerst braken de kunstschilders uit het keurslijf van 'het ambacht' en alle bijbehorende regels en tradities. Zoals Gary Schwartz schreef: de kunstenaars maakten zich zo eindelijk los van het oude gilde – waarvan ook gewone huisschilders lid waren – en maakten aanspraak op dezelfde intellectuele en kunstzinnige pretenties als bijvoorbeeld het theater, de literatuur en de poëzie.

Opnieuw was 'tout Amsterdam' van de partij. Vader en zoon Huydecoper waren ditmaal eregast, Vondel droeg een feestgedicht voor, ook Jan en Pieter Six werden in het zonnetje gezet en vergeleken met 'consuls van Rome'. Het stadhuis, met zijn strikt klassieke vormen en maten, zou nu binnen een halfjaar betrokken kunnen worden, deze kunstenaars en hun begunstigers waren er vol van. In de schilderingen en het beeldhouwwerk waarmee het gebouw was opgetuigd stond niet meer de Bijbel centraal maar de klassieke mythologie. De wanden en plafonds hingen vol met verwijzingen naar met name de *Metamorphosen* van Ovidius en *Romeinse Historiën* van Livius.

Al die Amsterdammers waren ervan overtuigd dat het centrum van de klassieke macht was verhuisd van Rome naar Amsterdam en dat het oude klassieke vuur nu weer zou ontvlammen in hun eigen stad. Ze volgden daarin het spoor van de Italiaanse humanisten, die in de beeldende kunst en de literatuur van de Oudheid de schoonheid en de vreugde van het eigen lichaam en het eigen leven herontdekten, zonder de loden last van geloof en schuld.

Zeker, hun beeld van de antieke wereld was vooral gekneed naar de voorkeuren van Six en de zijnen. De Oudheid diende dikwijls enkel als grabbelton van hun eigen hobby's. Het deerde niemand. Eindelijk had de Republiek een eigen vormentaal gevonden. Dit stadhuis was het symbool, dit 'achtste wereldwonder' zou het hart worden van het 'Bataafse Rome', het centrum van een nieuwe wereld.

Alleen Rembrandt was, opvallend genoeg, afwezig. Hij had daar niets meer te zoeken. Zijn Six-portret was, in deze gelikte en gepolijste wereld, bijna een provocatie.

Geen 17e-eeuwse Amsterdammer is zo nauwkeurig nageplozen als Rembrandt. Dat geldt met name voor zijn financiële handel en wandel. Uit die kasten vol Rembrandt-studies rijst een eenduidig beeld op: Rembrandt was een notoire sjoemelaar, zijn financiën waren een puinhoop en met zijn gebrek aan tact verspeelde hij zelfs de steun van zijn trouwste bondgenoten.

De bron van alle ellende was zijn dure woonhuis aan de Jodenbreestraat, het latere Rembrandthuis. Hij had die aankoop nooit helemaal afbetaald. Bovendien hield hij er een merkwaardige huishoudeconomie op na: hij betaalde niet alleen met schilderijen, hij maakte zelfs schulden met opties op toekomstige schilderijen. Veel rijke Amsterdammers hadden zo een schilderij van hem tegoed, ze hadden hem daarvoor al jaren eerder een flink voorschot gegeven, maar het schilderij kwam er niet.

Toen in mei 1652 de eerste oorlog met de Engelsen uitbrak, was, met de rest van de kunstmarkt, ook Rembrandt's financiele kaartenhuis ingestort. In oktober 1652 nam Jan, zoals gezegd, drie schilderijen van hem over, waaronder het dierbare Saskia-portret – wellicht hoopte Rembrandt dat ooit nog eens terug te kunnen kopen. Een paar beschermers, onder wie Jan, schoten hem bovendien te hulp met leningen tussen de 1000 en 8000 gulden. Het waren forse bedragen voor die tijd – het jaarsalaris van een predikant was 500 à 600 gulden – en hij zou ze binnen een jaar terugbetalen.

Rembrandt liet echter alles op zijn beloop en betaalde niets. Wel nam hij, stap voor stap, vanaf het voorjaar van 1655 een reeks maatregelen om zijn huis en kunstbezit zo veel mogelijk buiten een faillissement te houden.

Allereerst zette hij zijn huis op naam van zijn zoon Titus. Titus zelf liet hij vervolgens een testament maken waarbij die alles, inclusief zijn erfenis van Saskia's kant, aan zijn vader naliet. In december van dat jaar organiseerde hij in herberg De Keizerskroon in de Kalverstraat een vrijwillige verkoop van een groot deel van zijn kunstverzameling – de opbrengst stak hij in eigen zak.

Ten slotte vroeg hij op 10 juli 1656 een 'boedelafstand' aan, een soort faillissement. 'Een saters tronie', 'Een boeck vol teekeningen van alle Roomsche gebouwen', 'D'Medea van Jan Six, treurspel', meldt de boedelbeschrijving van Rembrandt's toenmalige huishouding. 'Eenige oude stoelen', 'Een ledekant', 'Een tinne waterpodt', 'Lynwaet, 't welck geseijt op den bleeck te sijn: 3 manshemden, 6 neusdoecken'. Het waren de laatste restanten van zijn rijkdom.

De hele operatie hield Rembrandt perfect in eigen hand. Zijn schuldeisers zagen weinig of niets van hun geld terug. Wie echter op zo'n frauduleuze manier een failliete boedel uit-kleedde, brak met alle regels en erecodes die de Amsterdamse koopmanssamenleving bijeenhielden. Baruch Spinoza, die in datzelfde jaar bij een faillissement soortgelijke kunstjes had uitgehaald, werd uit de Joodse gemeenschap verbannen – we-gens 'vreselijke ketterijen', maar toch ook vanwege dit soort geknoei.

Rembrandt ging dus niet 'eervol' failliet, maar bankroet – en dat was een grote schande. De meeste bankroetiers plach-ten de stad te verlaten om elders een nieuw bestaan op te bouwen, maar zelfs dat weigerde Rembrandt. Zo maakte hij zichzelf, binnen de toenmalige sociale normen, tot een paria.

Voor een opkomende magistraat als Jan Six was het, al met al, bijna onmogelijk om in deze omstandigheden de oude re-latie met Rembrandt nog in stand te houden. In gewoon Am-sterdams: het was wel mooi geweest.

Op een zelfportret van twee jaar later, uit 1658, zien we Rem-brandt breed en zwaar in een stoel zitten. Hij kijkt nu naar zichzelf, zoals hij ooit zijn vriend Jan bekeek. Hij ziet geen elegante man meer, hij ziet een oude man die genoeg heeft van zichzelf en de wereld. De ogen in zijn dikkige gezicht zijn klein geworden, toch ligt er nog altijd een zweem van de oude scherpte in, vermengd met onuitroeibare trots.

De rest van zijn leven zou hij in armoede doorbrengen. Zelfs het graf van Saskia in de Oude Kerk werd verkocht. Een totale outcast zou hij echter nooit worden. Status was in het toenmalige Amsterdam blijkbaar nog niet allesbepalend. Rembrandt's schildersbedrijf draaide na zijn faillissement ge-woon door, nu op naam van Titus en Hendrickje. Er bleven genoeg opdrachten binnenkomen, ook uit de hoogste kringen, bijvoorbeeld voor *De staalmeesters* en *De anatomische les van dr. Joan Deijman*.

In het enorme decoratieprogramma van het stadhuis speelde hij echter geen enkele rol: vrijwel alle opdrachten gingen naar Govert Flinck en de zijnen. Na Flinck's plotselinge dood, in 1660, mocht hij voor het stadhuis één stuk schilderen, *De samenzwering van Claudius Civilis*, een enorm doek van meer dan vijf bij zes meter. Het werd in de zomer van 1662 voor korte tijd opgehangen in de nis waarvoor het was bedoeld, maar het beviel de heren niet. Rembrandt heeft zijn honorarium van 1000 gulden nooit gekregen.

Verloren Jan en Rembrandt ieder contact? Dat is de vraag. Het is mogelijk dat na 1655 nog iets van de oude relatie bleef. In de bovengang van huize Six staan bijvoorbeeld, links en rechts, nog twee borstbeelden, van Seneca en Diogenes, die, zo kan uit boedelinventarissen worden afgeleid, wellicht afkomstig zijn uit het huis van Rembrandt. Jan zelf hield zijn vijf Rembrandts tot het eind van zijn leven in zijn bezit. Ook toen later Rembrandt's populariteit op een dieptepunt was beland – in de 18e eeuw gold Gerard Dou als Nederlands grootste schilder – bleef de familie zijn schilderijen koesteren. Het unieke portret van Saskia werd bij latere veilingen nadrukkelijk, en voor relatief veel geld, nog zeker twee generaties binnen de familie gehouden – iets wat valt af te lezen aan de veilingstukken, alsof er een oude belofte moest worden nagekomen.

En dan is er nog altijd discussie over Jan's portret. Dateert dat wel echt uit 1654?

Ik ga er nog eens rustig bij zitten, in die bovenzaal. Het middaglicht strijkt door de kamer, bijna tijdloos, over de blauwgroene wanden en het oude Deventer tapijt, over Anna Wijmer en de andere portretten, over Jan in zijn grijze ruiterkleding en zijn rode jas.

Als Vincent van Gogh op 28 mei 1888 zijn broer Theo probeert te bemoedigen verwijst hij in zijn brief opnieuw naar het Six-portret: 'Je kent het portret van de oude Six, een man die weggaat, handschoen in de hand, goed, leef totdat je weggaat; zo zie ik je: getrouwd, in een kranige positie in Parijs. Op die manier speel je het goed.' Later herhaalt hij dat nog eens: neem Rembrandt's portretten van Six als voorbeeld, 'het mooie portret met de handschoen voor je toekomst, en de ets van Rembrandt, Six lezend bij het venster in de zon, voor je verleden en je heden'.

Ik kijk naar ditzelfde portret op mijn manier, met alles wat ik zo langzamerhand weet over Jan's vriendschap met Rembrandt, en ook met alles wat ik vermoed. Ik zie een man die liefdevol is geschilderd, in een sfeer van grote intimiteit. Sommige knopen op zijn jas lijken, als je goed kijkt, bijna duimafdrukken, de intimiteit is hier fysiek aanwezig. Het schilderij was een experiment, en beiden waren daarin kwetsbaar: Jan als geportretteerde, Rembrandt als schilder die nieuwe wegen probeerde te zoeken. De inzet van Rembrandt, het vertrouwen van Six, het is overal voelbaar rond dit doek. Tekenend is het ontbreken van de signatuur – zowel schilder als geportretteerde vond dat blijkbaar overbodig.

Zo'n portret kan alleen maar zijn geschilderd tijdens de beste momenten van hun vriendschap – want op dat moment mag je hun relatie wel zo betitelen. Welnu, wat er ook tussen die twee mocht zijn voorgevallen, dat hoogtepunt was na 1654 voorbij. En waarschijnlijk zelfs de hele vriendschap.

Jan – Janus – staat, in de kleding van zijn jeugd, op de drempel. Hij trekt zijn handschoenen aan. 'Zo zag ik, Ianus Six, eruit, die vanaf zijn jeugd de muzen adoreert.'

Het is een afscheid. Van Rembrandt, maar ook van de man die Jan zelf ooit was.

VIII

Onze eeuwige ziel

Een middag in 'de boeijen', de gevangeniskelders onder het stadhuis. Er moest een dief onder handen genomen worden om hem te laten bekennen. Immers: zonder bekentenis geen veroordeling. De schout vraagt toestemming, de schepenen stemmen toe, Jan noteert.

'Toen wierd hem zijn hemd uitgetrokken en zijn handen achter gebonden en aan zijn grote tenen werden gewichten gehangen. Toen werd hij geblind[doekt] en scheenschroeven omgeschroefd. Toen hield hij zich [alsof] hij in zwijm [viel], maar dat was gemaakt en bleek niet zo te zijn. De scheenschroeven maakte men zachtjes weer los, 't welk de meeste pijn doet, toen weer aangeschroefd. [Zijn] vrouw weer ontboden om 't hem weer aan te tijgen [= beschuldigen], en eindelijk bekende hij zonder dat men hem alvorens losmaakte.'

Het is een fragment uit het journaal dat Jan bij tijd en wijle bijhield over zijn ervaringen als magistraat. Les één voor de beginner in de 'tortuur': niet te 'schielijk' (= snel), 'anders verdooft de pijn'. Het 'losmaken en weer toeschroeven doet de meeste pijn'. Na zo'n behandeling zijn, zo meldt een andere magistraat, de kuiten van het slachtoffer meestal 'wafels gelijk'.

Dit was Jan's nieuwe bestaan.

Ik zit boven in de bibliotheek, tussen de kasten, aan de hoge werktafel. Voor me liggen twee folianten, ze hebben een perkamenten band, ze zijn zwaar en dik, bijna vijfhonderd pagina's per stuk. Op de ene staat met sierlijke letters 'Pandora', op de andere – duidelijk een vervolg – staat met gewone letters 'Pandora en Schepenschap zie achteraan'. De inhoud – hier en daar citeerde ik er al uit – is ogenschijnlijk een rommeltje: de bundels bevatten voorvallen en ervaringen uit Jan's ambtelijke loopbaan maar ook recepten, godsdienstige beschouwingen, anekdotes, smerige grappen, spreekwoorden, weerberichten, losse notities, alles kortom wat Jan de moeite waard vond om te onthouden en te bewaren. Er is duidelijk sprake van hergebruik – zo'n enorm gebonden boekwerk vol blanco vellen was duur, zelfs voor Jan Six. Als je een van de boeken omkeert staat op de omslag 'Vroedschap', op de daaropvolgende pagina's begint een verslag van zijn latere ervaringen als regent. Lang hield hij dat niet vol.

De voertaal is deels Nederlands, deels Latijn, met hier en daar passages in het Frans en Italiaans. Jan zal zijn notitieboek hebben gebruikt als geheugensteuntje, als kladboek, als een verzameling kwinkslagen en sterke verhalen om een conversatie te verlevendigen, tegelijk was het voor hem ook een soort dagboek. Veel is duidelijk van hemzelf afkomstig, al pikte hij ook talloze zinnen mee van anderen. Voorin staat een alfabetische index, maar alleen Jan zelf wist de weg. Jaartallen zijn zeldzaam, de eerste notities dateren vermoedelijk uit de jaren zestig, de laatste datum is 5 oktober 1698, toen hij in de Oosterkerk de nieuwe dominee Taco van den Honert zo mooi hoorde preken. Jan heeft dus bijna veertig jaar, tot aan zijn dood, in deze *Pandora* zitten schrijven.

Zo'n bundel van persoonlijke gedachten tekende de tijd.

Van Niels Stensen is bijvoorbeeld precies zo'n soort aantekenboek teruggevonden, uit dezelfde periode, ook zo'n mengeling van observaties, losse gedachten, uittreksels van preken en verhandelingen, goede voornemens en praktische levenslessen. Hij schreef, net als Jan Six, over Descartes, maar ook over de kleur van 'goede' urine.

Zelfonderzoek was een trend in die jaren. Rembrandt deed het op zijn eigen manier in een enorme reeks zelfportretten, meer dan tachtig in totaal, van vrolijk en lichtzinnig tot oud, berustend en afstandelijk. Vooral zijn latere zelfportretten hebben een diepgang en een intensiteit die alleen het resultaat kan zijn van een lang, intens en verstild zelfonderzoek.

Ook schrijvers en filosofen begonnen hun persoonlijke gedachten te noteren en daar een diepere laag aan toe te voegen, op een manier die nog niet eerder was vertoond: de Franse edelman Michel de Montaigne met zijn *Essais*, de Londense ambtenaar Samuel Pepys met zijn dagboeken, de geniale en mystieke Blaise Pascal met zijn *Pensées* – ook een verzameling losse notities – en zijn rationele Amsterdamse tegenpool René Descartes.

Jan's bundel is niet doordacht. Het is enkel zijn persoonlijke aantekenboek, voor geen andere ogen bedoeld dan die van hemzelf. Het is een chaos, maar tegelijk is het een historische goudmijn: als je het hoofd van een 17e-eeuwse Amsterdamse kunstliefhebber en magistraat zou kunnen openzagen, het hoofd van Jan Six zoals we dat kennen van Rembrandt's portret, dan is dit zo ongeveer de gedachtewereld die je daar aantreft. Wat vinden we dan?

Allereerst spreuken en algemene wijsheden, het zijn er honderden:

'Die zijn ouders onteert, schendt zichzelf.'
'Die zijn kind niet bestraft, voedt zijn vijand.'
'Die veel eygendom tracht te bezitten, tracht bezittingen eigen te worden. Het bezit bezit.'
''t Geluk toont de man, het ongeluk zijn vrienden.'
'De onverstandigen streven alleen na wat ze begeren, zonder eraan te denken dat er aan vast zit wat ze niet begeren. Dit doen de meeste minnaars, die vaak wel krijgen wat ze

begeren, maar ook wat ze niet begeren. Ze denken wat hun ontbreekt, maar niet aan wat hun Juffer ontbreekt.'
'Een schone vrouw is een zachte dood.'

Er zijn naast tips om vrouwen te versieren, uitvoerige beschouwingen over godsdienst:

'Te maken dat een vrijster ons volgt, zo gaat men voor haar staan en maakt wat spookgrimassen, dan vat men haar rok in de hand die met het eind door de benen komt, dan loopt men voor, dan kan zij niet blijven staan.'
'Zeventienhonderd millioenen mijlen ten minste is de vaste hemel van ons af.'
'Men vindt geen atheïsten, ieder voelt wel dat hij door een hogere macht bewogen wordt en van zichzelf niet bestaat.'

Door dat hoofd van Jan spookten tegelijkertijd de meest platte grappen en anekdotes. Veel is naderhand doorgekrast, soms is nog een stukje zichtbaar. Hij schrijft bijvoorbeeld smakelijk over een man die de darm van een os vulde met mensenstront en het einde vakkundig dicht maakte, 'zo dat er honderden van menschen kwamen om zo een afgryselyke grote [doorhaling] te zien'.

Zijn dubbelzinnigheden waren niet anders dan die van de gemiddelde 17e-eeuwse Amsterdammer: 'Waar kom je vandaan? Uit de hel, waar men zulke spijkers maakt.' 'Enige juffertjes zagen wel honderd schapen voorbijgaan, daar een heel zwart schaap onder was. Een van hen beklaagde het zwarte schaap. Gevraagd zijnde waarom, antwoordde ze: "Ik heb maar één zwart plaatsje aan mijn lijf, en dat butst men gedurig, hoe moet dan dat schaap, dat overal zwart is, gebutst wezen?"'

Veel zal hij ook, bij een goed glas, onder zijn kunstenaarsvrienden hebben opgepikt: 'Wat is een roemer met een scheur? Anna Roemer!'

Hier en daar duikt een gedicht op, of een poging daartoe, vaak met krabbels en doorhalingen:

Juffers die door uw schoone ogen
My tot liefde hebt bewogen
Geeft uw liefde zulken zaad...

En:

'k Verander huysche zeden
Om uwentwil alleen
Ik had gezworen nimmermeer te minnen
Maar toen 'k u zag veranderde ik van zinnen...

Of:

Hoe stinkt de rook van Minnebrand
De goede naam, dat kostlijk pand
Beminde glans en luister
Zij put der oud'ren erfdeel uit
De geilheid aast zich aan dien buit
Zij maakt ons ogen duister
Zij trekt de haren uit ons hoofd
Zij is 't die alle krachten rooft
Veroorzaakt vuile kwalen...

Naast zijn gewone poëzie schiep Jan reeksen chronosticha, de ingenieuze Latijnse tijdsdichten waar hij een meester in was. 'DeVM CoLe. staat op mijn gestoelte in de Hillegommer [kerk]', 'Eer God.' – 1655. 'sIC transIt gLorIa MVnDI', 'Zo gaat de roem der wereld voorbij.' – 1659. 'VenIes aD CVLMen honorIs. annus natalitius nicolai siX', 'Je zult bij het toppunt van eer komen. Het geboortejaar van Nicolaas Six.' – 1662.
En dan waren er al zijn eigengemaakte liedjes:

Een Ruiter al over de heide reet
En hy hief op en hy zong er een liet
En hy zong met luider stemme
Wie zal der syn jong hertjen leet temmen
En dat verhoorde een meisje was jong
Daar zy op haare slaapkamertje stong...

131

Her en der vertelt Six 'historiën' of sterke verhalen. Bijvoorbeeld over de vrouw van zijn barbier, die beweerde 'dat ze zonder hart en ziel was, dat ze dood was maar in schijn wandelde, dat ze maar een romp was'. Ze probeerde te vasten, toen haar dat niet lukte zei ze dat ze alleen maar 'voor haar mond' wat at. Om dat aan haar man te bewijzen at ze vervolgens rattenkruit, waarbij ze 'half lachende' zei: 'Zie je wel, en geloof je het nu dat ik dood ben? Want al eet ik rattenkruit, zo sterf ik daar niet van, want ik ben allang dood.' 'En een uur daarna stierf zij. Anno 1688 den 1e juny is zij in de Nieuwe Kerk te Amsterdam begraven.'

Extreme weersomstandigheden passeren de revue. Bijvoorbeeld de felle vorstperiode van 1684, toen het ijs in één nacht een 'handbreed' groeide; de extreme zomerkou in juni 1685 en 1689 toen men de winterkleren opnieuw moest aantrekken en 'onze vrouwen met stoven aan tafel moesten zitten in japonse rokken'; de enorme hitte van juni 1686, toen diezelfde barbier een zonnesteek opliep 'door zijn hemd en wambuis' heen; de grote vloed in 1695, toen de dijken op twee plaatsen braken en Jan met eigen ogen zag 'dat de Jodebreestraat bij de Snoekjesbrug overliep'.

Op 18 september 1692 is er zelfs sprake van een aardbeving. 's Middags 'ten 2 uren en 1 ½ kwartier uurs' zit de hele familie aan tafel en alles begon te beven, 'elck meende dat hy begon te duizelen'. In de keuken 'schudde 't goed aan 't kannebord heen en weer, wel een hand breed'. 'Wy gingen op de stoep en zagen al de menschen uit haar huyzen quamen lopen.' Iedereen sprak over een aardbeving, 'maar ick meende en zeyde dat het springen was van buskruit'. 'Het water van de burgwal bobbelde op met zwarte bellen.'

Het was inderdaad een aardbeving, en wel de zwaarste die ooit in Nederland en België is beschreven. Het epicentrum lag bij Verviers, maar tot uit Kent werd er schade gemeld. De predikanten grepen onmiddellijk hun kans: deze 'grouwelijke' aardbeving was een duidelijk teken van 'God's toorn en verbolgenheyt' over de 'aangroeijende godloosheid des volks' en 'de publieke comedien, divertissementen en andere wellustige vermaakelijkheden'.

Het wemelt, door het hele boek heen, van de recepten en technische beschrijvingen, van het bakken van een broodkoek tot het construeren van een 'galerij' voor 'Limoen-bomen'. Jan beschrijft zelfs een plan om 'vers water in Amsterdam te brengen'. Hij zag het zo voor zich: met een grote 'vierkante koker' zou het schone water uit de Vecht vanaf Nigtevecht 'tot aan 't Gein' worden geleid, daar moest het water vanuit een kom met paardenkracht omhoog worden gemalen tot 'een zeer grote koperen ketel of een plaats met hoge dijken', waarna het via loden pijpen naar de stad zou kunnen stromen.

Huiselijke tips vindt hij echter minstens zo belangrijk.

'Om goed zegelwas te maken: maagdenwas, hars zonder vet, fijn gewreven, Spaans groen, een weinig blauwsel...'

Tegen bijensteken: 'Gestampte laurierbladeren op de steek van een honingbij doet de pijn vergaan en trekt de angel uit.'

'Half hars, half spek neemt men om flessen dicht te maken.'

'Pap voor jonge kraamkinderen: meer water als rinse wijn, gekruimd wittebrood zonder korst, klontje boter zo groot als een kleine hazelnoot, zo lang als bierenbrood gekookt, tot dat het gemengd is.'

'Tot Magnus boekbinder op de Nieuwedijk is goede inkt te koop, tot 5 stuivers het pintje of half pintje.'

Tussen alle grappen en recepten door besteedde Jan vele uren aan filosofische verhandelingen. Zijn aantekeningen bevatten pagina's vol Latijnse notities, en die blijken van een opvallend hoge kwaliteit. Jan onderzocht, zoals zoveel intellectuelen in de beginfase van de Verlichting, de werkelijkheid met eigen ogen, ongehinderd door veel boekenkennis. Althans, hij probeerde dat. Zoals zijn schoonvader Nicolaes Tulp in zijn anatomische les de adertjes van de linkerarm van zijn 'patiënt' zorgvuldig ontleedde en verkende, zo verkende Jan de menselijke geest, en bovenal zijn eigen gedachten. Met de 'ontdekking' van het individu ontstonden immers onvermijdelijk vragen als: wie ben ik, wat vind ik, wat wil ik en waar liggen de grenzen van die vrije wil tegenover God's almacht?

Jan's kladboek – onder historici beter bekend als de *Grote Pandora* – verdient dan ook een veel grondiger studie dan in dit bestek mogelijk is. Het zijn voornamelijk losse gedachten, maar daaruit komt een opvallend intelligente, erudiete en belezen man naar voren. Frans en Latijn beheerste hij, zoals gezegd, voortreffelijk – hij mocht later de Latijnse teksten onder een tweetal schilderijen in het stadhuis componeren. Hij was volkomen vertrouwd met het – toen revolutionaire – denken van Spinoza en zette die moeilijke materie tegenover het gedachtegoed van filosofen als Descartes en Lucretius om daarin een eigen standpunt te bepalen. Hij had daar duidelijk diep over nagedacht.

Zoals vrijwel iedereen in de 17e eeuw twijfelde hij geen moment aan het bestaan van een onsterfelijke ziel – vandaar ook al die vragen over het hiernamaals.

'De ziel is een kwaliteit van de mens,' schrijft hij in navolging van Descartes, en hij onderscheidt de 'voedende ziel' van de 'rationele ziel'. Hij verwijst naar Spinoza: 'Non dantur dua substantiae...' 'Er bestaan geen twee manieren van zijn, er is alleen maar een ziel die een geestelijk bestaan heeft. [...] Die overal is, maar niet overal kan handelen vanwege een gebrek aan instrumenten.' De ziel is, kortom, in zijn ogen een eigenschap van het menselijk lichaam, God is een eigenschap van het universum.

Ik heb de indruk dat Jan zijn gedachten begon te noteren rond het begin van zijn nieuwe bestaan in februari 1656. De bundel fungeerde voor hem als een soort innerlijke vrijplaats, een tegenwicht bij alle publieke besognes die op hem afrolden. Wat dat laatste betreft ontbreekt het trouwens ook niet aan bespiegelingen:

> 'Stryt nimmermeer tegen de Religie of zaken die immediate van Gode [af] schynen te hangen.'
> 'Die het hof bemint kent het niet, want die het kent bemint het niet.'
> '"Die regeren willen deugen er niet toe," zei de ongelukkige Jan de Witt.'
> 'De gunst der heren en de liefde der hoeren zijn twee dingen die niet lang duren.'

Jan begon zijn ambtelijke werk in een fonkelnieuwe omgeving. Het stadskantoor was provisorisch al betrokken in 1652, het was drie jaar later officieel geopend maar er werd nog voortdurend aan gewerkt. De zoldering van de Burgerzaal en de koepeltoren zouden pas tien jaar later worden opgeleverd, de enorme plafondschildering van de Burgerzaal werd pas vijftig jaar later, in 1705, voltooid.

Ook van de schilderstukken was nog een groot aantal in bestelling, met name de reeks afbeeldingen waarop de strijd tussen de Romeinen en Batavieren zou worden vastgelegd. Daarmee kon de lijn tussen het verleden en het nieuwe Amsterdam verder worden doorgetrokken, met allerlei parallellen tussen de dappere Batavieren en de huidige Amsterdammers, die het toch ook hadden gewaagd om tegen hun heersers op te staan. De serie kwam nooit af, mede door het onverwachte overlijden van Govert Flinck. De resten van Rembrandt's afgekeurde bijdrage hangen nu, behoorlijk gehavend, in het Nationalmuseum van Stockholm. (In 2011 en 2014 is de *Claudius Civilis* tijdelijk, via een projectie, teruggebracht in de nis waar het schilderij moest komen. Het effect was overweldigend.)

Toch waren de Amsterdammers ongelofelijk trots op hun stadhuis. Het gebouw was van een immense omvang, het stak ver boven de donkere omgeving uit, een stralend monument van het – toen nog heldere – witgeel van de Bentheimer zandsteen waarin het was opgetrokken. En tegelijk was het, door Van Campen's strenge klassieke maatvoering, een toonbeeld van orde in het chaotische en middeleeuwse centrum.

Het interieur toonde eenzelfde allure, ongekend in het sobere Holland. Het hart van het gebouw, de Burgerzaal, was ontworpen naar het voorbeeld van de 'fora' van de Romeinse burgers. Het was in wezen een groot overdekt plein waar de Amsterdammers elkaar konden ontmoeten. En dat deden ze al snel. Ze hadden daarbij letterlijk hemel en aarde onder hun voeten want op de vloer waren zowel een hemelkaart als twee wereldkaarten ingelegd – met witte vlekken, dat wel, want een groot deel van, bijvoorbeeld, Noord-Amerika was in 1655 nog terra incognita.

Ze beschouwden het stadhuis soms bijna letterlijk als een 'thuis': er is een schilderij van Gabriël Metsu van een Hol-

135

landse kraamkamer, compleet met kraambed, kraamvrouw en trotse vader. Niets bijzonders, behalve het feit dat Metsu het tafereel situeerde in de Burgemeesterskamer. De schouw, het beeldhouwwerk, het is onmiskenbaar de werkkamer van Tulp en de andere magistraten. Pieter de Hoogh deed hetzelfde, hij zette een vrolijk gezelschap neer voor de schouw van de Vroedschapskamer. Andere schilders toonden huiselijke taferelen met echtpaar, dienstbode, kind, hond en cello spelende man – gezien vanuit de Burgerzaal.

In werkelijkheid was het stadhuis bovenal een administratie-kantoor, een bizarre combinatie van raadhuis, gerechtsge-bouw, wisselkantoor, wapenarsenaal, hoofdbureau van politie, belastingkantoor, hoofdkantoor van de weduwen-en-wezen-zorg en huis van bewaring ineen. De functies liepen door elkaar, de regerende, wetgevende en rechterlijke machten waren niet bepaald gescheiden: de schepenen hadden ook wet-gevende functies, de burgemeesters hadden tegelijk een rol in de rechtspraak, de schout was zowel politiecommandant als officier van justitie.

In het hele gebouw werkten, volgens een berekening uit 1682, 456 mensen, variërend van negen schepenen tot vier weesmeesters, drie rekenmeesters en één Hoogduitse tolk. Het totale ambtenarenapparaat zal iets groter zijn geweest, maar niet veel. Veel functies – bijvoorbeeld de inning van belastingen of het bewaken van gevangenen – waren min of meer geprivatiseerd. Uiteindelijk was ook het bestuur van het bloeiende 17e-eeuwse Amsterdam gebaseerd op de filosofie van de zogenaamde nachtwakersstaat, een simpele staatsvorm die voornamelijk voorzag in orde, veiligheid en een paar basisvoor-zieningen: de rechtspraak, de nachtwachten en de schutterij, de aanleg en het onderhoud van wegen en waterwerken, het toezicht op de markten en de waag, het Athenaeum Illustre. Gaandeweg werden echter steeds meer projecten aangepakt die een veel wijdere strekking hadden, zoals de wisselbank, het optuigen van de voc en de wic en uiteraard de allergroot-ste onderneming, de verdere uitbouw van de grachtengordel. Want dat moeten we, bij alle regenteske intriges, niet uit het oog verliezen: dit stadhuis werd in die jaren bevolkt door opvallend veel bestuurlijk, ondernemend en diplomatiek talent. Ook daarin lag het succes van de Gouden Eeuw.

Jan's werkkamer lag op de tweede verdieping, naast het kantoor van de commissarissen van Zeezaken en de kantoren van de schout, de cipier en de registratie. Wie wilde trouwen moest zich bij hem – of een collega – melden om een aantal formaliteiten te vervullen. Daarna kon het huwelijk worden voltrokken in een erkende kerk of in het stadhuis. Het kantoor was echter vooral befaamd vanwege andere huwelijkse kwesties die er passeerden, met name de 'trouwbeloften aan onschuldige maagden' – om die reden moest Rembrandt voor de commissarissen verschijnen. Al het andere 'gekrakeel' – 'scheldtwoorden, alle verschil tussen kijfachtige Wijven en haer meyssens, Meesters en knechts' – belandde bij de commissarissen voor 'Kleine Zaken'. Ook daar zou Jan vele jaren zijn ambten uitoefenen.

Over deze periode heeft Jan weinig aantekeningen nagelaten. We hebben echter het geluk dat zijn collega en oude kompaan Hans Bontemantel zijn bevindingen wel uitvoerig noteerde. En dat deed hij zonder een blad voor de mond te nemen. Bontemantel was een rijke koopman aan de Keizersgracht, bewindvoerder van de Westindische Compagnie, schepen, lid van de vroedschap en als geen ander thuis op het stadhuis, waar hij een hele reeks ambten vervulde. Hij beschreef, zoals meer van zijn collega's, alles wat hij hoorde en zag. Vooral schepenen maakten hun notities vaak heel gewetensvol, ze wilden zo een soort jurisprudentie opbouwen. Bontemantel had zijn aantekeningen zelfs een titel gegeven: *De Regeeringe van Amsterdam, Soo in 't Civiel als Crimineel en Militaire.*

Verder dan de schepenbank kwam hij echter nooit. Hij werd, wellicht juist daarom, een taaie opponent, een stille notulist, een hinderlijke volger van de macht. Dat alles maakt *De Regeeringe* tot een fascinerende bron. Bontemantel was, juist omdat hij nooit de toppen van de stedelijke hiërarchie wist te bereiken, de ideale toeschouwer. Hij stond altijd in de coulissen, hoorde en zag alles, maar behield, noodgedwongen, tegelijk enige afstand. Alle intriges die hij hoorde pende hij 's avonds neer, zo schreef de bezorger van *De Regeeringe* naderhand, 'alsof hij de officiële aanstelling had ontvangen tot historieschrijver der kroniek schandaleuze van de Amsterdamse regering'.

Bontemantel beschrijft bijvoorbeeld met smaak de regentenfeestjes – bij het traditionele 'predikantenmaal' kregen de predikanten de restjes mee voor vrouw en kinderen – en het gekonkel rond de publieke ambten en de herbenoemingen. Wie een jaar werd 'vergeten' ervoer dat als een grote belediging. Het overkwam Nicolaes Tulp in 1656 – zijn vele tegenstanders wisten zijn benoeming als president-burgemeester te blokkeren, simpelweg omdat zijn calvinistische achterban op dat moment te zwak was. Dankzij de bemiddeling van Jan Six kreeg Tulp bij een volgende benoemingsronde trouwens weer een mooie post, thesaurier. Maar wel op voorwaarde, schrijft Bontemantel, dat hij op zijn beurt een familielid van een burgemeester in de vroedschap hielp.

Het geestige is dat Bontemantel zichzelf evenmin ontziet. Gaandeweg worden zijn aantekeningen meer en meer een persoonlijk dagboek. Hij noteert bijvoorbeeld eerlijk hoe hij zich in de nesten werkt omdat hij zijn stem aan de een heeft beloofd, terwijl hij eigenlijk verplicht is om die aan een ander te geven. En over een opzienbarende drinkpartij met de magistraten van Haarlem op 21 juni 1668 schrijft hij braaf: 'Burgemeester Vlooswijck, siende dat Bontemantel swack viel in den dronck, was hem seer behulpsaem.'

Het interessantst zijn echter de paar momenten waarop hij zich ontpopt tot een vroege reporter, een echte onderzoeker, iemand die op pad gaat om de andere kant van een verhaal te horen. Bijvoorbeeld als hij, na een volksopstand, een wandeling gaat maken door het rommelige werfeiland Marken – bij het huidige Waterlooplein – om de mening van een van de grootste oproerkraaiers te horen, een zekere Rombout. Hij wordt uiteindelijk weggestuurd door diens vrouw, die begint te 'kijven' en 'stijf te spreecken', 'willende weeten wat ick in de sin had'.

Het Amsterdam waarin Six en Bontemantel hun werk deden was, zoals gezegd, ondanks alle vooruitstrevendheid in veel opzichten een middeleeuwse stad. Nog steeds kwam het voor dat er vrouwen voor de rechter werden gesleept wegens hekserij – al waren, tekenend voor de nieuwe tijd, de straffen wel veel minder zwaar. Rituelen bleven heilig: toen Nicolaes Tulp in de lijkstoet van een burgemeestersvrouw naast de schout ging lopen, drongen de schepenen hem onmiddellijk van zijn plaats. Het gebruik eiste dat een oud-burgemeester achter hen liep, niet voor hen. En als de schout een rechtszitting wilde openen sprak hij, volgens de middeleeuwse traditie, nog altijd over het 'spannen van de vierschaar', en stelde hij de vraag of het daarvoor al 'hoog genoeg op de dag' was.

Jan bekleedde na zijn eerste jaar bij de Huwelijkse Zaken een bonte reeks ambten: hij was jaar na jaar commissaris van Kleine Zaken, commissaris van Zeezaken of commissaris bij de Bank van Lening. In 1666 werd hij kapitein van zijn schuttersvendel, daarna lag ook het ambt van schepen voor hem open. Binnen de Amsterdamse regering was dat een sleutelpositie: oud-schepenen maakten, mede, deel uit van het kiescollege waaruit de burgemeesters werden gerekruteerd en gekozen.

Op vrijdag 28 januari 1667 kwam zijn benoeming erdoor. In zijn 'Journaal' beschrijft hij de procedure tot in de details: 'Toen quamen de afgaande schepenen [...] en wenschten ons wijsheid en patiëntie [...], toen lieten wij de klok van 't stadhuis luiden en vernieuwden alle keuren zonder de namen der Heren te lezen. Toen ging wij met de Burgemeesters paar aan paar door 't volk blootshoofs en namen op de Dam afscheit en ieder ging naar huis.'

Even verderop staat Jan's nieuwe werkschema: 'Dingsdach. Voor de middach: Gepriviligeerde Rolle, Schoutsrolle. Na de middach: Benefici van Cessie.' Enzovoorts.

Daarna begon het gewone justitiële werk in de Schepenzaal en, soms, de Vierschaar.

Een handvol zaken die Jan de eerste weken het vermelden waard achtte: een vader die zijn 'fraaie dogter van postuur en gedaant' (wellicht ook om die reden) in het spinhuis wilde opsluiten – het verzoek werd geweigerd; een bezoek aan een kelder met brandewijn die 'achter vensters over huizen' was leeggehaald om de belasting te ontduiken; een moeder die probeerde om het huwelijk van haar 36-jarige zoon tegen te houden – 'de president adviseert dat niemand langer een hoer was als 't haar geliefde'; een rondwandeling met burgemeester Andries de Graeff om een bepaalde kwestie onder vier ogen te bespreken, 'van 't Stathuis de nieuwendijk langs de Ramskooy door de nieuwenbrug over de warmoesstraat door de Nes door de lange brug over de Kalverstraat tot aan 't Stathuis'.

Een doortastend bestuurder was Jan niet, veel sporen liet hij niet na. Met één uitzondering, en dat typeert hem: op zijn voorstel werd een van de muren van de Vierschaar doorgebroken, zodat de donkere trap naar de Burgerzaal veel meer licht kreeg. Een drietal geplande historische en Bijbelse taferelen moest daarvoor wijken, het beeldverhaal van de Vierschaar – een plafond waaruit vergankelijke bloemen neerdwarrelen, profeten die elkaar aankijken, commentaar leveren, smekend omhoogkijken – is nooit voltooid.

Over het algemeen was de Amsterdamse justitie niet zachtzinnig: zweepslagen, hand afhakken, schandpaal, rasphuis, het hoorde bij de normale gang van zaken. De doodstraf werd gemiddeld driemaal per jaar opgelegd. In zijn notities maakt Jan slechts één keer melding van zo'n vonnis. In nuchtere termen beschrijft hij de onderhandelingen met de verdachte, een zekere De Ruiter, die veroordeeld werd wegens doodslag. Hans Bontemantel had, als plaatsvervangend schout, de doodstraf geëist, waarna het lichaam op de Volewijck op een rad moest worden geplaatst 'zodat het aldaar van de lugt en de vogelen des lugts mach verteert worden'. De verdachte pleitte voor strafvermindering, het slachtoffer had hem immers uitgelokt. De schepenen gaven hem gelijk: het vonnis werd verzacht tot 'onthoofden met begraffenis'.

Amsterdam gold in die jaren als een redelijk veilige stad. De Engelsman William Montague, die in 1695 de stad bezocht: 'Geen ruzies, geen ingeslagen hoofden, geen wachters aangevallen of misdadigers neergeslagen, geen getrokken degens, geen gebroken ramen, noch het neerhalen van uithangtekens en barbierspalen. [...] Dronkaards spoeden zich stilletjes naar huis om hun roes uit te slapen en nachtelijke overvallen zijn schaars.'

Toch werden de schepenen vrijwel dagelijks geconfronteerd met vechtpartijen, berovingen en mishandelingen. Plus nog eens de lichtere overtredingen, zoals te hard rijden met een kar, het los laten lopen van ganzen of het 'tappen tijdens de zondagspreek'.

Prostitutie was een geval apart. Naar schatting waren in de tweede helft van de 17e eeuw zo'n achthonderd dames – en soms heren – actief, vooral in de straatjes en stegen achter de Geldersekade, rond de Dam en in de Kalverstraat, vlak achter het stadhuis. De kerkenraad klaagde steen en been over de toename van 'hoeren en hoerhuijse', de straathoeren zouden zelfs 'eerlijke luijden aenranden'. De komst van de nieuwe straatverlichting in 1669, met de spiegelende olielampen van de schilder-uitvinder Jan van der Heyden, maakte het tippelen nog gemakkelijker.

Tussen 1650 en 1750 had gemiddeld één op de vijf rechtszaken te maken met prostitutie. De schout mocht echter, met toestemming van de schepenen, sommige gevallen 'schikken' – het begin van het typisch Nederlandse 'gedoogbeleid'. Bij rijke klanten konden de bedragen fors oplopen. Schout Hasselaer, die in 1669 'een getrout persoon met een hoer op het bedde had aangetroffen', eiste 600 gulden om de zaak af te maken. Hij mocht een derde van het bedrag, net als bij de boetes, in eigen zak steken.

Vandaar dat sommige schouten een zekere naam opbouwden. Schout Lambert Reynst werd bijvoorbeeld, vol dubbelzinnigheid, aangeduid als 'de grootste hoerenjaeger van de stat'. Schout Hendrik Roeters kreeg van een verbannen dame die stiekem was teruggekeerd 300 gulden – hij liet haar met rust. Ook Cornelis Witsen, de drankzuchtige schout met wie Jan als schepen vrijwel dagelijks te maken had, was niet onomstreden: in 1667 werd zijn eigen zoon door de schepenen veroordeeld wegens mishandeling, een jaar later werd hij zelf veroordeeld wegens een betalingsachterstand. Witsen zou bovendien geschiedenis schrijven door in 1668 de filosoof Adriaen Koerbagh enkel vanwege zijn 'godslasterlijke' opvattingen de dood in te jagen – een uniek geval in het verder redelijk liberale Amsterdam. Jan hoefde er zelf niet meer over te oordelen, hij was net weer afgetreden als schepen toen deze zaak ging rollen. Dat bespaarde hem een paar ellendige dilemma's, maar ook als oud-schepen moet het voor hem, als vrije denker, een buitengewoon pijnlijke kwestie zijn geweest.

Wat was er aan de hand? De periode waarin Jan leefde mag voor Amsterdam vrij vreedzaam zijn geweest, voor de rest van Europa was het een gruwelijke eeuw. De ene geweldsexplosie volgde op de andere, in de meeste gevallen aangejaagd door religieuze conflicten of botsende staatsbelangen. Tegelijk was het ook een eeuw van ongekende vernieuwing en expansie, plus de bijbehorende mentaliteit van koopmanschap, rationaliteit en individualiteit.

Dat was de context waarbinnen zich, met name in Amsterdam, de zogenaamde Vroege of Radicale Verlichting ontwikkelde. Het was Descartes die, als een van de eersten, kritische vragen begon te stellen bij alle overgeleverde vooroordelen en geloofswaarheden. Hij zette de 'denkende mens' centraal, schoof God naar de zijlijn, maar bleef een religieus man, hij was als de dood om als een ketter te worden beschouwd.

Spinoza ging een stap verder. Er gebeurde volgens hem niets dat niet rationeel, op basis van de natuurwetten, viel te verklaren. Het goddelijke was identiek met de natuur: alleen via de zuivere rede, via zuiver onderzoek, kon men de natuur – en dus God – leren kennen. Engelen, duivels, de wonderen Gods, al die Bijbelse waarheden, het was in zijn ogen allemaal onzin. Wel was hij een groot bewonderaar van Jezus Christus en van de manier waarop die, als profeet, het woord van God doorgaf aan de mensheid. 'Het lijden, de dood en de begrafenis van Christus vat ik letterlijk op,' schreef hij aan een oude kennis, 'zijn opstanding daarentegen symbolisch.'

Nu kon je veel beweren in het 17e-eeuwse Amsterdam, maar dergelijke opvattingen, op de rand van atheïsme, bleven taboe. Spinoza heeft daar persoonlijk niet zoveel last van gehad. Hij woonde vermoedelijk enige tijd zelfs in het buitenhuis van de schepen Coenraad Burgh – we leerden de familie eerder kennen via *Het bruggetje van Six*. Zijn verhandeling *Traktaat*, volgens de predikanten 'godslasterlijk en gevaarlijk', werd hier en daar wel in beslag genomen, maar Spinoza zelf werd ongemoeid gelaten. Jan Six had de *Principia philosophiae* (De beginselen der wijsbegeerte, 1663) van Spinoza in zijn boekenkast staan. Toen in 1677 Spinoza's voornaamste werk, *Ethica*, verscheen, was de auteur al overleden. Het boek werd binnen een jaar door de Staten verboden, dat wel.

Spinoza's geestverwanten, de broers Adriaan en Johannes Koerbagh, waren echte rebellen. De jongste broer, Johannes, lag als dissidente predikant voortdurend in conflict met de Amsterdamse kerkenraad. Adriaan, een medicus, was een man van de taal en de revolutie. Hij had eerder een woordenboek uitgegeven waarin de juridische geheimtaal van de goed verdienende advocaten werd uitgelegd in gewoon Nederlands. In 1668 kwam hij met *Een Bloemhof van allerley lieflijkheyd sonder verdriet geplant*. Het was een soortgelijke encyclopedie, nu probeerde hij voor de gewone man de gesloten wereld van artsen, geleerden en predikanten te verklaren.

En hoe! Terwijl Descartes en Spinoza nog de nodige voorzichtigheid betrachtten, gingen bij Koerbagh alle remmen los. In een reeks scherpzinnige mini-essays veegde hij de vloer aan met de zogenaamde wijsheden der 'ouden' die stellig beweerden dat de aarde plat was, terwijl zelfs een 'scheepsjongen' wist 'dat de aarde rond is, en dat men de selve kan om zeylen'. Hij rekende voor dat de ark van Noach onmogelijk een 'soo grooten menigte van dieren, en soo veel voeder als voor meer als een jaar' kon herbergen. Hij schreef dat 'Bibel' gewoon het Griekse woord voor 'boek' is, dat die titel dus helemaal niet gold voor 'het Woord God's' maar voor elk willekeurig boek, 'al was 't van reyntje de vos of uylenspiegel'. En zo ging het maar door.

De predikanten waren razend, eisten dat *Bloemhof* onmiddellijk in beslag zou worden genomen en drongen er bij de burgemeesters op aan 'dat sulck een lastermond en penne' zou worden ingetoomd. Voor de zekerheid week Koerbagh uit naar Culemborg, een 'vrije heerlijkheid', buiten de greep van de Amsterdamse magistraten.

Daar begon hij, met hulp van Johannes, direct aan een tweede boek, *Een ligt schijnende in duystere plaatsen*, een betoog dat veel systematischer was opgebouwd dan *Bloemhof* en dat was bedoeld om zijn radicale grappen en oprispingen te voorzien van een stevig filosofisch fundament. De aanval is de beste verdediging, zoiets moet Koerbagh misschien wel hebben gedacht. 'En wat voor aanval,' schrijft zijn biograaf Bart Leeuwenburgh. 'Wat Koerbagh in *Ligt* deed was niets anders het volle gewicht van de rede, het "gezonde verstand", als stormram gebruiken met de bedoeling de religieuze dogma's van de publieke gereformeerde kerk te verpletteren.'

Filosofen als Descartes, Spinoza en Koerbagh stonden bepaald niet alleen. Overal in Europa roerden zich schrijvers, dichters, denkers en zelfs politici. De Republiek had daarbij het voordeel dat er geen almachtige staatskerk was en dat de drukpers er een redelijke vrijheid genoot. Binnen zekere grenzen kon iedereen zeggen wat hij wilde, kritische denkers vonden in sommige magistraten zelfs geestverwanten.

In Rijnsburg bestond bijvoorbeeld al jaren een interessante groep vrijdenkers, de zogenaamde collegianten. Het gezelschap ging uit van een universeel christendom waarin de mens enkel door zijn verdiensten en het geloof in Christus zijn zielenheil kon verwerven. De deelnemers vormden geen kerkgenootschap, op hun maandelijkse bijeenkomsten kon iedereen het woord voeren. Spinoza was vanaf de jaren 1654, 1655 een vaste bezoeker, na zijn verstoting uit de Joodse gemeenschap vond hij in dit vrijzinnige milieu hulp, steun en nieuwe vrienden. Het is geen toeval dat hij er ook zijn laatste jaren sleet, voordat hij in Den Haag overleed.

Het staat buiten kijf dat ook Jan Six bekend was met dit gedachtegoed. Zijn vriend Isaac Vossius had bijvoorbeeld al in 1655 met de predikanten overhoopgelegen omdat hij had verklaard dat de Bijbel allesbehalve uit de hemel kwam en enkel een samenraapsel was van soms zelfs tegenstrijdige teksten. Spinoza kan hij hebben ontmoet via zijn oude schoolmakker Coenraad van Beuningen, die bevriend was met de filosoof. Van Beuningen bezocht al als student de bijeenkomsten van de collegianten, hij woonde zelfs enige jaren in Rijnsburg. Waarschijnlijk is Jan zelf er ook op bezoek geweest: in zijn aantekenboek maakt hij terloops melding van een historisch interessante 'blauwe steen' die in 'Rynsburch' in een muur is gemetseld en die hij vrijwel zeker met eigen ogen heeft gezien. Elsbroek lag er tenslotte amper een uur te paard vandaan.

Ook de Koerbaghs zal hij hebben gekend: Jan's schoonvader Nicolaes Tulp gold, tijdens hun medische opleiding, als beschermheer van Adriaan Koerbagh en zijn broer Johannes – Tulp droeg als vierde bij aan het liber amicorum van Johannes.

Al die welwillendheid kon niet voorkomen dat de Amsterdamse magistraten de gebroeders Koerbagh ditmaal stevig aanpakten. *Ligt* lag inmiddels ook op de pers, in Utrecht, maar de drukker was halverwege gestopt: hij vond het allemaal te radicaal en stapte ermee naar de autoriteiten. Schout Witsen, vanuit Utrecht gealarmeerd, nam de gedrukte vellen van *Ligt* die al in Amsterdam waren afgeleverd in beslag. Vervolgens arresteerde hij eigenhandig Johannes toen hij die toevallig op de Dam tegen het lijf liep. Adriaan sloeg op de vlucht, dook onder in Leiden maar werd verraden en met de trekschuit naar Amsterdam gebracht. Het 'tipgeld' bedroeg 1500 gulden, vijf jaarlonen voor een werkman, tekenend voor het belang dat aan deze zaak werd gehecht.

Op vrijdag 20 juli 1668 werd Adriaan voorgeleid bij de schout en de zes schepenen – onder wie Hans Bontemantel en Johannes Hudde, die, als bekend wiskundige, trouwens zelf met Spinoza correspondeerde. Volgens Bontemantel was Adriaan 'seer weemoedich, willende [zich] de kerck en haer ordre onderwerpen, doch bleef evenwel altyd by syn gevoelen, als yts uyt de boecken wierden gevraecht'. Hij nam dus geen letter terug, en bovendien nam hij alle verantwoordelijkheid op zich. Zijn broer Johannes had, beweerde hij, met de inhoud van zijn boeken niets van doen gehad.

Een week later las schout Witsen een brute eis voor: Adriaan moest op een schavot op de Dam worden vastgezet, zijn rechterduim moest worden afgehakt, een gloeiende priem moest door zijn tong worden gestoken, al zijn boeken moesten worden verbrand en hij moest dertig jaar worden opgesloten in het rasphuis, een wrede werkgevangenis waar hout werd geraspt voor de ververijen. Hans Bontemantel lag als enige dwars: in zaken van godslastering schreven de Staten van Holland verbanning voor, de eis van schout Witsen was buiten iedere proportie en in strijd met alle regels en gewoonten.

Het uiteindelijke vonnis: tien jaar rasphuis, tien jaar verbanning uit Amsterdam, 6000 gulden boete.

Johannes werd vrijgesproken, hij leefde nog vier jaar, een gebroken man. Adriaan Koerbagh verdween in het rasphuis, ruim een jaar later was hij dood. Volgens de overlevering landde tijdens zijn begrafenis, als uit het niets, een pikzwarte hen op zijn lijkkist: de duivel zelf, die Koerbaghs onsterfelijke ziel kwam halen.

Waarom deze ongekend wrede straf, enkel vanwege een religieuze opvatting? Slechts eenmaal eerder was een Amsterdammer wegens 'opruiende' of 'lasterlijke' geschriften tot het rasphuis veroordeeld: een zekere Johannes Grevius, een ketterse arminiaan die in 1620 levenslang had gekregen, maar die anderhalf jaar later alweer was vrijgelaten. Wat dreef schout Cornelis Witsen en de zijnen in dit geval?

Allereerst: vrijheid van meningsuiting was in de Republiek geen grondrecht zoals wij dat kennen, het was enkel het resultaat van een voortdurend veranderend compromis tussen religies en regenten, van een eindeloos scharrelen, schikken en plooien. De uitkomst kon dan ook sterk verschillen, van stad tot stad en van periode tot periode.

Het is, daarbij, moeilijk om een goed beeld te krijgen van de complexe verhoudingen binnen de toenmalige Amsterdamse elite. Mogelijkerwijs speelde de afwezigheid van Coenraad van Beuningen een rol, die net die zomer was afgetreden als Amsterdams burgemeester omdat hij als gezant naar Londen was afgevaardigd. De Koerbaghs verloren zo een machtige beschermheer. Er kan daarnaast sprake geweest zijn van een stille afrekening van schout Witsen, wiens zoon immers een jaar eerder door de 'liberale' schepenen was veroordeeld.

Het tijdstip was zeker een factor. Juist in 1668 was, vanwege de toenemende militaire dreiging vanuit Frankrijk, de machtsbalans binnen de Amsterdamse politiek gekanteld ten gunste van de meer conservatieve, Oranjegezinde krachten. Het harde vonnis moet volgens sommige auteurs dan ook vooral gezien worden als een noodzakelijk offer aan de invloedrijke predikanten, een 'lap vlees' om de orthodoxen rustig te houden. Anders gezegd: de Amsterdamse magistraten konden zich op dat moment geen mild oordeel veroorloven.

Wat Adriaan vooral de das om deed was, vermoedelijk, het

machtigste instrument van zijn rebellie: de taal. Spinoza werd getolereerd omdat zijn *Tractatus theologico-politicus*, zoals gebruikelijk, in het Latijn was geschreven. *Bloemhof* was opzettelijk niet geschreven in de taal van de wetenschappelijke elite, maar in gewoon Nederlands, de taal van de volksmassa. Dat maakte *Bloemhof* tot een ronduit opruiend boek, en Adriaan en Johannes tot pure politieke activisten. En daarmee raakten ze ook de positie van de magistraten zelf.

De kwestie-Koerbagh geldt tot op de dag van vandaag als een schandelijk exces. Bontemantel schrijft er uitvoerig over en de zaak moet ook Jan intens hebben beziggehouden, al vond ik er in zijn aantekeningen niets over terug. Hij maakte immers zelf deel uit van die zoekende en verkennende beweging die onder alle glamour van de 17e eeuw schuilging. Hij herkende de voortdurende ambivalentie, de dubbelzinnigheid die het denken van die periode kenmerkte. Niet alleen de grappen in de *Grote Pandora*, ook de wijsheden die hij noteerde, ze zijn vol dubbele bodems.

Jan Six viel, tussen zijn tijdgenoten in deze pre-Verlichtingsperiode, niet op door een grootse visie. Moedig was hij evenmin. Hij conformeerde zich, zo lijkt het, na zijn huwelijk zonder meer aan het brave bestaan van een welgestelde stedelijke magistraat. Hij begon zelfs geen stille rebellie, zoals Bontemantel. Maar hij voelde haarfijn de tijdgeest aan, al wist hij niet hoe hij die vorm moest geven.

In 1668 werd hij opnieuw commissaris in de Krakeelkamer en bij Huwelijkse Zaken, hij werkte daarna bij de Bank van Lening en de Wisselbank, hij was vijf jaar Weesmeester en twaalf jaar commissaris Zeezaken. Vanaf 1679 tot aan zijn dood was hij lid van de vroedschap. Hij zou nog driemaal tot schepen worden gekozen en ten slotte, in 1691, één keer tot burgemeester.

Zijn hart bleef echter uitgaan naar zijn andere leven, dat van de boeken en de kunsten, en hij beschikte daarvoor nog altijd over schijnbaar onuitputtelijke middelen.

Onder 'Oiconomia, ofwel huishouding van huwelijk' noteerde Jan een reeks posten die vermoedelijk sloegen op zijn eigen situatie: 'Een man van 400 000 capitalen behoorde dus zijn goederen te verdelen: ƒ 100 000 in eighen huys en Hof-stede, ƒ 100 000 los en lijfrenten op Holland, ƒ 140 000 obliga-ties op vaste [onleesbaar], met lage rente, ƒ 50 000 tweeduizend postactiën – aandelen – om premie te trekken. Opgeteld: ƒ 400 000.' (Hij vergat een post van 10 000 gulden, de waarde van zijn kunstcollectie?)

Wat verderop schreef hij: 'Ik heb gekreegen door God's ze-gen en niemand zal 't van mij krygen als het diezelfde God belieft. J. Six.'

Grote bedragen investeerde hij in land, met name in de omgeving van Hillegom. Vlak bij de stad liet hij een tweede 'hofstede' bouwen, Ymont. Het buiten, aangelegd op een ver-hoging aan de Diemermeer bij Zeeburg, zou hem onder an-dere inspireren tot zijn gedicht 'Muiderberg' (1675). Uit het 'geboortedicht' op Ymont, door de dichter Antonides van der Goes op 1 mei 1672 in de *Pandora* neergepend, kan worden afgeleid dat Jan zijn nieuwe landgoed rond die tijd betrok. Het was waarschijnlijk geen groot gebouw, het project is mis-schien zelfs nooit van de grond gekomen: later werd, op een kaart uit 1702, de plek enkel aangeduid als ''t visskers huijsje van de Heer Sicx'.

In Amsterdam zelf verhuisde hij regelmatig – dankzij de aantekeningen die Jan maakte over de geboorte van zijn kin-deren en het schutterijregister weten we vrij nauwkeurig waar hij uithing. Met Margaretha bleef hij tot 1 mei 1663 in zijn ouderlijk huis aan de Kloveniersburgwal 103, daarna trok hij voor drie jaar in bij zijn schoonvader Tulp aan de Keizers-gracht, na 1 mei 1666 woonde hij nog eens drie jaar in het huis van zijn neef Burgh, Kloveniersburgwal 23.

Vanaf 1 mei 1669 bracht hij de rest van zijn leven door in zijn nieuwe, door Adriaan Dortsman gebouwde huis op He-rengracht 619. Het was een woonhuis dat paste bij Jan: stijl-vol, eigenzinnig en voor die tijd zeer gedurfd. Het staat er nog steeds, wel is het in de 19e eeuw grondig vertimmerd, waar-door de verhoudingen – Dortsman's grote kracht – grondig zijn verpest.

Die eigenzinnigheid was op zich al bijzonder bij de bouw van de 17e-eeuwse grachtenpaleizen. De Amsterdamse burger-orde eiste dat de panden, hoe rijk en royaal ook, op elkaar leken: in symmetrie, in regelmaat, in proporties en vooral in – classicistische – stijl. Rijkdom en status werden enkel ontleend aan de gebruikte materialen. Hoe duurder en zeldzamer de stenen en het beeldhouwwerk, des te beter. Dortsman en Jan Six doorbraken al die ongeschreven regels met groot enthousiasme.

Alleen al de maatvoering van Herengracht 619 deed iedere voorbijganger opkijken: het dubbele pand had niet de gebruikelijke vijf vensters in de breedte, maar slechts drie. Daardoor kende de voorgevel grote vlakken, aan de andere kant hadden de vensters die er wel waren een buitengewoon formaat. De verdiepingen waren hoger dan gewoonlijk en de kap was bijna helemaal verstopt achter een Ionische kroonlijst. Die kroonlijst was het enige dat nog hintte naar de klassieke vormen. Het effect was voor die tijd revolutionair, voornaam en tegelijk opvallend ingetogen.

Wie door de voordeur naar binnen stapte kwam in het 'pourtaal' – ik wandel nu mee met een latere boedelbeschrijver – waar we niet veel meer zien dan een kapstok, plus een kast met wat schalen. In het 'Voorhuijs' hangen drie schilderijen en een spiegel, en er staat een 'marmere tafel met een gesnede voet'. De 'witte zaal' wordt gebruikt als antichambre, de kamer lijkt geen andere functie te hebben gehad. De zaal is opgeluisterd met vijf schilderijen en twee spiegels, er ligt een 'constboek' en ik herken er ook het borstbeeld van Nicolaes Tulp dat nu de gang siert van het huis aan de Amstel.

Dan gaat de deur open van de 'blauwe zaal' en opeens staan we in een soort kunsthal. De boedelbeschrijver telt maar liefst zeventien schilderijen, drie prenten, een boek 'van de heer Burgemeester Six van Rembrand' – de *Pandora* – en meer. We komen bekenden tegen: Rembrandt's etsen en portretten van Jan en Anna Wijmer, Jan's jeugdportret door Vaillant, Rembrandt's titelplaat van *Medea*. In de daaropvolgende gangen, kamers en zalen is de vloed aan kunst ronduit overweldigend: we lopen langs tientallen beeldhouwwerken, meer dan honderdvijftig andere schilderijen – waaronder, naast stukken van Rubens en Frans Hals, ettelijke werken van Tintoretto, Titiaan en Rembrandt –, zo'n tweeduizend boeken, honderden prenten en rariteiten, te veel om op te noemen.

Zoals overal aan de grote grachten zal achter het huis een beschermde tuin hebben gelegen die, samen met de tuinen van de andere buren, een verstild binnenpark vormde, een oase van rust en groen.

Van Jan's huiselijke bestaan kennen we verder geen details. Margaretha en hij leefden vermoedelijk grotendeels gescheiden levens, zoals toen de gewoonte was. Tot de oudste voorwerpen uit de kledingcollectie van de familie Six – bijna alles ligt nu in het Rijksmuseum – horen een paar manchetten en een hals- annex neusdoek, allebei uit de 17e eeuw. Het linnen van de neusdoek is versteld – het stuk doek is duidelijk kapotgesnoten. De kans is groot dat dit een zakdoek van Jan was. Wat er ook naderhand is bij gekocht, verstelde zakdoeken zullen dat niet zijn geweest. Dichterbij kunnen we niet komen.

Er is een 17e-eeuwse luierkast die nog altijd in het bezit is van de familie. Vrijwel zeker ook afkomstig van Jan zelf. 'Kinderen zijn zegeningen, vermengd met onrust,' schreef hij in zijn *Pandora*. Hij en Margaretha zouden er in totaal elf krijgen, van wie slechts vier hen overleefden: Nicolaas (1662), de oudste en opvolger, Margaretha (1666), Jan (1668) en Maria (1669).

Ik kan een paar gezichten voor me halen. In de vitrine staan twee miniportretjes van Nicolaas en zijn broer Jan, in Parijs geschilderd door Caspar Netscher toen ze in de twintig waren, in 1688, met een pruik, een bef en een harnas. De jongens wandelen hier en daar door Jan's notities. Bijvoorbeeld in een gedicht, opgedragen aan de elfjarige Nicolaas, 'toen hy prys in 't Latijnsche school gehaalt had'. 'Nicolaes die noch zo jong en teer / Reets andren leert te boven streven...' Het prijsboek van de school staat nog altijd ergens in de bibliotheek.

Ook hun eigen stemmen kun je soms horen. Nicolaas, oud tien jaar: 'Alle dingen groeien of vergaan.' Of Maria: 'Toen Margrietje Six (die [drie] jaar ouder is dan gij, Marietje) uit de Volewijk gehaald werd, wat deed jij toen? Ik weet het niet, Paatje, zei Maria.' (Jan verwijst hier naar de Kinderboom die volgens de stadslegende aan de overkant van het IJ op de Volewijck zou staan en waaraan overal aan de takken kindertjes hingen te roepen: 'Pluk mijn, pluk mijn, ik zal alle dagen zoet zijn.') Of de stem van Jan zelf, als vader: 'Mannetje, kun je Onze Vader wel? Bid je Lieve Heer wel alle dagen, je wilt immers liever in de hemel als in de hel komen.'

Het was altijd dichtbij, dat onverwachte einde, zeker voor kinderen, zeker in die tijd. Een kwart van de kinderen haalde niet eens het volle eerste levensjaar, de helft werd niet ouder dan vijf. De gebrekkige hygiëne was een oorzaak, plus de voeding die ook in de hoogste kringen tot ver in de 19e eeuw verbazingwekkend eenzijdig was. Regelmatig werden ook baby's 'doodverzorgd', vooral in betere kringen: ze werden zo ingepakt dat ze nauwelijks meer konden ademen, ze werden getrakteerd op bloedzuigers en aderlatingen, ze overleefden de toenmalige geneeskunst niet.

De Sixen werden dus niet gespaard, de jaartallen in de familiebijbel spreken voor zich. De eerste drie kinderen van Jan en Margaretha, Anna (1656), Jan en Nicolaas (beiden 1659, wellicht een tweeling), stierven voor hun eerste verjaardag. Het graf van hun grootmoeder, Anna Wijmer, werd telkens opnieuw geopend om ze te begraven. Daarna zouden ze nog vier kinderen verliezen: Jan (1664, hij leefde nog geen jaar), Anna (1665, 7 jaar), Christina (1671, 12 jaar) en Diederick (1674, 24 jaar, tijdens een reis naar Wenen).

Het idee dat Jan en Margaretha, net als hun tijdgenoten, hieraan 'gewend' waren en zulke slagen anders beleefden dan hedendaagse ouders is een mythe. De Engelse auteur William Brownlow, die vier jaar lang ieder jaar een kind verloor, schreef over de keten van rampspoed 'die mij door elkaar heeft geschud en in stukken heeft gebroken'. De immens productieve Johann Sebastian Bach, die iets soortgelijks meemaakte, kreeg in die jaren bijna geen compositie uit zijn vingers. Ook Vondel schreef over de dood van zijn kind Constantijntje hartverscheurende regels – 'Moeder, zeit hy, waarom schreit ghy? Waarom greit ghy op mijn lijck? Boven leef ik, boven zweef ik, Engeltje van 't hemelrijk.'

Het verdriet van Jan en Margaretha zal niet anders zijn geweest. Veel vind ik er niet van terug in Jan's aantekenboek. Hij probeert zijn gevoelens met nuchterheid te lijf te gaan, al is het 'onmogelijk onbewogen te blijven'. Het is alsof je in je vinger hebt gesneden, redeneert hij, en je dan doet alsof een ander zich heeft gesneden – om zelf die pijn maar niet te hoeven voelen.

Onder de kop 'Verdrukking' stuit ik op een notitie met opvallend veel doorhalingen. Jan had er duidelijk veel moeite mee. Is dit alles wel God's wil, zo lijkt hij zich af te vragen. Maar dan schrijft hij: 'Omdat ik geen stribbelingen tegen God's wil in mijn ziel voel, zo vertrouw ik vast erop dat hij geen lot toe laat komen dan zijn genade. De koude van bezoekingen is de hitte van koortsen gelijk: bitter zijnde voor het lichaam, gezond voor de ziel.'

Hij geeft zich over: 'Verdrukking gebruikt God om de vromen tot betere gedachten te brengen. Het tijdelijk tuchtigen spruit uit eeuwige goedertierenheid en barmhartigheid.'

In een tussenkamer, op de tweede verdieping van huize Six, hangen twee doodsportretjes van kleine kinderen, met zorg en wanhoop geschilderd om nog iets van die korte levens te behouden. 'De kleine dode oom en tante' worden ze in de familie genoemd. Eentje dateert uit de 19e eeuw, een meisje in een witte jurk op haar doodsbed. Bij de ander gaat het om Jodocus van den Bempden, een verre achterneef van de koude kant, een klein bol knaapje met een wit hemdje en een grote witte kraag. Hij leefde exact drie maanden, van 14 april tot 14 juli 1659. Ferdinand Bol schilderde het dode jongetje, omringd door symbolen: een ondergaande zon, een dovende toorts, in zijn handje een verlepte roos, om zijn hoofd een juichende bloemenkrans, want de ziel is eeuwig.

Zo zullen Jan en Margaretha ook hun Anna, Jan, Nicolaas, Jan en Anna hebben neergelegd, in het wit, onder de bloemen. Het waren nu engeltjes, dat was hun troost, lachend om 'd'Ydelheden, hier beneden', cherubijntjes in de hemel, eeuwig spelend.

IX

Jonker Jan

Het huis kent één plek waar ik niet graag kom. Het is een kamer waar een ruiterportret de hele achterwand in beslag neemt. Het stelt Diederick Tulp voor, geschilderd door Paulus Potter in 1653. Jan's zwager, negenentwintig jaar oud, op een steigerend paard.

Ik geef toe, het is puur persoonlijk. Veel kenners vinden het een interessant schilderij, vooral het paard schijnt zo mooi te zijn neergezet. Ikzelf kan, hoe ik ook probeer, voor dit schilderwerk geen enkele sympathie opbrengen. Paulus Potter of niet, het is en blijft een snoevend stuk canvas, een wanklank in dit verder zo smaakvolle huis.

Het heeft jarenlang opgerold op een zolder gelegen. Het is verknipt, boven het hoofd van Diederick loopt een lelijke naad. Die rol is ook nog eens geknakt. Maar het is vooral slecht geschilderd. Het gezicht, daar klopt helemaal niets van, het lijf van Diederick is buiten proporties en het geheel is veel te protserig, veel te groot. Het misstaat in deze familie en in dit huis – de zijmuur van de bovenkamer moest zelfs ooit een eindje naar de buren worden opgeschoven om er ruimte voor te maken.

Het is het oudst bekende portretvoorbeeld van een Amsterdamse burger op een paard dat zich verheft in een 'levade', een houding die oorspronkelijk alleen aan adellijke portretten was voorbehouden. Het ruiterstuk is dan ook nooit voor Diederick bedoeld geweest. Uit röntgenopnamen bleek dat zijn gezicht er pas naderhand op is geschilderd, eerst was de plek nog oningevuld: de koper moest nog komen. Op de achtergrond is een landschap bij Kleef zichtbaar, wellicht om een potentiële klant te behagen – Diederick had daar niets te zoeken. Mogelijk was het eerder besteld als staatsieportret voor Johan Maurits van Nassau, de 'Braziliaan', maar nooit betaald. Nicolaes Tulp kende Paulus Potter goed, hij haalde hem naar Amsterdam om mee te werken aan de decoraties voor het stadhuis. Zo zal dit adellijke portret uiteindelijk bij hem terecht zijn gekomen, zo kon hij zijn eigen zoon op het paard tillen.

Diederick – of Dirk – Tulp was, na het overlijden van zijn broer Pieter, de nieuwe kroonprins van zijn vader. Hij deelde volop mee in diens status en vermogen. Op zijn zesentwintigste sloot hij een riant huwelijk met Anna Burgh, afkomstig uit de bekende en vermogende burgemeestersfamilie. Vanaf dat moment kon hij gaan rentenieren. Via zijn vader en schoonvader rolden daarna de ambten als vanzelf op hem af. Bij de benoemingsronde van 1654, zo meldt Hans Bontemantel, werden twee regenten onder druk van Tulp zelfs 'overgeslagen' om zoon Dirk en zwager Zacharias Roede een ambt te kunnen bezorgen. Drie jaar later werd hij bewindvoerder van de VOC, ook een goudmijntje.

'Toevallig' was Diederick schepen toen het stadhuis in 1655 werd ingewijd – wie omhoogkijkt in de Troon- of Schepenzaal van het huidige Paleis ziet tot in eeuwigheid zijn naam en wapen tegen het plafondgewelf geplakt. Later volgden voornamelijk commissariaten in de kleinere regeringscolleges. Na 1674, toen nieuwe familiealliantie het voor het zeggen kregen, was zijn politieke loopbaan voorbij. Het was allemaal niet erg indrukwekkend, burgemeester Gillis Valckenier betitelde Diederick Tulp ooit als een 'onwetende pluimstrijker'. Terecht, vrees ik.

Diederick had, net als Jan, een tweede bestaan waarin hij zich uitleefde: paarden, de ruiterij. Hij maakte met veel enthousiasme deel uit van de schutterij, uiteindelijk klom hij op tot kolonel. Hij was vermoedelijk dolgraag officier geworden in het Staatse leger, ware het niet dat deze functies alleen toegankelijk waren voor de adel. Vandaar zijn gretigheid om een grandeur tentoon te spreiden die hem allerminst toekwam. Hij liet bijvoorbeeld een gravure van de intocht van Maria de' Medici in Amsterdam uit 1638 omwerken zodat die leek op de intocht van stadhouder Willem III en zijn moeder in 1660, met zichzelf op de meest prominente positie, uiteraard opnieuw op een paard in levade. Nadat hij twee enorme erfenissen van zijn vrouw en zijn vader had geïnd kocht hij in 1676 van de Engelse koning Karel II zelfs een adelstitel. Een jaar later was hij 'baronet'.

Ik bekijk hem nog eens goed. Door de enorme omvang van Potter's ruiterportret is de hele zijkamer vol Diederick. Op andere portretten is zijn houding niet alleen 'adellijk', hij is ook arrogant en provocerend, een 'rebel without a cause', zeker tegenover zijn sobere vader. Hij is zo een typisch voorbeeld van de tweede generatie, de zonen en dochters van de regenten en kooplieden die de grondslag legden voor de welvaart van de Gouden Eeuw.

Nergens is die 17e-eeuws generatiekloof beter zichtbaar dan in de twee portretten van burgemeester Andries Bicker en diens zoon, Gerard Bicker, in het Rijksmuseum, beiden in 1642 geschilderd door Bartholomeus van der Helst. Vader Bicker, gekleed in stemmig zwart met een toen al ouderwetse witte plooikraag, poseert als een rustige, serieuze staatsman. Zoon Gerard, pafferig en vadsig, heeft zich uitgedost in de bonte kleuren van de laatste mode, een paar nuffige handschoentjes in de hand.

Ondanks alle deftigheid waren Gerard en Diederick, als het erop aankwam, kinderen van nieuw geld, zonen aan wie niets was ontzegd. Door de successen van de VOC waren sommige Amsterdamse families in zeer korte tijd extreem rijk geworden, niet zelden tot hun eigen verbazing. Het kostte hun moeite om daarin een houding te vinden. De oude dichter en koopman Roemer Visscher, die nog was opgegroeid in het Amsterdam van voor de alteratie in 1578, hekelde al in het begin van de eeuw de 'verwaande courtoisie' van de rijke jongeren, die deze levenshouding hadden overgenomen van de immigranten die uit Zuid-Nederland Amsterdam waren binnengestroomd.

In het eerder genoemde schanddicht 'St. Nicolaes milde gaven' uit 1640 wordt bijvoorbeeld een zekere 'Jonker Jan van piepensoye' – mogelijkerwijs Jan Six zelf – op de hak genomen omdat die zich voortdurend uitdost met de duurste kleren. 'Zeker, 't goedje staat hem vaardig. / Want hij is van goed postuur. / En zijn wambuis blinkt zo aardig. / Bij het flakkeren van het vuur.' Maar, vermaant de dichter, ''t Gouden laken staat wel heerlijk. / Maar 't is geen burgerdracht.'

Al die pracht en praal stonden haaks op de republikeinse succesformule waarmee diezelfde families juist rijk waren geworden. Namelijk die van een samenleving waarin de burgers min of meer gelijkwaardig waren, waarin rangen en standen geen grote blokkades vormden en waarin talent en economisch succes snel konden worden omgezet in maatschappelijke invloed en macht. Er was zo, in plaats van een traditionele *top-down* samenleving, een *bottom-up* samenleving ontstaan. Anders gezegd: een samenleving waarin niet het bevel maar de onderhandeling de heersende omgangsvormen bepaalde.

Tekenend is het incident dat Voltaire beschreef in een van zijn historische beschouwingen over de Republiek. Het gebeurde vlak voor het Twaalfjarige Bestand, in 1608. De uitbundig uitgedoste Spaanse delegatie was, onder leiding van de markies van Spinola, op weg naar Den Haag om met de Republiek te gaan onderhandelen over de wapenstilstand. Onderweg zagen de heren hoe een gezelschap van een stuk of tien mannen uit een simpel bootje stapte en op de wal in het gras ging zitten om een maaltijd van brood, kaas en bier te nuttigen – iedereen had zijn eigen portie meegebracht. Van een boer hoorden de Spanjaarden tot hun verbazing wie die mannen waren: 'Dit zijn de gedeputeerden van de Staten-Generaal, onze onafhankelijke heren en meesters.'

Dit waren, met andere woorden, degenen waarmee deze Spaanse edellieden de komende weken op gelijke voet moesten onderhandelen.

In Amsterdam bestond geen adel. Voltaire: 'Daar waar men in Holland vraagt, hoeveel ton, vraagt men in Frankrijk, staat hij goed aangeschreven bij het hof?' De paar kooplieden die in de 16e eeuw door de Deense koning of de Duitse keizer in de adelstand waren verheven droegen binnen de stad nooit hun titels. Nicolaes Tulp noemde zich niet voor niets altijd Claes Pieters, hij was een typische republikein. In zijn borstbeeld liet hij zich vereeuwigen als een Romeins senator. Dat was het grote voorbeeld voor deze generatie regenten.

Nergens komt die republikeinse burgerzin sterker naar voren dan in de schuttersstukken, de groepsportretten van rotten en vendels van de schutters. Het bekendste voorbeeld is natuurlijk Rembrandt's *Nachtwacht*, maar alleen al in Amsterdam zijn er zo tientallen bewaard gebleven, gigantische schilderijen met honderden gezichten, helaas zonder Jan en Diederick. Het was iets bijzonders, die schuttersstukken. In geen enkel land hebben zoveel rijke burgers zich in groepsverband laten schilderen, puur als decoratie voor hun openbare gebouwen. Het was hun manier om zich die openbaarheid toe te eigenen, om daarop een stempel te drukken.

De schutterijen waren in principe enkel burgerwachten – al vormden ze, als het erom spande, wel degelijk een militaire – en dus politieke – factor van betekenis. Tegelijkertijd fungeerden ze als een soort buurt- en gezelligheidsverenigingen. Ze symboliseerden de saamhorigheid van de burgerij, de waakzaamheid, het verantwoordelijke burgerschap, de zelfbewuste *citoyen*. De schuttersstukken straalden dat allemaal uit. En ze wilden dat beeld versterken, met hun taferelen van feesten en maaltijden die de vriendschap, de grondslag van eendracht, bezegelden.

Het Amsterdam Museum kende ooit een lange publieke galerij waar vijftien van die schuttersstukken in chronologische volgorde waren opgehangen – het eerste stuk dateerde al uit 1529. Jammer genoeg is die opstelling verdwenen. Iedere passant kreeg zo immers een beknopte maar onvergetelijke geschiedenisles in stijl en cultuur. Want de revolutie die Amsterdam doormaakte tijdens het leven van Jan Six was spectaculair. De stijve, donkere kleren van de schutters uit het midden van de 16e eeuw begonnen al tegen van het einde van de eeuw hel en bont te worden, de kleine kragen en bescheiden baretten groeiden daarna uit tot enorme flappen en hoeden en in nog geen halve eeuw tijd zag je zwaarmoedige colleges van vissers en schippers veranderen in chique gezelschappen, vol kleur en elegantie. Je liep van kou naar warm, van donker naar licht.

Dat beperkte zich niet tot uiterlijkheden. De burgers met hun mooie sjerpen wilden meer. Ze ontwikkelden een aristocratische levensstijl, ze kochten landerijen en heerlijke rechten, ze verwierven adellijke titels, ze toonden – of schiepen – hun wapenschilden, ze begonnen zich te gedragen als feodale heren in plaats van republikeinse citoyens. Al in 1650 werd in een van de schutterijen een burgemeesterszoontje van amper twee benoemd tot vaandrig, op zijn achtste werd het jochie bevorderd tot luitenant. Niet meer de verdiensten als burger gaven de doorslag, maar de afkomst. Niet meer vriendschap en eendracht zetten de toon, maar stand en status.

Daarmee verdampte de verbindende kracht van deze schuttersstukken. Vanaf 1650 verdwenen ze, ze werden vervangen door de groepsportretten van gilden, van schepenen, van de regenten van wees- en gasthuizen, van de managers van de stad. En, niet te vergeten, door de individuele portretten van deze nieuwe stedelijke elite. Diederick Tulp op een paard in levade, de zoon van een dokter in een typisch adellijke pose, ook dat was een vorm van revolutie.

Binnen enkele decennia ontwikkelde zich in Amsterdam zo een soort zelfgebakken aristocratie – en datzelfde gold voor de elite in de andere steden van de Republiek. Dat ging steevast samen met een 'oligarchisering' van de macht: het bestuur werd het monopolie van slechts enkele rijke families. Uniek was dat niet, het verschijnsel deed zich ook elders in Europa voor, met name in de Vlaamse en Italiaanse steden.

In Amsterdam voltrok dit proces zich binnen één, hooguit twee generaties. Toen Nicolaes Tulp zijn bestuurlijke loopbaan begon waren bijna alle regenten nog actief als koopman. Toen hij ermee stopte, in 1673, gold dat nog maar voor één op de vier. Vaste families bevolkten de schepenbanken en de vergaderzalen van burgemeesters en vroedschap, ze waren functionarissen geworden, beroepsambtenaren en politici. Ze formaliseerden dat zelfs, onderling sloten ze steeds vaker zogenaamde contracten van correspondentie, waarbij ze beloofden elkaar de nodige ambten toe te spelen. Nieuwkomers, zoals Tulp ooit was, kwamen er bijna niet meer tussen.

Deze nieuwe pseudo-aristocraten – want dat waren deze patriciërs, hoe je het ook keert of draait, met hun zo langzamerhand erfelijke regeringsfuncties – leenden allerlei vormen van de oude adel: manieren, kleding, kronen op wapens, een op geboorte gebaseerd superioriteitsbesef, de levade van Diederick. Ze combineerden dat echter met de traditionele 'republikeinse' manier van besturen, collectief, met de nadruk op de lokale welvaart in plaats van militair vertoon. Het bleven kooplieden: kinderen en kleinkinderen van schippers, visvrouwen en bierbrouwers.

De opkomst van deze klasse was bovenal zichtbaar in de titels die ze zich verwierven.

Burgemeester Jacob Dircksz de Graeff, zoon van een ijzerkoopman aan het Damrak, was een van de eersten die zich zo'n nieuwe status aanmaten: in 1610 kocht hij de heerlijkheid van Zuid-Polsbroek en daarna mochten hij en zijn nazaten zich 'vrijheer' De Graeff van Zuid-Polsbroek noemen. Frans Banninck Cocq, de centrale figuur in *De Nachtwacht* en zoon van een Duitse immigrant, erfde van zijn rijke schoonvader een paar stukken land bij Purmerend. Sindsdien heette hij 'Heer van Purmerland en Ilpendam'.

Meer Amsterdamse regenten verdubbelden zo hun naam: Oetgens van Waveren, Bicker van Swieten, Huydecoper van Maarsseveen. En met de naam kwam natuurlijk ook het landgoed dat deze status bevestigde. In Amsterdam had dat trouwens ook een praktische reden: in de zomer was de stank van de grachten niet te harden, rond de 1e mei verhuisden de deftige families meestal naar buiten, om pas in het najaar weer terug te keren.

In Jan's jonge jaren bezat slechts één op de tien gefortuneerde families een buitengoed, in de tweede helft van de 17e eeuw was dat al 30 tot 40 procent, later, in de 18e eeuw, groeide dat uit tot 80 procent. In Huygens' gedicht 'Hofwijck' hoor je in een trekschuit de ene passagier tegen de andere zeggen: 'Wel hey, wat's hier weer nieuws? Zal't nooit een einde wezen / Alweer een nieuw kasteel in ene nacht gerezen!'

De basis van deze nieuwe 'adel' was en bleef echter de stad. Hun buitenhuizen waren in de eerste plaats bedoeld als 'lusthof', pleziverblijf. Tegenwoordig zouden we hen betitelen als 'hobbyboeren'. De oude landadel was – en is – van een heel ander slag. Meestal waren het vanouds machtige boerenfamilies, en hun uitgangspunt was land en grond, liefst zo veel mogelijk, met daarbinnen een versterkt complex van schuren en woonverblijven – een stins of zelfs een kasteel – dat zo nodig tegen boze buren en andere vijanden kon worden verdedigd. Bij de stadsadel draaide het uiteindelijk altijd om geld en politieke macht.

De Sixen genoten in deze kringen een zeker ontzag, nog altijd hing rond de familie een sfeer van oude Zuid-Nederlandse allure. Tijdens zijn jeugd stond Jan bekend als 'jonker Jan', zo valt af te leiden uit datzelfde schanddicht uit 1640 – dat betekende echter alleen dat zijn levensstijl een bepaald niveau had. Voor een officiële titel was ook Jan bereid de nodige investeringen te doen. In 1666 verwierf hij, door de aankoop van een drassig stuk land bij Zwammerdam, de heerlijkheid Vromade. Vanaf 1679 mochten hij en zijn nazaten zich bovendien 'Vrijheer van Wimmenum' noemen, dankzij de aanschaf van een duinterrein van meer dan honderd hectare bij Egmond, de 'Vrije Heerlijkheid Wimmenum', het tegenwoordige Sixduinen. Het 'Vrije' hield in dat ze er ook recht mochten spreken, inclusief het vellen van doodvonnissen.

Jan's opdracht, in 1662, om een Europees standaardwerk over een hoofse levensstijl te laten vertalen als *De volmaeckte hovelinck* had eenzelfde doel. Zeker, aan de etiquette van de Amsterdamse regenten kon nog wel wat worden geschaafd – de Duitse gezant Johann Joachim Becher beschreef in 1669 een WIC-maaltijd alsof hij in een gekkenhuis terecht was gekomen, na de tweede gang werden de tafels weggedragen en begonnen de heren zelfs met elkaar te dansen. Maar waarom uitgerekend *Il cortegiano* van Baldassare Castiglione uit 1528 vertaald moest worden blijft een raadsel. Deze handleiding was immers al bijna honderdveertig jaar oud, de elite had het werk allang kunnen lezen in het Frans, de middenklasse kon er ook weinig mee omdat het bedoeld was voor de Italiaanse hofcultuur en bovendien waren er allang betere etiquetteboeken verschenen. Nee, deze vertaling zal vooral een prestigeproject voor Jan zelf zijn geweest.

De zogenaamde aristocratisering was niet enkel een kwestie van status en ijdelheid. Diplomatieke en commerciële motieven speelden minstens zo'n belangrijke rol. Binnen de Republiek hadden rijke kooplieden voldoende status om met wie dan ook betrekkingen aan te gaan: ze bezetten de belangrijkste bestuursposten, ze konden handeldrijven met wie ze maar wilden. In de rest van Europa, waar geld en goederen grotendeels nog in handen waren van de adel, lagen de verhoudingen anders. Een burger of koopman, hoe rijk ook, werd in landen als Engeland, Duitsland en Frankrijk meestal beschouwd als iemand van een andere klasse, waarmee men geen zaken deed op voet van gelijkwaardigheid. Een adellijke titel deed, wat dit betreft, wonderen: alle deuren gingen open, zelfs van de hoogste kringen.

Daarbij kwam nog eens de neergang van de lokale adel. Over het algemeen beschikte die over veel minder middelen dan de nieuwe aristocratie van de Amsterdamse kooplieden. Waar de Sixen bijvoorbeeld in het midden van de 17e eeuw al beschikten over vermogens van vele honderdduizenden – Jan's broer Pieter werd in 1674 aangeslagen voor 650 000 gulden – kwamen veel oude adellijke families meestal niet verder dan fortuinen van rond de honderdduizend. Geld waarover men bovendien nauwelijks vrij kon beschikken omdat het grotendeels was vastgezet in grondbezit.

De oorspronkelijke adel nam bovendien tijdens de 17e eeuw sterk af: in Holland en Friesland halveerde het aantal adellijke geslachten tot enkele tientallen, de ooit indrukwekkende Utrechtse ridderschap kende in 1667 nog maar zes leden. Dat uitsterven was een natuurlijk proces, enkel mannen konden een titel erven, adel kromp dus altijd. Alleen werd de oude aristocratie in vroeger tijden voortdurend ook weer aangevuld met nieuwe families. In de Republiek, waar geen koning heerste, gebeurde dat niet meer. De overgebleven leden van de oude adel vonden het meestal wel best: de politieke voorrechten die aan hun positie waren verbonden hoefden ze zo immers met steeds minder standsgenoten te delen. Hun individuele macht werd daardoor voortdurend groter.

Ondertussen leidde de aanwas van kersverse pseudo-aristocraten tot talloze grappen en woordenwisselingen. Hans Bontemantel beschrijft met smaak een uitbarsting van burgemeester Gillis Valckenier tegen Cornelis Geelvinck, heer van Castricum, tijdens de Admiraliteitsmaaltijd op 12 november 1676: 'Waar sijt ghij vandaen gecoomen? Heeft u grootvaeder niet geweest een erreten-boonegoet-vercooper ofte gehad een scheepsvictualienwinckel?' Jan zelf grapt in zijn aantekeningen over een collega-regent: 'Hij is van een adellijk geslacht, zijn vader reed wel met zes paarden voor de ploeg!'

Het fabriceren van stambomen, met illustere namen en wapenschilden, werd bijna een bedrijfstak. De koopman-regent Jan Berckhout, zoon van een ondernemende smid en kaashandelaar in Hoorn, trouwde bijvoorbeeld met een Cornelia Tedingh, dochter van een familie van grondeigenaren bij Monnikendam. Hun zoon Jan zette haar naam Tedingh voor de naam Berckhout, een generatie later waren stamboom en familiewapen geheel gewijzigd, de Tedinghs stamden nu af van de graven van Egmond en van de 'leenheren' van de 'Heerlijckheid van Berckhout'. Dat Berkhout nooit een heerlijkheid was geweest deed er niet toe. Weer was er een mythe geboren.

Beroepsgenealogen, zoals Wouter van Gouthoeven uit Dordrecht en Pieter van Brederode uit de Amsterdamse Warmoesstraat, construeerden zo voor iedere opdrachtgever een illuster voorgeslacht met tal van adellijke namen. Zo nodig werden er zelfs perkamenten gefabriceerd die er opvallend 'middeleeuws' uitzagen. Ook Vondel deed er volop aan mee: de burgemeestersfamilie De Graeff wist wat afstamming betreft niet verder te komen dan 1542, maar met een goedbetaald lofdicht wist de dichter er probleemloos een voornaam voorgeslacht plus een eeuw extra aan vast te plakken. Bij de familie Bicker kwamen er zelfs twee eeuwen bij.

Bij een bezoek van stadhouder Willem III aan Amsterdam benadrukt Jan hoe hij 'door zijne Hoogheid' werd verwelkomd 'met de hand en deze woorden: "Uw Dienaar Mijn Heer"'. En hoe de prins, bij het vertrek, zelfs zei: 'Uw Dienaar Heer van Wimmenum.'

Jan noteert het met trots.

X

Rampjaar

Donderdag 28 januari 1672. Nicolaes Tulp is een halve eeuw lid van de vroedschap. Een uniek jubileum. Dat moet gevierd worden, en ook hier is verslaggever Hans Bontemantel aanwezig. Het begint 's ochtends op het stadhuis. Tulp houdt voor de verzamelde magistraten een korte toespraak, bedankt ze voor de samenwerking door al die jaren heen en nodigt de heren uit voor een maaltijd te zijner huize. Om twee uur 's middags staat de oude dokter in het voorhuis om alle gasten te verwelkomen. Zoon Diederick leidt ze vervolgens naar de tuin, waar voor deze gelegenheid een loods is opgericht, 'behangen met blaeuwe stoffe'.

Nadat alle mannen zijn gaan zitten – vrouwen speelden in de stadsregering geen rol – ontstaat enige onzekerheid over de vraag of ze 'op de oude wijse' getrakteerd zullen worden. Tulp was immers de aanjager geweest van het verbod op al te uitbundige partijen, een groots feest kon je vergeten in huize

Tulp. Maar er is niets aan de hand: de gerechten verschillen niet van andere 'aansienlijcke maeltijden'.

Bij iedere gang draagt schoonzoon Jan Six, met andere dichters, eigen Latijnse verzen voor. En Tulp krijgt een cadeau, een gouden medaille, 'constich gesneeden', liggend in een 'swarte gedrayde doos', met aan de ene kant het portret van Tulp en aan de andere kant een cederboom, symbool van Tulp's lange loopbaan, onaantastbaar, 'tot door de wolken geclommen'. Het idee kwam bij Jan vandaan. Voor alle gasten is er eenzelfde herinneringsmedaille in zilver of brons.

Na het tweede gerecht staat een deel van het gezelschap op om zich in de zaal bij het vuur te warmen en een pijp op te steken. Daarna is de tafel gedekt met 'mannenbancket', deze laatste gang bestaat uit een zware schotel, 'gevult met fijn, cierelijke gemaekte suycker ende confyteuren'. Om elf uur gaat het gezelschap uiteen, na 'vroelijke en soete t'samenspraek, nae een dronck van danckbaerhyt'.

Na afloop van het feest doen in de stad allerlei geruchten de ronde – dat is vermoedelijk ook de reden waarom Bontemantel, als directe ooggetuige, zo'n gedetailleerd verslag nalaat. Volgens de verhalen zou Tulp zijn gasten aan ruwe tafels hebben neergezet en enkel hebben getrakteerd op erwten, haringen, kalfsvlees, kabeljauw, Haarlemmer bier en Franse brandewijn, een oud-Hollands feestmenu zoals dat bij zijn aantreden nog heel gebruikelijk was. Een week later zou hij zijn gasten nogmaals hebben onthaald, nu op de wijze van de nieuwe aristocratie, met kostelijke schotels en edele wijnen. De moraal die de gastheer wilde meegeven: zijn de zeden wel ten goede veranderd?

Eén herinnering aan Tulp's feestje blijft echter tastbaar en buiten kijf: Tulp's 'constich gesneeden' medaille ligt tot op de dag van vandaag in de vitrine op de bovengang te dromen.

Tulp was al die jaren een stijf-orthodoxe contraremonstrant gebleven, een bijzonder geval binnen de magistratuur. De socioloog J.A.A. van Doorn typeerde Nederland ooit als een 'kruitvat dat door de overheid bij voortduring nat moet worden gehouden'. Welnu, dat gold zeker voor het 17e-eeuwse Amsterdam. De kerkenraad zorgde voor voortdurend 'gekrakeel' op godsdienstig terrein. Parallel daaraan bestond er in de stad een voortdurende spanning tussen Oranje- of Prinsgezinden en zogenaamde Staatsgezinden. Daardoorheen speelden nog eens de eeuwige intriges tussen de diverse familieclans. Het familieverband Tulp-Six probeerde daar zo goed mogelijk tussendoor te manoeuvreren. Met wisselend succes.

In het midden van de 17e eeuw had, na het overlijden van stadhouder Willem II, zowel in Amsterdam als in Den Haag een broederlijk koppel de touwtjes in handen. In Amsterdam vormde het staatsgezinde duo Cornelis en Andries de Graeff de allesbepalende factor – Andries was bijvoorbeeld de burgemeester die, als beschermer van Vondel, de oude dichter aan een baan hielp. Het Haagse politieke leven werd beheerst door de gebroeders Johan en Cornelis de Witt, de leiders van de Staatsgezinde fractie. Raadpensionaris Johan had, door zijn huwelijk met Wendela Bicker, bovendien stevige wortels in het Amsterdamse circuit. Een stadhouder was er niet in die jaren, de opvolger, Willem III, was te jong.

De Haagse en Amsterdamse broers werkten nauw samen. ''t Gezag is heerelyck, doch vol bekommeringen,' schreef Andries de Graeff later, en dat gold zeker voor zijn eigen jaren op het pluche. Amsterdamse stadspolitiek was in de 17e en 18e eeuw voor een belangrijk deel buitenlandse politiek – we moeten niet vergeten dat de Republiek, onder aanvoering van Amsterdam, decennialang een Europese grootmacht was. Op zee moest die positie echter voortdurend worden bevochten op de Engelsen, op het continent werd Frankrijk een steeds grotere dreiging.

Er waren handelsproblemen: hoge Franse invoerrechten brachten, vanaf 1667, grote schade toe aan de Nederlandse economie. Koning Lodewijk XIV – de latere Zonnekoning – voelde zich bovendien in toenemende mate uitgedaagd door de eigenwijze Republiek en met name door het tolerante Amsterdam, een oord waar, zo schreef zijn militaire adviseur Jean-Baptiste Stouppe vol walging, 'arminianen, wederdopers, socinianen, arrianen, geestdriftigen, quakers of shakers, borelisten, armenen, moskovieten, libertijnen en andere zoekers' in alle vrijheid samenleefden, 'om maar te zwijgen van de joden, de turken en de perzen'.

Johan de Witt probeerde deze zorgen te bezweren met een behendige verdeel-en-heerstactiek. De Oranjes hield hij ondertussen klein: de jonge Willem III werd bewust buiten alle staatszaken gehouden, in 1667 besloten de Staten van Holland zelfs om het stadhouderschap voor Holland op te heffen, het Eeuwig Edict. Het sluimerende conflict tussen de Staats- en Oranjegezinden werd zo steeds feller en intenser.

In dit alles speelde Jan's oude vriend Coenraad van Beuningen een bijzondere rol. Hij trad overal op als bemiddelaar en gezant, hij gold als een voortreffelijk en integer onderhandelaar en bovendien kon hij, als een van de weinigen, overweg met de gecompliceerde omgangsregels van het Franse hof. Hij voelde zich er thuis. Toen hij, als een van de eersten, merkte dat Frankrijk samenspande met Engeland, voelde hij zich diep verraden. Hij keerde terug naar Amsterdam, waar hij met een lening van Jan een statig huis aan de Amstel kocht en in 1669 president-burgemeester werd.

Het jaar daarop stortte het kaartenhuis van Johan de Witt ineen. Op 1 juni 1670 sloten Engeland en Frankrijk in het diepste geheim het Verdrag van Dover: gezamenlijk wilden ze die lastige Republiek in de tang nemen, ze zouden het, na een zware militaire nederlaag, zowel ter land als ter zee, reduceren tot een tweederangs mogendheid en ten slotte zouden ze er een marionettenregime vestigen, onder leiding van de jonge prins Willem III.

De concrete aanval werd een jaar uitgesteld, maar eind 1671 was de opbouw van een enorme Franse troepenmacht in volle gang. In december zag de Nederlandse ambassadeur Godard Adriaan van Reede, op reis door Duitsland, wegen vol Franse troepen, hij zag gebieden die veranderd waren in een spooklandschap omdat iedereen zich voorbereidde op de strijd. Wanhopig schreef hij aan Den Haag of men wel besefte 'hoe dichtbij de oorlog was'.

'Het Franse aanvalsplan was ronduit revolutionair,' schrijft de historicus Luc Panhuysen in zijn overzicht van het Rampjaar 1672 en hij betitelt het als 'een voorloper van de "Blitzkrieg"'. Die vergelijking is op zijn plaats: Lodewijk XIV bereidde inderdaad een bliksemsnelle aanval voor, een massale overval die de Republiek volkomen zou overrompelen. Show en theater waren voor elke vorst en generaal echter minstens zo belangrijk: niets was immers glorieuzer dan zo'n razendsnelle, oogverblindende slag! Dat gold zeker voor de Zonnekoning.

De meeste burgers van de Republiek wilden, zoals dat vaker gaat, niets weten van de ramp die op hen afrolde en die hun vredige bestaan onvermijdelijk op zijn kop zou zetten. Nicolaes Tulp hintte tijdens zijn jubileumtoespraak wel even naar de 'donckere wolken' die samentrokken, maar hij hoopte dat die door God's 'grondeloose barmhartichyt' ten beste zouden worden geleid. Jan Six was die januarimaand, blijkens zijn journaal, vooral bezig met de teksten en het graveerwerk voor Tulp's jubileummedaille.

Tegenover de goed getrainde troepen van de Zonnekoning – bijna honderdvijftigduizend man – stelde het Staatse leger hooguit veertigduizend soldaten en officieren. Bijna een kwarteeuw na het einde van de Tachtigjarige Oorlog was alle ervaring, strijdlust en routine verdwenen. In 1650 had stadhouder Willem II nog een halfslachtige poging gedaan om zijn centrale gezag te herstellen – hij probeerde met een legertje Amsterdam te bezetten – maar dat was faliekant mislukt.

Daarna werd, onder druk van Amsterdam, het Staatse leger in feite opgedeeld in gewestelijke legertjes die elke stad en provincie zelf bekostigde. Iedere eenheid was zoek. De jonge prins Willem III zou, als legeraanvoerder, dat verband kunnen herstellen. De Prinsgezinden begonnen zich, nu de dreiging toenam, steeds heviger te roeren, de Staatsgezinden vreesden een nieuwe machtsgreep van de Oranjes.

Half februari was er in Den Haag nog altijd geen oorlogsbegroting, er werden nog steeds geen nieuwe troepen geworven, er was zelfs nog geen opperbevelhebber. Pas op 25 februari werd de jonge prins benoemd tot kapitein-generaal en admiraal-generaal. Niemand kon zich voorstellen dat ook de Britse vorst Karel II de Republiek zou aanvallen, nu zijn neef Willem III de legerleiding had overgenomen. Toch ontrolde zich uitgerekend dat scenario: op 27 maart werd de Engelse oorlogsverklaring gepubliceerd, op 6 april volgde de Franse en in het noorden stroomden bovendien de troepen van de bisschop van Münster het land binnen.

De 17e eeuw was een eeuw vol strijd en conflicten, in toenemende mate zelfs. Europa kende die hele eeuw niet meer dan vier jaar algehele vrede. Er was sprake van een 'algemene crisis', een kettingreactie van oorlogen en hoge belastingen, rebellie en revoluties – en dat aangejaagd door de Kleine IJstijd, een verkoeling van het klimaat die voortdurend misoogsten, hongersnoden en epidemieën veroorzaakte. In 1600 trokken ongeveer 250 000 soldaten door het continent, in 1700 waren dat er zo'n 1,3 miljoen.

Jan had, net als zijn tijdgenoten, vanuit de verte ettelijke malen een oorlog meegemaakt. Maar altijd was 'oorlog' een bericht geweest, een gerucht, een gedreun op verre afstand. Nooit was het werkelijke oorlogsgeweld dichtbij gekomen. Nu wel. Zo'n twintigduizend manschappen werden naar de grenzen gestuurd. Ook Diederick Tulp en zijn schutters trokken mee, naar Brabant. Eind juni waren ze trouwens alweer terug – nu moest de stad zelf verdedigd worden.

Jan was dat jaar tot schepen gekozen, hij deed, blijkens zijn journaal, al die maanden onverstoorbaar zijn werk. Hij trouwde echtparen, ontsloeg gevangenen, spande de vierschaar. Geen woord over de dreigende invasie. Nog op 1 mei 1672, toen de Franse opmars al was begonnen, schreef Antonides van der Goes zijn lofdicht op Jan's nieuwe buiten Ymont:

Hier zal uw Heer zomwijl zijn rust den teugel geven,
Wanneer hij op de rol en vierschaer afgeslaeft,
Gerust zijn zorgen in uwe eenzaemheit begraeft.
Het Muiderbergparnas zal hem zich dichtlust wekken.

Een maand later doorbraken de Fransen de IJssellinie. De ene stad na de andere gaf zich over – inclusief Utrecht. Hele dorpen werden in de as gelegd, landstreken verwoest, boerengezinnen in hun huizen verbrand, vrouwen massaal verkracht, huisvaders in hun schoorsteen opgehangen om boven het haardvuur te worden geroosterd. Het land zoemde van de gruwelverhalen en vermoedelijk was daarvan weinig overdreven. Het totale dodental is nooit duidelijk geworden, schattingen lopen uiteen van 50 000 tot 200 000 slachtoffers.

Begin juni werd besloten om, als laatste redmiddel, het ultieme Hollandse verdedigingssysteem in werking te stellen. De Waterlinie was een enorm stelsel van forten, sluizen en polders die onder water konden worden gezet, Holland kon zo worden omgetoverd tot een bijna onneembaar eiland. De paniek was nu compleet, de hysterie die altijd al achter de kalme Hollandse gevels sluimerde barstte naar buiten. De mensen hadden 'allemaal de wind in het hoofd', de steden werden overgenomen door 'het hollende beest van het woedende grauw'. Coenraad van Beuningen beschreef een visioen waarin Lodewijk de gedaante had aangenomen van Nebukadnezar, schreeuwend: 'Doodt, doodt, want de jacht is goed!'

'Bevrijt Heer ons vaderland,' krabbelde Six zelf in zijn notities, snel en in wanhoop. Op 13 juni werd hij benoemd tot kapitein van een van de zes nieuwe schutterscompagnieën, een uitbreiding van de vierenvijftig die al in hoogste staat van paraatheid verkeerden.

Onophoudelijk patrouilleerden er nu ruiters door de straten. Op het IJ en op de Amstel voeren platbodems met mariniers, er stonden tweehonderd kanonnen op de wallen, de burgemeesters liepen persoonlijk mee met de wachtposten. Jan noteerde onder het kopje 'Een belegerde stadt' een reeks maatregelen: 'Een tobbe met water voor ieder huis en 's nachts een licht branden voor de deur.' 'Alle dagen 's morgens en s'avonts een predicatie met gebet.' Wie 'buiten hoop' in het gasthuis ligt wordt 'terstont een koegel geschonken'.

Eind juni begonnen de relletjes, al snel bijna dagelijks. Veel Amsterdammers vertrouwden, net als de burgers van andere steden, hun magistraten niet meer. Niet ten onrechte: burgemeester Joan Huydecoper had, zo bleek later, zelfs al stilletjes aangepapt met een lokale Franse commandant. Zijn buitenhuis Goudesteyn in Maarssen moest immers wel overeind blijven – zij het voor een flinke afkoopsom.

Tijdens een emotionele vergadering van de vroedschap, op zondag 26 juni, werd echter besloten om iedere onderhandeling af te wijzen. Ook Nicolaes Tulp – hij was nu bijna tachtig – 'ageerde in sijnen hoogen ouderdom,' aldus een toehoorder, 'met syne mannelijcke cordaetheit boven syne jaren, sonder aan de jongste en vigoureuste heeren te wyken'. In een volgende vergadering gaf de vroedschap, onder druk van de bevolking, toestemming om het Eeuwig Edict te beëindigen en opnieuw een Oranje tot stadhouder te verheffen. Er waren opstootjes: Hans Bontemantel, die altijd fel anti-Oranje was geweest, werd op straat door een stel vrouwen bijna gestenigd. Voor de zekerheid droeg hij sindsdien, net als veel anderen, een oranje sjerp.

De stemming werd verder aangejaagd door de honderden pamfletten die dagelijks van de persen rolden. Normaal verschenen er in de hele Republiek zo'n dertig per maand, in juni 1672 waren dat er honderdtwintig, in juli bijna honderdtachtig. De teneur was overal hetzelfde: Lodewijk XIV en de verraderlijke gebroeders De Witt spanden samen met hetzelfde doel, namelijk de vervanging van het Huis van Oranje door het Huis van De Witt.

Op zaterdag 20 augustus kwam de algehele volkswoede in Den Haag tot een climax. Cornelis de Witt, die was opgepakt op wat vage verdenkingen – hij zou een moordcomplot tegen de prins hebben beraamd – werd die dag veroordeeld, overigens zonder enig bewijs. Zijn broer Johan bezocht hem in de Gevangenpoort, het 'grauw' kreeg daar lucht van, onder aanvoering van enkele schutters werden beide mannen naar buiten gesleept en vervolgens door de massa gelyncht: ze werden van de trap gesmeten, geslagen en doodgeschoten. Daarna werden hun lijken naakt en omgekeerd opgehangen, tongen, ogen, vingers, tenen en andere lichaamsdelen werden afgesneden en bij opbod verkocht, uiteindelijk werden hun lichamen met houten pennen opengesperd, als vers geslacht vee.

Baruch Spinoza, die toen in Den Haag woonde, was diep geschokt: hij wilde nog diezelfde avond bij de moordplek een papier ophangen met de tekst: 'ultimi barbarorum', 'ultieme barbarij'. Zijn huisbaas redde zijn leven, hield hem bij de deur tegen, hij zou immers zelf ook in stukken zijn gescheurd. Jan componeerde een tijddicht: 'gaVDent preCLaro perfVsI sangVIne fratrVM' – ofwel 'Ze verheugen zich, druipend van het befaamde bloed van de broers', met daarin verstopt het jaar 1672.

Door de straten van Amsterdam trok ondertussen een joelende menigte, zwaaiend met Oranjevlaggen. Het huis van Michiel de Ruyter werd belegerd, hij zou de vloot aan de vijand hebben verkocht. De pamflettenschrijvers riepen op tot een grote schoonmaak van de vroedschap, de oude vrienden van de gebroeders De Witt moesten vertrekken. Burgemeester Hendrik Hooft werd bedreigd: een man kwam hem zeggen dat hij moest aftreden of ze zouden hem 'doodsmyte'. Jan Six, die met Hooft en burgemeester Jan van de Pol naar huis liep, werd in de Kalverstraat door een menigte bedreigd, er werd met stenen gegooid. Op sommige muren verschenen graffiti: 'Pas op burgers, de verraders zijn weder doende. Het zijn dese: Reinst, Vlooswijk, de Graef, Outshoorn, Hooft, Pol, Bontemantel.'

Op 5 september bogen de Amsterdamse burgemeesters voor de volkswoede. Gezien de 'ongerustheyt der gemeente', die nog dagelijks toenam en die wellicht tot een uitbarsting kon komen, met het gevaar voor 'massacre en plonderinge', vroegen ze de stadhouder om 'de wet te verzetten'. Een aantal regenten zou daarbij vervangen kunnen worden door magistraten die de stadhouder meer welgevallig waren, zodat het stadsbestuur zijn gezag weer zou kunnen herstellen.

Het kwam neer op een afrekening en een machtsgreep. Op 10 september werden zestien vroedschapsleden, schepenen en (oud-)burgemeesters uit de stadsregering verwijderd. Van die zestien waren twaalf – niet toevallig – notoire tegenstanders van oud-burgemeester Gillis Valckenier – zoals Hendrik Hooft, Andries de Graeff en Hans Bontemantel. Nicolaes Tulp werd, vanwege zijn eerbiedwaardige leeftijd, op een meer elegante manier weggestuurd: hij mocht de stad voortaan als 'gecommitteerde raad' in Den Haag vertegenwoordigen. Coenraad van Beuningen behield zijn positie en ook Jan Six ontsprong – wellicht dankzij deze oude vriend – de dans.

Valckenier werd nu de centrale figuur in de stad, in de daaropvolgende jaren was hij vijfmaal burgemeester. Hij is minstens zo machtig 'als de sultan in Turkije', schreef de Engelse gezant Henry Sidney. 'Hij beurt zoveel gelden als hem goeddunkt, doet wat hem in de zin komt en toch loopt hij erbij als een gewone winkelier.' De ene familieclan werd zo vervangen door de andere, het systeem veranderde niet.

Wat met deze grootscheepse zuiveringen, overal in het land, wel omsloeg was de mentaliteit. De Staten-Generaal en bovenal de stadhouder trokken steeds meer macht naar zich toe. Amsterdam verloor zijn suprematie aan Den Haag. De orthodoxe predikanten kregen opnieuw de wind in de zeilen – ze sloten bijvoorbeeld de schouwburg, de 'heidense tempel'. De fase van 'de Ware Vrijheid', van de Republiek zonder Oranjes, van de provinciale en stedelijke autonomie, van het relatief verdraagzame intellectuele klimaat, de gouden jaren waarin Jan zich bij uitstek thuis voelde, ze waren voorbij.

Jan's notities tijdens die roerige maanden zijn opvallend schaars. Vermoedelijk heeft dat te maken met het feit dat diezelfde zomer twee van zijn kinderen overleden, de pasgeboren Christina en de zevenjarige Anna. Het drama speelde zich af op Elsbroek, ze werden in de kerk van Hillegom begraven.

Rondom heel Holland was inmiddels een uitgestrekte watervlakte ontstaan, een strook van zeker zo'n honderd kilometer lang en enkele kilometers breed, vanaf het Brabantse Geertruidenberg tot aan de poorten van Amsterdam. De Waterlinie zette het hart van de Republiek op slot, de Franse aanval liep erop vast. Engelse hulp voor de Fransen viel voorlopig niet te verwachten: al eerder had admiraal Michiel de Ruyter, met een vloot van vijfenzeventig oorlogsschepen en twintigduizend manschappen, de Brits-Franse vloot op 7 juni bij het Engelse Solebay bij verrassing grote schade toegebracht, een van de grootste zeeslagen van de eeuw. De jonge Oranje bleek bovendien een voortreffelijk organisator, een harde werker en een uitnemend aanvoerder.

Zijn tegenstander, Lodewijk XIV, begon te aarzelen. Wat was hier aan de hand? Hoe was het in hemelsnaam mogelijk dat zijn overmacht niet was opgewassen tegen dit land van modder en boeren? Van een triomfantelijk 'Blitzkrieg' was immers geen sprake meer. Wat viel hier dan nog te behalen aan glorie – toch zijn voornaamste doel?

In 1673 werd de Engelse vloot opnieuw teruggeslagen. Er kwam een verbond tot stand tussen de Republiek, Pruisen, de Duitse keizers en zelfs de oude vijand Spanje. Hun legers kwamen de Republiek te hulp, de positie van de Fransen werd onhoudbaar. Met eenzelfde snelheid als waarmee ze gekomen waren trokken de Fransen hun troepen terug. Op 19 februari

1674 werd de vrede met de Engelsen getekend. Er veranderde niets, alleen werd de kolonie Nieuw-Amsterdam, nu New York – de Nederlanders hadden indertijd Manhattan van de indianen 'gekocht' voor zestig gulden aan goederen –, ingeruild voor een paar plantages in Suriname.

'A DoMIno VenIt paX et VICtorIa Laeta', schrijft Jan met grote halen in zijn *Pandora*, 'Van de Here is de vrede en de blijde overwinning gekomen', een nieuw Latijns tijddicht met daarin verstopt het jaartal 1674. Het vers verhaalt hoe God zijn Verbondsvolk – een verwijzing naar het volk van Israël – verloste uit 'de puinhopen en duisternissen' van de oorlog. 'Weerspannig door hebzucht' waren ze, en toch heeft Hij zich over hen ontfermd. 'Verheugt U, burgers, hoort nageslacht! / De oorlog tussen de Britten en de Staten is veracht. / En Karel II is tot betere gedachten gekomen. / Verhoogt de grote God met gezangen.'

Een maand later werden in de watervlakte rondom Amsterdam alweer de eerste sloten en weilanden zichtbaar.

Het jaar 1672 betekende het einde van de Gouden Eeuw. Amsterdam zou het 'Rampjaar' nooit helemaal te boven komen. De vierde stadsuitleg stagneerde voorbij de Amstel – het project werd pas twee eeuwen later voltooid. De scheepsbouw kreeg een harde klap omdat Engelse reders vanaf 1676 alleen nog maar in Engeland gebouwde schepen mochten bevaren. Onder druk van Amsterdam werd in 1678 met Frankrijk een apart vredesverdrag gesloten, buiten de andere bondgenoten om. Het was typische Hollandse centenpolitiek en Willem III was woedend: omwille van een paar economische voordelen op korte termijn gooide de Republiek immers zijn reputatie als betrouwbare bondgenoot te grabbel, met alle gevolgen voor de lange termijn.

Door de voortdurende handelsconflicten met Frankrijk en Engeland moesten vloot en leger continu in de hoogste staat van paraatheid worden gehouden en dat kostte fortuinen. De Nederlandse vissers en handelsschepen hadden bovendien veel last van Franse kapers. Uiteindelijk, in 1715, zou de natie aan al die financiële lasten bezwijken – de helft van de staatsinkomsten ging inmiddels direct naar de schuldeisers.

Het was het einde van de Republiek – en daarmee van Amsterdam – als grote mogendheid.

In februari 1679 doofde het lange leven van Jan's oude vriend Joost van den Vondel. Hij was 91, leefde van een pensioentje, was nog bij twee burgemeesters langs geweest om 'met gebroken stem' te smeken om een baan voor zijn kleinzoon, maar de oude man kreeg geen andere troost dan goedbedoelde woorden. Met het bezoek maakte hij grappen over zijn grafschrift: 'Hier ligt Vondel, zonder rouw / Hij is gestorven van de kou.'

Nicolaes Tulp was al eerder overleden, een jaar na zijn elegante verwijdering uit de vroedschap en zijn verbanning naar Den Haag. Diederick werd nog geen zestig, hij stierf in 1682. Zijn twee zoontjes haalden de kleuterleeftijd niet eens, met de dood van de laatste van zijn twee dochters was het in 1769 afgelopen met het geslacht van de baronet Diederick Tulp.

Op 10 december 1678 bracht Six ook een afscheidsbezoek aan Hendrik Hooft, zijn oude kompaan. Hij had hem een jaar eerder, in een pendeldiplomatie van het ene grachtenhuis naar het andere, weten te verzoenen met de almachtige Valckenier. Hooft was daarna opnieuw tot burgemeester gekozen. Maar nu lag hij op sterven, Jan legde zijn laatste woorden vast in zijn notities.

De mannen spraken half Frans, half Nederlands. 'Je me jette dans le néant et j'attends tout de la grace de Dieu,' zegt Hooft, ik gooi me in het niets en ik reken volop op God's genade. Hij moppert over het bezoek dat almaar vraagt wat hem mankeert, 'en ik vraag wat hen schort, dat se niet kunnen begrijpen wat zes jaar jicht, graveel et cetera kan veroorzaaken aan een out man van 61 jaren'. Hij weet niet of hij snel zal sterven: 'Kom ik weer op: ge kunt me weer welkom heten.' Hij dankt voor de wijn, 'maar die was me te sterk'. 'Zo ik aan onze vriendschap iets gemanqueert heb, gelieft het mij te vergeven.' Hij overlijdt twee dagen later.

De politiek binnen de Republiek en de stad Amsterdam doet, aan het eind van de 17e eeuw, sterk denken aan de hedendaagse Europese Unie op minischaal. Het was één grote kluwen van provinciale en stedelijke territoria, privileges en

lokale wetgeving, politieke fracties, familieclans en dominees-
ruzies. Voortdurend waren er conflicten: over de soevereiniteit
van al die verschillende steden en gewesten, over de rol van de
Oranjes, over het leger en de vloot, over de belangen van de
handel, over het geld.

Jan Six werd in 1679 lid van de vroedschap, pas toen kreeg
hij een stem in het debat dat bepalend was voor de politieke
lijn van de stad. Hij begint opnieuw zijn belevenissen te noteren. In 1688 en 1689 wordt hij wederom tot schepen gekozen
en op zijn 73e, in 1691, is hij zelfs voor één keer burgemeester.
Hij heeft die benoeming te danken aan zijn oomzegger Joan
Corver, de nieuwe 'godfather' van Amsterdam.

Toch was hij meer toeschouwer – en soms bemiddelaar –
dan politicus. Er moesten bijvoorbeeld nieuwe belastingen
worden geheven, nadat Van Beuningen 'zeer omstandichlijk'
had uitgelegd dat de Staten voor het onderhoud van vloot en
leger zo'n 3 miljoen gulden extra nodig hadden. Er moesten
daarbij extra troepen komen – zo'n zestienduizend – en dat
ging Amsterdam te ver.

Op dinsdag 16 november 1683 kwamen de prins en de raadpensionaris persoonlijk naar Amsterdam om hun standpunt
toe te lichten. Jan tekende zelfs een hele plattegrond van de
zaal, exact waar iedereen precies zat. Hij nam persoonlijk deel
aan de beraadslagingen en de gemeenschappelijke maaltijd in
het Herenlogement, 'waar zijne Hoochheit zeide dat hij niet
wilde met een kluit in 't riet gestuurd wezen, maar begeerde
ja of nee'. Het werd nee. 'Zijne Hoogheit sprak eenige mis-
noegde woorden' en vertrok.

Bij dat laatste was Jan niet meer aanwezig, zo schrijft hij,
omdat hij op verzoek van de burgemeesters zijn collega Isaac
van den Heuvel naar huis moest brengen. Het vroedschapslid was ingestort 'door de zorgen in deze zware voorvallen'.
Zijn bloed scheen daardoor 'verdund te zijn', meent Jan, er
was sprake van 'dunne geesten of subtiele deeltjes' die op de
'hersenvliezen' drukten. Op de Dam had Van den Heuvel zelfs
zijn wambuis uitgetrokken, alsof hij zou sterven. Hij begon te
bidden als iemand die afscheid van vrouw en kinderen neemt.
'Hij zey: "Ik heb mijn vrouw zo lief."'

Er ontstonden ook grote problemen rondom Van Beuningen. Rond Kerstmis 1685 verzocht hij de burgemeesters om hem met onmiddellijk ingang van al zijn ambten en posities te ontheffen, uniek in de stadsgeschiedenis. De volgende zomer trouwde hij, vierenzestig jaar oud, opeens met een oude vlam, Jacoba Bartolotti van den Heuvel, een dame van halverwege de veertig, in de woorden van haar oom Constantijn Huygens 'geboren voor avontuurtjes'. (Er moesten trouwens door Van Beuningen ook nog een paar 'engagementen' worden afgekocht, onder andere met zijn huishoudster.) Zelf beweerde de bruid dat haar noodlot haar nu eenmaal aan die zotte Van Beuningen had verbonden. Ze gold als loszinnig, gierig en benepen en die reputatie maakte ze keer op keer waar.

Six en Van Beuningen begonnen als zoekers, ze deelden elkaars nieuwsgierigheid, ze stonden open voor alle mogelijke nieuwe ideeën. Maar terwijl Jan wegzakte in de kussens van zijn vele ambten knoopte Van Beuningen contacten aan met allerlei esoterische gezelschappen – bijvoorbeeld de groep rond de mystieke profeet Johann Georg Gichtel. Hij stond bekend om zijn eindeloze verhandelingen en zijn manische en depressieve buien. Maar nu raakte, in de woorden van zijn collega Joan Huydecoper, 'de schroef' werkelijk 'los'.

Van Beuningen begon op grote schaal te speculeren met voc-aandelen, hij verloor minstens een half miljoen. De verwijten van zijn vrouw maakten hem razend: hij sloeg haar uit bed; in haar nachthemd, op haar hurken, smeekt ze voor haar leven. Een maand later noteert Jan dat zijn oude vriend Van Beuningen zijn aandelen 'nevens al zijn goeds' aan de stad wil geven. De vroedschap weigert, eensgezind, het aanbod. Van Beuningen is diep gekwetst: dit is het werk van de antichrist. De Eindtijd nadert.

Hij gooit nu al zijn boeken en zeldzame manuscripten in het vuur, geselt zijn bezoekers met een zweep het huis uit, ziet visioenen boven de stad – vuurbollen 'rood als kaarslicht', een doodskist, 'gecouleurd als een Regenboog' –, loopt in de winternacht razend en schreeuwend langs de stille buurhuizen aan de Amstel om de 'onuitdunkelijke lethargie, in welke de ingezetenen van deze stad liggen' te doorbreken, snijdt met een lancet zijn armen open en schrijft met bloed zijn merktekens op de gevel van zijn huis: kabbalistische symbolen, voc-schepen, de naam van zijn vrouw, Helena. Een opmerkzame passant kan ze, na drie eeuwen, nog ontwaren.

Van Beuningen's gedragingen waren maandenlang het gesprek van de dag, zelfs Willem III – die via zijn huwelijk met de Engelse prinses Maria Stuart II en zijn Glorious Revolution inmiddels zijn plaats op de Engelse troon had ingenomen – wilde voortdurend op de hoogte blijven van het laatste nieuws. Volgens zijn tijdgenoten dreef alles wat Van Beuningen ooit had geleerd – en dat was veel – nu stuurloos door zijn geest. Hij werd failliet verklaard, onder curatele gesteld en min of meer opgesloten in een huisje aan de Amstel. Hij stierf op 26 oktober 1693. Hij liet wat meubilair na, 'een schoudermantel en twee japonse rocken' en 'een manstronie van Rembrandt' – getaxeerd op 7 gulden.

Voor Jan zelf, tegen de tachtig, komt het einde nu ook nabij. 'De tijd van mijne ontbinding is voor de deur,' noteert hij in 1696. Maar ook: 'Waarom schrikken wij voor de dood als zij ons lichaam, dat de edele ziel drukt, komt wegnemen? Door een storm die ons in de gewenste haven brengt? Waarop hopen wij hier, als wij hopen lang te leven? Op een pijnlijke ouderdom?' 'Wat verliezen wij door het sterven?' Nee, schrijft hij, de dood is een natuurlijke rechtvaardigheid. Het is de weg naar heerlijk leven bij God, 'die oneindig goed is' en die 'toekomt lof en dankbaarheid en der liefde eeuwigheid'.

Een laatste gedicht, in de *Pandora*. Hij laat het kalligraferen. Het is opgedragen aan zijn vriend, de dichter en literator Petrus Francius. 'Tandem cupîtis, Pietre! carebimus...'

De snelle tijd scharniert en blijft voor iedereen maar
    draaien,
Alle schittering onder de hemel bevestigt de rondgang
Ja, in een snelle beweging gaat alles ten onder.
Eindelijk zullen we al wat ons dierbaar is, missen, Petrus.
Ons huis, waarlangs de Amstel vloeit,
Onze ingetogen vrouw, de kinderen.
Ereposten, geld, en jouw lier...

XI

Bloedband

De bloedband heeft alles gezien en gehoord: tranen, knielen, zwijgen, smeken tot de hemel en tot de burgemeesters. De reep van rood en zwart fluweel hangt wat achteraf in de bovengang, de drie zilveren andreaskruisen van het stadswapen zijn oud en mat. Het ding hoorde bij de lange zwarte mantel die burgemeesters, schout en schepenen droegen bij zaken van leven en dood. Als de heren met de bloedband voor je gingen staan, wist je dat alles voorbij was.

De nieuwe Jan Six heeft, in zijn vele functies en gedaanten, tientallen malen meegedaan aan dit doodstheater. In de eerste helft van de 18e eeuw was hij zestien keer burgemeester en voor ieder doodvonnis moesten hij en zijn collega's toestemming geven. Het eigenlijk vonnis werd geveld in de Justitiekamer en aan het eind van het proces werd het ritueel in versneld tempo nog eens herhaald. De klokken van het stadhuis begonnen dan te luiden, de roede van Justitie – een stekelige essentak – werd naar buiten gestoken en Jan tooide zich, net als de andere magistraten, met deze bloedband. Schout en schepenen trokken naar de marmeren vierschaar, het publiek verdrong zich voor de hekken, Jan zelf stond met de andere burgemeesters in de Burgemeesterskamer en keek van bovenaf toe. Dan kwam de aanklacht, de schepenen gingen naar boven om met de burgemeesters te 'beraadslagen' of de gevangene werkelijk een 'kind des doods' mocht zijn, daarna werd het vonnis nog eens publiekelijk voorgelezen.

Op de executiedag zelf knielden burgemeesters, schepenen en de veroordeelde gezamenlijk in een kring op de vloer van de Justitiekamer om te bidden voor de ziel die zo meteen deze wereld zou verlaten. Even later hingen Jan en zijn collega's uit de ramen van het stadhuis, leunend op de kussens waarop ze zo-even nog hadden geknield, en zagen toe hoe er werd geradbraakt, gehakt, gesneden, gewurgd of onthalsd.

Ook het sterven kende rangen en standen. Een deftig overlijden werd aangezegd door een bode, van alle buurhuizen gingen de luiken en gordijnen dicht, het lijk werd 's avonds met fakkels en flambouwen uitgedragen en onder lichtkronen ter ruste gelegd in een grafkelder. Zo verging het ook de oude Jan. Hij werd in de Nieuwe Kerk begraven, waarschijnlijk in alle pracht en staatsie van zijn stand, met tientallen dragers en fakkelknechten, daarachter een lange stoet mannen, voorop de zonen Nicolaas en Jan.

Nicolaas was, als oudste, de beoogde opvolger. Hij was alweer jaren getrouwd met een kleindochter uit de familie Trip, Emerentia Valckenier. Met dat huwelijk hadden hij en de andere Sixen zich stevig verbonden aan de nieuwe machthebbers van de stad. Jarenlang resideerde Nicolaas in het enorme burgerpaleis van de familie Trip aan de Kloveniersburgwal, het Trippenhuis. Toch bracht hij het, in tegenstelling tot zijn vader en later zijn broer, niet ver in de stadspolitiek. Hij was meer een man van de kleine ambten: kerkmeester van de Oude Kerk, kapitein en uiteindelijk kolonel bij de schutterij. Hij deed, afgaande op zijn jeugdportret en de aantekeningen van de eerste Jan, denken aan zijn vader: wat dromerig, poëtisch, goed in talen. De meeste mysterieuze Latijnse tijdverzen in de *Grote Pandora* die verwijzen naar gebeurtenissen in latere jaren zouden wel eens van Nicolaas afkomstig kunnen zijn. Hij overleed al vroeg, nog voor zijn vijftigste, in 1710.

Zijn jongere broer, de nieuwe Jan, was bij de dood van zijn vader een weduwnaar met twee kinderen. Meestal hertrouwden zulke mannen vrij snel, zeker als ze kinderen hadden. Bij Jan gebeurde dat niet – en dat zal alles te maken hebben gehad met de problematische nalatenschap van vader Jan. Het was daardoor lang onduidelijk hoeveel hij waard was op de huwelijksmarkt. Zijn moeder had een groot deel van de schilderijen- en boekencollecties moeten veilen, deels om de waarde te kunnen vaststellen, deels ook om allerlei oude leningen te kunnen afbetalen. De Caesar-codex zou zo in de boekencollectie van het Athenaeum Illustre belanden, het werd het pronkstuk van de latere Amsterdamse Universiteitsbibliotheek.

Rubens, op bezoek bij het Britse hof, noteerde ooit: 'Het eerste wat opvalt is het feit dat alle belangrijke edellieden op een verkwistende schaal leven en uitbundig met geld strooien, met als gevolg dat de meesten van hen hopeloos in de schulden zitten.' Ook in dat opzicht had de oude Jan geleefd als een 'volmaeckte hovelinck': de familie moest voor meer dan 50 000 gulden aan leningen sluiten om alle gaten te dichten.

De nieuwe Jan was vastbesloten om zoiets nooit meer mee te maken. Een vaderskind was hij sowieso al niet: in de talloze aantekeningen van zijn vader is geen woord gewijd aan deze Jan. Alles draaide om Nicolaas, de oudste, de opvolger. Ook binnen het gezin ging de formele hiërarchie boven alles, persoonlijke gevoelens kwamen op het tweede plan.

Een zekere kunstzinnigheid was ook deze nieuwe Jan niet vreemd. De schilderijen die hij uit de boedelveiling van zijn vader redde getuigen van een uitstekende smaak en een commercieel oog: Holbein, Rembrandt, Brueghel de Oude, Lucas van Leyden, een paar Italianen die ertoe doen. Een later lofdicht bejubelt zijn 'schrander Oordeel van Penseel- en Teken-schat'. Voor het overige was hij een totaal ander mens.

Hij was de bouwer, de man die de familie definitief geld, macht en status zou verlenen. Hij had de ondernemingslust van een Anna Wijmer en de energie van een Nicolaes Tulp

– al ontbrak het hem aan diens moraliteit. Hij regeerde bijna een halve eeuw in het stadhuis als lid van de Amsterdamse vroedschap, vanaf 1719 was hij bijna dertig jaar lang op en af burgemeester, tot driemaal toe wist hij met een huwelijk zijn rijkdom en status nog verder uit te breiden. Dankzij hem zouden het vermogen en de kunstvoorwerpen van de familie Tulp volledig overgaan op de Sixen.

In de bovengang van het huis hangt zijn portret: hoog voorhoofd, dikkige kop, norse neus. Hij sprak wellicht een beetje slissend, het effect van een gouden kunstgebit dat hij zich, zo gaat het verhaal, had laten aanmeten. Stijf en stevig aangedikt kijkt hij ons aan, de natuurlijke lokken van de oude Jan zijn vervangen door een zware pruik. De nieuwe Jan volgde daarmee de Franse stijl die tijdens de laatste decennia van de 17e eeuw overal in zwang raakte: in de weelderige mode, in de schrijfstijl – in de brieven in het Six-archief zie je de handschriften opeens ronder en opener worden –, in de haardracht.

Die pruiken waren het meest opvallend. Het idee daarachter was hetzelfde als drie eeuwen later, tijdens de jaren zestig van de 20e eeuw: lang haar werd beschouwd als het ultieme kenmerk voor mannelijke schoonheid. Neem de ijdele Diederick Tulp. Op het portret uit 1659 dat nog altijd in de bovenzaal hangt staat hij als een veldmaarschalk te kijken, wat achterovergeleund, zijn uitbundige haardos hangt tot ver over zijn schouders. Op een ander portret, uit 1677, is die nog verder aangegroeid, tot borsthoogte. Hij draagt dan in werkelijkheid een enorme pruik, misschien is dat ook al het geval op het portret uit 1659. Ze waren er in Amsterdam vroeg bij met deze mode, bij portretten en borstbeelden van andere regenten zijn rond 1656 al de eerste pruiken zichtbaar.

De trend werd aangejaagd door de nog jonge Franse koning, Lodewijk xiv. Toen die kaal werd loste hij dit representatieve probleem op door haarstukken te dragen, en gaandeweg werden die steeds kunstiger. De rest van de adel en de gegoede burgerij volgde, in heel Europa. In november 1663 beschreef Samuel Pepys hoe het hele Engelse hof binnen enkele weken overstapte op pruiken – zelf vroeg hij zich af of het haar van zijn eigen pruik niet afkomstig was van een slachtoffer van de pest.

Het was een krankzinnige mode die een kleine eeuw lang het uiterlijk van de Sixen zou bepalen, zeker drie generaties portretten. (Officieel dan, in intieme kring beperkte men zich vaak tot kalotjes en allerlei andere huiselijke hoofdbedekkingen.) Het was, net als de hoed, het kenmerk van de elite: een heer ging niet naar buiten zonder pruik. De pruiken werden gemaakt van mensenhaar, geitenhaar en later vooral van stug wit ponyhaar – het soort pruiken dat Engelse rechters nu nog dragen. Ze waren peperduur, vaak loodzwaar, en iedere week moesten ze met hete krulspelden – volgens een Engelse beschrijving in een bakoven – weer in vorm worden gebracht. Vooral in de zomer was het onder zo'n pruik niet te harden van de hitte, de meeste pruikendragers schoren zich dan ook kaal. De pruik werd zo, althans voor de elite, hét symbool van de 18e eeuw, de broeierige wereld waarin de nieuwe Jan zijn eigen weg moest vinden.

Hoe zag zijn bestaan eruit? Gelukkig kennen we ook voor het 18e-eeuwse Amsterdam een stadschroniqueur die alles oppikte wat hij hoorde en zag. Ditmaal was het geen betrokken politicus die ons deelgenoot maakte van zijn zorgen en frustraties, maar een wat zeurderige burger die leefde van een paar lucratieve ambten waarvoor hij weinig of niets hoefde te doen en die vermoedelijk de meeste tijd doorbracht aan zijn stamtafel in de Garnalendoelen of bij zijn moeder, klagend over kou en jicht.

Deze bepruikte Jacob Bicker Raye – een achterneef van het dikke regentenkind Gerard Bicker – had, in tegenstelling tot Bontemantel, geen academische opleiding en vervulde geen ambten van enig belang. Ook in zijn levenshouding viel hij niet te vergelijken met de zoekende en dynamische Bontemantel van nog geen driekwart eeuw eerder, ze leefden in twee totaal verschillende werelden.

De 'onuitdunkelijke lethargie' waarover Coenraad van Beuningen 's nachts had lopen schreeuwen, had de stad na 1672 steeds meer in haar ban gekregen. De voorsprong van de Republiek op de rest van Europa – uitstekende havens en waterwegen, voortreffelijke scheepstechnologie, een grote vloot, een permanente aanvoer van grondstoffen, een overvloed aan kapitaal – begon aan het eind van de 17e eeuw te verdwijnen. De Amsterdamse haven slibde dicht, letterlijk en figuurlijk. In de internationale handel verloor de stad zijn sleutelpositie – andere landen hadden tenslotte een veel groter en rijker achterland.

Ook de mentaliteit veranderde. De dynamische 17e eeuw durfde risico's te nemen, of het nu ging om verkenningstochten naar Amerika of het droogmalen van de Beemster. De bedaagde 18e eeuw wachtte af: uit de Amsterdamse belastinggegevens uit 1742 blijkt dat onder de bovenlaag het beroep 'rentenier' verreweg het meest voorkwam, in totaal 1730 maal, tegenover 1111 actieve kooplieden. De toplaag telde 23 renteniers, 30 kooplieden, 30 regenten en welgeteld één 'fabrikeur'. Hun in de 17e eeuw verdiende familiekapitaal belegden ze in de 18e eeuw meer en meer in het buitenland, vooral in Engeland, een grootscheepse en verbazingwekkende kapitaalvlucht. De modernste staat van Europa was tot stilstand gekomen.

Als ik enkel afga op de nieuwsberichten van Bicker Raye – een koopman werd blind doordat hij snuifpoeder in zijn ogen kreeg; de stadssecretaris ging ervandoor met de vrouw van wijnkoper Bols; een veroordeelde Jood 'schreeuwde verschrikkelijk' toen hij op het schavot kwam, van de predikant wilde hij niets weten; een vogelkoper, een pruikenmaker en nog acht mannen waren wegens sodomie in de boeien gezet; de zalmverkoper Van Stijn woog 466 pond en moest worden begraven in een kist van drie voet hoog – dan was Amsterdam weggezakt tot één grote, vadsige, roddelende, corrupte en pijp rokende provinciestad.

Dat beeld is eenzijdig. Ook in de 'pruikentijd' bestond er wel degelijk een actief Amsterdam. In hun realistische roman *Historie van mejuffrouw Sara Burgerhart* schetsen de laat-18e-eeuwse schrijfsters Betje Wolff en Aagje Deken bijvoorbeeld twee Amsterdamse kooplieden die allesbehalve rentenierden. Ze hadden 'een zwaar kantoor' en verkeerden vaak in vreemde en 'Roomsche' landen. De Amstel was, aldus een beschrijving, bijna te klein voor alle 'jaagschuiten voor de reizende man', 'turfponten', 'groenteschuiten', 'waterschuiten' en 'grimmelende marktschuiten' uit de omliggende dorpen. Per week voeren uit Amsterdam achthonderd bootdiensten naar honderdtachtig verschillende bestemmingen. Uit de archieven rijst hetzelfde beeld op: schepen voor de vaart op Indië werden aan de lopende band gebouwd en bevracht, de wisselmarkt maakte overuren, in de koffiehuizen werd hevig gediscussieerd over God en mens, markies de Sade en Voltaire hoonden de burgerlijkheid van de Amsterdammers, maar het was wel de stad waar ze veilig waren en waar hun boeken konden worden gedrukt.

De nieuwe Jan nam deel aan dat stadsleven, en hoe. 'Een sonder weerga stark man, hat seer schoone presentie en een onbegrypelijke prontitude, dog was wat fors,' schreef Bicker Raye over hem. In gewoon Nederlands: een knappe kerel, snel en snedig, maar ook behoorlijk ruw.

Op zijn drieëntwintigste, in 1691, kreeg hij twee ambten en een vrouw. Hij werd kerkmeester van de Zuiderkerk en postmeester van het Antwerpsch Postcomptoir, functies die hem weinig werk kostten maar waarin hij wel meedeelde in de opbrengst. Een groot koopmanshuis verstuurde jaarlijks al snel duizend tot tweeduizend brieven, alleen al dat ambt leverde hem zo een fortuinlijk inkomen op. Bovendien trouwde hij met Agatha Decquer, waardoor hij aansluiting vond bij de factie rond burgemeester Joan Corver, de steenrijke koopman die in de jaren negentig het stadhuis had overgenomen en die ook vader Jan aan zijn eenmalige burgemeesterspost had geholpen. Corver zou zelf negentien keer tot burgemeester worden gekozen, bovendien was hij zo'n gewiekste manipulator dat gaandeweg bijna de helft van de benoemde burgemeesters tot zijn familieclan hoorde. Agatha was een verre nicht, ook Jan klom zo al snel op in dit systeem.

'Familieclan'? 'Familiekliek'? Welk woord past het best bij deze familienetwerken, deze kluwens van bevoordeling en corruptie – althans in onze ogen? De officiële term is, zoals eerder gezegd, 'maagschap'. Het systeem van maagschappen, dat nog dateerde uit de Middeleeuwen, was eigenlijk een soort familieverzekering. Het verplichtte iedere burger om de acht families die afstamden van zijn overgrootouders, zowel van vaders- als moederskant, te steunen. Als het in de ene tak slecht ging had de andere tak de maatschappelijke plicht om te helpen. Regerende families volgden hetzelfde patroon door elkaar banen en functies toe te spelen. Bekwaamheid telde nauwelijks: je haalde een familielid vooral binnen omdat hij eigen en vertrouwd was.

We moeten daarbij bedenken dat onze idealen van gelijkheid en gelijkwaardigheid pas tijdens de Verlichting ontstonden. Deze verhoudingen waren in de ogen van vrijwel alle tijdgenoten – een enkele verlichte denker uitgezonderd – logisch, vanzelfsprekend, daar maakte men verder geen woorden aan vuil. Ongelijkheid werd nog gezien als de normale stand van zaken. Maar er waren grenzen. Ook de van God en stadswege aangestelde regenten konden te ver gaan in hun uitsluiting, afpersing en willekeur.

Binnen dit familiestelsel verstevigde Jan in 1705 zijn positie met een tweede huwelijk – Agatha was al na twee jaar overleden. Ditmaal was de bruid een meisje Calkoen, Maria. De Calkoens hadden eenzelfde maatschappelijke carrière gemaakt als de Sixen: de eerste generatie was begonnen als ondernemer – ook in de textielververij –, de tweede generatie had zich daarmee financieel sterk en onafhankelijk gemaakt, de derde generatie verwierf maatschappelijke status en begon allerlei publieke ambten te bekleden. Geldelijk vermogen werd zo omgebouwd tot politiek aanzien, net als bij de nieuwe Jan.

Ook financieel ging Six er met dit huwelijk op vooruit. In het Nationaal Archief ligt de laatste wilsbeschikking van Maria Calkoen uit 1728 ondertekend door Jan 'om reedenen dat haar Edele niet wel schrijven konde', waarbij ze aan haar zuster, direct na haar overlijden, enkele duizenden guldens legateert, plus 'alle kleederen van sijde, wolle linen en kanten, tot mijn Lijf behoorend'. Dat was maar een fractie van haar werkelijke vermogen. Toen ze even later overleed liet ze een bedrag na van 217 000 gulden.

Heel snel, nog in datzelfde jaar 1728, trouwde Jan voor een derde keer, nu met Anna Elisabeth van den Bempden, zijn achternicht. Hij was toen zestig, zij drieëndertig.

'Neef en nicht. Vrijen licht' werd in deze kringen vaak gezegd, maar de voornaamste achtergrond van dit soort huwelijken was bijna altijd financieel. Op die manier kon het familiekapitaal immers het beste bijeengehouden worden, zulke huwelijken waren 'optimaal kapitaalbindend'. De mogelijke gevolgen – inteelt, degeneratie – namen de families op de koop toe. Tot in de twintigste eeuw waren dergelijke verbintenissen binnen het patriciaat en de adel niet ongebruikelijk.

In dit geval kwam, daarbij, een dringende noodzaak: Jan's tak van de Sixen dreigde uit te sterven. Hij had zeven kinderen gehad, onder wie twee Jannen, alle zeven waren gestorven, drie zelfs al in de wieg, de vier anderen wat later. Hun portretten zijn er nog, buitengewoon elegant geklede pruikenpubers, alles volgens de laatste Franse mode, ze haalden de vijfentwintig niet eens.

Jan schiep via Anna een band met een van de machtigste families van de stad, de Van den Bempdens. Het was bovendien een interessante deal: Anna was van moederskant een kleindochter van Diederick Tulp, ze was de erfdochter van de Tulpen, de laatste erfgenaam. Het hele vermogen van de familie Tulp – inclusief alle schilderijen, boeken, borstbeelden, manuscripten en snuisterijen – belandde zo bij de Sixen.

Tekenend is de plek waar al deze families woonden: in de kapitale huizen langs de befaamde Gouden bocht van de Herengracht, tussen de Leidsestraat en de Vijzelstraat. Allemaal leefden ze daar op een kluitje, allemaal waren ze buren van elkaar. Maria Calkoen op nummer 497, Anna van den Bempden op nummer 481, Jan op 495, ook Jan's zoon zou later met zijn buurmeisjes trouwen, eerst met eentje van nummer 478 – Susanna Bors van Waveren –, later met een meisje van nummer 472 – Johanna Clifford.

'Oligarchisering' van de macht, inderdaad. Johan E. Elias was de eerste die in zijn standaardwerk *De vroedschap van Amsterdam* de 17e- en 18e-eeuwse stadselite nauwkeurig onderzocht – inclusief zijn eigen familie. Geschokt schrijft hij over 'het kleinzielige en egoïstische' dat hij achter de schermen aantrof, inclusief de onophoudelijke 'kuiperijen', intriges en familievetes waarmee deze families hun machtsposities overeind hielden.

Binnen de elites van andere Hollandse steden – er zijn studies verricht naar Hoorn, Gouda en Leiden – bestond eenzelfde streven naar eeuwigdurende zekerheden: via kapitaal, via orde en rust in de stad, en via een berekenende huwelijks-politiek. In Gouda lag bijvoorbeeld de kern van de macht ge-durende de hele 18e eeuw bij een handvol regentenfamilies die bijna alle burgemeesters leverden, die buitenstaanders weer-den en die voortdurend bij elkaar introuwden. Voor hun geld zochten ze eveneens zekerheid, ze kochten grond en staats-obligaties, ze richtten zich niet meer, met allerlei gewaagde ondernemingen, op uitbreiding van hun vermogen maar enkel nog op het behoud daarvan. Ook hier waren de ondernemers binnen twee, drie generaties renteniers geworden.

In Amsterdam was het oppermachtige 'cabaal' van de fami-lies Corver en Hooft gedurende de eerste helft van de 18e eeuw vrijwel onaantastbaar, en Jan Six zat daar middenin. Hij had die vaste positie deels te danken aan de contracten van corres-pondentie, de overeenkomsten waarbij vroedschapsbenoemin-gen tot in der eeuwigheid onder de paar heersende families werden verdeeld. In Amsterdam was daarnaast een nieuwe kiesmethode bedacht, waardoor de kring waaruit burgemees-ters werden betrokken nog kleiner werd.

De heren maakten het daarna wel erg bont, zelfs voor 18e-eeuwse begrippen. Regelmatig werden schoonzonen, zwa-gers en neven van de regerende burgemeesters tegen alle re-gels in voorgetrokken. De beruchte schuinsmarcheerder Gillis van den Bempden, een volgens alle bronnen onbekwaam en 'weerzinwekkend personage', werd bijvoorbeeld in 1738 tot burgemeester gebombardeerd terwijl drieëndertig oud-sche-penen eerder aan de beurt waren, enkel omdat hij Jan's zwager was. In 1744 sjoemelde Jan op dezelfde manier zijn achterneef Pieter Six in het ambt, in 1748 een andere zwager, Pieter van de Poll. Kwaliteit speelde geen rol. 'Een man van weynig ca-paciteiten of verstant', zo wordt neef Pieter Six betiteld door de – overigens niet bepaald onpartijdige – historicus Casper Commelin, 'een absolute afhangeling van den geweesene bur-gemeester Jan Six.'

De nieuwe Jan was, opnieuw, geen vaderskind. Hij verkocht, zo gauw als hij kans zag, het familiehuis bij de Amstel dat zijn vader met zoveel zorg door Dortsman had laten ontwerpen.

Zijn motieven kunnen trouwens ook van praktische aard zijn geweest: door de extreem grote vensters en de hoge kamers moet het huis in de winter vaak ijskoud zijn geweest, het was bijna niet warm te stoken. Bovendien lag het veel te ver van het sociale centrum van de elite, de bocht van de Herengracht.

In 1707, kort na zijn huwelijk met Maria Calkoen, betrok Jan daar een dubbel grachtenhuis, Herengracht 495. In 1739 liet hij het vertimmeren tot een gebouw dat paste bij zijn status. Er kwam een nieuwe zandstenen gevel, volgens de laatste mode, en op het dak een fraai bewerkte balustrade met in het midden het familiewapen van de Sixen. Op het balkon – heel uitzonderlijk bij grachtenhuizen – was een koperen hek aangebracht met in sierlijke letters de eerder genoemde spreuk 'oMnIa orta oCCIDVnt', ofwel 'Al wat ontstaan is, vergaat', het tijdvers waarin het jaartal 1707 zat verstopt.

Over het algemeen hielden de Amsterdamse regenten, ondanks hun grote rijkdom, niet van al te veel uiterlijk vertoon. Er moest een zekere status worden gevoerd – Jan had bijvoorbeeld een tiental bedienden en in zijn stal een koets en vier paarden, erg veel voor het toenmalige Amsterdam. Maar al te grote uitgaven, enkel om te imponeren, werden niet op prijs gesteld. De interieurs van de grachtenhuizen mochten vol kostbaarheden staan, daarbuiten nam men een zekere soberheid in acht. Veruit de rijkste vrouw van de stad, de weduwe van de bankier Andries Pels, had slechts vijf bedienden, hoewel ze met haar jaarinkomen van 70 000 gulden een halve hofhouding had kunnen onderhouden. Zuinigheid was een deugd. Gebroken servies werd gelijmd. In Londen, Parijs en Sint-Petersburg kreeg de elite jaar na jaar opbrengsten uit grond en andere feodale bezittingen. Die kwamen in Amsterdam ook binnen. Toch werd aan de Herengracht vooral geld met geld verdiend, hier diende geld in de eerste plaats als bedrijfs- en familiekapitaal, de basis waarop ook volgende generaties moesten kunnen voortbouwen.

Wat Jan met zijn nieuwe gevel en zijn andere uitgaven deed was, in dat licht, op de rand van het betamelijke, zo niet daarover, wat onder meer blijkt uit het spotvers dat later de ronde deed:

Beschouw met aandagt dog dit grootsch gebouw eens aan:
het opschrift, in 't Balkon, vertoont u zonneklaar,
de inkomst der posterij, zo van de zoon als vaer,
de eignaar van dit Huis, dat is de groote Six,
van voren schijnd hij wat, van agteren is hij nix.

Net als zijn vader leidde Jan echter een dubbelleven, en ook daarin ging hij zijn eigen weg. Aan de Amstel, vlak buiten de stad, bezat hij een eigen buitengoed, Meermond. Bovendien had hij in 1702 het geliefde Elsbroek geërfd. Het landhuis lag beschut achter de duinen, grote stukken grensden aan het toen nog weidse water van de Haarlemmermeer. In de daaropvolgende jaren zal Jan de kaart van de omgeving keer op keer met genoegen hebben ontrold: telkens had hij nieuwe aankopen gedaan, telkens gaven de kleuren en strepen op de kaart meer Six-bezittingen aan, totdat hij bijna de helft van de heerlijkheid Hillegom tot zijn privébezit mocht rekenen. Hij liet zijn terreinen afpalen met eigen stenen grenspalen met merkteken JS – hier en daar zijn ze nog te vinden.

Twintig jaar later, in 1722, wist hij van de Staten, tegen betaling van 18 500 gulden, ook de publieke macht over het dorp te verwerven. Als ambachtsheer van Hillegom konden hij en zijn nazaten zich voortaan 'heer van Hillegom' noemen. Nu mocht hij alle belangrijke dorpsfunctionarissen aanwijzen: de schout en de baljuw, maar ook de predikant, de schoolmeester en de koster van de kerk.

Voor de oude Jan was Elsbroek, met zijn 'boekekamertje', een toevluchtsoord om te dromen, te lezen en te dichten, om te jagen en paard te rijden, een plek voor meditatie en eenvoud. Voor de nieuwe Jan was Hillegom bovenal een onderneming, en hij opereerde er als projectontwikkelaar.

Hij schiep, allereerst, waterwegen. De producten van dit nieuw te ontwikkelen gebied moesten immers per schip worden vervoerd, de oude Hillegommerbeek die vanaf de duinen stroomde was daarvoor niet geschikt. Dus werd overal grond aangekocht om een Nieuwe Beek te graven en de rest van de Hillegommerbeek te kanaliseren. Tegelijkertijd begon hij de alom geprezen jachtgronden van zijn vader af te graven. Dat duinzand was veel waard, voor de stadsuitbreidingen van

Haarlem, Leiden en Amsterdam zat men erom te springen. De vrijgekomen vlakke grond was uitstekend geschikt voor land- en tuinbouw, ze werd verpacht aan boeren. Het valt allemaal na te lezen in die stapels archiefstukken daar aan de Amstel:

1722 – aanvang graafwerk de Nieuwe Hillegommerbeek;
1723 – put gegraven op dorpsplein voor helder water door Jan Six;
1724 – stukken betreffende een huis, boomgaard en bierstal bij de Beekbrug van Jan Six;
1724 – 'octrooi' waarbij Jan Six van de Staten van Holland toestemming krijgt om vijftien jaar lang tol te heffen 'tot zijn schoonste en meeste profijte, van alle en iegelijke schipper, de Hillegommerbeek bevarende'.
1725 – Jan verzoekt toestemming aan de Staten om de weg door Hillegom te bestraten en ook daarvoor tol te heffen;
1740 – pomp geplaatst op de put van het dorpsplein, met het wapen Six-Van den Bempden;
1744 – vergunning verkregen door Jan Six tot het plaatsen van een hek, teneinde de konijnen te beletten grote schade toe te brengen aan de houtgewassen en tuinen;
1749 – aankoop van de 'plaisante en welgelegen' Hof van Hillegom, met 'stallinge voor vijf paarden en eenige koebeesten', door Jan Six, raad en burgemeester te Amsterdam, 'betaald met een koopsom van ƒ. 2800'.

Die laatste aankoop, dat Hof van Hillegom in 1749, betrof het meest prestigieuze huis van het dorp, een fier en statig buitengoed, omringd door een fraai park. Jan wilde daar leven als een echte landsheer, zoals hij daarvoor had geleefd op Elsbroek. Er is nog een notitie die begint met de woorden: 'Voor 't geheugen, 1741, den 28 november ten 3 uren op Elsbroek'. Het gaat om twee dorpelingen die een conflict hebben over het recht op overpad en die bij hem, als ambachtsheer, langskomen om zijn standpunt te horen. Opvallend is dat Jan zich daarover niet uitspreekt: 'Ik antwoordde, mij met zijn zaak of vuile behandeling niet te willen bemoeien, maar mijn recht te handhaven.' Blijkbaar vindt hij het ook doodnormaal dat gewone dorpsmensen bij hem, als deftige ambachtsheer, gewoon aan de deur komen voor een advies of een beslissing. De scherpe scheiding tussen de standen, die in Amsterdam al gebruikelijk was, bestond hier blijkbaar nog niet.

Hillegom was een totaalproject. Jan's aanwezigheid op die Hillegomse kaart werd steeds omvangrijker, jaar na jaar. Hij liet bijvoorbeeld in de duinen achter de hoofdstraat een bijna koninklijke laan aanleggen met aan weerszijden drie rijen bomen, iepen en eiken, keurig 'in verband' geplant. De aanpalende grond verkocht hij aan rijke Amsterdammers voor de bouw van nieuwe lusthoven. Met groot succes: op de grote kaart van Rijnland uit 1746 is in Hillegom een hele reeks fraaie buitenplaatsen zichtbaar. Hij legde bovendien nieuwe toegangswegen aan om zijn bezit nog waardevoller te maken, plus, in 1724, een brug over de beek – in een vitrine van het huis aan de Amstel ligt nog een marmeren doos met koperen gedenkplaatjes die ooit bij de brug is teruggevonden, ter ere van Jan en zijn Maria Calkoen.

Via tolheffingen probeerde hij die investeringen weer terug te verdienen. Het dorp Hillegom voer er ondertussen wel bij, Jan leeft er nog voort in een Sixlaan.

Zijn burgemeesterschap van Amsterdam zal vermoedelijk ook gunstig zijn geweest voor het Hillegomse project: tussen het gedrang van de talloze groente- en fruitschepen aan de Prinsengracht ontstond al snel een speciale Hillegommer markt, bij de Lauriergracht, waar alleen groenteschepen uit Hillegom mochten aanleggen. De oude 'lusthof' Hillegom werd, kortom, in zijn handen één grote, bedrijvige onderneming.

Jan stond daarin niet alleen. De leden van de 'nieuwe' stadsaristocratie bemoeiden zich altijd al met de economie van 'hun' buitengebied, maar in de 18e eeuw werd die neiging sterker. De Republiek groeide uit tot een belangrijke exporteur van landbouwproducten, de landbouwprijzen gingen jaar na jaar omhoog, de boeren konden steeds hogere pachtgelden opbrengen, bij de grootgrondbezitters stroomde het geld binnen.

Eigenhandig noteerde Jan zijn uitgaven en inkomsten in enorme folianten. Eentje is er bewaard gebleven, Boek E, lo-

pend van 1736 tot 1750, met alle posten, van 'visrechten' en 'co-
nijngeld' – 30 gulden – tot de huur van land en hoeve – 2000
gulden – en de telkens terugkerende inkomsten als postmeester – 870 gulden. Helemaal voorin: 'Aan God de Heer zij alle
Eer.'

In 1742 was Jan Six, met een jaarlijks inkomen van ruim
50 000 gulden, de op twee na rijkste man van Amsterdam.

XII

'Omnia Orta Occidunt'

In een archiefdoos liggen ze nog allemaal, de huwelijksgedichten voor Jan en Anna van den Bempden. Sommige beslaan hele boekwerken, eindeloos langdradig rijmelwerk, een enkele in het Latijn. Er is een omslag van brokaat, met bloemen van goud, andere zijn bont bedrukt, eentje bestaat uit enkel ragfijn knipwerk, vol bloemenmanden, engeltjes en hoornen des overvloeds. Vermoedelijk heeft geen mens er ooit meer naar omgekeken. Ik open ze voorzichtig, de toenmalige feestvreugde kun je nog bijna ruiken. De teksten zijn soms onbeschroomd, het gaat over 'zaad' en 'akker', maar Jan wordt ook bejubeld als 'Eerzuil van den Staat' en 'Hoofd van Amstel's magistraat':

> Terwijl uw Anna, vol van zuiv're min,
> Voljeugdig blaakt als uwe Bedvriendin;
> Zy kon alleen Uw hart, en fiere zin, tot min beleezen.

Met Haar hegt gy in 't Kroonrijk Amsteldam,
Het Huis van Six, aan Van den Bempden's Stam...

Het huwelijksfeest, op donderdag 21 oktober 1728, was een hoogtepunt in Jan's leven. Tussen diezelfde mappen ligt de huwelijksovereenkomst, een fusie tussen twee familieconcerns waarbij het ging om miljoenencontracten, met bladzijden vol bepalingen. Er is, na het tekenen van de overeenkomst, aan de Herengracht vermoedelijk dagenlang feestgevierd, met eindeloze danspartijen, toespraken en dichters die telkens weer nieuwe versregels over het bruidspaar strooiden.

Anna hangt in de bovengang tussen de andere familieleden, zo te zien een kwieke dame, een flonkerende blauwfluwelen omslagdoek om zich heen gedrapeerd, de borsten, zoals de aristocratische mode voorschreef, bijna bloot. Het moet een intelligente en betrokken vrouw zijn geweest – dat valt althans af te leiden uit de paar dozijn brieven die ze naliet. Met name de correspondentie met haar neef, de diplomaat Cornelis Calkoen, geeft een interessant kijkje op de dagelijkse beslommeringen van de Sixen. Calkoen woonde van 1727 tot 1744 als Nederlands ambassadeur in Istanbul en in haar brieven moest Anna hem telkens weer bijpraten over duizend-en-een aangelegenheden van stad en land. Dat deed ze met verve.

Aanvankelijk gaat het allemaal wat onhandig. Op 5 september 1731, na de geboorte van haar enige kind, opnieuw een Jan, klaagt ze vooral over het feit dat ze 'seer dik' is geworden. Ze feliciteert haar neef met zijn huwelijk en complimenteert hem met zijn nieuwe vrouw: 'Broer, die Nigt is soo gentiel, als ik grof ben...'

Op 10 maart 1733: 'Ons Jantie is aan een seer swaare verkoutheijd, die in Europa heerscht, krank geweest, dog God heeft hem ons in sijn grote goedheijd gespaart en het kind als op nieuw gegeven, soo hij soo voort groeijt, sal hij grooter als Vader en Moeder worden.'

Gearrangeerde huwelijken en sterfgevallen worden keurig genoteerd, het gaat toch om, zoals ze schrijft, 'des menschen leven, sterven, trouwen en geboore worde'. Op 10 maart 1734: 'De vrouw van neef Bernards heeft de kindersiekte, daar sij nu haast deur is. De vrouw van Vreeland is deze week zeer schielijk overleden, en de oudste Doghter van de Heer Gerrit Hooft is de Bruijd met den heer Nicolaas Witsen Jonaszoon. De heer de Graaf gaat trouwen met de oudste dogter van den gewesse drost Fontijn.'

31 januari 1736. Neef Calkoen heeft vanuit Istanbul order gegeven om 'voor Jantie een paardje te besorgen'. Anna smeekt om die bestelling ongedaan te maken omdat 'hij nog te jonge is om te rijden sonder gevaer, en als het paardje er was, mogte wij te swack zijn om het kind het gebruijck daarvan te vrijgeven'. Ze leert hem aardrijkskunde aan de hand van een soort ganzenbord waarop heel Europa staat afgebeeld. 'Soo ver nu Turkijen in Europa Leijd, komt het in dit geographies bord te pas.' (In de Turks-Oostenrijkse oorlog hadden de Turken net grote delen van Servië heroverd.)

Er is ook stadsnieuws: burgemeester Gerard Nicolaas Hasselaer zal zijn ontslag moeten vragen vanwege zijn vrouw, 'die met haar aanhoudende overspel het soo grof gemaakt heeft dat zij in handen, of onder bewaring, van het geregt gekomen is, en soo veel onordelijkheden gepleegt heeft dat men haast nooit de weerga gehoord heeft'. (Bicker Raye meldt de details: ze was door Hasselaer zelf betrapt terwijl 'sij met haar lijfknegt doende was'. Omdat Hasselaer, weggeroepen uit het stadhuis, de onderschout en twee dienders had meegenomen, werd het een zaak van justitie. Zijn vrouw werd veroordeeld tot zes jaar Verbeterhuis, met een eigen meid om haar gezelschap te houden en te bewaken. Hasselaer had nog geprotesteerd: 'Ik heb mijn vrouw daar veel te lief toe.')

Op 12 april 1736 gaat het vooral weer over haar lieve kleine Jan. 'Hij is veel mooijer als sijn Moeder en lijkt perfect op sijn Vader, heeft alleen Moeders oogen en een sweem van mij in sijn Wessen. Is langer na zijn tijd als mijn Man, is vrolijk en vergenoegd van geest. Wil tot nog toe wel Leeren en is vrindelik van ommegang. […] Maar heb ik te veel tot zijn Lof gezijd, verschoont een moeder die haar kind met oogen van Liefde aansiet.'

Jaar na jaar wordt Anna's handschrift moderner, ze wordt steviger in haar opvattingen, soms kan ze zelfs pittig uitpakken. Op 16 september 1745 valt ze woedend uit over een insinuatie: als vrouw van een burgemeester ziet ze het nodige door de vingers om 'geen onbeleeft antewoord te geven', maar stokebranden, zoals 'Heeren die lang aan de Hoven geweest' zijn, 'verslijten haar verkeert'.

Stadsroddels maken langzamerhand plaats voor politiek nieuws. Op 19 januari 1745 bespreekt ze tot in details de komende ambtswisselingen: 'De Raad van State zal waarschijnlijk aan mijn Man komen, en de Generaliteit aan de burgemeester Sautijn. Witsen heeft de helft van zijn posterij neergelegt voor de burgemeester Munter.' Op 8 december van dat jaar: 'De zaken in Engeland zien er nog niet favorabel uijt, de Pretendent is nu op Engelsche bodem.' De brieven worden lang en zeer gedetailleerd, Anna lijkt zeer goed op de hoogte van de internationale politiek – maar dan stopt de correspondentie. Neef Calkoen wordt teruggeroepen.

Of Jan een goede burgemeester was weet ik niet. In het huisarchief ligt een lofdicht van de populaire Sybrand Feitama, maar of deze vleierij veel zegt is de vraag:

> Verstand en Oordeel met Beleyd in Deugd gepaard,
> Wanneer ze in de Overheyd zich Luysterrijk vertoonen,
> Zijn 't schoonste Pronksieraad der hooge Statspersoonen
> Die in den Stoet van Eer God's plaats bekleen op Ard.

In de schaduw van dit 'Pronksieraad' en dit 'Luysterrijk vertoonen' bestonden problemen te over. De armoede was in het 18e-eeuwse Amsterdam sterk toegenomen – zij het minder dan elders in het land. In het midden van de 17e eeuw was in het werkhuis van de stad slechts één op de acht bedelaars afkomstig uit Amsterdam, nu ging het om één op de drie. Het jaarlijks aantal vondelingen nam toe van gemiddeld vijftien rond 1700 tot bijna vijfhonderd een eeuw later. 's Winters trok één op de zes Amsterdammers van de steun. Bicker Raye noteert regelmatig crepeergevallen: zelfmoorden uit pure wanhoop en honger, een winkelierster die uit het raam springt omdat ze haar zes kinderen niet meer kan voeden, een doodgevroren vrouw bij de Osjessluis.

Het waren ook nog eens de jaren van ijzig koude winters. De 18e eeuw vormde het dieptepunt van de Kleine IJstijd met regelmatig extreem lage temperaturen. Volgens Bicker Raye was het tijdens zo'n januarimaand zo gemeen koud 'dat hoewel ik dit bij een heel groot vuur schrijf in een kamer waar de hele dag flink gestookt wordt, de inkt me in de pen bevriest'.

Onder het burgemeesterschap van Jan zou zo'n winter, die van 1740, grote faam verwerven. De temperaturen daalden, naar men beweerde, tot onder de peilschaal, de koude was 'onbestaanbaar'. In Sint-Petersburg feestte het hof in paleizen die enkel waren gebouwd uit ijs. In Londen liepen honderden mensen over de Theems. Door het ijs kon je op de bodem verschillende gezonken schepen zien liggen, soms lagen ze op hun zij, een enkele keer ondersteboven. Wekenlang heerste op het ijs een soort kermisvreugde, allerlei ambachten werden er beoefend, er werd zelfs een os gegrild.

In Amsterdam gleden de fraaiste arrensleden over de grachten, wie een karos had liet twee, zelfs vier paarden inspannen voor een ritje over de Amstel of naar de overkant van het IJ. Er barstten, volgens stadshistoricus Jan Wagenaar, wel een paar bruggen van de kou. 'Ook zyn er eenige menschen, bij nagt, op de straaten dood gevrooren.'

In de grote huizen aan de Herengracht brandden in alle haarden enorme vuren, toch kon het gebeuren dat, zoals de regent Jan Hop meldde, de theekopjes, pal voor het haardvuur, aan de tafel vastvroren. Een meisje voor de nacht leek hem wel wat: 'Een aengename bijslaap zoude in dees tijd wonder wel komen, maar ik vind nog niet wat mij lijkt.' Twee weken lang vroor het meer dan twintig graden.

Voor Jan en zijn collega's ontstond er al snel een enorm probleem. In het waterrijke Amsterdam bestond namelijk al eeuwen een tekort aan water. Putten en grachten vormden één groot riool, goed drinkwater werd vanaf de Utrechtse Vecht via de Amstel aangevoerd met een eindeloze reeks waterschuiten, door paarden voortgesleept. Het systeem werd vanouds georganiseerd door de bierbrouwers, de grootste afnemers van schoon water. Als het vroor werd de ijsbreker ingeschakeld, een enorm vierkant gevaarte dat met twintig tot veertig trekpaarden knallend en krakend door het ijs werd gesleept, met daarachter de waterschuiten.

Het ging bij deze tochten om enorme bedragen aan jaagloon, per vaart algauw zo'n 1000 gulden – wat iets zegt over de belangen die ermee waren gemoeid. Ditmaal was het ijs echter zo dik dat er al snel geen ijsbreker meer doorheen kon. In de stad begonnen opstootjes te ontstaan omdat het drinkwater onbetaalbaar werd. Mensen stierven omdat ze toch gracht- of putwater hadden gedronken – er heerste sowieso schaarste aan alles, ook aan turf en voedsel.

Er werden met de ijsbreker ettelijke pogingen gedaan om de Amstel open te maken, met nog meer paarden, vele tientallen. Tevergeefs, het ding kwam nauwelijks vooruit. Een wateroproer dreigde. Uiteindelijk besloten Jan en zijn medeburgemeesters dat de hele route dan maar moest worden opengezaagd, met de hand, door driehonderdvijftig man. Ze kregen daags vierentwintig stuivers, een half brood, een kwart pond kaas en twee kelkjes jenever. De brouwers betaalden.

'The past is a foreign country,' schreef ooit de Britse romancier L.P. Hartley. 'They do things differently there.'

In dat vreemde land van het 18e-eeuwse Amsterdam heeft één vrouw me altijd geïntrigeerd. Ze heette Catherine Grey, ze was een schoonzuster van Jan, ze was een afstammeling van roemruchte Britse adel en ze ging ten onder in Amsterdam. Het drama van haar leven kan enkel worden gereconstrueerd aan de hand van een Britse stamboom, een paar losse opmerkingen van Bicker Raye en een notitie van Jan in het notarieel archief. Ze was een dochter van de graaf van Stamford, ze was in Leiden beland en ze was daar verliefd geworden op een zoon van de familie Trip, Jan Willem. In Amsterdam mocht de naam Trip heel wat betekenen, in de ogen van de hoge Britse aristocratie was Jan Willem slechts een 'Mynheer'. Dat kon dus niet. In het voorjaar van 1735 had Jan Willem, wanhopig, Catherine ontvoerd en meegenomen naar Luik. Al snel was het liefdespaartje echter opgespoord en teruggeleid naar Amsterdam. Daar trouwden ze, om grotere schande te voorkomen. Hun geluk duurde kort, Jan Willem stierf al na twee jaar.

Vervolgens deed Catherine iets opvallends: ze trouwde opnieuw, en wel met de eerder genoemde Gillis van den Bempden, alias de Kruk, de kreupele en corrupte broer van Anna, de goorste losbol van Amsterdam. Hij was driemaal burgemeester, hij had tien dienstboden, tien paarden, een koets en een buitenplaats, en hij was zo dik dat hij, als hij het stadhuis betrad, door twee knechten moest worden ondersteund.

Naar de motieven van Catherine kunnen we eindeloos gissen. Liefde, en zelfs een zekere genegenheid, is in dit geval moeilijk voorstelbaar. Was het geldgebrek? Was ze – wat waarschijnlijk is – vanwege haar eerste huwelijk door haar Engelse familie verstoten en onterfd omdat ze had gerebelleerd tegen alle bestaande codes? Was ze gedwongen door de families Trip, Six en Van den Bempden, die via haar 'het probleem' Gillis probeerden op te lossen? Waren stand en status haar zoveel waard dat ze bereid was deze prijs te betalen?

Waarschijnlijk was er, in haar ogen, geen sprake van een keuze. In Nederland bood het systeem van maagschappen altijd nog een zekere bescherming, bij de Britse adel waren de regels hard en rigide: een vrouw die trouwde werd afgeschreven, voor eeuwig, en in nog sterkere mate gold dat bij een rebels huwelijk als het hare. Catherine kon geen kant op, ze was compleet op zichzelf aangewezen.

Ze leefden zeven jaar samen, ik probeer me er een voorstelling van te maken, in Gillis' enorme grachtenhuis, vrijwel naast Jan en Anna, op Herengracht 481. Op 20 januari 1748 overleed Gillis, in de woorden van Bicker Raye 'als een martelaar', vanwege 'waterzucht dat hem aan de benen en op meer plaatsen des lichaams door grote gaten ontliep'. Jan regelde, zo blijkt uit het notarieel archief, de nalatenschap. Catherine, eindelijk vrij, was van plan terug te keren naar Engeland en begon al haar bezittingen te verkopen. Drie maanden later, op 12 april, meldt Bicker Raye ook haar dood, op zevenendertigjarige leeftijd. Ze liet zich begraven bij haar grote liefde, Jan Willem Trip.

Catherine ging zo, verliefd als ze was, ten onder in dit vreemde land van familiekongsi's, ambten en erfenissen, een land van grote rijkdom en ongebreidelde corruptie. Het was het land bij uitstek van Jan en haar echtgenoot Gillis. Van beide heren was bekend dat ze geen ambt aan iemand gaven of er moest iets tegenover staan. Volgens de toenmalige griffier van de Staten-Generaal, Hendrik Fagel, hadden Six en zijn collega

Jan Sautijn 'zich door de infaamsten knevelarijen en extorsies tot voorwerpen van den algemeenen haat gemaakt'. Het ging daarbij om grote sommen: er waren in Amsterdam ongeveer drieduizend functies te vergeven, met een gezamenlijk inkomen van miljoenen guldens. Alleen al de postmeesterschappen brachten per jaar 168 000 gulden op. Ze waren allemaal in het bezit van de burgemeesters, hun zonen of hun neven.

Ook in de tijd van Tulp en de oude Jan werd, zoals gezegd, al druk geschoven met ambten. Het was in de Republiek echter volstrekt *not done* om daar geld voor te vragen. De regel van de Staten-Generaal uit 1715 was glashelder: het 'nemen van verbodene giften en gaven' en 'corruptiën in de Regeeringe' werd bestraft met ontslag uit het ambt en een boete die viermaal zo hoog was als het genoten voordeel. De praktijk week in dit geval waarschijnlijk niet sterk van de norm af, de studies naar de regeringen van Hoorn, Leiden en Gouda maken nergens melding van extreme corruptie, wellicht ook door de sterke sociale controle. Ambtsmisbruik op grote schaal, zoals dat onder de vorstelijke regimes in andere Europese landen algemeen gangbaar was, vond in de Republiek zelden plaats.

Amsterdam was wat dat betreft een uitzondering. Normaal rouleerden de ambten, maar doordat in de eerste helft van de 18e eeuw almaar dezelfde families aan de macht bleven, sloeg het bederf langzaam toe. Ze waanden zich onaantastbaar. Bij Jan Six kunnen, daarbij, de enorme investeringen in Hillegom een rol hebben gespeeld. De aanleg van kanalen, bruggen, sluizen, wegen, het moet een enorme aanslag op zijn liquide middelen hebben betekend. Het project kan hem op bepaalde momenten wel eens boven het hoofd zijn gegroeid. Je ziet hem afglijden.

Slechts weinig burgers maakten zich daarover erg druk, althans in het begin. Een ambt werd gezien als een gunst, een waardigheid die men kon wegschenken en ontvangen, in die zin dacht men nog in middeleeuwse termen. Veel Amsterdammers profiteerden er zelfs van, het systeem van patronage en semicorruptie beheerste alle lagen van de bevolking.

Jacob Bicker Raye had bijvoorbeeld van zijn broer het ambt van afslager van de Grote Vismarkt op de Dam kunnen overnemen. Hij kreeg daarvoor 2,5 procent van de omzet van de markt, een bedrag dat maandelijks kon oplopen tot 500 gulden. De man die het werkelijke afslagwerk deed betaalde hij 400 gulden per jaar. Jan zelf maakte in 1730 zijn pasgeboren zoontje levenslang postmeester op Antwerpen. Opbrengst: 11 678 gulden per jaar, zo'n zevenmaal het jaartraktement van de predikant die de jongen doopte. Zijn meest vertrouwde 'lijfknecht' kreeg bij wijze van pensioen het ambt 'keurmeester van de vismarkt'. Er was zo over de hele stad een dikke korst gegroeid van nepfuncties en opgeblazen ambten, waardoor bepaalde families en hun aanhang volop konden parasiteren op de publieke middelen.

Dit systeem van tevreden corruptie werd decennialang gefinancierd uit belastingen en andere inkomstenbronnen van de stad: de waaggelden, de boetes, de opbrengst van de stadslanderijen, het poortergeld en de winsten van de Wisselbank en de andere stedelijke diensten. Directe belastingen bestonden nauwelijks, het meeste geld moest worden opgebracht door de gewone man, via tientallen stedelijke accijnzen, heffingen op bier, graan, azijn, brood, vlees, turf en andere verbruiksgoederen. De Britse diplomaat William Temple telde eens alle accijnzen bij elkaar op die in Amsterdam nodig waren om een stuk vis met saus op zijn bord te krijgen: dertig in totaal.

De burgemeesters Jan Six en Jan Sautijn lieten dikwijls, zo zei Fagel, 'ampten van 4, 5, 6000 gulden' jarenlang vacant, en verdeelden 'de tractementen' onder elkaar. Vaker nog hielpen ze vrienden en vooral familieleden. Uiteindelijk vonden ze dit ambtsmisbruik zo vanzelfsprekend dat ze zelfs een soort boekhouding opstelden, uiteraard wel strikt vertrouwelijk. In het Amsterdamse Stadsarchief ligt het stuk, de 'secrete notule' van de toenmalige gezagsdragers. Het is onthullende lectuur.

Voor het 'ambt' van 'roerder van de wijn, traan, olievaten etc.' moesten bijvoorbeeld, zo blijkt uit dit geheime stuk, aan bepaalde personen lijfrentes worden uitgekeerd van 400 gulden per halfjaar. 'Gravenmaker van de Westerkerk' kostte 1000 gulden per jaar. Jan Six zelf gaf op 27 oktober 1746 het ambt weg van 'keurmeester van 't vlees en souter van 't tonnevlees' in ruil voor jaarlijkse lijfrentes aan een drietal dames, in totaal 400 gulden. Voor 'weger in de Waag' vroeg hij voor twee dames lijfrentes, in totaal 300 gulden.

Op 16 augustus 1747 hielp Jan twee verre achternichtjes uit zijn maagschap, jeugdige nazaten van Guillaume Six: voor het ambt van 'vendumeester van de meubilaire goederen' moest aan Margaretha Six jaarlijks 400 gulden worden betaald, aan haar zus Adriana 600 gulden. Het was een enorm cadeau, de lijfrente zou pas vervallen bij het overlijden van de dames.

En dan opeens was het toch voorbij, althans voor Jan en de zijnen. De macht van de stedelijke regenten in de Republiek had per definitie één zwakke plek: ze waren, binnen hun familiesystemen, compleet in zichzelf gekeerd. Bovendien verkeerden ze in een eeuwige onderlinge concurrentie. Daardoor waren ze altijd kwetsbaar voor rebellie van binnenuit – de burgerij – en voor druk van buitenaf – het stadhouderlijke hof. Als die twee samenvielen, als de burgerij en de Oranjes samen optrokken, kon hun machtsbasis plotseling wegvallen. Dat gebeurde in Amsterdam in 1672, en in 1748 gebeurde dat opnieuw, ditmaal in één fascinerende finale van vernielzucht, drank en fladderende veren.

In Amsterdam waren de eerste openlijke protesten, zoals vaker, vooral hoorbaar op de markten – met name de Botermarkt, het huidige Rembrandtplein. Na de ijzige winter van 1740 was het koud gebleven, ook het voorjaar en de zomer waren kil, bijna winters soms. Het gras wilde niet groeien, de koeien stierven bij duizenden, overal in Europa vonden misoogsten plaats. In de daaropvolgende herfst begon het overvloedig te regenen. Enorme watervloeden teisterden het rivierengebied, de Alblasserwaard liep onder, rondom Arnhem en Den Bosch lag een complete binnenzee, het meeste vee verdronk. In Amsterdam stegen de voedselprijzen snel, het ongenoegen groeide. Er verschenen schimpdichten: '*Jan Six den Sikkenbaart Springt driemaal om sijn staart.*' De stadsregering had, wijs en opportunistisch, altijd grote graanvoorraden aangehouden om mogelijke voedselrellen te voorkomen. Ditmaal was dat niet meer voldoende.

Daarbij kwam de factor angst. In datzelfde jaar 1740 raakten de Europese grootmachten opnieuw in een hevig conflict, de Oostenrijkse Successieoorlog. Toen in 1747 een Frans legeronderdeel Zeeuws-Vlaanderen binnenviel, ontstond een dolle paniek. Al decennia heerste er geen stadhouder meer – Willem III was kinderloos gestorven, nu werd er opnieuw geroepen om de Oranjes. In sommige steden ontstonden opstandjes en al snel werd, vanuit een Friese zijtak, een nieuwe Oranje tot stadhouder benoemd, Willem IV. Het deed allemaal sterk denken aan de hysterie in 1672.

In Amsterdam hingen op 8 november 1747 opeens overal pamfletten waarin burgers werden opgeroepen om op de Dam bijeen te komen. De stadsregering moest worden aangepakt, Oranje boven! Wat volgde was een bizarre vertoning. Het stadhuis werd bestormd, met een bank uit de burgerzaal werd de deur van de Burgemeesterskamer opengeramd – 'roepende by elken schok: Oranje boven!' – en daarna duwden de opstandelingen de ramen open, lieten zich toejuichen door hun kameraden op de Dam en riepen, spottend: 'De reegering is veranderd.' Ten slotte grepen de schutters in. Jan, die al tegen de tachtig liep en tijdens deze laatste jaren werd geprezen als een 'Cato in de Raad', moet de gebeurtenissen met verbijstering hebben gadegeslagen.

Ruim een halfjaar later, op maandag 24 juni 1748, sloeg de vlam werkelijk in de pan. Op de Botermarkt ontstond onder de aanwezige vrouwen grote onrust over een nieuwe belasting op boter. De woede richtte zich met name op de belastingpachters, zelfstandige ondernemers aan wie de inning van de belastingen was uitbesteed. De schutters rukten uit, een boze vrouw tilde haar rokken voor hen op 'en sloeg op haar bloote gat, zeggende, weg maffe Burgers', de schutters schoten haar in het 'blote fondament', een paar uur later was ze dood, en toen was de beer los.

Maar liefst dertig huizen van belastingpachters werden van zolder tot kelder geplunderd. Tafels, stoelen, kasten, spiegels, porselein, schilderijen, alles werd naar buiten gesmeten. In de grachten groeiden bergen van meubilair, boeken, tapijten en beddengoed, alle zachte weelde van de 18e eeuw. Het was één grote explosie van volksrazernij die langs de stijve grachtenhuizen raasde. Geroofd werd er maar weinig. Als de plunderaars een zak met geld vonden, schrijft Bicker Raye, dan strooiden ze de munten in de gracht. Een heel schilderijenkabinet werd in flarden gesneden. Een ooggetuige zag hoe een van de belangrijkste plunderaars, Pieter van Dort, bijgenaamd 'de Burgemeester', eigenhandig 'met zijn Groot Achtbare Klauwen een konstig stukje van Flip Wouwerman op de knop van de leuning aan stukken sloeg'. De kelder van een wijnhandelaar werd compleet leeggezopen, in één ruimte stroomde de wijn zo hoog dat de plunderaars er als beesten in rondzwommen. Iemand sloeg een volière in duigen, opeens vloog een zwerm kanaries, putters, vinken en sijsjes boven de Amsterdamse daken, kakelbont de vrijheid in.

Pas na vier dagen was het oproer uitgeraasd. Op vrijdag 28 juni werden de belangrijkste aanvoerders, Pieter van Dort en het 'verwoede vrouwmens' Marretje Arents – ze verkocht bij het Damrak limoenen, schol en bokking – opgehangen uit een venster van de Waag op de Dam. Dwars door het geroffel van de trommelslagers heen bleef de vrouw, volgens een oogge-tuige, 'zeer jammerlijk' schreeuwen: 'Wraak, wraak!' 'Zo lang zij maar kon. En zo hing ze uit het venster en spartelde tot zij dood was.'

In de opgewonden menigte ontstond ondertussen een waan-zinnig gedrang, de schutters verloren hun greep op de massa, er vielen schoten, paniek sloeg toe en uiteindelijk werden hon-derden mensen in het water van het Damrak gedrongen. Er vielen meer dan honderd doden.

Was dit 'pachtersoproer' nu vooral een pro-Oranje-beweging, zoals in de geschiedschrijving wel is gesuggereerd? Wie luis-tert naar de getuigenissen van de deelnemers krijgt eerder de indruk dat hier sprake was van een vroege sociale beweging, een regelrechte opstand tegen de praktijken van de zittende regenten. De timmermansbaas Willem van Nes, die bij de eer-dere bezetting van het stadhuis even voor burgemeester had gespeeld, zei bij zijn verhoor: 'Als jy vyftig guldens moet geven, en gy kunt met tien gulden volstaan, wat zoudt gy liever doen, wy kunnen ook wel voor Burgemeester spelen.' Ofwel: bur-gers mogen verwachten dat hun burgemeesters verantwoord omgaan met hun belastinggeld. De laatste kreet van Marretje Arents: 'Ik heb het toch gedaan voor het hele land, tegen de dwingelandij van de pachters, door wie wij burgers zo gekweld worden en die ons met geweld ons geld en goed afnamen voor de pacht.'

In de maanden die volgden ontstond in Amsterdam een nieuwe burgerbeweging, een meer gematigd gezelschap dat voor het eerst ook duidelijk democratische hervormingen wilde, een groep die werkelijk politiek bedreef. Deze 'doelisten' waren vertegenwoordigers uit alle wijken die tijdens de lange augustusavonden regelmatig in de Kloveniersdoelen bijeenkwamen, tekeergingen tegen de regentenkliek en adhesie betuigden aan de stadhouder. Ze eisten een einde aan alle ambtsmisbruik, herstel van de gilderechten en vrije verkiezing van burgemeesters, schepenen en officieren van de schutterij. 'En weigert laf voor 't juk van eigenbaat te knielen...' – dat was de toon van een van de voorgedragen verzen. Het was een roep om democratie die enkele generaties later gemeengoed zou zijn onder de Europese burgerij. Voor het Amsterdam van 1748 kwam dat allemaal echter nog te vroeg.

Op dringend verzoek van de doelisten kwam Willem IV persoonlijk naar Amsterdam om 'de wet te verzetten'. In een illegaal pamflet, *De weergalooze Amsterdamsche kiekkas*, wordt smakelijk het tafereel beschreven waarop veel burgers hoopten:

'Kyke aan jouw regterhandt hoe de Borgermiesters van Amsteldam, zo bleek als linnedoeken, als arme Zondaars staan te kyken. [...] Kyke maar regt uit, daar ligt de Prins de Poot op, schopt Jan Six onder zyn gat, dat hij 12 voeten wegstuit, kyke hoe genadig dat de Prins is, hy geeft Jan Six pardon van de galg, laat hem alle gestoole Geldt houden en jaagt hem maar van 't Stadhuis: kyke hoe bang en droevig dat Jan Six ziet, kyke hoe het Wyf van hem huilt dat haar man geen Postmeester, Borgermeiser, Zandt, Kool, Wortelen, Zoete- en Karnemelksboer, Ambagtsheer niet meer kan wezen; [...] Daar zie je voor het laatst Jan Six, hoe hij affschyt neemt en na Hillegom gaat: hoor reis wat hy zeit, ik ben nog blij dat de Prins geen rekening gevorderd heeft, het zal wel gaan door de tyd, ik heb genoeg spek voor mijn ouden dag...'

In werkelijkheid had de stadhouder geen idee van de stemming in de stad, hij wilde daar ook niets van weten. De regenten waren en bleven 'zijn' mensen. Maar hij moest wat doen. Hij ontsloeg inderdaad Jan Six – plus drie familieleden – en een groot deel van zijn collega-burgemeesters. De nieuwe burgemeesters kwamen echter ook weer grotendeels uit de regentenelite. De stadhouder liet, zo schrijft Fagel in zijn dagboek, duidelijk merken dat hij het allemaal met grote tegenzin deed. Tegen de ontslagen burgemeester Gerrit Corver zei hij dat met zoveel woorden. Vervolgens 'kwamen de tranen hen beiden in de oogen en zij omhelsden elkaar op de aandoenlijkste wijze'.

Er veranderde dus eigenlijk niets. De doelisten probeerden de prins nog te spreken te krijgen, een paar 'vrije Kattenburgers' drongen zelfs zijn slaapkamer binnen, maar niets baatte. Korzelig verliet de stadhouder Amsterdam, niet beseffend dat hij een historische fout had gemaakt. Voor veel burgers was hij van zijn voetstuk gevallen. Zij keerden zich af van de Oranjes, vonden elkaar in koffiehuizen, discussieerden over vrijheid en broederschap, omarmden de filosofen van de Verlichting en legden zo, jaar na jaar, de grondslag voor een nieuwe revolutie die oneindig verder zou reiken dan de Kloveniersdoelen.

Jan kreeg, anderhalf jaar later, 'grafschriften' van zeker een dozijn dichters. Een handvol vind ik terug in het huisarchief. Ik weet niet goed wat ik ervan moet denken. Betaald? Spontaan? Ze prezen hem de hemel in:

Bedroefde Weduw', droog de traanen van uw wangen;
Uw waarden man is nu van de Eng'len Schaar ontvangen.

Zyn teed're Burgerliefde! Zyn Trou van veertig Jaaren
Wierd door het woedend volk met hoon en smaad beloont
Nu rust hij vreedzaam; en zijn ziel de aarde ontweeken
Tragt nog uit liefde God's getergde wraak te breeken...

Het is in elk geval een andere Jan dan die ikzelf, al zoekend en puzzelend, enigszins leerde kennen. De jongste dichter was een zekere W.M., elf jaar oud:

Hier ligt Jan Six begraven
Na Zorgen, Woelen, Slaven,
Ontlast van 't Aardsch gebied,
Nu hij hier rust geniet.

Het is mooi geweest voor vandaag, daar boven tussen de houten kasten en de zuurvrije archiefdozen. Ik loop de trap af. In de benedengang zijn ze aan het werk, een paar stukken gaan naar een tentoonstelling, grote dozen vol zachtheid liggen op de grond. De heer des huizes komt op me af. Hij laat me een koperen naamplaat zien. 'Moet je kijken, dat ding schroefden ze in 1750 op de doodskist van een Jan Six.' Hij vertelt over een jongeman die er op een dag mee voor de deur stond. 'Hij vroeg er 750 gulden voor. Pure grafschennis, maar wat kun je anders dan betalen...'

XIII

De verre toekomst

Het was een pak verbluffende luxe, een gigantische hoeveelheid zorgvuldig opgevouwen zijde, heel licht blauw, uitbundig geborduurd, de 18e-eeuwse 'bruidsjapon' die decennialang in de dekenkist in de gang tussen de mottenballen was verstopt. De jurk zou, zo begreep ik, op 4 september 1759 in de Haagse Kloosterkerk zijn gedragen door Helena Slicher toen ze trouwde met baron Aelbrecht van Slingelandt. Zij was 22, hij 27. Via aangetrouwde familie was de japon bij de Sixen beland, in 1978 was het kledingstuk geschonken aan het Rijksmuseum. Met de rest van de enorme collectie kostuums en accessoires – honderden stuks. En nu mocht ik daar komen kijken.

Bianca du Mortier, die over de kostuumcollectie gaat, had gemaild: 'Als je het gewaad wilt zien moet je nu komen, we gaan hem fotograferen.' Ik haastte me, zulke kledingstukken worden zelden uit de doos gehaald. Ik werd naar een fotostudio gebracht en daar stond Helena's japon in alle glorie: lichtblauwe zijde van zeker twee meter breed, een tere taille in het midden, en onderaan, tot halverwege, een keur van schitterend geborduurde bloemen. Helena schreed door een bloemenweide, op die 4e september. Het was ronduit indrukwekkend, dit moet het vlaggenschip onder de jurken zijn geweest.

Kleren bepalen onze manier van choreografie – iedere acteur in historische films kan daarover meepraten. Dat 18e-eeuwse bewegen kun je op een bepaalde manier aflezen aan deze jurk. 'Een hedendaagse vrouw kan deze jurk niet meer dragen,' zei Bianca. 'We werken hier met speciale paspoppen, voor elke vijftig jaar hebben we andere poppen nodig omdat het silhouet steeds veranderde. Deze pop heeft de vrouwenmaten van het midden van de 18e eeuw: een heel rechte rug, de borsten hoog opgestuwd door het korset. Helena, de bruid, is waarschijnlijk vanaf haar vierde opgegroeid in een korset. Het kinderlichaam werd beschouwd als een klomp was die je kon modelleren en inrijgen naar het vereiste schoonheidsideaal.'

Maar die omhooggeperste borsten dan? 'Borsten telden in de 18e eeuw nauwelijks mee, tepels werden totaal niet als erotisch beschouwd. Een stukje been, een enkel, ja, dat was allemaal heel spannend. Als een vrouw voor je de trap op liep en je zag een glimp van haar enkel...'

Hoe breder, des te belangrijker, dat was de mode van die jaren. Om dat effect te bereiken hing onder Helena's jurk een enorme hoepelconstructie, waardoor de rok tijdens het lopen moet hebben geschommeld. Kon je nog wel feestvieren in zo'n jurk? Bianca: 'De bruidegom kon nooit naast zijn bruid lopen, alleen voor of achter haar. Bewegingsvrijheid had je nauwelijks. De mouwinzet was zo ver naar achteren, dat je je armen niet omhoog kon doen of grote gebaren maken. Dat mocht ook niet. Je moest je rustig gedragen en zeker niet te hard lachen, uitbundige expressie was not done in de 18e eeuw.'

Welkom in de eeuw van onbeweeglijkheid. De moddervette Gillis van den Bempden stond, gezien de regentenportretten uit die tijd, niet op zichzelf. Het huis bewaart een medaillon met Nicolaas Six, een achterkleinzoon van de eerste Jan, onder de bijnaam 'Klaasjemaakjevestjedicht': zijn blauwe jas valt halfopen, duidelijk omdat hij veel te dik is. Ook neef Cornelis Calkoen, de ambassadeur in Istanbul, was volgens Bicker Raye aan het eind van zijn leven 'monstereus dik': de mouwen van zijn rok waren net zo wijd als de rok zelf bij een normaal persoon. Hij had trouwens 'zeer nobel en vrolijk geleeft, was groot liefhebber van de sexse'.

De 17e-eeuwse Jan was, zo blijkt uit zijn aantekeningen, gewend om gewoon door de straten te lopen, ook al was hij een regent. Hij reed paard, schermde, ging op jacht, danste, voor hem was bewegen een vanzelfsprekendheid. Een eeuw later was het onder de elite bijna onbehoorlijk om nog gebruik te maken van de eigen spierkracht. Macht betekende in de eerste plaats: nietsdoen. Wie mee wilde tellen was gezet, een weldoorvoede buik stond voor degelijkheid en rust. De koets was een onmisbaar vervoermiddel geworden, een symbool van status en invloed. De dagindeling draaide om de maaltijden, die niet uitbundig genoeg konden zijn.

De 18e eeuw geldt met recht als de 'eeuw van de vraatzucht'. Van de Britse koning George IV werd gezegd dat diens buik, als hij zijn korset afdeed, tot op zijn knieën zakte. In de vermogende klasse, over heel Europa, werd in die jaren meer gegeten dan ooit. Alles wat vloog en bewoog kwam op tafel. Uit de lucht: lijsters, mussen, pauwen, vinken, leeuweriken, 'malse' zwaluwen, ganzen, zwanen, noem het maar. Van het land: haas, korhoen, kalkoenkuiken. Uit het water: zeelt, sprot, poon, barbeel, riviergrondel. Ook de correspondentie van de Sixen staat er vol mee, voortdurend wordt bedankt voor toegezonden lijsters en leeuweriken, om maar te zwijgen van alle vruchten uit eigen tuin.

In de bibliotheek ligt het kookboek van Ester Aagien van den Bempden – 'geschreeven door haar eijgen handt in Amsterdam, den 17 November 1728' – waarin precies staat aangegeven hoe dat allemaal bereid moest worden, het duizelt je van de recepten voor perenmoes, aardbeientaart, marmelade van abrikozen, frambozenmoes, citroenvla, bessengelei, bitterkoekjespudding, plumpudding, zwampudding, vermicellipudding, gelei van kalfspoot, kalkoen à la daube...

'Appelenbol gegeten bij mevrouw Pauline Geerens
1 ons meel
1 ons boter
1 kopje water
Door elkander gekneed, onder in een wit kommetje het
deeg geschikt rondom ook, gesnipperde appelen er in
gedaan met citroensap en suiker, bovenop toegedekt met
hetzelfde deeg, 2½ uur laten koken in een casserole met
kokend water, het kommetje in een doek gebonden, een
deksel erop zonder vuur.'

In het archief stuit ik op een schetsje voor de tafelindeling bij
een huwelijksfeestje, gehouden op 13 februari 1806. Met enige
moeite kan ik de namen van de gasten rond de grote vierkante
tafel ontcijferen – Six, De Neufville, Clifford, Backer, Van
Lennep – maar daar gaat het me nu niet om. Kijk eens naar
de schotels die voor hun neus werden neergezet, naar kleur
en vorm gerangschikt als een elegante tuin: fazant, omelet,
kapoen in ragout, gebak en confituren, lamsboutje, bloemkool
met saucijzen, oesters, witte soep, noga met roomschuim, sla,
huwelijkstaart, terrine met bruine ragout, terrine met witte
ragout, zuur, gelei van paling, pudding, varken, pasteitjes met
schapentongen en varkensoren, kalkoen, eendvogel met raap-
jes...

Volgegeten, zelfvoldaan en zelfgenoegzaam, dat is het klassieke beeld van de Nederlandse elite tijdens de 18e eeuw. In de
woorden van Voltaire: 'In Amsterdam maakt men zich drukker om een vracht peper dan om de paradoxen van Rousseau.'
Het levensritme van deze Jan en de zijnen is nog altijd navoel-
baar bij de muziek van de Italiaanse componist Pietro Locatelli, die een paar grachten verderop, op Prinsengracht 506,
was neergestreken en die tot het eind van zijn leven voor de
Amsterdammers zou blijven componeren.
    Historici hebben vaak moeite met deze periode. Johan
Huizinga schilderde, in zijn bekende brede penseelstreken,
de periode als een 'grote inzinking op bijna het gehele veld
van de beschaving': 'In de plaats van de 17e eeuw, vol leven en
gedruis, schuift zich het beeld naar een 18e eeuw waarin ons

land in de late middagzon van een lange zomerdag lijkt te sluimeren.' Dat beeld is, terecht, omstreden. Maar het stemt wel overeen met de bevindingen van onderzoekers naar vergelijkbare elitefamilies uit die tijd, bijvoorbeeld de familie Teding van Berkhout, en ook met de gang van zaken bij de familie Six.

De ondernemingslust was verdwenen, het politieke leven was gestold, maar dat was niet het enige. De mensen zelf waren veranderd. De biograaf van de Teding van Berkhouts, Kees Schmidt, beschrijft de nieuwe levenshouding als 'een mengeling van onverstoorbaarheid en genotzucht'. Het was voorbij met het 'bezeten kapitalisme' en de 'robuust burgerlijke levensstijl' van de 17e eeuw. Het was een ontwikkeling die volgens hem nauw samenhing met de aristocratische ambities van al deze families. Daarbij kwam nog eens de neergang van de Republiek, na 1672, als Europese politieke en militaire macht – met alle economische gevolgen van dien.

De 18e-eeuwse regenten, zoals Jan, maakten zich daarover lang niet meer zo druk als hun 17e-eeuwse voorgangers. Financieel hadden ze er immers weinig last van: ze konden hun geld prima elders beleggen, met name in Engeland, en uit hun grondbezit trokken ze, zoals we zagen, enorme inkomens. Zo ontstond, schrijft Schmidt, binnen de Republiek een kapitaalkrachtige bovenlaag die voor alles gesteld was op rust en comfort: 'De 18e-eeuwse regenten waren in de meest letterlijke zin des woords "zelfgenoegzaam", want buiten gezeglijk personeel en een volk dat zich getrouw van zijn fiscale verplichtingen kweet, hadden zij bijkans niemand nodig.'

De aristocratisering van deze families joeg ook de bijbehorende gevoelens van rang en stand verder aan. Uiteraard moesten ze zich in taal, kleding en gedrag verre houden van 'de mindere man' die gewoon moest werken. Het Frans was als voertaal zo algemeen geworden, zo schreef een tijdgenoot, dat men dat 'niet langer voor een vreemde taal aanziet'. Wie laat merken dat hij het Frans niet verstaat 'erkent daardoor dat hij van geringe geboorte en opvoeding is'.

Bij de familie Teding van Berkhout werden zo termen als 'des bêtes' en 'canaille' gemeengoed, de Sixen voerden in Hillegom een staat die ronduit feodaal was. Ik trof in het archief

bijvoorbeeld een stuk van de hand van Anna van den Bempden waarin ze tot in de details beschrijft – in een declaratie
van haar onkosten – hoe haar zoon Jan op donderdag 13 augustus 1750 door de Hillegommers werd ingehaald als nieuwe
ambachtsheer.

Het verhaal begint met zo'n vijftien jonge mannen uit het
dorp die op een avond laat bij haar aan de deur kwamen met
de vraag: mochten ze 'kroonen maken en den jonge Heer in-
halen'. Anna had, als verse weduwe, haar bedenkingen, ze was
immers nog zwaar in de rouw. Als ze het aanbod afsloeg, zo
schrijft ze, zou dat echter opgevat kunnen worden als 'eene ja-
lousij en afgunst'. Besloten werd het feest door te laten gaan,
en wel op Jan's twintigste verjaardag.

De overige dorpelingen wilden nu ook 'hun agting toonen',
er ontstond een stevige rivaliteit, beide groepen maakten kronen van taxustakken uit de tuin, beide richtten de ene na de
andere erepoort op, totdat Anna er een punt achter zette: zij
zou alle kosten betalen, maar dan moesten de dorpelingen
gezamenlijk dit feest vieren en geen ruzie meer maken. Anders zou dat het einde betekenen van 'de vreugde en verge-
noeginge'. (Als keurige boekhoudster zette ze daarachter wat
ze betaalde: de ene 'partij' 75 gulden en 10 stuivers, de andere
partij 22 gulden.)

Bovendien gaf ze 'de jonghe Luijden' van het dorp 200 gulden om het feest verder op te tuigen: 4 halfvaten bier, 20 ham-
men, 2 kazen, 10 stukken ossenvlees, 5 ankers Franse wijn, 140
bollen, 'het geselschap geteld op 210 personen en voor ijeder
man en vrouw door den andere 1 fles wijn en de groote twin-
tigh man ijeder een ham en een stuk ossenvleesch gebraden'.
Dan waren er de kosten van de muzikanten – 20 gulden en 10
stuivers – en, op aandringen van haar zoon, een anker brandewijn, 'dat ik liefst niet had gehad uit vrees voor ongelucken'.

Uiteindelijk kwam alles goed. De jonge Jan werd aan de
rand van het dorp groots ingehaald. Drie jongens en meisjes
hadden zich verkleed als herders en herderinnetjes, vier jongens droegen grenadiersmutsen, andere dorpsjongens waren
gekleed als burgerschutters, met een kolonel, een tamboer, een
vaandeldrager en twee jachtopzieners als aanvoerders. 'Verder
waren er vier als gecken gekleet,' schrijft Anna, 'en vier à vijf

pijpers en musikanten gingen voor uyt.' De volgende dag, op vrijdag 14 augustus, werd de optocht nog eens herhaald, nu om Jan naar de herberg te begeleiden, waar hij de schout, de predikant en de andere belangrijke dorpelingen trakteerde op vis, lamsbout, kalfsrib, vier schotels gebraad, vier kuikens, vier konijnen, een taart, gestoofde peren en meer. (Na afloop van de maaltijd doken 'de vrouwties' van de gasten op om nog eens te genieten van de resten vlees, vis en taart. De jeugd kreeg opnieuw tien flessen wijn, plus 20 gulden omdat Jan die dag twintig werd.)

's Avonds, na het eten, ging het feest nog door. Anna bleef op Elsbroek, maar Jan en zijn gezelschap gingen terug naar de herders en de herderinnetjes, andere feestgangers doken ook weer op, de meisjes 'dansten met de Heeren in de maane-schijn'. Totale kosten: 932 gulden en 14 stuivers.

Een jaar later, op 22 juni 1751, trouwde Jan. Zijn bruid heette Susanna Bors van Waveren. Als ze de nieuwste mode volgde – en daar twijfel ik niet aan – dreef ze tijdens de bruiloft, met haar enorme trouwjurk, als eenzelfde slagschip door de zaal als Helena Slicher acht jaar later. De fraai verpakte huwelijks-gedichten spreken over 'glansrijke oogen', over een 'bevallige, aan wie Six zijn zuivre liefde wijdt' en over 'Elsbroek's lom-merrijke dreven' waar een 'maagdenrei' de bruid 'met lieflijk veldgewas' tooit. Bicker Raye zag het allemaal wat nuchter-der: natuurlijk was het een mooi huwelijk, Six was stomweg 'een van de considerabelste partijen van rijkdom deser stadt'.

Het echtpaar liet zich, met hun dochtertje Catharina, een paar jaar later schilderen. De portretten zijn er nog: zij knap en vriendelijk, in een tere japon vol kant en borduursel, hij ferm en stevig in duur fluweel, korte grijze pruik, de hand in de zij, Catharina wat onbeholpen, een pop in haar hand, nog met een valhelmpje – want het meisje dat daar bij de trap hangt, dat was zij. Ze kregen nog een zoontje, Jan.

Susanna zou slechts kort leven, tot 1760. Twee jaar later hertrouwde Jan met de Amsterdamse burgemeestersdochter Johanna Clifford. Opvallend was zijn loopbaan niet. Hij ver-vulde een paar ambten, was vanaf 1758 lid van de vroedschap, werd in 1760 voor één keer gekozen tot schepen, daar bleef het bij. In Hillegom stichtte hij in 1767 een Armen- en Weeshuis, waarbij hij ook garant stond voor de kosten van de 'verpleegden'. In 1774 liet hij, na de dood van zijn moeder, het familiehuis op Herengracht 495 grondig uitbouwen. Er kwamen twee vleugels bij, rondom een centrale binnenplaats, het werd nu echt een grachtenpaleisje. Zijn twee zonen leidden de ceremoniële start van de bouw: de kleine Jan sloeg met een zilveren hamer de eerste spijker, zijn halfbroer Nicolaas legde met een zilveren troffeltje de eerste steen. Hij leefde als een vorst, nooit speelde geld een rol.

Die hamer en die troffel kan ik zo beetpakken, ze liggen nog in een uitstalkast in de gang, in mijn hand voelen ze licht en koel. Voor de rest kan ik weinig of geen grip krijgen op deze rentenierende Jan. Ja, in Edinburgh staat nog een klavichord dat hij ooit bezat – een merkwaardige uitspatting voor de totaal amuzikale Sixen. Jan had het, naar zeggen, in januari 1766 speciaal laten aanrukken vanwege het bezoek van een muzikaal wonderkind aan Amsterdam. Deze Wolfgang Amadeus Mozart, toen tien jaar oud, toerde door Europa en resideerde die winter met zijn familie in Den Haag. Hij schreef daar voor de nieuwe stadhouder Willem v een paar symfonieën en een variatie op het Wilhelmus. In Amsterdam vertoonde het kind zijn verbluffende kunsten in de Manegezaal aan de Leidsegracht en blijkbaar ook in huize Six.

Verder liet deze Jan weinig sporen na, hij leidde vermoedelijk een leven van sociëteitsbezoek, vergaderingen en visites, van het ene grachtenhuis naar het andere buitengoed, net als de andere leden van zijn stand.

Lees het verslag van een reisje dat hij en Susanna in de zomer van 1755 naar Brabant en Keulen maakten, samen met de echtparen Trip en Munter. Het gezelschap werd begeleid door twee kameniers en drie lijfknechts die in twee aparte koetsen meereden, het moet een stevige expeditie zijn geweest.

'Dingsdag den 27 may 1755 vertrokken ten 7 uuren van Amsterdam, pleyster den te Nieuwer Sluijs quamen ten 9 uuren te Utrecht, vertrokken voort naar Gorcum over [onleesbaar] & Vianen, daer wij met pleijsteren te Meerkerk te Gorcum ten 6 uuren arriveerde in den Doele daer een seer goede soepe hadden dat met een entree van waatervis begon en gefriseerde snoek. Enfin zeer wel alles, wandelde tot 's avons ten 9 uuren door de stadt en op de wallen, daer een schoone wandelinge en heerlijk gesigten over de rivier. Ontmoeten op onse arrivement de Heer van Boetselaar, die ons geleijde en met ons soupeerde en 's anderen daags den 28 in de tuin van de heer Barnevelt ging, die superbe is om de fraaije grotte, [...] aanleg & wandelweegen. De juffrouw ontfong ons zeer vriendelijk, regaleerde ons op een glaasie mallaga & musicqu op het orgel. Vertrokken te half 12 uijt Gorcum onse paarden en koetsen waaren met de pont overgegaan...'

En voort gaat het, over de 'goede wijn' in Capelle, over 'de koude keuken' die nog uit Amsterdam was meegenomen, over soupers, diners, visites, ditjes en datjes. Jan was, kortom, een typische vertegenwoordiger van de rentierscultuur van die jaren, een heer van stand die zich min of meer verplicht zag om niets te doen. Zo'n heer moest laten zien dat hij kon leven van het familievermogen, dat hij daarbij niet op een stuiver hoefde te kijken en dat hij al zijn tijd kon besteden aan lief- hebberijen en een onafzienbare reeks sociale verplichtingen: visites, maaltijden, feestjes, schouwburgbezoek en zondagse wandelingen langs de Keizersgracht – de pantoffelparade van de 18e eeuw.

Treffend is de dagindeling die de vermogende aristocraat Coenraad Teding van Berkhout in die jaren neerschreef:

'Mijn occupatiën bestaan van 's morgens bij een goet vuur met een goede Japponsse rok [= kamerjas], aan mijn teetje te drinken, wat te leesen of iets anders. Om elf uur naa de Vismarkt, tegen twaalf uuren naa 't coffyhuis, ten een uure aan tafel [...] en drink goede wijn toe [...]. Naa den eten ga ik een wandeling doen en kom tegen vier uuren bij mijn vrouw een kopje thee drinken en 's avonds met haar op 't gezelschap of thuis dat wijnig gebeurt want meest uyt ben, dan onse avondsoupé en verders naa bed daar wij malkander goed doen.'

Het was een elitecultuur die bovenal streefde naar rust. De Sixen zouden het daarbinnen zeker vier generaties volhouden.

Toch broeide het, nadat het vanzelfsprekende gezag van Kerk en overheid in de loop van de 17e eeuw steeds losser was geworden. Er was een zoektocht begonnen naar nieuwe vormen van houvast: de ratio, de waarheidsvinding, de discussie, het eigen oordeel, het verlichte denken. Hoe kon, bijvoorbeeld, de mens deugdzaam blijven zonder kerkelijke dwang? Als de wereld, dankzij de voortschrijdende wetenschap, maakbaar was, hoe zou die er dan uit moeten zien? Hoe kon een beschaving vol individuele opvattingen blijven voortbestaan? Als ieder mens gelijk was, hoe kon dan een nieuwe orde geschapen worden in een samenleving zonder rangen en standen? En hoe kon een kind worden opgevoed tot dit nieuwe bestaan? Dat zelfstandige zoeken en ontdekken, de twijfel die daarbij hoorde, alles wat in de 17e eeuw nog een zaak was van een kleine elite, groeide in de 18e eeuw uit tot een omvangrijke burgerbeweging.

In de hal van huize Six tikt een monumentale klok de uren weg. Onder de wijzerplaat staat de naam van de maker: 'Jan van den Dam invenit et fecit 1754.' Het is een kenmerkend voorwerp voor deze periode. Tijd werd schaars en moest dus worden gemeten. De 17e-eeuwse Jan Six beschreef in zijn notities het bestaan nog als een cirkelgang die zich steeds herhaalde. Drie generaties later begon men steeds meer te denken in lijnen naar de toekomst, met een verleden dat nooit zal terugkeren. De noodzaak ontstond, veel meer dan vroeger, om de uren helder aan te duiden, de eigen bezigheden goed te plannen en alle tijd te benutten voor de vooruitgang van gezin en samenleving.

De klok heeft iets heel bijzonders: boven de houten voet met de wijzerplaat draait een beeldschoon mechaniek, een ingenieus koperen planetarium, verscholen onder een grote doorzichtige vitrine van glazen ruitjes. Daarbinnen bewegen dag na dag Mercurius, Venus, Mars, Jupiter, Saturnus en natuurlijk de Aarde, plus de bijbehorende manen. Saturnus en Aarde draaien daarbij ook nog eens om hun as.

De maker van dit verbluffende kunstwerk, Jan van den Dam, was typerend voor deze 18e-eeuwse burgeremancipatie: begonnen als schoenmaker wist hij zich, via zelfstudie, te ontwikkelen tot een vooraanstaand wiskundige en uitvinder van de meest complexe instrumenten – hij bouwde uiteindelijk vijf van deze *Sphaerae Perfectae*. Waarschijnlijk werd hij geïnspireerd door de theologische discussies, waar hij gretig aan deelnam en waar hij werd geconfronteerd met allerlei moderne theorieën over het zonnestelsel. Hij wilde in zijn Sphaera Perfecta bovenal de grootsheid van God's schepping tonen en verder onderzoeken.

Ook op politiek terrein zochten burgers naar nieuwe vormen. Er verscheen een bijzonder soort drukwerken, zogenaamde *Spectators*, waarin denkbeeldige lezers – 'Justus Plebejus, Lysje Blootensteen' – over alle mogelijke kwesties vragen stelden aan een 'Denker', 'Philosooph' of 'Spectator'. Populair waren ook droomvisioenen, waarin de auteur een gesprek aanknoopte met een geestverschijning of een figuur uit een ver verleden. De antwoorden waren vaak lang, slepend en vooral braaf, het was 'een soort schriftelijke cursus in burgerdeugden'. Maar er zaten ook voortreffelijke stilisten tussen, bijvoorbeeld de charismatische Justus van Effen van *De Hollandsche Spectator*. Opvallend is dat bijna al deze lectuur in het Nederlands was geschreven – Latijn en Frans raakten uit de mode, er vond een culturele 'nationalisering' plaats. Onder de titel *De verstandige Bedilster* (1732) kwam er zelfs een speciaal tijdschrift voor vrouwen. Ook het kind kreeg, voor het eerst, een eigen rol als kind in het *Magazijn der kinderen* (1757).

De romanschrijver en columnist Gerrit Paape beschrijft in zijn jeugdherinneringen een buurman, een bakker, die wel tweehonderd boeken bezat. Tijdens het kneden en bakken lag er altijd een boek bij de hand 'waarin hij onvermoeid de ogen sloeg, zo dikwijls zijne bezigheden hem één ogenblik rust vergunden'. Er begon iets als een permanent politiek debat te ontstaan, in koffiehuizen en sociëteiten en ook in allerlei politieke pamfletten en tijdschriften. Anders gezegd: de burger ontdekte de politiek.

Ook in andere Europese landen vond zo'n ontwikkeling plaats, de Nederlandse Verlichting was alleen braver, huiselijker, religieuzer zelfs. De planetariumbouwer Van den Dam bleef bijvoorbeeld, net als een eeuw eerder Nicolaes Tulp, ondanks al zijn nieuwsgierigheid een strenggelovig man. Hij was ervan overtuigd dat er een Schepper moest zijn 'die de oorzaak van de werkinge is' en die in Zijn Schepping kon ingrijpen wanneer hij dat wenste. Het afzweren van iedere vorm van godsdienst, bij de Duitse en Franse radicale denkers niet ongebruikelijk, kwam in Nederland nog bijna niet voor. Het optimisme van de Franse Verlichtingsdenkers ontbrak eveneens: in de pamfletten werd vooral getreurd over de neergang van de natie en de 'verderfelijke wellust en overdaad' van de 'verfranste' rijkelui en er werd opgeroepen tot herstel. 'Wakker worden!' – dat was de grondtoon van bijvoorbeeld de vlijmscherpe Justus van Effen.

Wellicht had dat te maken met de Nederlandse tolerantie in geloofszaken: men was hier al generaties gewend aan een veelheid van godsdiensten, met alle nuanceringen die daar onvermijdelijk uit voortvloeien. Wellicht kwam het ook omdat de Republiek, met alle discussies en wetenschappelijke vindingen, al tijdens de 17e eeuw een soort Verlichting had meegemaakt. Er was, zou je voorzichtig kunnen zeggen, sprake van een remmende voorsprong.

Tekenend is de toekomstdroom die de schrijfster Betje Wolff in 1777 in haar pastorie in Beemster schreef: *Holland, in 't jaar 2440*. Ze toonde een Verlichte wereld waar geen enkele ontmoeting nog 'ledig' was 'voor de ziel': 'Men praesenteert geen snuifje om een praatje te maken.' Sterker nog: alle tabak, koffie en thee zijn taboe als een 'gevaarlyk vergif'. Er wordt gewoond in 'ruime zinlyke vertrekken' met 'nette meubelen, geheel in den goeden smaak', waar iedereen 'onbeschroomd' gebruikmaakt van de krantentafel of de boekenplank. Ook wordt in 2440 onder de jongelui regelmatig college gegeven, bijvoorbeeld over welgemanierdheid. 'Alles gevalt en geeft drokte'.

Het was, al met al, een typisch Hollandse revolutie, gehuld in een verstikkende braafheid.

Dat was niet overal zo. In 'de Oost' was het ogenschijnlijk vreedzame Nederland vanaf de verovering van Jayakarta in

1619 en het uitroeien van de bevolking van de Banda-eilanden omwille van de nootmuskaatproductie – van de vijftienduizend oorspronkelijke bewoners bleven er zeshonderd over – verwikkeld in een bijna onophoudelijke reeks kleine en grote oorlogen. Tegelijkertijd werden in 'de West' tussen het begin van de 17e eeuw en het midden van de 19e eeuw door Nederland zo'n 550000 Afrikanen verhandeld, waarvan 200000 à 300000 in Suriname belandden. De transporten vormden een onderdeel van de zogenaamde trans-Atlantische driehoekshandel: Nederlandse schepen voeren met wapens en alcoholische dranken naar Afrika, daar werd de lading omgeruild voor goud, ivoor en slaven, daarmee ging het vervolgens naar Suriname en het Caribisch gebied, vandaar voeren de schepen met koffie, suiker, rum en cacao naar het moederland.

De slavenhandel was grotendeels in handen van Portugal, Engeland en Frankrijk, het Nederlandse aandeel bedroeg slechts ongeveer 5 procent. Op de Heren- en Keizersgracht werd er minder aan verdiend dan vaak wordt verondersteld: de jaarlijkse omzet bedroeg hooguit 1,5 miljoen gulden, terwijl de totale omvang van de overzeese handel in de honderden miljoenen liep.

De slavernij zelf was, daarentegen, bepaald geen marginale inkomstenbron. De suikerrietplantages in Suriname en op de Caribische eilanden draaiden enkel op slavenarbeid en behoorden, zowel voor de Britten als de Nederlanders, tot hun meest winstgevende koloniale projecten. De New Yorkse hoogleraar Greg Grandin gaf zijn boek over het economische belang van de slavernij niet voor niets *The Empire of Necessity* als titel mee: 'Slavernij was het vliegwiel dat de marktrevolutie van Amerika vaart gaf – niet alleen in de Verenigde Staten maar op het hele Amerikaanse continent.'

De 18e eeuw, het gouden tijdperk van de Verlichting en van de hoogstaande regels van Betje Wolff en haar vrienden, was zo tegelijk het gouden tijdperk van de slavernij. De Schotse huurling John Gabriel Stedman publiceerde een verslag van zijn ervaringen in Suriname tussen 1773 en 1777: 'Toen ik aan land stapte was het eerste wat ik zag een hoogst ellendige jonge vrouw in ketenen, alleen bedekt door een vod rond haar lendenen die, evenals haar huid, op de meest schokkende manier gesneden en gekerfd waren door zweepslagen.' Hij tekende een slaaf die voor straf aan een vleeshaak was opgehangen, het ding was door zijn ribben geslagen. Een Amsterdamse regent, Jan van Beuningen – een verre verwant van Coenraad –, die in 1720 uit geldnood als gouverneur op Curaçao belandde, noteerde met verbijstering hoe oude slaven door hun meester werden weggejaagd, totaal aan hun lot werden overgelaten en brullend van honger en ellende schreeuwden: 'Met honde is meer deernis in Neerlant.'

In het Six-archief, tussen de dozen met 18e-eeuwse documenten, tref ik een map met een stel vreemd gevouwen papieren en volgeschreven met hanenpoten. 'SPEL' staat er met grote letters boven, 'van de AARDRIJKS-BESCHRIJVINGE behelzende de Vier Delen van de Wereldt'. Warempel, is dit het ganzenbord waarmee de kleine Jan, volgens de brieven van zijn moeder, in 1736 de kaart van Europa leerde? Nee, maar het is wel de directe opvolger daarvan, een kaartspel waarmee de hele bekende wereld werd bereisd.

Alle volkeren krijgen een beurt. De Fransen zijn, zo leerde Jan omstreeks 1740, 'beleefd en beschaafd, beminnen de wetenschappen en den oorlog en zijn ongemeen aan hunnen koning verbonden, die een volstrekt gezag over hen oefent, zelfs in zaken van den godsdienst'. De Spanjaarden zijn 'een hoogmoedig en doorgeslepen volk; zij beminnen de rust; zijn veelvuldig in hun lijden; standvastig in hunne gewoonten, en sober in eeten en drinken'.

Amerika wordt uitvoerig behandeld. De Mexicanen zijn 'beleefd, oprecht en goede vrienden, waarom zij ook niet ligtelijk vergeven degenen die hen bedriegen of kwalijk handelen. Ze staan onder heerschappij van de koning van Spanje.' Brazilië kent gezonde en aangename lucht, 'de inwoonders leven er menigmaal 150 jaren. [...] De bergen brengen hout voort, de valeien tabak en de velden suiker. De slangen zijn er niet vergiftig, want de inwoonders eeten de zelve.'

Chili produceert uitmuntende wijnen, sommige inwoners 'doen daar belijdenis van den Roomsche godsdienst: de andere zijn afgodendienaars en bidden de Duivel aan opdat hij hen geen kwaad doe: zij noemen hem Eponamon, dat is te zeggen machtige'. Op de Antillen is het nooit koud, 'men weet er van geen ijs, de bosschen zijn er altijd groen, de wateren drogen nooit uit en de vruchten hebben een aangename smaak'.

Canada, 'Nieuw Vrankrijk', lijkt bijna een paradijs: 'Daar zijn schone weiden, men zamelt er granen, wijn, eetwaren, vruchten enz. Daar zijn mijnen van zilver en andere metalen. Men vindt er ook verschillende soorten van dieren, als harten, rheeën, elanden, [onleesbaar], otters, wilde katten en beren. [...] De inwoonders zijn tamelijk verstandig; zij leven wel met elkander; zijn afgoodendienaars maar hebben eenig denkbeeldt van Godt, dien zij Anaboren noemen.'

Opvallend is echter de schaarse informatie over de rest van Noord-Amerika, de latere Verenigde Staten. Alleen Florida wordt nog beschreven: 'Het wordt bewoond door stoute en wrede volkeren. Zij worden blank geboren maar zij maken zich een olijfkoleur door middel van eenige zalven, waarmede zij zich smeren.' Over 'het eilandt Californië' is slechts bekend dat de aarde er 'tamelijk vruchtbaar' is en dat er op parels wordt gevist. 'Men kan niets zekers zeggen van de zeden der inwoonders, van hunnen godsdienst noch van hunne regering omdat men tot noch toe niet heel ver in het land is geweest.'

In de jeugdjaren van de 18e-eeuwse Jan, omstreeks 1740, waren Californië en de rest van Amerika inderdaad nog grotendeels terra incognita. In 1769 vertrok de eerste Spaanse expeditie vanuit Mexico naar het noorden, toen werd bijvoorbeeld de baai van San Francisco 'ontdekt'. Pas in 1805 lukte het de eerste blanken om dwars door het continent te trekken. Toch was dat nauwelijks bekende Amerika al snel het gesprek van de dag in heel Europa, het zette een nieuwe toon van optimisme: in deze vrije, nog onontgonnen wereld konden de idealen van de Verlichting werkelijk worden gerealiseerd!

De Amerikaanse Revolutie kwam langzaam op gang. Het begon op 16 december 1773 in Boston, met een schietpartij tussen burgers en Britse troepen nadat er vanuit Londen nieuwe belastingen waren opgelegd, onder andere op thee. Een lading thee ter waarde van 10 000 pond verdween in de haven: de befaamde Boston Tea Party. In het voorjaar van 1775 werden de schermutselingen tussen de yankees en de Britten steeds omvangrijker en serieuzer, en op 4 juli 1776 verklaarden de

Verenigde Staten zich onafhankelijk. De stemming was aanvankelijk bedrukt: veel Congresleden waren bang dat ze, met de ondertekening van 'deze universele roep om vrijheid', hun eigen doodvonnis bezegelden. Er volgde een bloedige oorlog van acht jaar, voordat de Amerikaanse revolutionairen zegevierden en ze hun historische project, gebaseerd op democratie en menselijke gelijkwaardigheid, in gang konden zetten. Maar de euforie daarna was met geen pen te beschrijven.

Ook in de rest van de wereld. In de jaren die daarop volgden vonden, geïnspireerd door het Amerikaanse voorbeeld, overal opstandjes plaats, vanaf Frankrijk en Ierland tot Italië, Polen en de Franse koloniën. In de Zuidelijke Nederlanden revolteerden arme, ongetrainde milities – soms zelfs zonder schoenen. In Nederland lanceerde de bevlogen Overijsselse baron Joan Derk van der Capellen tot den Pol een revolutionair pamflet waarin hij verklaarde dat het vuur dat in Amerika was ontstoken zich snel ook over Europa zou verspreiden – het hele continent was immers overal bezaaid met hoogst ontvlambaar materiaal.

Al die bewegingen tegen de standensamenleving leidden aanvankelijk nergens toe, al die dromen werden vaak in bloed gesmoord, maar ze zetten wel een nieuwe toon. De moed van hun leiders inspireerde toekomstige revolutionairen en ze schiepen een nieuwe, trans-Atlantische verbondenheid. 'Kosmopolieten' noemt de Amerikaanse historicus Janet Polasky deze vroege rebellen. Ze zijn later vergeten en gemarginaliseerd, schrijft ze, 'toch heeft hun strijd voor universele mensenrechten de Atlantische wereld meer dan tweehonderd jaar verbonden'. Dat gold zeker voor de 'verlichte', zoekende burgers van de Republiek. Wat in Amerika gebeurde, het historische experiment dat daar werd ingezet, deze nieuwe republiek, het was voor hen een feest van herkenning.

Waren die gevoelens wederzijds? Vormde de Republiek ook een inspiratiebron voor de Amerikaanse founding fathers? Zeker, John Adams, James Madison en hun collega's besteedden bij hun studies naar mogelijke federatievormen veel aandacht aan de Nederlanden en met name aan de Opstand tegen Spanje. Er bestaan een paar duidelijke parallellen tussen de

Unie van Utrecht en de eerste grondwet, de Articles of Confederation. Ook tijdens de discussies over de nieuwe Constitutie in 1787 in Philadelphia kwam de Republiek regelmatig ter sprake.

Toch werd het Nederlandse voorbeeld met grote ambivalentie bekeken, met name door de aanhangers van een sterke federatie. Madison en zijn medestanders vonden – terecht – dat het staatkundige stelsel van de Zeven Provincies aan alle kanten rammelde. Hij waarschuwde voor de collectieve besluiteloosheid van al die losse provinciale machten: 'De Nederlanders verkeren in de allerellendigste situatie – zwak op alle onderdelen.' Veel was er rond 1776 inderdaad niet meer over van de glorieuze 17e-eeuwse Republiek. Zoals een rebel in Philadelphia opmerkte: 'Holland zelf is van een republiek gewoonweg een aristocratie geworden.'

Omgekeerd was er wel sprake van een voorbeeldfunctie: de Amerikaanse Revolutie vormde een enorme stimulans voor de democratische beweging in Nederland, waarschijnlijk meer nog dan de latere Franse Revolutie. Zodra de Nederlandse Verlichtingsrebellen beseften wat aan de overzijde van de oceaan gaande was probeerden ze iets van die glorie mee te nemen: al snel werd de mythe gelanceerd dat de Amerikanen 'onze' Unie van Utrecht zo ongeveer letterlijk hadden overgeschreven.

Amerika werd vrijwel direct als een broedervolk omhelsd. Het waren de Nederlandse kanonnen van de WIC op Sint Eustatius die op 16 november 1776 als eerste een schip onder de nieuwe Amerikaanse vlag met een saluutschot begroetten. Dat was vier maanden na de Amerikaanse Onafhankelijkheidsverklaring. Geen burgemeester greep in toen het ene na het andere Amerikaanse smokkelschip in de Amsterdamse haven verscheen. Op alle mogelijke manieren werden de rebellen in de daaropvolgende jaren van geld, munitie en wapentuig voorzien. In de schouwburg werd de Schots-Amerikaanse kapitein John Paul Jones na het veroveren van een Engels schip als een held bejubeld. De bankier Jean de Neufville ontwierp met voorkennis van de Amsterdamse burgemeesters zelfs een geheim verdrag met de Amerikanen.

Dat werd de Britten te veel: ze verklaarden de Republiek de

oorlog en blokkeerden de Nederlandse kust. De zieltogende Republiek bood nauwelijks weerstand. Ondertussen haalde Joan Derk van der Capellen 200 000 gulden binnen voor een lening aan het jonge Amerika. Mede dankzij zijn inspanningen onthaalde de Republiek in 1782, als derde land ter wereld, een officiële gezant van de Verenigde Staten, John Adams. De Amsterdamse bankiers leenden hem gretig alles wat hij maar wilde. Dit zou immers het land worden van de toekomst, van de onbegrensde mogelijkheden, van de gerealiseerde Verlichting.

Iets van die euforie valt nog altijd te proeven in een opvallend onderdeel van het Six-archief: de manuscripten en brieven van de Van Winters, een familie die verderop in deze geschiedenis nog een belangrijke rol zal spelen. Nicolaas van Winter, dichter en makelaar in verfstoffen, zou de overgrootvader worden van een nieuwe Jan Six. Een grote invloed had ook zijn latere echtgenote, de dichteres Lucretia van Merken. Beiden waren toonbeelden van de vernieuwing die onder die onbeweeglijke eeuw sluimerde, de zoekende en denkende 18e eeuw, de eeuw waarin de eerste grondslagen werden gelegd voor de grote sociale bewegingen van de 19e en 20e eeuw.

Lucretia was een opvallend moderne vrouw. Ze leefde het grootste deel van haar leven ongetrouwd, ze schreef al vanaf haar jeugd gedichten – Vondel was haar grote voorbeeld – en berijmde later talloze psalmen. De berijming van de alom geliefde psalm 42 ''t Hijgend hert, der jacht ontkomen' was bijvoorbeeld van haar hand.

Tegelijkertijd was ze een politiek dier, ze was gefascineerd door de 'kloekmoedige' vrijheidsstrijd van Amerikanen en door het historische experiment dat daar in gang werd gezet. Neem het emotionele gedicht 'Aan de Britten' (1781):

't Verdrukt Amerika is, daar 't uw glans doet taanen,
Een star, die in ons stelsel daagt.
Held Washington, gesterckt door Fransche Bondgenooten,
Ontrukt zyn Vaderland aan uwe dwinglandij.
Waartoe meer schats verspild? Waartoe meer bloeds
    vergooten?
God spreekt: Amerika is vrij.

Lucretia van Merken groeide op aan de Keizersgracht, als dochter van een welgestelde bonthandelaar. Vrouwelijke schrijvers en dichters hadden in de 18e eeuw de wind mee en dat gold ook voor Lucretia. Haar moeder en haar neef, de dichter Frans de Haes, stimuleerden het jonge talent aan alle kanten en al snel maakte ze furore met gelegenheidsverzen bij geboortes, huwelijken, begrafenissen en andere rituelen.

Toen ze begin twintig was schreef ze haar eerste grote werk: een drama rond een troonopvolging bij de antieke Perzen, *Artemines* (1745). Net als bij Jacob Lescaille, in het 17e-eeuwse Amsterdam, was er ook in de 18e eeuw een boekhandel waar iedereen elkaar trof: de winkel van boekverkoper Pieter Meijer, de uitgever van, onder anderen, Nicolaas van Winter en later ook van Lucretia. Via Meijer raakte ze rond haar veertigste betrokken bij het geheime genootschap Laus Deo, Salus Populo, een groep geestverwante dichters die regelmatig bijeenkwam om aan een alternatief voor de oude en loodzware psalmberijming van Datheen te werken. Voor zover bekend was zij de eerste vrouw die aan zo'n letterkundig gezelschap deelnam. De acht dichters van Laus Deo produceerden in korte tijd de berijmingen van 58 psalmen, waarvan Lucretia er maar liefst 39 voor haar rekening nam. De nieuwe bundel verscheen in 1773, haar psalmen zouden bijna twee eeuwen lang in alle protestantse kerken van het land weergalmen.

Op een portret uit die periode zit ze er zelfverzekerd en bijna olijk bij, een dartel decolleté, druk aan het werk, de tafel vol boeken en papieren, pen in de hand, de ogen op scherp. Haar vriendin de dichteres Sara Maria van der Wilp schreef erbij: 'Al straalt haar vlugge geest zelfs hier door de oogen heen. / Men kent haar beter uit haar vindingrijke dichten.'

Ondertussen had ze zware jaren achter de rug. Toen ze net dertig was verloor ze in korte tijd al haar naaste familie: haar vader in 1754, haar moeder in 1759 en haar twee jaar jongere zuster Wilhelmina in 1760. Ook haar eigen gezondheid was sterk achteruitgegaan: ze bereidde zich, zoals ze later zou schrijven, in 1761 zelfs serieus voor op de dood. Al die ellende schreef ze daarna van zich af in een lang, troostend 'leerdicht' dat begon met de regels: 'Ik zing, door leed geleerd, het nut der Tegenspoeden'.

Het werd een van de meest geliefde dichtwerken van de 18e eeuw. Door haar tijdgenoten werd ze, met Betje Wolff en Aagje Deken, gerekend tot Nederlands belangrijkste schrijfsters. Meer dan driekwart eeuw later jubelde mejuffrouw Van Naslaan in de zedenschets *Camera Obscura* (1839) nog over *Het nut der tegenspoeden*: 'Ik kan je zeggen dat je 't met geen droge ogen lezen kunt.' Maar een ander lid van het gezelschap, de heer Dorbeen, stak er al stevig de draak mee: 'Wat? Het Nut der Regenhoeden?'

Lucretia vond nieuw geluk in haar dichtersgroepje: ze leerde er haar man kennen, Nicolaas van Winter, de echtgenoot van haar vriendin Johanna Mühl. Die overleed in 1768 en kort daarna vroeg Van Winter Lucretia ten huwelijk – uiteraard met een gedicht. Natuurlijk antwoordde Lucretia in versregels. Ze trouwden op 26 september 1768. De bruidegom was vijftig, de bruid zevenenveertig, of het huwelijk ooit is geconsummeerd is de vraag. In een bewonderende brief aan George Washington beschrijft het echtpaar zichzelf als twee mensen die 'meer via het hart dan via het maagdenvlies' zijn verbonden. Maar tot Lucretia's overlijden in 1789 was het een gelukkige en uitermate creatieve verbintenis.

Kort na hun huwelijk besloot het echtpaar zich geheel aan kunst en literatuur te wijden. Van Winter deed zijn Amsterdamse handel in verfstoffen over aan zijn enige zoon, Pieter, die de zaak uitbouwde tot een zeldzaam lucratieve onderneming. Het duo verhuisde naar Leiden, in de zomer leefden ze voornamelijk op hun buitenplaats bij Bijdorp, in de buurt van Zoeterwoude. Een nieuwe fase brak aan. Van Merken en Van Winter brachten hun toneelwerken gezamenlijk uit in twee banden (*Tooneelpoëzij* (1774, 1786)). Lucretia's historische treurspelen, vol ferme helden en sterke vrome vrouwen, ze werden overal opgevoerd.

De grote brand van de Amsterdamse schouwburg, op maandagavond 11 mei 1772, was in deze kringen de sensatie van de eeuw: er vielen achttien slachtoffers, onder wie een aantal bekende notabelen. Ruim twee jaar later, op 14 september 1774, werd de nieuwe schouwburg ingewijd met de première van Lucretia's treurspel over een geuzenheld, *Jacob Simonszoon de*

Rijk. Volgens de *Schouwburg Almanach 1786* was de publieke belangstelling overweldigend, de militaire bewaking kon 'de aanbruisschende menigte' nauwelijks in bedwang houden. In datzelfde jaar werd het echtpaar ereburger van Leiden. Voor het overige koesterden ze hun isolement. Nooit bemoeide Lucretia zich met de opvoering van haar stukken, nooit bezocht ze een repetitie. Ook van de literaire wereld hield ze zich verder afzijdig. Zelfs de jonge Betje Wolff, die grote bewondering koesterde voor Van Merken, lukte het niet om tot haar door te dringen. Later sloeg die waardering om in regelrechte afkeer: ze betitelde Lucretia als de 'afgodin van 't Likkers Veem', de 'vleierskliek' rondom de boekhandel van Pieter Meijer.

Wel schreef Lucretia brieven, bij honderden. In de bibliotheek aan de Amstel liggen mappen vol correspondentie: met haar kunstzinnige stiefzoon Pieter, met vrienden en collega-auteurs, met haar uitgever en met een hele reeks bewonderaars. Een vaste bezoeker, Gerard Vogels, bleef haar zelfs schrijven nadat hij in 1783 naar Philadelphia was geëmigreerd. Zijn wederwaardigheden lezen als een jongensboek.

De overtocht, schrijft hij op 13 december 1783, was niet altijd gemakkelijk geweest, het had flink gestormd. 'Ik zag op het dek gezeten de ijslijk hooggaande zeeën en hoorde het huilen en gieren van de winden door de weinige touwen.' Maar er waren ook schitterende dagen, hij zag 'de walvissen rondom spelen en het water opblazen als fonteinen, een allerverrukkelijkst gezicht'. En de aankomst, pal voor de wind, was ronduit feestelijk: 'Het was of mijn hart mij voorspelde, toen ik op de buitengewoon schone rivier de Delaware kwam, dat ik hier mijn geluk zou vinden.'

Vogels' brieven zijn tekenend voor de triomferende – de Onafhankelijkheidsoorlog was net gewonnen – en tegelijk huiselijke sfeer in de toenmalige hoofdstad van de Verenigde Staten. Vogels moet uitstekende introducties hebben gehad. (Wat trouwens ook iets zegt over de innige betrekkingen tussen de Republiek en de rebelse Amerikanen.) Op de dag van aankomst maakte hij al kennis met een aantal generaals en de 'Continental Treasurer of the 13 United States' en diezelfde dag zag hij 'de grootste Man die ooit op de oppervlakte van dit Wereldrond verschenen is': George Washington. Zijn entourage 'passeerde het koffiehuis dat hier de beurs is, allen kwamen voor de deur, en wanneer de kapitein Morris met alle officieren van de lichte ruiterij aangereden kwam zwaaiden wij allen onze hoeden tot driewerf over het hoofd. En toen kwam de Voortreffelijken Held zelf, gezeten op een ongemeen schoon paard [...] dat mij het paard van Germanicus deed zien.' Washington beloofde de menigte om dagelijks een wandeling door de stad te maken 'om aan de dankbare Amerikanen het genoegen te geven hem te zien'.

Vogels had ondertussen Lucretia's poëtische aanklacht 'Aan de Britten' al laten vertalen. Het viel zeer in de smaak, liet Vogels weten: 'De Amerikaanse helden zeggen de Beroemde Hollandse Dichteres dank voor haar affectie.' In gezelschappen wordt op haar getoost, 'terwijl zij hopen, zeggen zij, dat de twee Republieken altoos als broeders zullen zijn en blijven'.

Lucretia's jonge vriend treft Washington nu regelmatig. Bij de Nederlandse ambassadeur – hij wordt voorgesteld, ze wisselen een paar beleefdheden –, in de kerkbank voor hem, bij een diner en bij een feestelijke muziekuitvoering. Van dat laatste concert – op 9 december 1783 – geeft Vogels een uitvoerige beschrijving, hij stuurt zelfs het programma mee.

Er werd muziek gespeeld van Martini, Brown, Bach, Giardini en Händel. Stil en intens werd er al zelden geluisterd bij concerten, maar hier speelde de muziek helemaal geen rol. Alle aandacht was enkel en alleen gericht op George Washington. Hoewel het 'opgepropt vol was' van de 'schone sekse', had niemand daar enig oog voor, schrijft Vogels: 'Ja, 't was maar zomtijds dat wij op onze meisjes gluurden, zo trok zijne edele aller attentie, het was het schoonste gezicht dat de aard kan opleveren.'

Toen er ten slotte een lied te zijner ere ten gehore werd gebracht, trok Washington zich echter bescheiden terug. Het was gecomponeerd op muziek van Händel, het werd begeleid door de 'allersterkste muziek van pauken, keteltrommels, trompetten, violen, schalmeijen, bas en dwarsfluiten' en het werd gezongen 'met zulk een kracht en genegenheid dat horen en zien je bijna verging, waarop algemeen gejuich en eenparig handgeklap volgde, elk was in verrukking'.

De tekst stond afgedrukt in het programma:

Now the dreadful conflict's o'er
Now the cannons cease to roar
Spread the joyful tiding round
He comes, he comes! With conquest crown'd
Hail Columbia's God-like son
Hail the glorious WASHINGTON.

Lucretia was diep geroerd. Ze schreef zelf nu ook een lang lofdicht op Washington, in het Frans. In het archief liggen meerdere probeersels, het eindresultaat was niet zonder taal- en stijlfouten, maar dat deed er allemaal niet toe.

Celebre Defenseur des droits de ta Patrie!
Soutien des Treise Etats, trop longtemps opprimé
Toi, dont la noble ardeur dompta la Tirannie,
Et retablit la Liberté!

Ofwel: Befaamd verdediger van de rechten van uw Land! / Toeverlaat van de dertien staten, te lang onderdrukt / U, wiens edele ijver de tirannie temde / En de Vrijheid herstelde!

Opvallend is dat Lucretia ook de vrouw van Washington in haar hulde betrok:

Echtgenote van de Held, zijn tederheid waardig!
Ontvangt aan zijn zijde de tekenen van liefde
van het bevrijde volk...

Via Gerard Vogels bereikte het vers inderdaad Mount Vernon, het buitenhuis waar haar Held zich had teruggetrokken. Hij meldde dat Washington helaas de Franse taal niet meester was, maar dat hij dit blijk van achting ten zeerste waardeerde. Een officieel dankwoord bleef echter uit. Lucretia, die in eigen land op handen werd gedragen, pikte dat niet en stuurde haar Franse gedicht – plus een uitvoerige brief – opnieuw in de richting van George Washington.

Ruim een halfjaar later, op 31 januari 1786, kreeg het echtpaar een reactie. Ditmaal verliep de correspondentie via de Franse markies Gilbert de la Fayette, een befaamd revolutionair die allang in Amerika verbleef en die uitstekende contacten onderhield met gelijkgezinden in de Republiek. Washington had hem twee brieven meegegeven: eentje waarin hij zijn spijt betuigde dat zijn eerdere bedankbrief hen nooit had bereikt en een kopie van zijn officiële bedankbrief. Aan de Amstel, in het huisarchief, tuimelen ze nu zo uit de archiefdoos, de twee originele brieven die George Washington met eigen hand schreef, met een rustige, heldere pen. De langste brief is een eenvoudig vel, zonder briefhoofd of opsmuk:

Mount Vernon, 30th March 1785

'Madame,

The honor which your pen had done me, sofar exceeds my merits, that I am at a loss for words to express my sense of the compliment it conveys.'

Ofwel: De eer die uw pen mij laat toekomen gaat zo ver mijn verdiensten te boven dat ik geen woorden vind om mijn gevoelens uit te drukken.

'Ik was, op zijn best, enkel een instrument in de handen van de Voorzienigheid. Met als gevolg, met de hulp van Frankrijk en vele deugdzame Burgers van Amerika, een Revolutie die van belang kan zijn voor de vrijheden van de Mensheid en de ontwikkeling van een Land dat asiel zou kunnen bieden (als we verstandig genoeg zijn om de paden te volgen die leiden tot deugd en vaderlandsliefde) aan de verdrukten en nooddruftigen op aarde.
Ons gebied is uitgestrekt. Onze vlaktes zijn productief, en als ze onbekrompen en verstandig gecultiveerd worden, kunnen we zelf gelukkig zijn en dit alles delen met al degenen die eraan willen deelnemen.'

Mevrouw, uw gehoorzaamste en nederigste dienaar
G. Washington.'

Toen twee jaar later het treurspel *Germanicus* in het Frans was vertaald stuurde Lucretia onmiddellijk een exemplaar aan

Gilbert de la Fayette en George Washington. De la Fayette antwoordde in bloemrijke bewoordingen, Washington liet een secretaris een standaardbedankje schrijven – iets over de muzen die respect verdienen 'in alle landen waar de letteren en de beschaving enige voortgang hebben geboekt'. De Grote Held had, dat was duidelijk, Lucretia's stuk zelfs niet ingezien.

Gerard Vogels trouwde al snel met Elizabeth Moulder, 'het schoonste meisje [...] dat in de stad Philadelphia is', de dochter van kolonel Joseph Moulder, een van de helden bij de slag om Trenton. Hij bleef Lucretia van Merken trouw schrijven, al deden de brieven er vaak maanden over, tot haar dood op 19 oktober 1789. Hij was zeer aan haar verknocht – zijn dochtertje kreeg de namen Sara Lucretia, naar haar Amerikaanse grootmoeder en de dichteres waarmee hij zich zo verwant voelde.

Na een succesvol begin gingen zijn zaken echter minder goed. Hij was 'overwelmd' door tegenspoed, schreef hij op 9 mei 1792, hij was het slachtoffer geworden van 'een monster in schijn van een opregt en deugdzaam man, in wien ik als een vriend en van mijn Vaderland afkomstig vertrouwen stelde'. Deze oplichter had hem en een paar Hollandse vrienden, die nog niet zo 'met de omstandigheden van dit land' bekend waren, in een groots project betrokken 'met de finesse van een huichelaar volleerd in schelmstukken'. Ook een paar Engelse kennissen had hij zo beroofd, nu 'leeft hij in grootse staat'. Maar met God's hulp, zo schreef hij, 'zal ik mijzelf boven mijn Lot verheffen en mij te leren vergenoegen en te berusten in den Wil van den grooten Albestierder'. Hoe het hem verder verging is onbekend.

Lucretia van Merken bleef krachtig aanwezig – althans op papier. Bij haar overlijden in 1789 regende het lofdichten:

De grootste dichters, wie 't licht ooit straalde in de oogen
Het wonder van Euroop', van d' aard
Van Merken, 't beeld der godheid waard...

Ze kreeg een epitaaf, een speciaal grafschrift, in een muur van de Oude Kerk. In de bibliotheek van huize Six beslaan haar verzamelde werken, in allerlei edities, zeker twee boekenplanken. Voor in een in leer gebonden bundel *Tooneelpoëzij* staat opeens met heldere hand een opdracht: 'Aan mijn kleindochter Lucretia Johanna van Winter.' Verdraaid, ze moet die andere Lucretia als klein meisje inderdaad nog hebben meegemaakt, het dochtertje van haar stiefzoon Pieter van Winter. Over haar zullen we meer horen.

En dan zijn er nog die handvol stokoude Amerikaanse staatsobligaties die opeens ook uit de archiefmappen tevoorschijn komen. Ze staan op naam van Pieter van Winter. 500 dollar in 1794, 1300 dollar in 1796, 1400 dollar in 1797, met de grote krulletters van notaris Robert Henry Dunkin in het verre Philadelphia: 'And I went to the Office of the Register of the Treasury of the United States and there exhibited the original Certificate...'

Ja, de familie bleef de Amerikaanse vrijheid trouw.

XIV

Liberté, égalité, fraternité

In een zijkamer hangt een opvallend schilderij van de hofschilder Esaias van de Velde uit 1625: het bezoek van de prinsen van Oranje en de koning van Bohemen aan de kermis van Rijswijk. De hoge heren rijden trots en plechtig door het dorp, er rennen hazewindhonden rond de stoet, de dorpsnotabelen staan onder een boom te kijken, het is een feestelijke zomerdag.

Dat is, ogenschijnlijk, het tafereel. Wie scherp blijft kijken ziet echter steeds meer details: twee heren in een bootje – eentje is herkenbaar als de schilder –, een bedelend jongetje, een vechtpartij, een figuur die kotsend uit het raam hangt en in een hoek – ooit afgedekt door een brede lijst – zelfs een poepend mannetje. Het publiek heeft, opvallend genoeg, vrijwel geen aandacht voor de prinselijke stoet, de mensen luisteren aandachtig naar een kwakzalver. Even verderop loopt een verkoopster met een mand met molentjes.

Het is, kortom, een schilderij vol verborgen codes. Grofweg vertaald betekenen ze: de schilder is door notabelen van Rijswijk letterlijk 'in de boot' genomen – ze hebben een opdracht gegeven maar het schilderij blijkbaar nooit betaald; ze zijn krenterig, ze kijken pal over het bedelende jongetje heen; het zijn slechte bestuurders – kotsen en poepen op straat, het wordt allemaal getolereerd; ze zijn niet wijs bovendien, ze 'lopen met molentjes' zoals het gezegde luidt.

Het tafereel verbergt echter ook een sneer naar de Oranjes: de mensen zijn totaal niet in hen geïnteresseerd, ze luisteren liever naar een kwakzalver. Bij een recente restauratie kwam bovendien, tussen de adellijke hazewindhonden, een bruinwit straathondje tevoorschijn. Het bastaardhondje was ooit door een goede verstaander vakkundig weggeretoucheerd, het verwees immers naar de amoureuze escapades van prins Maurits, een notoire versierder.

Hoe dit rebelse schilderij in de Collectie Six belandde valt niet meer na te gaan, maar ik kan me voorstellen dat een man als Pieter van Winter het graag aan zijn bezoekers zou hebben getoond. Het demonstreert immers de latente onvrede die ook toen al speelde, zowel jegens de regenten als jegens de Oranjes, een sluimerende veenbrand waarin de Van Winters hun eigen rol speelden en die aan het eind van de 18e eeuw de hele Republiek in vuur en vlam zou zetten.

Het begon in de kranten en de koffiehuizen. De meningsverschillen konden daar hoog oplopen: over de economie, over de regenten, over de rol van de Oranjes, over democratie, slavernij, vrijheid, over God en natuur. Moesten de steden en de gewesten nog wel zoveel macht hebben? Moest er niet een nationale eenheid komen – ook om de macht van de Oranjes en de andere aristocraten te breken? Waren alle mensen niet gelijkwaardig, waren we niet allen broeders en zusters?

Soms ontstonden er relletjes, maar over het algemeen werden de discussies niet op de spits gedreven. Allen streefden immers naar een gemeenschappelijk vaderland van eensgezinde burgers? Lucretia en haar geestverwanten droegen die boodschap tot in den treure uit. Iedereen, aldus een tijdgenoot, begon zich in die jaren 'in sociëteiten of elders met het patriottisme bezig te houden'.

Gaandeweg begonnen symbolen belangrijk te worden. De behoudende 'Oranjeklanten' kwamen voor een belangrijk deel voort uit de lagere burgerij, daarbij gesteund door de rechtzinnige predikanten. Ze droegen oranje linten, thee werd gedronken uit kopjes met het portret van het stadhouderlijk paar, tabaksdozen waren versierd met een oranjeboompje. De befaamde Engelse pottenbakker Josiah Wedgwood deed goede zaken met reukflesjes en portretmedaillons met afbeeldingen van de stadhouderlijke familie.

Hun tegenstanders – 'kezen' – hanteerden, op exact dezelfde manier, het symbool van de trouwe keeshond. Hun aanhang bestond vooral uit ontwikkelde burgers – wat hen betreft was de tijd rijp voor een wisseling van de macht. Voor hen had Wedgwood ook het nodige in de aanbieding: bustes van hun helden, zoals Hugo de Groot. Zelfs in het huis aan de Amstel stuit je nog op de resten van die verbale burgeroorlog: mappen met brieven, toneelstukken van Lucretia van Merken, een drinkglas met een keeshond die tegen een oranjeboom pist.

We moeten het belang van deze stille burgerstrijd niet onderschatten. Deze periode was een soort broedfase, een periode waarin ons hele moderne politieke kader werd uitgedacht en gevormd: burgerlijke rechten en vrijheden, een scheiding der machten, een democratische volksvertegenwoordiging en een gevoel van nationale eenheid.

Het waren de jaren waarin de jonge Gijsbert Karel van Hogendorp, de man die later de eerste Grondwet voor het nieuwe Koninkrijk Nederland zou schrijven, een reis door de piepjonge republiek Amerika maakte en daar discussieerde met Thomas Jefferson en George Washington – Washington vond hij overigens maar een 'koude, pietluttige, slijmerige man', met Jefferson kreeg hij het al snel aan de stok over de slavernij. Maar hij leerde veel tijdens die rondreis in 1783-1784.

Het was ook de periode waarin het eerder genoemde pamflet van Joan Derk van der Capellen, *Aan het Volk van Nederland* (1781), het hele land op zijn kop zette. Tussen de andere schrijfsels uit die tijd valt het stuk onmiddellijk op, alle omfloerstheid en hoffelijkheid is verdwenen, de woede spat eraf. Met grote stappen jaagt de auteur door de vaderlandse geschiedenis, vanaf de vrije en moedige Batavieren tot en met de konkelende en onbekwame stadhouder Willem v. Eén thema keert voortdurend terug: de beknotting van de burgervrijheid door de Oranjes. 'Hebt gij, o Willem, niet door ons hele land Uw spionnen, aanbrengers en verklikkers, die zich in alle gezelschappen weten in te dringen en ons van de genoegens van een gulle, openhartige samenleving beroven? Zijt gij 't niet, die onze hele natie daardoor vreesachtig, achterhoudend en geveinsd gemaakt hebt en haar rondborstig, eenvoudig en oud-Hollands karakter en bestaan hebt bedorven?'

Aan het Volk van Nederland was de frontale aanval op de heersende machten waar iedereen op wachtte. Van der Capellen riep het Nederlandse volk op om, in navolging van de Amerikaanse burgermilities, een soort alternatieve schutterijen te vormen om de burgerrechten te verdedigen: 'Wapent u allen, verkiest zelf degenen die u bevelen moeten gaan en gaat in alles met kalmte en bescheidenheid te werk.'

De oproep werd met groot enthousiasme begroet, overal in steden en gewesten werden 'vrijkorpsen' of 'exercitiegenootschappen' opgezet, er werd geoefend en geparadeerd, er waren optochten en massale landelijke toogdagen – het aantal deelnemers liep op tot dertigduizend –, de kezen voelden zich oppermachtig. Vanaf 1784 kwam het overal tot kleine schermutselingen, in diverse steden namen patriotten de macht over, hier en daar werd de vroedschap onder toezicht gesteld van 'burgergecommitteerden'. De stadhouder voelde zich in Den Haag niet meer veilig – hij verhuisde naar Nijmegen.

In Amsterdam ontstond groot kabaal toen de redacteur en de uitgever van het patriottische blad *De Politieke Kruyer* werden opgepakt omdat zij de burgemeesters belachelijk hadden gemaakt. De krant bleef gewoon verschijnen, beide mannen werden al snel weer vrijgelaten, ze waren de helden van de dag. In de herbergen en koffiehuizen ging het ondertussen wild toe. 'Tussen de honderd en tweehonderd personen, half verstikt door pijpendamp en genever, schreeuwden hun gevoelens over staatszaken uit,' noteerde een jeugdige ooggetuige. Dit was politiek op zijn Amerikaans!

De patriotten hadden het tij mee. De oorlog met de Britten was rampzalig verlopen – eigenlijk wilde Van der Capellen via zijn pamflet vooral dat debacle aan de kaak stellen – en ook als handelsmacht speelde de Republiek geen rol van betekenis meer. De wanen van Van Beuningen waren ten slotte toch werkelijkheid geworden. De VOC had het grootste deel van de 18e eeuw gefunctioneerd als een 'ponzifraude', een soort piramideschema: het concern bleef royale dividenden betalen, maar sinds 1737 bleven de inkomsten steeds verder achter bij deze uitgaven. Het ontbrekende geld werd gewoon geleend en dankzij de solide naam van de VOC ging dat decennialang goed. Pas tijdens de laatste Engelse Oorlog – de vierde – stortte het kaartenhuis ineen: de VOC leed een directe schade van zeker 20 miljoen en verdiende bovendien jarenlang geen cent. Vanaf 1783 werd er geen dividend meer uitgekeerd.

De Amsterdamse kooplieden hadden al eerder klappen gehad: in 1763 was, tijdens een vroege mondiale crisis, het grote koopmanshuis van de gebroeders De Neufville failliet gegaan. Daardoor zijn, zo schreef Bicker Raye, 'wel vijf en twintig braave kooplieden gefaljeert, en honderden menschen so niet gerenuweert, ten minste in seer groote schaaden gevallen'. Tien jaar later ging het bankiershuis Clifford ten onder, ook in deze val werden verscheidene handelshuizen meegesleept.

Nu, met de neergang van de VOC, ging het niet meer om losse incidenten. De stadselite werd zuinig en voorzichtig, als men al het hoofd boven water kon houden. De gemiddelde waarde van de grachtenhuizen vloog omlaag. In 1739 stond de zogenaamde Herengracht-index – de gemiddelde koopprijs van de huizen aan de Herengracht vanaf 1650 tot heden, gecorrigeerd voor inflatie – op 200, in 1799 op 50. De buitenplaatsen werden op grote schaal verkocht. Het was kaalslag, in letterlijke zin: ene Frederik Kaal verdiende fortuinen door landgoederen voor een habbekrats op te kopen, ze te slopen en vervolgens forse winsten te maken op de stenen, het hout en de vruchtbare tuingronden – die samen veel meer waard waren. Van de vele tientallen schitterende buitens rondom Amsterdam bleef slechts een enkele overeind.

De onttakeling van deze elegante wereld maakte de rentenierende Jan net niet meer mee, in 1779 gleed hij weg uit deze geschiedenis. Van zijn zoon Jan bestaat er zelfs geen portret. Enkel een zwart silhouetje is van hem bewaard gebleven, het profiel van een wat bollige man met kort haar, dat is alles. Toen hij zijn vader opvolgde was hij nog geen drieëntwintig. Hij zat al vroeg, als commissaris, in de stadsregering, op zijn achtentwintigste was hij schepen, daarna braken onrustige tijden aan, ook voor hem.

Oranjeklanten waren de Sixen bepaald niet, zeker nadat Willem IV grootvader Six in 1748 uit al zijn ambten had gezet. Maar patriotten? De Sixen waren al jaren lid van een exclusieve regentensociëteit, het College in de Munt. De heren kwamen vanaf het midden van de 18e eeuw bijeen in een bijgebouw van de Munttoren, waar ze van de kastelein een paar vaste kamers huurden. De aanstormende nieuwe elite had echter, naast Felix Meritis, een eigen sociëteit opgericht, Doctrina et Amicitia – de voorloper van de Groote Club. Dat was de echte 'Keezenclub', alle leden van het eerste uur waren, aangevoerd door de arts Cornelis Krayenhoff, overtuigde patriotten. Op die ledenlijst kwamen de Sixen niet voor, zij bleven bij de oude regentenfamilies in De Munt.

Toch flirtten veel leden van de Amsterdamse regentenelite aanvankelijk met de rebellen, vooral de jongeren. Ze lazen de pamfletten en deelden vaak het enthousiasme voor de Amerikaanse revolutie. De regenten zagen in de patriotten een natuurlijke bondgenoot tegen hun klassieke tegenstanders, de Oranjes. Ook in de familie Six liep zo'n vurige patriot rond, Jan Bernd Bicker, de zwager van Jan, getrouwd met diens oudste zuster Catharina Six. Al snel bekoelde echter de sympathie – veel eisen van de patriotten waren immers minstens zo gevaarlijk voor de regenten als voor de Oranjes. Vermoedelijk was deze Jan, als het erop aankwam, een typische 'waggelmus'.

'Ontheemd' is misschien wat te dramatisch, zo schrijft de biograaf van de familie Teding van Berkhout, 'toch maakt de generatie die nu aantreedt, voortgekomen uit de laatsten der republikeinen en gaande over de drempel van het Koninkrijk der Nederlanden, een enigszins verdoolde indruk'. Moesten regenten als Jan meegaan met de democratische eisen van de patriotten? Of moesten ze kiezen voor het centrale gezag van de Oranjes en zo de autonomie van hun stad en gewest – hun eigen machtsbasis – loslaten?

Sommigen maakten een duidelijke keuze. Bijvoorbeeld Cornelis van Lennep, schepen, vroedschapslid en, zoals men zei, 'aristocraat onder de patriotten'. Hij was volledig thuis in de klassieken van de Verlichting – Voltaire, Rousseau, Diderot –, toch gold hij als een gematigd man. Aan de andere kant stond een regent als Joachim Rendorp van Marquette, vijfmaal burgemeester, een conservatief die moeizaam zijn weg probeerde te vinden in de stroom van nieuwe denkbeelden. Hij werd in zijn laatste jaren beschimpt als 'aristocraat' – hij vond die titel terecht. Maar hij was allesbehalve een aanhanger van Oranje, hoewel hij, zoals een tijdgenoot schreef, 'geleidelijk overging van een beperkt Amsterdamsch tot een nationaal standpunt en aan de zijde van de Prins kwam te staan'.

In 1787, twee jaar voor het uitbreken van de Franse Revolutie, grepen de Amsterdamse patriotten hun kans. Hun vrijkorpsen bezetten de Dam en eisten een 'zuivering' van de vroedschap. Dat gebeurde prompt, negen prinsgezinde leden werden vervangen door patriotten. Onmiddellijk reageerde de stadhouder: de oude situatie moest direct worden hersteld, anders zou hij ingrijpen. Het effect van zijn 'Declaratoir' was averechts: overal braken rellen uit, een Oranjegezind koffiehuis werd bestormd, net als het huis van burgemeester Rendorp. Diens collega, burgemeester Jacob Elias Arnoudsz, had de hele nacht geen oog dichtgedaan, schreef hij aan een vriend. 'Dog ik heb geen quaad vernoomen, als eens ten half twee een ijslijk geschreeuw van verre en 't geen een aakelig geluid gaf, 't verkeerd draayen van de ratels van de wagts, roepende alarm, alarm.' Her en der werden wapenschilden van de gevels weggebeiteld – wellicht is toen ook het fiere familiewapen van de Sixen boven aan de voorgevel van Herengracht 495 verdwenen.

De Oranjeklanten lieten dat niet op zich zitten, ze barricadeerden zich op het eiland Kattenburg en op 30 mei 1787 vond er zelfs een heus veldslagje plaats – de patriotten wonnen. Hun bewind duurde niet lang. De koning van Pruisen – de zwager van Willem v – schoot de Oranjes te hulp. Tegen zijn gedisciplineerde legermacht was geen patriot opgewassen, de

Oranjes betrokken opnieuw hun Haagse paleizen en binnen een maand hadden de oude regenten hun zetels in de vroedschap weer ingenomen.

Voor de patriotse Jan – laat ik hem toch maar zo noemen – was het jaar 1787 ook om andere redenen belangrijk: hij trouwde en hij verhuisde. Hij was eenendertig, zijn bruid, Johanna Maria Hop, was net achttien. Ze was op haar vijftiende getrouwd met burgemeesterszoon Pieter Hooft, twee jaar later was ze al weduwe.

Jan bond de Sixen zo aan de bekende regentenfamilie Hop. De vader van de bruid was Jan of Johan Hop, dezelfde die tijdens de ijskoude winter van 1740 zo verlangde naar een 'aengename bijslaap'. De kapitale zilveren terrines in de familiecollectie, het 'Hopzilver', komen bij hem vandaan, hij kreeg ze bij zijn afscheid als raad en thesaurier-generaal van de Unie. Johanna's oom, baron Hendrik Hop, ging de wereldgeschiedenis in als de uitvinder van het Haagse hopje, een populaire zoetigheid van koffie-extract.

In datzelfde jaar verkocht Jan het familiehuis, amper dertien jaar nadat hij als jongetje zelf de eerste spijker had geslagen voor de kapitale verbouwing. Waarschijnlijk trok hij in bij zijn vrouw: in de 'herenboekjes' van die tijd is zijn adres Keizersgracht 'tegenover de Gouden Ketting', het huidige nummer 263. Eind 1791 verhuisde hij opnieuw, naar Herengracht 572. Als ik nu langs deze huizen wandel, begrijp ik waarom: beide huizen zijn hooguit half zo groot als het kapitale Herengracht 495. Dit was, onmiskenbaar, een flinke stap terug.

De oorzaken? De familieoverlevering wijt de neergang vooral aan de vorstelijke levensstijl van de rentenierende Jan. Dit klopt echter niet met de stukken rond zijn nalatenschap: die bedroeg, volgens de boedelscheiding op 12 maart 1783, maar liefst 1884367 gulden en 10 stuivers, een kapitale som, zelfs al moest die worden verdeeld tussen zijn weduwe en zijn vier kinderen. Het is mogelijk dat de Sixen kort daarna een paar harde klappen opliepen, bijvoorbeeld rond het stagnerende Hillegomse project. Ik heb daar echter niets over kunnen terugvinden.

Er kan ook sprake zijn geweest van 'angstkrapte', een almaar toenemende zuinigheid om het familievermogen in tijden van crisis koste wat kost overeind te houden, een fenomeen dat maar al te bekend is binnen de muren van adellijke en patriciërshuizen. Daartoe was rond 1790 inderdaad alle reden: de voc ging failliet, grote handelshuizen liquideerden, duistere tijden braken aan. Veel verstandige mensen begonnen hun uitgaven sterk te verkleinen, ook als ze beschikten over aanzienlijke vermogens: in hun nieuwe bestaan stond status niet meer centraal, maar vermogensbehoud. Nog altijd leefden zulke families op stand, nog altijd waren er diners en partijen, maar door de week aten ze regelmatig linzen en gort. Hoe het ook zij, ook de familie Six ontsnapte blijkbaar niet aan de algemene neergang.

De mislukte patriotse revolutie had de verhouding tussen Amsterdam en de stadhouder ondertussen op scherp gezet – even had de stadhouder zelfs gedreigd om de stad te belegeren. Zoals Cornelis van Lennep na afloop aan zijn vrouw schreef: 'Doch ik moet U, lieve schat, tegelijk zeggen, dat schoon wij dan wat lugt hebben, en weder vrij aademhalen kunnen, de zaaken dan nog niet afgedaan zijn en dat er zoo met den Heer Stadhouder, als met de Vergadering van Holland in 's Hage noch al vrij wat te schikken zal vallen.'

In deze situatie nam Jan twee jaar later zitting in de vroedschap. Ik weet niet of zijn rol daar van enige betekenis was. Van de vergaderingen bestaan geen nauwkeurige notulen, welke standpunten hij innam zullen we nooit weten. Erg spannend was het niet, de vergaderingen gingen over belastingen, tabak, Suriname, defensie, de voc, een verzoekschrift van de spekslagers, een 'tractement' voor de 'Heer Erfprins van Oranje-Nassau' van 10 000 gulden, de losplaats van tabak 'binnen de palen', de opgave van 'Huiselijke Dienstboden' en meer. Rond 1790 begon men te noteren wie aanwezig was – Jan ontbrak regelmatig.

De Amsterdamse regering had sowieso weinig of niets meer in te brengen, 'spionnen, aanbrengers en verklikkers' maakten overuren, na 1787 zette Oranje overal de toon. Prominente patriotten gingen in ballingschap. Oranjegezinde regenten verboden zelfs de opvoering van het drama van Lucretia van

Merken, *Jacob Simonszoon de Rijk*. Het stuk speelde tijdens de Opstand tegen Spanje, maar het riep zoveel gevoelens op – de toeschouwers waren allen 'vol van de grootheid en gevoelens van Vrijheid' – dat verdere voorstellingen haastig werden afgelast. Aagje Deken, de compagnon van Betje Wolff, moest zelfs naar Frankrijk uitwijken – waar ze prompt ook weer in problemen kwam omdat ze protesteerde tegen het gebruik van geweld. Het grafmonument van Joan Derk van der Capellen – die op 42-jarige leeftijd was overleden – werd opgeblazen na een dichterlijke oproep van een fanatieke orangist:

Kunt gij 't vervloekte asch van 't hoofd der muitenaren,
O stille grafspelonk, verbergen onder de aard?
Kunt gij het stinkend lijk der snoodste guit bewaren?
O nee, spuw uit die romp, zij is geen rustplaats waard.

In 1789 was in Frankrijk de revolutie werkelijk losgebarsten. Al snel probeerden de nieuwe Franse machthebbers hun revolutionaire elan te exporteren naar het buitenland. Eerst naar de Zuidelijke Nederlanden, daarna rukten ze ook op naar de Republiek. Tijdens de extreem koude januarimaand van 1795 trokken de Franse troepen probleemloos over het ijs van de grote rivieren. Van een waterlinie hadden ze ditmaal geen last, bovendien werden ze overal door juichende patriotten als bevrijders binnengehaald. Stadhouder Willem v glipte weg naar Engeland, patriotten bezetten de machtsposities, de Fransen vonden alles best als de Hollanders maar betaalden voor hun 'bijstand': 100 miljoen gulden – omtrent 4 à 5 miljard hedendaagse euro.

In Amsterdam stonden de kisten met kokardes al klaar, de machtsovername die volgde was koud en zonder bloedvergieten. In de namiddag van zondag de 18e januari verscheen de patriotse leider Cornelis Krayenhoff – die, na een korte ballingschap, weer met het Franse leger naar het noorden was getrokken – bij de Weesperpoort. Hij reed door de wit besneeuwde stad naar de garnizoenscommandant, eiste namens 'het Bataafse volk' het commando op, werd onthaald met warme spijzen en drank, en tegen het eind van de avond had de dokter de macht overgenomen.

De volgende ochtend om negen uur vond op het stadhuis de officiële machtsoverdracht plaats. Overal vroor het, in de vroedschapszaal schoof iedereen zijn stoel aan om zo dicht mogelijk bij het vuur te zitten. De voorzitter van het burgercomité, Rutger Jan Schimmelpenninck, sprak de burgemeesters en de vroedschap – waaronder Jan – uitermate hoffelijk toe, bedankte hen voor de bewezen diensten en verklaarde hen, uit naam van de burgerij, van alle functies ontheven. President-burgemeester Straalman verklaarde vervolgens 'aan de begeerte des volks' te zullen voldoen. Als laatste officiële daad overhandigde hij de sleutels van de stad aan de nieuwe machthebbers.

Zo kwam er op die ijzige maandagochtend een plotseling einde aan de glorieuze republiek Amsterdam.

Het ging allemaal razendsnel. Ik stel me voor dat Jan en zijn mederegenten totaal verbluft in hun sleden en koetsen stapten. Het was een brave revolutie, maar het was wel degelijk een ingrijpende omwenteling. Op de Dam had zich een kleine menigte verzameld, er werd in de vrieskou wat gejuicht en gedanst rond een dennenboom die de Fransen uit de Watergraafsmeer hadden meegepikt, de Marseillaise werd gezongen. Nu kwamen er andere tijden!

In werkelijkheid kwamen er, allereerst, vooral zorgen. In 1794 bedroeg de opbrengst van de Amsterdamse handelskonvooien nog 719 000 gulden. Twee jaar later was die gekelderd tot 55 000 gulden. De Engelsen hadden een blokkade ingesteld, de koloniën waren onbereikbaar geworden, bondgenoot Frankrijk zoog het land verder leeg, banken en handelshuizen stortten in, de Amsterdamse geldmachine viel stil.

Ik stuit in het archief op een viertal kwitanties uit 1797, 'liefdegaven' ter ondersteuning 'van de circa 1100 Noodlijdende Huisgezinnen, zijnde afgedankte Werklieden van 's Lands en O.I. Comp. Werven'. De Sixen hielden het bij bedragen van 10, 20 gulden.

'Vrijheid, gelijkheid en broederschap', dat was het motto in al deze armoede. Het woord 'heer' was uit de spreektaal verdwenen, 'baron en schoenlapper burgerden tegen elkaar op dat het een plaisier was,' schreef de Zwolse handelaar en ambtenaar Jacob Serrurier in zijn ironische herinneringen aan die tijd. Het revolutionaire elan liep echter snel vast. Wie gehoopt had op een 'vet ambt of een sortabel pensioen', zoals in de oude tijden, kwam bedrogen uit. Een groot deel van de patriotten bleef dus 'morren, woelen en schreeuwen'.

Op 1 maart 1796 werd in de balzaal van het voormalige stadhouderlijke kwartier aan het Binnenhof de eerste Nationale Vergadering geopend, het begin van de Nederlandse eenheidsstaat. (Diezelfde zaal bleef tot het eind van de 20e eeuw hét centrum van de Nederlandse politiek.) Driekwart jaar later, op 2 december 1796, werd de Bataafse Republiek uitgeroepen. Eén principiële kwestie werd al direct geregeld: Kerk en Staat waren voortaan gescheiden, waardoor er een einde kwam aan de bevoorrechte positie van de Hervormde Kerk. Het was het begin van de langzame emancipatie van joden, katholieken en andere groepen die in de republiek nooit meetelden.

Over de constructie van die Nederlandse eenheidsstaat ontstond echter al snel een chaotisch gehakketak. De radicale 'Bataven' streefden naar één grondwet voor de hele Republiek, met afschaffing van alle oude stedelijke en gewestelijke privileges. Andere volksvertegenwoordigers – onder wie Jan's zwager Jan Bernd Bicker – hadden daar echter grote moeite mee. Met name de Amsterdammers wilden de lokale en provinciale autonomie zo veel mogelijk handhaven. Alleen zaken 'zonder welke de veiligheid en het geluk der geheele Republicq niet kan bevorderd worden' moesten centraal worden geregeld, de rest moest in hun ogen zo blijven als het was.

Uiteindelijk werd de kwestie opgelost door een kleine staatsgreep van 'Vijftig Vertrouwelingen', gesteund door de Fransen. Op 22 januari 1798 werden tweeëntwintig leden van de Nationale Vergadering, ondanks alle 'vrijheid' en 'gelijkheid', simpelweg opgepakt vanwege hun dwarse standpunten. Jan Bernd Bicker werd een paar maanden opgesloten in Leeuwarden. Nog eens zesendertig andere leden traden, met schrik in de benen, haastig af.

De overgebleven leden konden nu probleemloos een grondwet aannemen die volledig strookte met hun eigen inzichten: een politieke eenheidsstaat, stemrecht voor zelfs de lagere klassen, scheiding der machten. De nieuwe Nederlandse natie sloot niemand buiten, integendeel: 'De maatschappij ontvangt alle vreemdelingen die de weldaden der vrijheid vreedzaam wenschen te genieten in haar midden verleenende denzelven alle zekerheid en bescherming.' Het lukte alleen niet om, in het spoor van de nieuwe *Verklaring van de Rechten van de Mens*, ook de slavenhandel te verbieden. Dat neemt niet weg dat deze *Staatsregeling voor het Bataafsche Volk*, die op 1 mei 1798 werd afgekondigd, geldt als de eerste Nederlandse Grondwet. Het was, afgezien van de slavenhandel, meteen ook de mooiste.

Voor Jan betekende deze revolutie het definitieve einde van de wereld waaraan de Sixen vier generaties lang vrijwel al hun macht en invloed hadden ontleend: het systeem waarbinnen deze regentenfamilies huwelijken en allianties hadden gesloten, ambten hadden verdeeld, gunsten hadden ontvangen en verleend. Het was de basis geweest waarop hun traditie en hun voortbestaan rustten. En het was de autonomie van de Republiek Amsterdam die hun daartoe de vrijheid en de ruimte had gegeven.

Dat was allemaal voorbij. Niet meer de familie – of de maagschap – telde, maar het individu. En voor een eigen lokale Amsterdamse politiek was in het nieuwe stelsel evenmin nog ruimte. Op 15 maart 1798 werden de laatste stedelijke bestuurders ontslagen en vervangen door een, van bovenaf benoemde, 'municipaliteit' van vijfentwintig leden. Tot 1824 werden er in Amsterdam geen raadsverkiezingen meer gehouden. Wel vond er in september 1801 opnieuw een staatsgreep plaats, mede op instigatie van Napoleon Bonaparte, die in 1799 in Frankrijk aan de macht was gekomen. Deze veldheer ontpopte zich steeds meer tot een overgangsfiguur, hij pendelde tussen het Europa van de oude regimes en het Europa van de moderne staten. Zoals de Napoleon-biograaf Patrice Gueniffey schrijft: 'De revolutie schudt alles door elkaar. Napoleon raapt de brokstukken bijeen en tuigt een nieuw Frankrijk op.'

Dat gold ook voor Nederland. Onder druk van Parijs ontstond hier eveneens een politiek van verzoening. Al te revolutionaire projecten werden teruggedraaid, de voormalige stads- en provinciegrenzen werden in ere hersteld en veel oude regenten – inclusief de orangisten – kregen weer een kans op het stadhuis. Dankzij de nieuwe grondwetten van de patriotten konden nu echter ook vooraanstaande joodse, katholieke, doopsgezinde en andere dissidente families volop aan het maatschappelijke en politieke leven deelnemen. Bovendien ontsloeg de stadhouder in ballingschap, Willem v, de regenten van de eed van trouw die ze aan hem hadden afgelegd. Dat maakte ook voor hen de weg vrij om toe te treden tot het nieuwe bestel.

Er ontstond zo een interessante vermenging van oude en nieuwe elites, een pacificatie die voor het verloop van de 19e eeuw grote gevolgen zou hebben. In Amsterdam verschenen in 1803 opeens weer ettelijke oude namen in de 'raad' – de opvolger van de vroedschap: De Graeff, Huydecoper, Backer, Elias, Van Lennep, en ook Jan Six. Begin 1805 werd Jan zelfs voor een jaar wethouder – toen een totaal nieuw ambt. Het hield in de praktijk weinig in, eigen beleid was vrijwel niet mogelijk, alle instructies kwamen van hogerhand. De bewaard gebleven besluitenlijsten geven een indicatie: de vergaderingen gingen alleen nog maar over bepaalde belastingen, over de opheffing van de gilden, over de oprichting van een stedelijke burgerwacht en over de snel stijgende huishuren. In december was Jan al niet meer aanwezig, zo blijkt uit de presentielijsten.

Ook het landelijk bestuur bleef uitermate zwak. De heren vergaderden van elf tot één en waren, aldus een goed ingelichte Serrurier, de rest van de tijd 'op de Sociëteit achter de speeltafels' te vinden. Er werd 'niets uitgevoerd; men leefde zonder zorg en er was geen haast bij enig werk'. In Amsterdam lag de handel vrijwel plat. In 1806 was de Bataafse Revolutie uitgebrand: Napoleon maakte een einde aan de Republiek en benoemde zijn broer, Lodewijk Napoleon, tot nieuwbakken Koning van Holland.

Als bij toverslag was het woord 'republiek' taboe, zo meldt Serrurier. Iedereen probeerde bij het hof te komen, overal doken opeens edellieden op, er werden 'verbazend veel nieuwe ambten gecreëerd', her en der werden paleizen vertimmerd en in de nieuwe empirestijl gedecoreerd.

Het grootste project betrof het nog altijd indrukwekkende

Amsterdamse stadhuis dat in 1808 binnen enkele maanden werd omgebouwd van stadskantoor tot paleis. De stad had het gebouw aan de nieuwe vorst 'tijdelijk' in 'bruikleen' gegeven – een beslissing die nooit meer werd teruggedraaid.

De nieuwe vorst had grote ambities en kwaliteiten, hij was bepaald niet de vazal die zijn broer wenste. In 1810 werd hij alweer onttroond. Het was nu, schrijft Serrurier, voor iedere ambtsdrager 'sauve qui peut'. Principes telden niet meer, men 'vleide de Fransche ambtenaren en zocht ook voor zichzelve een Ambtje daar op te halen'. Het Koninkrijk Holland werd simpelweg ingelijfd bij Frankrijk, het oude rechtssysteem werd vervangen door de moderne Franse Code Civil, Code Pénal en Code d'Instruction Criminelle (de basis van de huidige wetboeken voor burgerlijk en strafrecht) en op 9 oktober 1811 kwam de keizer zelf op bezoek in 'zijn' Amsterdam, 'de derde stad van het Keizerrijk'.

Bij de Muiderpoort reed hij op een wit paard de stad binnen, omringd door een erewacht. Overal stonden juichende burgers en soldaten, de straten waren versierd met erebogen en groene guirlandes, boven op het Paleis op de Dam wapperde een enorme Franse vlag. De keizer werd vereerd met een boottocht, een bal, een schouwburgvoorstelling en een ceremoniële ontvangst – en hij maakte ook nog een wandelingetje door de stad. Voor welke plechtigheden kregen de Sixen een invitatie? In het archief is er niets over bewaard – wat veelzeggend is. Want de familie zal zeker van de partij zijn geweest.

Jan was nu geen ambachtsheer meer, jonker was hij ook niet, hij was nu enkel nog burger. En 'maire' van Hillegom. Beter gezegd: de plaatselijke zetbaas van Napoleon. Hij bracht er nu bijna al zijn tijd door. Het landleven was aangenamer en goedkoper, in Amsterdam had hij weinig meer te zoeken en verder renteerde hij, net als zijn vader.

Afgaande op zijn grondbezit was Jan nog altijd een vermogend man – alleen was dat een soort bezit waarmee je weinig kon doen zolang je het niet omzette in contanten. Op 5 november 1801 deed hij Elsbroek – plus bijbehorende landerijen – van de hand, hij kreeg er 35 000 gulden voor. Een jaar later verkocht hij ook nog eens de hofstede Lapinenburg, voor 7000 gulden. Meer huizen, tuinen en stukken land volgden.

In een 18e-eeuws blijspel van Pieter Langendijk over de teloorgang 'der vaderlandsche kooplieden' lees ik dialogen die in die jaren vermoedelijk ook in huize Six weerklonken, met verwijten van manlief over duur personeel en kostbare leveranties en de repliek van de vrouw des huizes: 'Durf jij geen honderd gulden te besteden, als je een nieuwe pruik hebben moet? Heb je niet een Atlas van drieduizend gulden gekocht, die je nog moet betalen? Heb je geen telescopen, microscopen en een camera obscura laten halen?'

Ik trof een brief van 30 mei 1803 aan de kunstkenner Jeronimo de Vries. Jan bleek daarin zelfs bereid om een groot deel van de schilderijencollectie van de hand te doen, met uitzondering van een paar dierbare portretten als de vrouw van Rembrandt, 'de man met de roode mantel' en het 'doode kindje' – hij dacht duidelijk aan het portretje van de kleine Jodocus van den Bempden door Ferdinand Bol. Maar, vervolgt Jan, ''t doode kindje zoude ik wel bij de overige willen doen, indien de Heer G. 't zelve er bij verlangde en zoude dan voor de overige, zoo ik meen 33 stuks en 't doode kindje er bij, verlangen een somma van veertienduizend gulden vrij geld.' Op diverse schilderijen zouden dan wel de namen en wapenschilden moeten worden 'uitgeschuurd' en overgeschilderd – dit om te garanderen dat ze bij verkoop anoniem bleven.

Jan was niet de enige. De angst van een stokoude tante dat ze na haar dood 'op de sluis' zou staan was reëel. Sluizen en bruggen waren de plekken waar schilderijen werden verkocht, ze stonden in die jaren vol deftige familieportretten, voor veel mensen was het enkel nog oude rommel. Jan hoefde, schreef hij wat later, maar 10 000 gulden voor de hele boel te hebben, met 'doode kindje' en al. Uiteindelijk ging de verkoop niet door.

Toch liet hij in datzelfde jaar in Hillegom Het Hof, dat nog door zijn grootvader was aangekocht, grondig opknappen. Er werden grote 'Engelse ramen' aangebracht, de oude gobelins werden vervangen door moderne behangsels, de tuinen werden opnieuw aangelegd in de nieuwe Engelse landschapsstijl. In 1807 beschrijft een predikant die op bezoek is, ds. Hebelius

Potter, het buitengoed als een 'op ene schone hoogte gelegen gebouw' met 'sierlijke tuinen en lommerrijk geboomte' en een 'ruim met achtbren linden overschaduwd plein'.

In 1809 kunnen we even meelopen met een taxateur, er hangt een sfeer van vergane luister: '2 laaitafels, een kastje en een vloerkleed, alles zeer oud, op de meidenkamer op zolder.' Er is verder een logeerkamer, een jongeherenkamer, een naaikamertje, een slaapkamer, kapkamer en een kleine voorkamer. Beneden de eetkamer met het buffet, provisiekast, dessertkamertje, slaapkamer beneden, een kleine voorkamer, een voorhuis, een grote zijkamer, een mangelkamer, gang en kelder, keuken en een knechtskamertje. In de stal: een Franse toerwagen voor vier personen (waarde 300 gulden), een *fourgon* (140 gulden), een open wagentje (30 gulden) en een sjees (10 gulden).

Het moet een vol en levendig familiehuis zijn geweest. Er waren twee opgroeiende jongens – Jan en Hendrik –, een dochter – Marie Henriette – en nog een nakomertje, Suzette. De verjaarsbrieven – de voertaal was zonder uitzondering Frans – die zoon Jan op 21 juni 1809 kreeg zijn veelzeggend: een wat formele brief van zijn veertienjarige zus, een vel met grote hanenpoten van Suzette – 'Wat jammer dat je hier niet bent...' – en een lange brief vol zorg en aanwijzingen van zijn moeder, Johanna Hop. Jan had een bochel, hij was de Jan Six waarvan werd gezegd dat hij ooit met zijn oog in een schaar was gevallen. Zeker is dat niet, wel blijkt uit de brieven dat hij in die periode herstelde van een ernstige oogaandoening.

Johanna was ook ziek, in haar brief klaagt ze 'dat er nog niets veranderd is', ze vreesde 'dat het nog lang kan duren'. Ze vraagt Jan om, als hij naar Hillegom komt, wonderdrank mee te nemen, en zes citroenen, en kersen. Het is een van haar laatste brieven. In de correspondentie valt het woord 'hydrop' of 'waterzucht'. Half juli wordt ze in een boeier naar Amsterdam gevaren, eten kost haar steeds meer moeite, 'de dokter komt vanmiddag terug om een uitgang in haar maag te maken', schrijft vader Jan in een haastig verslag, wellicht bedoeld voor een van zijn zonen. Het is de laatste regel. Johanna overleed vermoedelijk diezelfde dag nog, op 17 juli 1809.

Jan zal een gewilde partij zijn geweest. Amper twee jaar na deze ellendige zomer hertrouwt hij, nu met een zekere Anna van Gelé Twent, de dochter van een naburige landeigenaar. Hij is dan vijfenvijftig, zij negenentwintig. Hij trekt zich nu helemaal terug in Hillegom. Het familiehuis aan de Herengracht wordt verhuurd, later verkocht. Zijn Amsterdamse bestaan is voorgoed voorbij.

XV

'Grappen, nare grappen'

Uit Napoleon's hoge hemel tuimelde een oproep. Hendrik, voorjaar van 1813, de *garde d'honneur*. Of hij zich maar wilde melden. Huize Six was in rep en roer.

De familie blijkt de meeste documenten te hebben bewaard. Ik vouw de ene map na de andere open, er komen kranten tevoorschijn, officiële aanzeggingen, rekeningen van de kleermaker en de zadelmaker – een bontjas, een helm, een vest, een rijbroek, een zadel, een paradehalster, een pistoolhalster, een patroontas – en drie pakken brieven. Er valt ook een in leer gebonden zakagenda uit de map, voor het jaar 1814, met losse reisnotities. In een houdertje zit, nog altijd, een minuscuul potloodje.

Met het decreet van de keizer van 3 april 1813 begint het allemaal. Ieder departement wordt verplicht om een garde d'honneur te vormen, samengesteld uit ongehuwde jonge mannen uit de betere kringen. Het was, in tegenstelling tot wat later wel is beweerd, geen pesterij jegens het 'bezette' Nederland: in het hele keizerrijk werden zo jonge cavaleristen geworven. Napoleon moest dat voorjaar, na de gruwelijke Russische veldtocht van 1812, in alle haast een nieuw leger uit de grond stampen. (Van zijn enorme expeditiemacht van 550 000 à 600 000 man waren er slechts 120 000 heelhuids teruggekomen.) Hij wilde daarvoor meer dan een half miljoen soldaten op de been brengen, plus vier regimenten gardisten d'honneur van tienduizend man. Nederland werd geacht zo'n tweehonderd gardisten te leveren.

De gardisten zouden geen dienstplichtigen zijn maar 'vrijwilligers' die voor hun eigen paard, kleding en uitrusting 'mochten' zorgen. Weigering zou worden beschouwd als een *affront* van de keizer. Vandaar dus dat ditmaal 'remplaçanten' – volksjongens die deze dienst van rijkeluiszoontjes overnamen, uiteraard voor een stevig bedrag – niet werden geaccepteerd. De gardisten waren bedoeld als een eregarde, een kring van *nous autres nobles* rondom de keizerstroon van Napoleon, een laatste opflikkering van de Franse *gloire*. In de praktijk fungeerden deze jongemannen vooral als gijzelaars van het regime. Zo kon immers op simpele wijze, over het hele rijk, een opstand van de adel en de overige elite worden voorkomen.

Hendrik Six kreeg op 26 april 1813 een eerste oproep: hij moest drie dagen later op de prefectuur verschijnen, en wel alleen, zonder zijn ouders. Protest en verzet zouden zinloos zijn. De paniek valt af te leiden uit de dramatische afscheidszinnen in de eerste brieven.

De Sixen waren natuurlijk niets gewend, ze verkeerden al generaties in kringen die, via hun netwerken van vrienden en familie, grondig waren afgeschermd voor een dergelijk bruut overheidsingrijpen. Daarbij kwam het feit dat de Amsterdamse elite sowieso zelden of nooit met het leger in aanraking kwam. Waar notabelen en aristocraten elders in Europa gretig te koop liepen met voorouderlijke heldendaden – inclusief het bijbehorende wapentuig – gold een militaire loopbaan binnen het Amsterdamse patriarchaat als ongepast. Als een meisje uit de betere kringen met een officier wilde trouwen eisten de Amsterdamse schoonouders soms zelfs dat zo'n officier voor de verloving het leger verliet. Hij moest elders maar een loopbaan zoeken. De eeuwenoude tegenstellingen tussen Amsterdam, de Oranjes en het leger hadden ook hier hun sporen nagelaten.

Los van dit alles: de Sixen hadden inderdaad redenen om buitengewoon bezorgd te zijn. Van de bijna vijftienduizend Nederlanders die in juni 1812 met het Franse leger waren meegetrokken naar Moskou, hadden er slechts vijfhonderd de ijskoude dodentocht overleefd, één op de dertig. Alleen al bij de beruchte oversteek van de Berezina waren dertig- tot veertigduizend man verdronken of neergeschoten. Gewonden waren achtergelaten, ze waren, aldus een ooggetuige, gestorven van 'honger, dorst, kou en wanhoop, en uitten met hun laatste adem nog jammerklachten en verwensingen'. De overlevenden 'waren in leven gebleven om vervolgens dood te gaan van de meedogenloze koude, te midden van vreselijk lijden'.

Op 3 december 1812 stelde Napoleon in een bulletin zijn onderdanen op de hoogte van de catastrofe. Het stuk eindigde met een bijna cynische zin: 'Zijne Majesteits gezondheid is nooit beter geweest.' De handvol Nederlanders die alles had doorstaan kwam terug met het ene gruwelverhaal na het andere. Het nodige zal ook tot Hillegom zijn doorgedrongen. Wat zou er, ondanks alle 'gloire', van Hendrik Six terechtkomen?

Uiteraard deden de gegoede families alles wat ze konden om hun zonen dit lot te besparen. Het regende doktersattesten en verzoekschriften, en ook Hendrik sloofde zich uit om aan deze 'eer' te ontsnappen. Hij voerde aan dat hij al vanaf 1810 als advocaat werkzaam was, hij toonde zijn 'patent', het dossier zit vol brieven. Het baatte allemaal niet.

Hij vertrok op woensdag 16 juni 1813 uit Den Haag, persoonlijk uitgezwaaid door de prefect en een paar andere hoogwaardigheidsbekleders. Uit een verslag in het tweetalige *Journal du Département des Bouches du Rhin*: 'Des ochtends te 8 uren bevonden zich reeds 30 jonge lieden, die alle tot de eerste klasse der maatschappij behooren, voor het hôtel der prefecture in volle monstering, en de meesten op paarden van eene byzondere schoonheid gezeten.' Ze kregen een exclusieve behandeling: er was een sierlijk ontbijt voor hen klaargezet, ze werden door de prefect gloedvol toegesproken – hij had het over 'de Heldenschool' en over 'de wonderen onzer zegepralende legers' – de mannen riepen 'vaderlandslievende' kreten als 'Leve Napoleon de Grote!'. Zo ging Hendrik met zijn kameraden op pad.

Uit zijn aantekeningen en de vele brieven van vrienden en familie maak ik op dat hij via Brussel en Aarlen naar Metz trok, daar een halfjaar op kamers zat – 'aux soin de Messieurs Potgeisser Helm Rimbert', en begin 1814 naar Montélimar vertrok – 'aux soins de M. Grimbert'. Hij zou geen schot lossen.

In de eerste brieven wordt hij hevig beklaagd door zijn oudste zuster Henriette: 'Het is wel onnut op die wijze een knegt te hebben, daar je alles zelf moet doen, en ik vind het ook allernaarst dat je zoo weinig tijd over hebt omdat je op het warmst 's middags moet 3 uuren agter elkaar exerceeren, zij hadden het ook wel een uur later kunnen stellen, en een uur korter.' Zijn twaalfjarige zusje Suzette: 'Wij moeten maar goede moed houden en als je dan wederom bent, dan zal je ons veel sprookjes vertellen.' Broer Jan: 'Het is hier bijzonder stil in de stad, waarlijk, het is geen wonder, eenieder is in de naarheid, men hoort niets als van narigheid, het bevalt mij ook nu niet zeer, hier alleen.'

De banden tussen broers en zusters lijken hecht, wellicht ook omdat ze hun moeder vrij recent hadden verloren. Om de paar dagen is er wel een brief, soms uit Hillegom, soms uit Amsterdam. Een enkele keer doet vader Jan mee: 'Hebt gij al gehoord van 't bankierskantoor van Kuyk van Mierop en Tetterode, dat dat opgehoude heeft te betaalen, en dat de laatste zig verdronken heeft, voor zover ik weet was 't een der grootste, zo niet 't grootste bankierskantoor, men zegt dat er vijf millioen te kort komt.' Van Jan's nieuwe vrouw, Anna van Gelé Twent, vind ik in de brieven niets terug.

Zoon Jan is daarentegen heel actief, hij schrijft vellen vol over problemen met verdwenen brieven, over de manier waarop hij zijn huishouding bestiert – 'als een oud konijn' – over de verkoop van familiezilver: 'Ik heb heden het zilver uit de trommel verkogt en heb er niet meer dan zes Guldens voor gekreegen, men wilde mij er niet meer voor geven.'

Henriette praat haar broer ondertussen bij over alle huiselijke besognes – 'Ik heb bedagt dat ik u misschien wel plaisier
zou doen u een recept te zenden van Biscuits de Geneve...' –
en over de gouvernante, 'de juffrouw': 'Zij is als een spinnetje
zo boos dat gij in het Hollandsch schrijft.' (Het is inderdaad
opvallend dat deze hele correspondentie opeens in het Nederlands plaatsvindt, misschien om de censor te ontwijken.)
De kleine Suzette mist haar broer erg. Ze bewaart zijn brieven 'als goud', schrijft ze: 'Ik wil zeer gaarne bij u koomen
woonen, als kaamerbewaarster, dat zou ik zeer prettig vinden,
en ik zal dan al mijn poppen en speelgoed mede brengen, en
je lekkere thee en koffij schenken, en stoffen de kamers als gij
in de kaserne zijt.'

In de vitrine op de bovengang prijkt een teer Frans kop-
je-en-schotel, met daarop het portret van een meisje. Volgens
de familieoverlevering had Hendrik een Franse maîtresse,
en dit zou de dame in kwestie zijn geweest. Bianca du Mortier van het Rijksmuseum hielp me snel uit de droom. Deze
Française dateerde, gezien haar kapsel en kleding, ongeveer
uit 1795. Hendrik was op dat moment vijf jaar oud. Onzin dus.

Hendrik zal tijdens zijn dienstjaar ongetwijfeld wel eens
iets hebben aangeknoopt met een burgerdochter, sommige
brieven wijzen in die richting. Maar dat waren ook de enige
avonturen die hij en zijn collega-gardisten beleefden. De
'wonderen' van de 'zegepralende legers' gingen totaal aan hen
voorbij, van 'de Heldenschool' merkten ze helemaal niets. Er
was al snel geen sprake meer van welke overwinning ook, in
de praktijk speelden deze Nederlandse elitetroepen geen enkele rol van betekenis.

Ze trokken met koetsen en aanbevelingsbrieven naar hun
garnizoenen, mochten in eigen kamers wonen en maakten
de oorlog alleen maar mee in koffiehuizen en de schouwburg.
Slechts één Nederlandse gardist, een zekere Strick van Lin-
schoten, liep een lichte schouderwond op door een verdwaalde
kanonskogel – na een kort bezoek aan de ambulance sprong
hij alweer op zijn paard. Dat was het enige 'vaderlandsche'
bloed dat bij de gezamenlijke Nederlandse gardisten vloeide.

Hendrik hoorde ook nog eens bij de zogenaamde wei-
geraars, gardisten die categorisch weigerden om voor hun

generaal Louis Lepic te verschijnen, die de kazerne zo veel mogelijk vermeden en die zich voortdurend ziek meldden. Hij deelde in Metz met twee andere gardisten een appartement met vier kamers en een salon. Aan zijn lijst met uitgaven – veel schoenpoets! – valt op te maken hoe weinig er gebeurde, hij werd zelfs lid van een plaatselijke bibliotheek. Zijn uniform, zijn zwarte steek, zijn prachtig geborduurd zijden vest, zijn broek van wit hertenleer, zijn insigne met de adelaar van het 4e Regiment van de garde d'honneur, al zijn kledingstukken liggen tot op de dag van vandaag nog in de kelders van het Rijksmuseum. Zonder één scheurtje, bijna als nieuw.

Ondertussen moesten de napoleontische legers de strijd aanbinden met een machtige Europese coalitie: Rusland, Oostenrijk, Groot-Brittannië, Spanje, Portugal, Pruisen, Zweden en nog een handvol kleinere Duitse staten. Aanvankelijk probeerde de keizer deze afzonderlijke legers een voor een te verslaan – hij won op 26 en 27 augustus 1813 een belangrijke slag bij Dresden – maar op 16 oktober werd hij bij Leipzig geconfronteerd met een gigantische coalitiemacht: 430 000 man, die bovendien veel beter waren getraind dan Napoleons snel samengeraapte leger van 195 000 man. Het werd een van de grootste bloedbaden uit de geschiedenis: in amper drie dagen tijd sneuvelden zo'n 92 000 man, waarvan 54 000 bij de geallieerden. Het kleine Leipzig was één veldlazaret, bloed en gejammer vulde de straten. Napoleon werd verpletterend verslagen, hij verloor 38 000 man, de rest van zijn troepen vluchtte naar Frankrijk, achternagezeten door de geallieerden.

Het duurde even voordat de omvang van dit Franse debacle doordrong tot de familie Six. Op 6 november, bijna drie weken na de slag, zijn er enkel een paar geruchten, zoon Jan hint ernaar in één zin: 'Wat er van [waar] is zult gij nog beter weten als wij, denk ik.'

Op 11 november: er zijn berichten dat de versterking Naarden niet meer wordt geproviandeerd. 'Men vertelde van de week dat de vijand reeds te Almelo was en den volgende dag te Zwol zoude komen, maar dat praatje is vooreerst niet bewaarheid geworden.'

13 november: anderhalf vel wordt volgeschreven over het

afscheid van de dominee, 'het was een zeer mooije en aandoenlijke preek', iedereen was opgelucht want eerder had de dominee het 'op zijn zenuwen gehad'. Henriette roddelt over de gouvernante: 'Juffrouw Cootje is een zeer kribbig ding en zeer aanwezig, verre van zoet, en als zij zo doorgaat zal zij bijten, knijpen, dwingen...'

20 november: oom Clifford (Pieter George Clifford) is gelukkig ongedeerd gebleven, 'hij was van Leipzig af bij alle de bataille geweest'. Zelf hebben de Sixen 'nare grappen' meegemaakt, schrijft zoon Jan, 'grappen kan men zeggen als men er zo goed is afgekomen als men tot nu toe afgekomen is'. Hij vindt het moeilijk te melden, 'maar wij hebben deze dagen nare ogenblikken te Amsterdam uitgestaan'. Het 'gemeen' was 'zo dol' dat het in 'zijne onbesuischtheid' begon te plunderen en 'eenige huisjes' in brand stak, 'hetwelk elk weldenkend mensch zoals gij begrijpt zeer afkeurde'. De orde werd gelukkig snel hersteld door de schutterij en 'eene nieuwe stadsregeering waarvan oom Van der Hoop [Joan Cornelis van der Hoop] president is'.

De 'geliefkoosde couleur van de natie' werd weer tevoorschijn gehaald, iedereen droeg oranje – vaak ook om 'onaangenaamheden' te voorkomen – en 'elck hoopt maar om het hardst naar vrede'. Maar Jan was diep geschokt: 'Ik had nooit zoiets beleefd en hoop het ook nooit weder te beleven.'

Waar hij op doelt waren, allereerst, de relletjes die plaatsvonden nadat de Franse militaire bevelhebber van Amsterdam, generaal Molitor, op zondag 14 november met zijn garnizoen stilletjes de stad had verlaten. Zodra de Amsterdammers daar lucht van kregen kwamen alle anti-Franse sentimenten in volle hevigheid boven. Overal in de stad wapperden oranje vlaggen, aan het IJ gingen een paar houten douanehuisjes van de Fransen in vlammen op en bij Kattenburg werd de keizerlijke adelaar van het Marine Etablissement getakeld. Ook hier laaide het vuur op, er werd wat geroepen en gejoeld, 'een regenbui deed', zo schreef de commandant naderhand, 'de verdere revolutie staken'.

Vermoedelijk hint Jan vooral naar een incident in Hillegom dat voor de familie veel pijnlijker was – vandaar dat hij er nauwelijks over kan schrijven. Een Hillegomse kroniek van een eeuw later beschrijft de gebeurtenis echter tot in de details: toen het bericht over de Franse aftocht bij de dorpelingen binnenkwam, werd ijlings een Oranjevlag gehaald, daaromheen werd gedanst en gezongen, de toenmalige veldwachter, een zekere Verschoor, werd gedwongen om mee te doen en vervolgens trok het gezelschap naar het huis van de hoogste Franse vertegenwoordiger, de *maire*, 'de gloeiende patriot' Six. Vader Jan werd naar buiten geduwd en ook hij moest meedansen in de kring.

De kroniek: 'Duizenden angsten uitstaande en terwijl parelen van zweet hem langs 't voorhoofd straalden, was hij tegen wil en dank verplicht voor de overmacht te zwichten. En terwijl hem de hoed van 't hoofd was gevallen, draaide hij als een tol in de rondte, trok hem de een aan den rok, de ander aan de kraag, en viel uiteindelijk zelfs zijne bepoederde pruik hem van 't hoofd. Hoe hij uit dien prangenden nood verlost is geworden meldt de geschiedenis niet, maar wel is 't zeker dat dien dag de maire niet meer buiten zijne woning is geweest!'

Van Jan's prestige was vanaf dat moment weinig meer over.

Vader Jan was niet de enige, overal in het land beleefden de napoleontische maires benauwde momenten. Toch kwam er geen bijltjesdag, niet in Hillegom en ook niet in Amsterdam. Twee weken later landde erfprins Willem, de zoon van stadhouder Willem v, op het strand van Scheveningen. Op 2 december hield hij, als 'soeverein vorst' Willem i van Oranje, zijn intocht in Amsterdam. Alom werd hij bejubeld, vooral ook omdat hij een verzoeningspolitiek voerde. In woord en daad liet hij merken dat hij bereid was om de patriotse rebellie te vergeten en te vergeven. Met vrijwel iedereen wilde hij samenwerken. Tekenend is het diner dat hij op het paleis aanbood aan een paar Amsterdamse notabelen: ettelijke gasten – Van Lennep, Valckenaer, Van Hall – kwamen uit prominente patriotse families. Toen Maurits van Hall bij prinses Wilhelmina, de weduwe van de voormalige stadhouder, op de sofa belandde zei ze simpelweg: 'Welk een verandering in zo weinig jaren!' En vervolgens zong ze de lof van de Amsterdamse burgerij.

De komst van de Oranjes was dan ook niet het radicale herstel dat er later wel van is gemaakt. De nieuwe eenheidsstaat was al een verworvenheid van de patriotten. Het koningschap was door de Fransen geïntroduceerd. De scheiding van Kerk en Staat bleef gehandhaafd. De nieuw ontworpen grondwet bouwde, mede, voort op de eerdere constituties, soms zelfs op de revolutionaire taal van de *Staatsregeling voor het Bataafsche Volk* van 1798. Meer dan de helft van de ministers van Willem I had ook al gediend onder Lodewijk Napoleon. Veel oude families keerden terug op het pluche, maar overal moesten de edelen en regenten hun posities nu wel delen met nieuwkomers – katholieken, Joden en nieuwe notabelen, zoals de Van Lenneps en de Van Halls. En bovenal met de koning, die innerlijk vastbesloten was om een autocratisch regime te voeren waarin uiteindelijk hij, en hij alleen, het voor het zeggen had.

Er hing meer nieuws in de lucht: de Noordelijke Nederlanden zouden, na ruim twee eeuwen, weer worden samengevoegd met de Zuidelijke Nederlanden tot één Verenigd Koninkrijk der Nederlanden, onder leiding van Willem I. In de loop van 1815 zou die hereniging inderdaad zijn beslag krijgen.

Op 29 maart 1814 werd de nieuwe constitutie in de Amsterdamse Nieuwe Kerk aangenomen door zeshonderd 'aanzienlijken' uit alle provincies. Ook de voormalige maire Jan werd, ondanks zijn verleden, uitgenodigd voor dit selecte gezelschap – zelfs zijn placeringskaartje zou hij bewaren: nummer 7. Helemaal gelukkig was hij niet, zo blijkt uit de brief die hij daags voor deze historische bijeenkomst schreef aan 'Tietje lief', zijn tweede vrouw. 'Ik geloof dat ik hier meer tot last dan plaisier ben.'

Wel had hij 'de oude princes' in de stad zien arriveren. De hele schutterij was in de wapenen, overal langs de route hingen vlaggen, de huizen waren versierd met allerhande groene en oranje linten. Hij meldt dit, schrijft hij, omdat 'de jonge lieden' zoiets ook snel nog in Hillegom moeten doen, 'aen huis een gierlandes van groen en wat linten erdoor of aen de bomen iets te maken'. 'Nu boutje lief, wel de complimenten aen ue alle, geeft de klijnen een zoentje voor mij en geloof mij, U liefhebbende man, Six van Hillegom.'

In diezelfde week veroverden de geallieerden Parijs. Napoleon werd verbannen naar Elba. Hendrik – die de laatste maanden nog door de Fransen als een soort gijzelaar naar Grenoble was gestuurd – kon naar huis. Uit het journaal waarin hij zijn onkosten noteerde kan ik afleiden dat hij eind mei weer terug was. Zijn laatste woorden galopperen over de pagina's: 'Bruxelles, Vilvoorde, Mechelen, groote kerk, Lier groot en mooy dorp. De herbergen zijn opgevuld met menschen. Aankomst Antwerpen. Vertrek op Breda over Wuustweezel, Zundert. Het eerste Hollandsche plaatsje. Van Breda op de Lage Zwaluwe. Van Lage Zwaluwe op Dordt, Rotterdam, Den Haag, Hillegom!!!!!!!!!'

Een tijd van grootse feesten brak aan – althans voor de broers Jan en Hendrik. In een hofstad als Den Haag werden van oudsher bijna dagelijks bals gegeven, in Amsterdam ontbraken die. Al in de 17e eeuw organiseerden de kinderen van de Amsterdamse regenten en kooplieden daarom onderlinge dansfeesten. Ook waren er 'gezelschappen', exclusieve bijeenkomsten vol sprankelende conversatie die fungeerden als een soort huwelijksmarkt.

Na de Franse tijd begon de Amsterdamse elite direct weer dit soort feesten op touw te zetten. Het Casino – een gezelschap dat regelmatig bals organiseert – hield al in januari 1815 het eerste feest in de Garnalendoelen, de latere Universiteitsbibliotheek. Het initiatief kwam vanuit het College in de Munt, de oude regentensociëteit. Al snel was het, zoals een oudere deelnemer later schreef, 'een terrein van verkenning voor jongelui in de huwbare leeftijd'. De Sixen waren er, uiteraard, vanaf het allereerste begin bij.

Het moeten luisterrijke bijeenkomsten zijn geweest. De muziek en de verlichting waren goed, schrijft een deelnemer in zijn herinneringen, het souper was schraal. 'Maar als men dan een meisje voor het souper gekregen had, dat plezierig sprak en goed danste, lette men niet zo op het eten.' Vervelend was wel dat je iedere oude dame en heer moest aanspreken, 'en dikwijls wist men niet wat men hen zeggen zou'. Het waren etiquetteregels met een onuitgesproken doel: op die manier kregen die ouderen immers een aardig beeld van de mogelijke huwelijkspartners van hun kleinkinderen en familieleden. De eigen kring bleef zo hecht en gesloten.

Een van de dochters die 'op het presenteerblaadje' werden meegetroond naar een van de eerste bals, dat van 13 maart 1815, was Wijnanda Kluppel. Ze was twintig jaar oud, ze had een vermogende vader – Johannes Kluppel was de eigenaar van een van de rijkste huizen aan de Herengracht – en ze had veel aanbidders. Het was zeer geanimeerd, schrijft ze in haar dagboek, er waren tachtig deelnemers en het feest duurde tot drie uur in de ochtend. 'Langer wilde papa niet toestaan.' 'Ik danste met' – en dan volgt haar balboekje, de wals, de *quadrille français* en de *polka anglaise*, alle dansen helemaal vol. Bij de polka staat: 'Six' – waarschijnlijk Hendrik maar misschien ook Jan.

Aan Wijnanda's balboekje en aan de ledenlijsten van het Casino valt af te lezen dat de oude regentenfamilies zich na de Franse tijd weer volop lieten zien: Backer, Bicker, Calkoen, Clifford, Dedel, Huydecoper, Van Loon, Munter, Neufville, Van de Poll, Valckenier van de Poll en natuurlijk Six. Toch was er iets veranderd. Hun vanzelfsprekende macht en invloed was afgenomen, de familieclans die tot 1795 stad en land regeerden scholen meer en meer samen in sociëteiten en exclusieve gezelschappen zoals het Casino. Hun invloed verplaatste zich van de publieke sfeer naar de binnenkamers.

Toch trokken ze nog altijd nieuw talent, 'bekwame jongeren uit gelijkwaardige kringen in andere steden'. Heel adellijk Nederland aasde op een invitatie voor het Casino, hier schoof Amsterdam immers 'haar beste partijen' naar voren. Het Amsterdamse regentenpatriciaat verstolde opnieuw tot een soort aristocratie – al was het wel een aristocratie die zich langzaam maar zeker vernieuwde.

Het Casino beantwoordde aan zijn doel. Er kwamen meerdere huwelijken uit voort, ook van de Sixen. En minstens zoveel gebroken harten.

In het huisarchief tref ik een brief, gedateerd 13 december 1816, gericht aan vader Jan in Hillegom. De auteur excuseert zich voor zijn late antwoord: hij wilde zijn dochter alle tijd geven om 'de zaak wel te wikken en te weegen', het ging immers om haar geluk. Haar beslissing is, zo schrijft hij, echter van dien aard, 'dat ik niet kan toestaan, dat uwe zoon mijn huis kan frequinteeren [= bezoeken].' Aan hemzelf lag het niet, voegt hij daaraan toe, maar hij merkte 'dat er bij haar niet die inclinatie was, die er noodig is, om er een gelukkig huwelijk uit te vormeeren, 't geen mijn eenigste wensch is'.

Ondertekend: 'Uweledele onderdienaar J. Kluppel'.

De dochter in kwestie moet Wijntje zijn geweest – haar oudere zuster was toen al getrouwd. Naar de zoon die werd afgewezen kan ik, opnieuw, slechts gissen. Hendrik? Of was het toch de gehandicapte zoon Jan?

Niets bleef vader Jan bespaard. Henriette en Suzette, zijn dochters, had hij grootgebracht volgens de normen van zijn stand, opgeleid door een gouvernante en een huisleraar, klaar-gestoomd voor een riant huwelijk. Ze hadden, zoals al dit soort jonge dames, een bagage meegekregen van 'een sierlijke houding, een aardige buiging, een zwierige wijze om haar ge-dachten uit te drukken, een airtje op het clavecimbaal, een dansje, het inleggen van confituren, borduren in "petit point" en "point de Reine" en dergelijke dingen meer'. Van de rest van het bestaan hadden ze meestal geen idee.

Het was een patroon waarmee Jan's oudste dochter Hen-riette radicaal brak. Ze werd, op haar drieëntwintigste, ver-liefd op een man ver beneden haar stand. Ze trotseerde haar vader en de rest van de familie, liet zich door hem schaken – volgens geruchten werd ze door de tuinbaas in een wasmand naar buiten gesmokkeld – en waagde het om met hem een 'normaal' leven te beginnen.

Ze was, bij mijn weten, de eerste Six die bewust brak met de codes en waarden die de familie – en het Amsterdamse patriciaat in zijn algemeenheid – al generaties omknelden. In dat waardesysteem stonden geld en status steevast bovenaan, gevoelens van het hart hadden, zacht uitgedrukt, niet de hoog-ste prioriteit. Henriette had op haar kamer drie bijbels – een Franse, een Duitse en eentje 'met gouden knippen' – maar de tijdgeest was sterker. De Romantiek was in opkomst, een vervolg – en deels een reactie – op de Verlichting, een bewe-ging waarin de aandacht sterk op sentimenten, drama's en melancholie was gericht. De rationaliteit van de Verlichting had afgedaan, spontane emoties voerden de boventoon. Over de 'zuivere' liefde, het ware verband tussen man en vrouw dat alle standsverschillen overbrugde, werden boeken volgeschreven. *Julia*, de briefroman van Rhijnvis Feith over de verboden liefde tussen Eduard en Julia, was al jaren een begrip. 'Wat is dat eene heldin!' had Betje Wolff over een soortgelijk geval geschreven. 'Zij durft gelukkig te zijn!'

Henriette's Eduard heette Willem de Visser, hij was substituut-schout van Hillegom, een beginnende gemeenteambtenaar. Ik heb geen idee hoe die twee verliefd op elkaar werden. Meisjes van stand gingen niet ongechaperonneerd over straat, feesten en bals waren beperkt tot de eigen kring. Waarschijnlijk kwam De Visser als ambtenaar regelmatig langs op Het Hof – vermoedelijk zijn Henriette en hij zo met elkaar in contact gekomen, een andere manier kan ik me bijna niet voorstellen.

Van Henriette is, afgezien van een paar brieven, bitter weinig bewaard gebleven, zelfs geen portret. Ze was gehecht aan haar broers en zusje, haar correspondentie met Hendrik is hartelijk en warm. Over de relatie met haar vader valt echter niets te zeggen. Wat er precies is gebeurd blijft dan ook onduidelijk, al heb ik wel mijn vermoedens. Vader Jan was met zijn nieuwe vrouw in Hillegom een compleet nieuw gezin begonnen, er kwamen opnieuw vijf kinderen, de oudste zonen waren het huis al uit, de warmte en gezelligheid die aanvankelijk in hun brieven nog nagloeide verdween. Henriette hoorde nergens meer bij.

'Wij zijn, mijn lieve dochter, niet voor datgene geboren wat wij met bijziende ogen voor ons eigen, kleine, persoonlijke geluk aanzien, want wij zijn geen losse, onafhankelijke enkelingen, maar als schakels in een keten,' legt een vader uit, in een soortgelijke situatie, in Thomas Mann's *De Buddenbrooks*. Zo zal het vermoedelijk ook zijn gegaan in huize Six. In het archief vind ik echter niets van dergelijke overwegingen terug, het zijn voornamelijk treurige inventarisaties die uit de mappen opduiken.

Uit de stukken maak ik op dat Henriette in december 1817 uit Het Hof was ontsnapt. Ze was naar Haarlem uitgeweken, waar een bevriende predikant haar op 29 december de meest noodzakelijke kleren en toiletartikelen had nagebracht: twee hemden, een borstrok, een nachtjak, vier zakdoeken, een korset.

Haar vertrek moet voor de Sixen een immense schok zijn geweest. In een wereld waarin ondanks alle nieuwe theorieën alles nog draaide om rangen en standen, gold zo'n uitbraak als hoogverraad. Voor de kringen waarin de Sixen verkeerden was de reputatie van een familie nog altijd belangrijker dan geld en goederen, zo'n kwestie kon de kansen op een goed huwelijk voor de andere kinderen ernstig aantasten. Het schandaal zou zelfs het streven naar een nieuwe adellijke titel kunnen doorkruisen. Vader Jan greep onmiddellijk in.

De familie was hecht, maar als iemand werd buitengesloten gebeurde dat snel en grondig. Amper twee weken na haar uitbraak, op 15 januari 1818, maakte de notaris, met een timmerman en een 'schoolonderwijzer' als getuigen, een inventarisatie van Henriette's persoonlijke bezittingen, het begin van de boedelscheiding. Haar naam werd al niet meer genoemd.

Even krijgen we nog een blik in het bestaan dat ze achterliet: 'Op een voorkamer door gemelde Jonkvrouwe gebruikt zijnde in een kabinet 23 hemden, gemerkt H.S.' Het wordt een lange lijst, alleen de kledingstukken vullen al drie foliovellen: 4 flanellen borstrokken, 2 broeken, 6 bovenkousen, 2 onderkousen, 2 wollen onderkousen, 5 zijden kousen, 5 nachtjakken, 5 nachtmutsen, 2 sjerpen, een fluwelen hoed met pluimen, een mandje met brieven, een japon van groen katoen, een japon van zwart taf, een japon van batisten neteldoek, twee gouden potloodpennen, een verguld zilveren hoofdijzer met drie naalden – enzovoorts. Ik zie haar staan, in haar 'ogtendjapon met smalle streepjes'.

Op 5 februari wordt ze formeel onterfd: ze heeft alleen nog recht op het gedeelte van de erfenis dat haar volgens de wet toekomt. Het erfdeel van haar overleden moeder, 13.770 gulden, krijgt ze direct mee. Daar had ze recht op, ongetwijfeld had ze daar ook rekening mee gehouden bij deze ingrijpende stap.

Ze trouwt bijna twee maanden later, op 1 april 1818, in Castricum. Jan schrijft nog aan de notaris dat, mochten er 'nog onverhoopt van wegens mijne dochter enige moeilijkheden worden gemaakt', men het hem moest laten weten. Voor het overige was Henriette uit het systeem Six weggegomd.

Verdween ze daarmee helemaal? In het archief liggen nog twee brieven aan haar broer Hendrik. Ondanks de 'affaire' is de toon hartelijk en ontspannen. Op 29 januari 1820 schrijft ze uit Arnhem – Willem de Visser was daar rijksontvanger geworden – dat hij haar snel eens moet komen opzoeken, eventueel vergezeld door Jean (= Jan) en haar zuster Suzette. 'U wordt met open armen ontvangen.'

De stad was, zo schrijft ze, de voorgaande week ternauwernood ontsnapt aan een watersnoodramp. Ze doelt op de ijsdammen die begin die maand overal in de rivieren waren ontstaan en die her en der overstromingen hadden veroorzaakt. Bij Nijmegen was de rivier totaal vastgelopen, de Ooijpolder, de Tielerwaard en de Betuwe stonden blank, een week later stroomde het water ook de Alblasserwaard binnen. Gorkum en Den Bosch leken eilanden in een zee van ijsschotsen.

Bij Arnhem waren de huizen langs de rivier 'ondergelopen tot aan de zolder', schrijft Henriette. 'Vanaf de wallen van de stad zag men slechts een grote zee van water en afgelopen zondag hoorden we vanaf deze hoogte mensen die zich op een halve mijl afstand bevonden om hulp roepen. U kunt zich inbeelden hoe verdrietig het aanzicht was van die mensen en hun armetierige hutjes. Een van de hutjes is de rivier af gedreven en niemand weet waar het gebleven is. Er zijn al meer dan 130 vrouwen, oude mensen en kinderen ondergebracht in een huis waar ze gratis onderdak en eten krijgen. Het is niet voor te stellen hoe arm die mensen zijn.'

Uit haar brief spreekt een grote sociale betrokkenheid – tot dan toe een zeldzame eigenschap bij de Sixen. Ze wil een inzameling organiseren: 'Mocht u iets willen geven in de vorm van geld (zilver) of in kleding of in wat dan ook ten behoeve van die arme mensen, dan kunt u het beter ons doen toekomen en wij verzekeren u op ons woord dat we ervoor zullen zorgen dat we het bij de bekende heren van deze stad overhandigen. Probeert u ook nog meer van uw kennissen zover te krijgen dat ook zij wat opsturen. De nood is groot.'

Na deze brieven raak ik het spoor bijster. We weten dat

Willem de Visser een keurige ambtelijke carrière doorliep – eerst in Arnhem, later in de Achterhoek – en dat Henriette maar liefst tien kinderen kreeg. Het gezin werd zo een voorbeeld van een nieuwe middenklasse die in de 19e eeuw zou ontstaan, een klasse van beambten en ingenieurs, leraren en schoolmeesters, chefs en boekhouders, mannen die hun positie te danken hadden aan hun opleiding en kundigheid, en niet, zoals in het oude regentenregime, aan hun afkomst.

Tussen de papieren liggen nog een paar stukken over de afwikkeling van de erfenis van haar vader – Henriette en haar kinderen werden toch niet helemaal buitengesloten. Maar toen haar ongetrouwde broer Jan vele jaren later, op 30 maart 1848, zijn testament maakte werd zij niet genoemd.

Drie jaar later vertrok vader Jan uit Hillegom. In de herfst van 1821 betrok het gezin een huurhuis aan de chique Lange Vijverberg in Den Haag – wijk 1, nummer 43. ''t Bevalt ons tot nog toe vrij wel alhier, schoon wij geen grote partijen bijwonen,' schreef hij op 10 december 1821. 'Wij zijn eens aan 't hoff geweest, en die partij was zeer mooi.' Op 26 september 1822 gooide hij al het familiebezit in Hillegom op de veiling: Het Hof, de boerderijen, al het land.

Toen hij voor de laatste keer uit Hillegom vertrok werd, volgens de verhalen, zijn karos bekogeld met rotte tomaten en ander afval. Naar verluidt zou hij deze nieuwe uitbarsting van volkswoede vooral te danken hebben aan de manier waarop hij zijn dochter Henriette – die zeer geliefd was – had behandeld. Ik vraag me af of dat de enige reden was. Er is waarschijnlijk sprake geweest van een opeenstapeling van incidenten die leidde tot een torenhoge wrok. Het is heel goed mogelijk dat er, in deze schrale tijden, vooral problemen waren ontstaan rond de hoogte van de pacht – de gretigheid waarmee Jan al zijn grondbezit van de hand deed wijst daarop. Als Jan een meelevende en milde ambachtsheer was geweest zou deze woede-explosie waarschijnlijk nooit hebben plaatsgevonden. Hoe het ook zij, tussen de jubelende inhuldiging van zijn vader in 1750 en Jan's smadelijke vertrek in 1822 was duidelijk te veel gebeurd.

De afwikkeling van ruim anderhalve eeuw Hillegom was geen kleinigheid. Een paar maanden na de veiling, op 14 januari 1823, deelt zoon Jan in een lange brief zijn zorgen met zijn broer Hendrik. Hij helpt zijn vader in Den Haag, er moet ontzettend veel opgeruimd worden, afspraken over de verkoop van een boerderij en een landhuis zijn ook nog altijd niet vastgelegd. 'Met de beste wil van de wereld, maar ik vrees dat wat we doen zinloos is voor de toekomst,' schrijft hij. 'Het gestarte werk vordert goed maar u weet hoe moeilijk het is iets wat al tien jaar duurt recht te trekken, daar is tijd voor nodig. Ook is het niet altijd even makkelijk om met mijn vader te werken.'

Ik weet niet of vader Jan zich ooit heeft afgevraagd waar het scheef ging, of wat hij fout deed. Je proeft enkel bitterheid, zelfs in de paar formele brieven die nog zijn bewaard. Als Hendrik trouwt, in de winter van 1821, weigert hij de huwelijksfeesten bij te wonen. Het reizen uit Den Haag vindt hij bezwaarlijk en hij heeft ook geen zin om de hele tijd in Amsterdam te blijven, 'want [ik] zoude de gehele tijd niet weten wat er te doen en om de partijen bijwoonen, die alle van jongelieden wezen zullen, en niemand van ken, zou ook voor mij niet aangenaam wezen'.

Deze oude Amsterdamse regent wil breken met alles, dat is evident, zelfs de naam Hillegom wil hij niet meer horen: 'Mijn adres is thans Six van Wimmenum en niet meer Six van Hillegom' schrijft hij in een brief aan de kunsthandelaar Van de Willigen, waarin hij negen schilderijen te koop aanbiedt, waaronder twee werken van Frans Hals, een Brueghel en Diederick's ruiterportret van Paulus Potter. De gemiddelde vraagprijs stelt hij op 200 gulden, met uitzondering van het ruiterportret: 'De Potter is zeeker wat hoog voor alle huizen, waer 't komt mij voor ik wel ƒ 600,- voor zoude kunnen vraagen, en mogen bekoomen.' Het wordt opnieuw niets met de verkoop. Het ruiterportret werd opgerold, platgetrapt en geknikt, jarenlang zou Diederick zo bij de gebochelde Jan op zolder bivakkeren.

In 1824 verhuisde Jan opnieuw, nu naar het Baljuwhuis van Wassenaar, naast de kerk. Hij overleed daar drie jaar later. Zijn zoon Jan maakte daarna een nauwkeurige inventarisatie van alles wat hij naliet. In een klein boekje lees ik het terug, van 'een borsthanger met diamanten (ƒ 735.-)' tot '20 Gordijn-roeden (ƒ 10.-)' en 'Een Hobbelpaard (ƒ 1.50)'. Zijn grondbezit had Jan grotendeels verkocht, wel bezat hij veel effecten, vooral Nederlandse staatsobligaties, plus hier en daar wat aandelen – bijvoorbeeld van de Stoombootmaatschappij en de Surinaamse plantage Louise.

Opvallend is de geringe waarde die op dat moment aan de collectie werd toegekend. De drieënveertig schilderijen (inclusief Rembrandt's portret van Jan Six) plus het borstbeeld van Tulp, mochten in totaal niet meer opbrengen dan 5050 gulden. De nalatenschap van de patriotse Jan bedroeg uiteindelijk iets meer dan 150 000 gulden, waarvan 27 000 bestemd was voor zijn weduwe. Met dat soort bedragen kon de gemiddelde Nederlander nog altijd een comfortabel leven leiden, maar dat gold niet voor de Sixen. Hun vermogen had een enorme klap gehad. Ze moesten het nu vooral hebben van hun status en hun reputatie.

Het Hof van Six is tegenwoordig het gemeentehuis van Hillegom. Van het park resteert enkel nog een plantsoentje en de waterput, de rest is versteend tot nieuwbouwwijk met parkeerplaats. Maar Het Hof zelf staat er nog steeds, hoog, wit en vorstelijk, met blinkende glazen en trotse schoorstenen. En in de Hillegommerbeek wordt nog altijd gevist.

Elsbroek werd in 1870 gesloopt. De restanten werden gebruikt voor de fundering van de oprijlaan van een van de nieuwe notabelen. Zelfs in deze treurige staat bracht dit veelbezongen buitengoed nog een verrassing. Toen de brokstukken in grote bulten klaar lagen voor de vergetelheid stuitte een bezoeker, de Haagse kunstliefhebber A.A. des Tombe, tot zijn stomme verbazing tussen het puin op een compleet klassiek reliëf. Het was overgeschilderd met groene verf. Vermomd als een simpel stukje stucwerk had het waarschijnlijk jarenlang in een tuingevel gezeten. Vandaag de dag is het volgens expert Henk van Os, 'wellicht het mooiste kunstwerk' van het Leidse Rijksmuseum van Oudheden. Het stamt, gezien de kwaliteit, uit de klassieke periode van de Griekse beeldhouwkunst, de 5e eeuw voor Christus.

Ik ga kijken. Het reliëf dat ooit Elsbroek sierde staat nu

verstild en helder uitgelicht in de grote Griekse zaal. Het moet afkomstig zijn van de eerste Jan Six, de Italiëreiziger, dat kan niet anders. Het past bij zijn voortreffelijke smaak – zelfs de puinresten van zijn paleisje getuigden daar nog van.

Ik denk aan die eerste jaren van hun huwelijk, toen geen kind in leven bleef. De voorstelling toont een zittende moeder die haar kind krijgt aangereikt door een zachtmoedige vrouw, een voedster of een godin. Ze strekt haar armen uit naar haar kind, maar kan het niet meer aanraken – dat betekent dat ze in het kraambed is gestorven. Ook het kind – het hoofdje wat beschadigd – reikt uit naar de moeder, kan haar evenmin aanraken, het tafereel is, in al zijn sereniteit, vol afstand en pijn.

XVI

Lucretia

'Juffrouw Izabela leefde vanaf de wieg in een mooie en niet alleen bovenmenselijke, maar ook bovennatuurlijke wereld. Ze sliep in dons, kleedde zich in zijde en borduurwerk, zat in gebeeldhouwde en gestoffeerde ebbenhouten of palissander meubelen, dronk uit kristal, at van zilver en als goud zo kostbaar porselein.'

Ik lees, bij wijze van afleiding, *De pop*, het meesterwerk van de Poolse schrijver Bolesław Prus over een verwende liefde in de 19e eeuw. Het is geen verstrooiing: zelden tekende een auteur een scherper beeld van de kringen waarin ook onze hoofdpersonen verkeerden – of wensten te verkeren.

Zijn 'juffrouw Izabela' situeerde hij rond 1880 in Warschau, maar zijn beschrijving geldt evenzogoed de Buddenbrooks uit Lübeck en de Amsterdamse jeunesse dorée die rond 1820 flonkerde binnen het feestgezelschap Casino. Ook Jan en Hendrik Six leefden, ondanks al hun zorgen en ondanks hun doordeweekse soberheid, min of meer in deze bovenmenselijke wereld. En Lucretia deed dat zeker, de dochter van de steenrijke houthandelaar Pieter van Winter, de kleindochter van Lucretia van Merken, de 'Izabel' aan wie Hendrik Six zijn leven zou binden.

'Behalve deze toverwereld bestond er nog een andere wereld, de gewone.
Van het bestaan daarvan was juffrouw Izabela op de hoogte en ze mocht er zelfs vanuit het raam van haar rijtuig, de treinwagon of haar eigen woning graag naar kijken. In deze omlijsting en vanaf die afstand kwam zij haar schilderachtig en zelfs sympathiek voor. Ze aanschouwde boeren die langzaam de aarde ploegden, grote, door een mager paard getrokken karren, dragers van fruit en groenten, een oude man die op een straatweg stenen hieuw, een koerier...'

Lucretia zag iets soortgelijks: het Amsterdam van de vroege 19e eeuw. De stad was, na de Franse jaren, verarmd, verstild en in zichzelf verzonken. 's Nachts was het er aardedonker – de paar straatlantaarns werden bij vollemaan niet eens ontstoken. Het enorme magazijn van de voormalige VOC was op een nacht in 1822 van pure ellende ingestort. Al decennialang was er geen huis meer gebouwd.

Verstopt achter de grote grachten lagen de verkrotte bouwsels uit de 17e eeuw, de stinkende sloppen van de Jordaan en de Jodenbuurt, de donkere stegen met namen als Het Hol en de Duvelshoek, de doorgangen van soms amper een halve meter breed. De statistieken uit die tijd doen denken aan een derdewereldstad: slechts de helft van de geboren jongens bereikte de leeftijd van vijfendertig – van de 'behoeftige arbeiders' was de levensverwachting zelfs amper dertig. De sentimentele dichter-suikerfabrikant Willem Hendrik Warnsinck was bereid om schoolkinderen die anders 'zonder werk en in ledigheid de straten der Hoofdstad bedekken' in zijn tulefabriek te werk te stellen voor tien cent per week. (Dit was zelfs het stadsbestuur te gortig, het stak er een stokje voor.)

Eén op de twaalf Amsterdammers woonde in een kelder. Een rapport uit 1854 – in 1820 zal het niet anders zijn geweest – spreekt over 'nauwe morsige straatjes en stegen' en 'smalle grachten, waaruit des zomers ongezonde en walgelijke uitwasemingen oprijzen'. 'De woningen bestaan in vochtige kelders, bekrompen zolders of slechte vertrekken, op nauwe steile trappen uitkomende, met rokende schoorsteenen, slecht sluitende deuren, soms half beglaasde ramen.' Het toilet bestond meestal uit een simpele ton in de hoek van de kamer. Overal stonk het, 's winters waren de turven duur en schaars, 's zomers wemelde het van de vlooien.

Buiten de poorten werd het platteland onveilig gemaakt door grote groepen paupers, individuele vagebonden maar soms ook hele gezinnen, die de steden waren uit gezet en rondtrokken van hoeve tot hoeve. De meeste wegen bestonden uit enkel modder. De diligence tussen Amsterdam en Rotterdam deed er een uur of acht over, bij ijsgang lag de trekschuit stil – vandaar de weerzin van vader Jan tegen een winterse reis van Wassenaar naar Amsterdam.

Twee Leidse studenten, Jacob van Lennep – een kleinzoon van Cornelis, later een bekend schrijver – en Dirk van Hogendorp – zoon van Gijsbert Karel – maakten in de zomer van 1823 een uitvoerige wandeltocht door Nederland. Ze werden in Groningen nog in een soort half-Duits aangesproken, Friesland was voor hen een exotisch gebied, in Zeeland en Gelderland moesten ze een paspoort tonen, de Duitse grens passeerden ze weer zonder enig probleem.

Nederland was nog maar amper één land. Tekenend was de chaos van plaatselijke munten die zoon Jan in 1827 'in een zakje' aantrof tussen de nagelaten boedel van zijn vader: 'Een gouden gulden, twee gouden tien Stuiversstukken, vier gouden Scheepjesschellingen, drie gouden Vijfstuiversstukken, Zes gouden duiten, zes zilveren duiten, een achtste Zeeuwse rijksdaalder, een vijfstuiversstuk, zes gulden, twee halve O.I. Compagnie duiten...'

Er zat verandering in de lucht, zeker. Van Lennep en Van Hogendorp stuitten, meteen na hun vertrek uit Amsterdam, op enorme graafwerkzaamheden aan de overzijde van het IJ: er werd een nieuwe verbinding naar zee aangelegd, over de hele lengte van Noord-Holland. De activiteiten van de VOC was nieuw leven in geblazen door de energieke Nederlandse Handelmaatschappij. Napoleons kaarsrechte straatwegen hadden de stad dichter bij Europa gebracht. De schilderachtige stadswal – langs de huidige Stadhouderskade – werd vanaf 1820 weggegraven. Maar de wereld waar alles om draaide was voor de meeste Amsterdammers nog altijd de oude, omsloten stad.

Lucretia Johanna van Winter, in de wandeling Creejans, werd geboren in Saxenburg, een van de machtigste huizen aan de Keizersgracht. (Het huidige nummer 224 is nu een onderdeel van het Pulitzer Hotel.) Het was een magistraal gebouw waarin ze opgroeide, met schitterende interieurs, gebeeldhouwde schouwen en trappen en overal knap geschilderde behangsels. En het was tegelijk een museum, en niet zo'n kleintje ook: haar vader, Pieter van Winter, was een bezeten verzamelaar. In zijn 'schilderijenkabinet', een apart gebouw achter in de tuin, hing een collectie waaraan vandaag de dag slechts een enkel museum kan tippen: zo'n honderdtachtig topschilderijen van 17e-eeuwse meesters, volgens de kenners 'allemaal vijf sterren', met onder andere *Het straatje* van Johannes Vermeer, *Het oestereetstertje* van Jan Steen en de enorme portretten van Maerten Soolmans en Oopjen Coppit van Rembrandt.

Pieter van Winter was, om het zacht te zeggen, zeer gefortuneerd. Hij was bewindvoerder van de VOC geweest en leidde, samen met zijn oom Jacob Muhl, een bloeiende handelsfirma in verfstoffen en indigo. Daar bleef het niet bij. Hij schreef en dichtte, net als zijn vader Nicolaas en zijn stiefmoeder Lucretia van Merken, hij vertaalde Vergilius' *Aeneis* uit het Latijn, hij was vanaf het eerste uur lid van Felix Meritis, het grootse centrum voor muziek, kunst en wetenschappen dat in 1788 aan de Keizersgracht was geopend. Ook maakte hij deel uit van het literaire gezelschap dat bijeenkwam bij de uitgever-boekhandelaar Pieter Johannes Uylenbroek in de Nes, met toenmalige coryfeeën als Jan Frederik Helmers, Willem Bilderdijk en Hendrik Tollens.

'Van Winter gaat met knappe en interessante mensen om,' zo zei men, en er werd gesproken van een 'Muiderkring op Saxenburg'. Zijn levenshouding deed, kortom, denken aan die van de eerste Jan Six, twee eeuwen eerder.

Van kindsbeen was Lucretia zo omringd met kunst, geld en goede smaak. In het paspoort dat de stad Amsterdam – 'in het 7e jaar der Bataafsche Vrijheid', op 3 juli 1801 – aan haar uitreikte wordt haar gestalte omschreven als 'reizig', haar kleur 'gezond', haar ogen 'blauw', haar wenkbrauwen 'bruin' en het haar eveneens 'bruin'. Ze was toen zestien jaar oud. Haar moeder was een halfjaar eerder overleden, haar vader zou nooit hertrouwen. Hij stierf in april 1807. Op haar twee-entwintigste was ze wees.

Pieter van Winter had in zijn testament bepaald dat zijn dierbare collectie voorlopig intact moest blijven. Zijn kinderen mochten er pas mee doen wat ze wilden als ze allemaal meerderjarig waren, dan wel getrouwd. Dat moment brak aan in 1818. Wel werd huize Saxenburg alvast aan zijn zoon Josua toegewezen. De verzameling, achter in het tuinhuis, bleef daar keurig hangen. Josua groeide al snel uit tot een man van aanzien: hij was lid van de gemeenteraad, wethouder. In zijn calèche met het monogram 'W' maakte de nieuwe vorst Willem I zijn intocht in de hoofdstad – Van Winter werd daarna prompt in de adelstand verheven.

In de tussentijd had Lucretia, met haar jongere zussen, aan de Herengracht een eigen huis betrokken, een braaf pand op nummer 440. Jarenlang leidden de dames daar het stadsleven dat paste bij hun stand: visites, bezoeken aan muziek- en toneeluitvoeringen, uitstapjes, logeerpartijen bij vrienden buiten. Haar dagboek uit die periode is er nog, een groen schriftje dat helemaal is dichtgeplakt, ik kan het nauwelijks meer openen, vol onleesbare krabbels. Op 5 oktober 1815 – ze is dan dertig: 'Toute la journée lire et ennui', 'De hele dag lezen en verveling'.

Grote opwinding is er wel als op maandag 4 juli 1814 tsaar Aleksandr, tijdens een bezoek aan Amsterdam, onverwacht een kijkje komt nemen bij de collectie Van Winter. Volgens een – latere – notitie in het familiearchief nam de beheerder van de collectie, de heer Praetorius, de honneurs waar. 'Door de volksoploop voor de deur op de Keizersgracht moest de tsaar door de uitgang op de Prinsengracht weer huiswaarts keren.' In een ander dagboekje – tegelijk een almanak – krabbelt Lucretia tijdens dat weekend, vrijwel onleesbaar, iets over een drukke dag, 'te lang om te beschrijven'. 'Beetje gedanst op 't bal'.

Josua van Winter gaf de tsaar twee schilderijtjes van Jan ten Compe cadeau, ze hangen nog steeds in de Hermitage in Sint-Petersburg. De tsaar maakte, op zijn beurt, de familie blij met een herenring, voorzien van een forse bolsjewiekdiamant.

Het 'reizige' meisje werd geen knappe vrouw. Een portretje toont een bleke dame met een lang, tanig gezicht, een oude vrijster in wording. Op een schilderij van Alexandre-Jean Dubois Drahonet staat ze er wat eleganter bij – maar dat kan ze ook aan de kwaliteiten van de schilder te danken hebben. Ze was, zoals dat heette, *une femme savante*, en dat wilde ze weten ook. Haar ratelend stemgeluid drong, als we de familie Van Lennep mogen geloven, zelfs door tot Jacob van Lennep's roman *Ferdinand Huyck*. Ze wordt daar opgevoerd als de alwetende tante Van Bempden: 'Ja, ik durf niets toe te voegen bij de vrome gezegden van Zuster, anders zoude ik zeggen met Racine... hoe zegt Racine het ook weer...?'

Van Lennep beschrijft haar karakter als een 'rusteloze, nimmer lang met hetzelfde voorwerp bezige geaardheid'. 'Haar dagen rolden voort in eene bestendige afwisseling van gastmalen, feesten, comediepartijen, speelreisjes enz. Ze las ook; maar zonder keus of onderscheid: stichtelijke boeken, romans, brieven, verhalen, zedekundige werken, poëzij, al wat maar gedrukt werd; doch zij faalde meestal als zij iets van het gelezene te pas zou brengen.' (Lucretia herkende zichzelf trouwens maar al te goed, *Ferdinand Huyck* bleef in haar bibliotheek een opvallende afwezige.)

Toch moeten haar talenten niet worden onderschat. Ze speelde harp, ze bracht muziek in de familie. Ze schreef veel, inderdaad vooral vrome verhalen. Ze had, volgens haar broer, bovendien 'veel verstand en kunde van printen, schilderijen, poëzie en literaturen' en bovendien had ze van haar vader een scherp oog geërfd voor kwaliteit.

Vanaf haar vijfentwintigste was ze zelf begonnen met verzamelen. Na 1810, zo blijkt uit haar correspondentie, schafte ze in hoog tempo schilderijen aan – waaronder *Het melkmeisje* van Johannes Vermeer. Ze had bij al die aankopen een uitstekende adviseur, Jeronimo de Vries, directeur van het Koninklijk Museum – de voorloper van het Rijksmuseum.

Toen ze, na de opsplitsing van haar vaders nalatenschap in 1818, eindelijk al haar stukken onder één dak kon brengen, bezat ze een topcollectie van 171 schilderijen, waarvan bijna de helft, 76, door haarzelf was aangekocht. Haar zuster Anna Louise – Annewies – had de andere helft van de collectie Van Winter geërfd. Haar broer Josua had minder belangstelling, voor 50 000 gulden mochten zijn zusters zijn deel in de verzameling overnemen.

Er waren nog geen openbare musea, kunstliefhebbers moesten het hebben van belangrijke particuliere verzamelingen. Die fungeerden vaak als een soort privémusea waar bezoekers – op aanvraag – hun hart konden ophalen. Lucretia en Annewies volgden dit gebruik, net als hun vader, hun huizen werden een belangrijke attractie. Tot haar huwelijk bleef Lucretia druk bezig met haar schilderijenkabinet. Ze trouwde pas op haar zevenendertigste. Ze had toen al een heel eigen leven achter de rug.

Tot ver in de 19e eeuw duikt in romans en toneelstukken telkens weer de obsessie op om via een erfenis of een goed huwelijk een klein fortuin binnen te halen. Alleen zo kon een heer – of dame – van stand zich immers een positie verwerven binnen de wereld van de zeer bevoorrechten. Of die behouden.

Dit laatste gold zeker voor Hendrik. Al was hij nog altijd rijk in vergelijking met de meeste Amsterdammers, in de kringen van het Casino golden de Sixen als 'arm'. In het najaar van 1818 deed hij, zo blijkt uit zijn correspondentie, tot driemaal toe vergeefs een aanzoek. Ik stuit op een wanhopige kladbrief, vol vlekken en doorgestreepte zinnen: '… ik vleide mij U door tijdverloop te overtuigen dat mijn gevoelens zuiver waren…' '…zag ik het doel waarnaar ik streefde, een onuitsprekelijk huiselijk geluk voor oogen, doch heb het niet bereikt…' Hij probeerde het telkens opnieuw, hij mocht het meisje duidelijk graag.

Zijn aanbedene was Sara Johanna Hulft, afkomstig uit de beste kringen maar, net als Six, zonder veel geld. Haar veelvuldige weigeringen bleven elegant en standvastig: 'U verdient al mijn waardering en vriendschap maar dat is niet voldoende om ons wederzijds gelukkig te voelen. Voor diegene die men kiest moet men volledig kunnen gaan en moet men elkaars gelijke zijn en dat gevoel is er niet tussen ons. Het is daarom beter als u de titel Vriend blijft dragen zonder meer te verlangen.' Haar familie had vermoedelijk al een ander op het oog, kort daarna trouwde ze met Joost Taets van Amerongen, een edelman met minstens zoveel status, plus een echt kasteel.

Zijn vaders debacle in Hillegom zal Hendrik aan het denken hebben gezet. Er moest nu snel een grote strategische stap worden gezet. De Sixen hadden te weinig geld, ze beschikten nog wel over status, plus een oud en omvangrijk familienetwerk. De lijst met aanverwante Amsterdamse families was lang: Bicker, Hop, Van den Bempden, Dedel, Van den Burgh, Calkoen, Trip, De Graeff, Van Lennep, de ene klinkende naam na de andere. De Van Winters hadden daarentegen een jonge status, hun netwerk was pril maar ze hadden wel veel geld. Een verbintenis lag voor de hand.

Binnen de familie doen twee verhalen de ronde over de totstandkoming. Beide betreffen ook Willem van Loon, een vriend van Hendrik die in exact hetzelfde schuitje zat: deftig maar arm. In de eerste versie besluiten de vrienden op bezoek te gaan bij de dames Van Winter aan de Herengracht, met de onderlinge afspraak: degene die als eerste opendoet is voor Willem, de andere gaat naar Hendrik. In de tweede versie dobbelen de vrienden een partijtje: wie wint mag het eerst kiezen.

Beide versies worden binnen de familie nog altijd met smaak verteld. En ze zijn veelzeggend als het gaat om de mentaliteit achter dit soort verbintenissen. Met de werkelijkheid hadden ze niets van doen.

Wat Van Loon betreft, die had al besloten om zijn geluk in Indië te beproeven toen zijn moeder, vlak voor zijn vertrek, tegen hem zei: 'Zou je vanavond in de schouwburg niet Annewies van Winter ten huwelijk kunnen vragen? Misschien zegt ze wel ja.' Moeder Van Loon had uiteraard de gefortuneerde zusters Van Winter al lang op het oog. Haar zoon, een vrolijke charmeur, waagde zijn kans. Het werd, met enige moeite, 'ja'. Dat was in 1815.

Hendrik Six leerde Lucretia veel later kennen, vermoedelijk in 's-Graveland, tijdens een logeerpartij bij de Van Loons, of tijdens een van de Casinofeesten. Ze handelden vrijwel zeker op eigen initiatief, ze waren volwassen. De ouders van Lucretia waren allang overleden, vader Jan zat ver weg in Den Haag en onttrok zich aan alles – hij gaf schriftelijk zijn zegen aan het huwelijk, hij kwam er zelfs niet voor naar Amsterdam.

Beiden beschikten over een schitterende collectie schilderijen, want ook Hendrik was aan het verzamelen geslagen, vooral etsen en tekeningen. Zelfs 'uit zijn zeer bescheiden middelen' had hij die laatste jaren weer een paar schilderijen gekocht. Dat schiep een band. Meer leek niet nodig. Ze trouwden in februari 1822.

Plotseling was Hendrik weer schatrijk, net als in al die romans, dankzij het fortuin van Lucretia. Zijn huwelijk kwam net op tijd. Toen zijn vader, verbitterd, een paar maanden later zijn Hillegomse bezittingen ter veiling bracht, kon Hendrik op het nippertje de familiereputatie redden: hij kocht de ambachtsheerlijkheid Hillegom, het Schippershuis, een deel van de gronden en twee graven in de kerk direct weer terug. Binnen de familie bleef het gebruik om de titel 'Van Hillegom' te dragen.

Toch brak ook Hendrik met het dorp Hillegom. In navolging van zijn zwager Van Loon trokken Hendrik en Lucretia naar 's-Graveland, een bosrijke streek bij Hilversum die al vanaf de 17e eeuw in trek was bij de Amsterdamse elite. Het gebied was op dezelfde manier ontgonnen en geëxploiteerd als Hillegom: van de ruige heidevelden was het zand afgegraven, dat was verscheept naar Amsterdam voor het bouwrijp maken van de grachtengordel, de grond was verpacht als landbouw en weidegebied, ten slotte hadden de eigenaren in die nieuwe 'natuur' tientallen buitenplaatsen aangelegd. Het nuttige was zo met het aangename verenigd, maar het nuttige stond wel voorop, zeker in het begin. Het was vooral een belegging.

Door de malaise van de Franse tijd waren een paar van die oude buitenplaatsen vrijgekomen. In 1818 kochten de Van Loons Schaep en Burgh, een royaal landgoed voor een almaar uitdijende familie – nu het hoofdkantoor van Natuurmonumenten. In 1826 betrokken de Sixen het fraaie en statige Hilverbeek. Verderop woonden de Dedels, daaromheen vestigden zich allerlei aangetrouwde families: Van Lennep, Blaauw, Röell, De Beaufort en andere. Er ontstond zo in 's-Graveland, net als een eeuw eerder in de bocht van de Herengracht, een verknooptheid van oude Amsterdamse families die, decennialang, de hele zomer met elkaar optrokken. Net als in het Casino kwam daar van alles uit voort.

In Amsterdam was Hendrik bij Lucretia ingetrokken. Beide collecties, die van Six en van Van Winter, waren in haar huis aan de Herengracht samengevoegd. Het moet een verbluffend tafereel zijn geweest, al die oude meesters en familieportretten bijeengepropt aan de muren van de zalen, gangen en kamers. De bezoekers bleven toestromen. In het gastenboek tref ik, op 30 maart 1824, zelfs de zwierige handtekening van de Prins van Oranje – ook een internationaal befaamd kunstverzamelaar. En er kwamen nog steeds nieuwe aankopen bij, bijvoorbeeld twee Rembrandts, in 1833: *Jozef vertelt zijn dromen* en het portret van Ephraïm Bueno. Pas in 1835 verhuisden Hendrik en Lucretia naar een veel groter pand, Herengracht 509-511. Alleen al het koetshuis had plaats voor twee koetsen en zes paarden, plus woningen voor twee gezinnen. En er was alle ruimte voor hun kunstschatten.

Hendrik, Hendrik, Hendrik, alles lijkt nu te draaien om de tweede zoon, als hoofd van de familie. Terwijl dat toch echt niet de bedoeling was, en hij aanvankelijk ook niet was voorbereid op die rol.

In de vitrine ligt het zogenaamde naveldoosje van de echte kroonprins, het ivoren doosje dat zijn geboorte memoreert: 'Jan Six, geb. 22 juni 1788'. Er is een tekeningetje van hem bewaard, in Oost-Indische inkt, een klein jongetje met een mutsje, dat is het enige. Hij werd halfblind, kreeg bovendien een bochel. In de familie noemen ze hem 'ouwe Jan', volgens de verhalen was hij degene die al die opgeblazen wapenschilden liet aanbrengen op de portretten van, onder anderen, Nicolaes en Diederick Tulp. De overlevering heeft een wat onnozele stumper van hem gemaakt – wat hij, gezien zijn levendige en attente brieven, absoluut niet was. Hij was alleen niet geschikt om de dynastie voort te zetten.

Er moet een moment zijn geweest waarop hij besefte dat hij terzijde werd geschoven en zijn lot accepteerde. Nog in 1822, hij was toen vierendertig, was hij de man die, met zijn vader, de zaken in Hillegom afwikkelde. Maar na zijn vaders overlijden, in 1827, schoof hij naar de achtergrond. Hendrik was de zoon bij wie, vermoedelijk, de familieportretten terechtkwamen. Jan bleef 'als een konijn' op kamers wonen, hij werd niet in staat geacht om een eigen huishouding te voeren. Hij was zo voorgoed een toeschouwer geworden bij het 'onuitsprekelijk huiselijk geluk' van zijn broer.

En Hendrik dan? We weten het uit duizend romans: huwelijken waren in deze kringen tot ver in de 20e eeuw slechts in beperkte mate op persoonlijke affectie gebaseerd. 'Jongens, je wist dat je er iets van moest maken', met die vaak gehoorde verzuchting bleven ze meestal overeind. Dat was de praktijk. Daaroverheen lag ook nog eens de ideologie. Hendrik hanteerde in zijn liefdesbrieven aan Sara Johanna de woorden 'onuitsprekelijk huiselijk geluk' niet zomaar: huiselijke bedaardheid werd de grote mode in de 19e eeuw, het was het thema van talloze schetsen en afbeeldingen, het was de plaats waar de vaderlandse deugden groeiden en bloeiden. Het 'volksgeluk' van de Bataafse Revolutie was na Napoleon als het ware geprivatiseerd tot 'huiselijk geluk'.

Het gezin was, daarbij, niet alleen de veilige thuishaven voor iedere burger, het was de grondslag van de nieuw gevormde natie der Nederlanden, met koning Willem 1 als een soort opperhuisvader. Al direct bij zijn intocht in Amsterdam had de vorst zichzelf vergeleken met 'een vader in het midden van zijn huisgezin'. Dat beeld werd op allerlei manieren gecultiveerd – als een echte pater familias hield de koning iedere woensdag ten paleize een 'openbaar gehoor' waar iedereen welkom was. In feite regeerde hij als een verlicht patriarch over dit nationale 'huisgezin' – met, trouwens, alle financiële chaos die daarvan ook het gevolg was. De revolutionaire taal van de voorgaande generatie was volstrekt taboe verklaard: felle debatten en controverses golden als uiterst ongepast. Terwijl in de andere Europese landen de oude politieke discussies al snel weer oplaaiden, werd in dit nieuwe koninkrijk het woord 'gezelligheid' een kernbegrip. De huiselijke vrede moest tot alle prijs worden bewaard, het was de kern van de nationale identiteit.

Die verkrampte braafheid werkte op allerlei manieren door in het gezinsleven. Slechts één, twee generaties eerder speelden vrouwen nog een centrale rol in het culturele leven. Grootmoeder Lucretia van Merken publiceerde toneelstukken, discussieerde over politiek en filosofie, was actief in literaire gezelschappen – en datzelfde deden talloze andere vrouwen. Betje Wolff en Aagje Deken roerden zich overal. De schrijfster en componiste Belle van Zuylen – 'Ik heb geen talent voor ondergeschiktheid' – correspondeerde met half Europa, ze was bevriend met James Boswell, Jean-Jacques Rousseau, Benjamin Constant, Madame de Stael en andere internationale grootheden.

Er was in de 18e eeuw duidelijk sprake van een vroege feministische beweging: een vrijgevochten vrouw als Charlotte gravin Bentinck schreef in die tijd al een essay tegen 'de lange, drukkende slavernij van vrouwen'. Het is niet onwaarschijnlijk dat ook Lucretia nog in deze liberale sfeer is grootgebracht.

Met het ineenstorten van de Bataafse Revolutie was dat allemaal voorbij. De gelijkheidsidealen van de Verlichting waren teruggedrongen, het gonsde van de theorieën over de 'inferioriteit' van 'het zwakke geslacht'. Dat gold ook voor de kringen waarin de Sixen verkeerden: de status van de vrouw was opnieuw een afgeleide van die van haar man, ze diende zich te voegen naar haar echtgenoot. Het openbare leven was voor mannen, vrouwen dienden zich te beperken tot de privésfeer.

Het huwelijk met Hendrik betekende voor Lucretia een complete breuk met de vrijheid en zelfstandigheid waaraan ze al jaren was gewend. Opeens had Hendrik, als hoofd van het gezin, de financiën in handen en moest ze – als gehuwde vrouw was ze handelingsonbekwaam – voor elke uitgave om toestemming vragen. Volgens neef Maurits van Lennep had 'de arme ziel nooit een cent op zak', zo 'kort' werd ze gehouden door Hendrik. Met haar onderzoekende en rusteloze aard was ze plotseling gevangen in een 'bedaard gezinsleven', weggemetseld achter Hendrik's 'onuitsprekelijk huiselijk geluk'.

Dat kon niet goed gaan.

Grote gevoelens hoorde men te beheersen, dat was de eerste wet van de aristocratie en het patriciaat. Verbazing, angst, woede, uitbundig plezier, zulke emoties moesten stevig in toom worden gehouden. Het was een grondhouding, al vanaf *De volmaeckte hovelinck*, waarmee status en stand werden afgebakend. Zo niet bij Lucretia. Haar formele brieven – en er zijn vele honderden bewaard – zijn meestal in het Frans, het gaat over visites, diners en andere bagatellen. Maar haar emotionele uitbarstingen zijn steevast in het Nederlands, ze knetteren van opwinding, verontwaardiging en rusteloosheid, en dat wordt sterker naarmate ze ouder wordt.

Alle sierlijkheid en elegantie die de correspondentie van haar grootmoeder Lucretia kenmerkte is afwezig, Nederlands en Frans worden door elkaar geklutst als goedkope stamppot: 'J'ai voulu aller au village daar het paardemarkt was.' Ze begint met grove halen te schrijven, niet alleen zijzelf, ook haar handschrift lijkt in een staat van voortdurende turbulentie. Over kunst en literatuur gaat het allang niet meer, ze heeft het voornamelijk over ziektes, ongesteldheden en 'pijn op de borst'.

Na de bruiloft was Lucretia direct zwanger geworden. Op 4 januari 1823 beviel ze, vermoedelijk te vroeg, van een tweeling, een jongen – Landry Jan – en een meisje – Anna Louisa Maria. Het jongetje was meteen dood, het meisje leefde nog vijf dagen. Hendrik was niet thuis, hij zat op dat moment in Vreeland, hij was ziek.

'Zij is expres zo oud getrouwd om niet te hoeven kramen, ik heb zelden zoo een gek mensch gezien,' schreef een kennis, een zekere mevrouw Croese, tussen de andere stadsroddels van die januarimaand: 'Een kind is dood gekomen, maar het levendige heeft zij direct uit laten schilderen, maar na eenige dagen is dat ook overleden, toen heeft zij laten komen de kunstenaar Gabriels om dat dode kind te laten boetzeren en nu in marmer te laten beeldhouwen. Het kind is reeds 11 dagen dood. Maar wijl haar man de Geeluw [geelzucht] heeft en het kind niet begraaven kan, wil zij het zoo lang op sterk water zetten tot dat hij beter is en het kind ter aarde kan bestellen.'

Dat gold ook voor het doodgeboren jongetje. Ze werden alleen nooit begraven. Lucretia kon geen afstand doen.

Er kwamen al snel nieuwe kinderen, Jan Pieter in 1824 en zijn broer Pieter Hendrik in 1827. Toch lieten de eerste twee kleintjes Lucretia niet los. Jaren later, op 4 januari 1841 (per abuis schrijft ze 1840), komt ze er nog op terug in een verwijtende brief aan haar zonen: waarom zijn ze alweer naar hun kostschool vertrokken, terwijl vandaag toch hun zuster haar achttiende verjaardag zou hebben gevierd. 'Denkelijk zoudt gij op zulk eene dag niet van hier gereist zijn maar veeleer gebleven zijn.' De voorzienigheid heeft dit niet toegelaten, schrijft ze, 'maar onderwerping behoeft daarom niet in onverschilligheid te ontaarden'.

Het marmeren kopje van Anna Louisa Maria Six, met de ogen gesloten, staat nog altijd in een zijkamer. Het is, samen met de helft van een ander kopje, ook zichtbaar op de achtergrond van haar officiële portret van Dubois Drahonet. Met haar moesten de dode kinderen worden bewaard, voorgoed.

Het huwelijk verslechterde. Op 8 juli 1833 stuurt Hendrik een formele 'procuratie' aan zijn vrouw in 's-Graveland – aanhef: 'Mevrouw' – waarin hij haar de bevoegdheid teruggeeft om haar eigen zaken te regelen. Zijn woede liegt er niet om: 'Na de veele onaangenaamheden, die gij mij opnieuw gisteren en eergisteren veroorzaakt hebt...' 'U volstrekt niet te willen schikken naar het geen U uwe pligt als vrouw gebiedt, namelijk het huis aangenaam te maken aan Uw man geduurende de tijd dat hij er is, dat bij u althans kort is...' 'U ruim baan verschaft voor uwe heerschzucht...' 'De altoos duurende omslag en drukte waarmede uwe bemoeijingen vergezeld gaan...'

Het was mooi geweest, hij hield het voor gezien. Nu zal Lucretia geen gemakkelijke vrouw zijn geweest, ze heette in de familie niet voor niets 'tante Secreet'. Hier botsten echter niet alleen twee karakters maar ook twee wereldbeelden, twee tijdperken zelfs: het vrije ideaal van de late 18e eeuw tegenover het gezinsideaal van 19e.

Hendrik schrijft over 'al die verwijten van niet te kunnen

doen wat gij wilt, dat gij tot U 36ste jaar hebt kunnen doen, maar daar echter vrijwillig afstand van gedaan hebt door in het Huwelijk te treeden'. Hij heeft het over haar 'plichten als Echtgenoote en Huismoeder', tegenover 'de menigvuldige pligts aanmaningen en texten die gij mij zonder eenig oordeel opdischt en toeduwt'. En ja, 'schreeuwen tot anderen', dat past 'geen christenvrouw'. Zo'n vrouw 'moet zelf haar plichten in stilte te doen, zonder over een ander te oordeelen: heeft zij die volbragt, dan past haare eerst aanmerkingen op andere te maaken en dan zal men dezelve gaarne hooren als zij op eene hebbelijke wijze gedaan worden'.

Maar, schrijft hij, 'gij zult van mij niet veel last meer hebben: ik ben het moede, U en Uwe betrekkingen, en haak naar het oogenblik dat ik me in ruste met mijne kinderen in eene stille kring zal kunnen huisvesten'.

De breuk wordt uiteindelijk toch niet doorgezet. De daaropvolgende brieven beginnen weer met 'Ma chère épouse', mijn lieve vrouw – al zegt dat niet veel. Vermoedelijk bracht het echtpaar de meeste tijd gescheiden door, hij in Amsterdam, zij buiten op Hilverbeek met de twee jongens. Wel miste hij zijn kinderen, zijn 'knolleboutjes', de paar bewaarde brieven aan de jongens zijn opvallend losjes, speels en warm:

'Woensdag avond en noch geen syllabeetje!!!! Wat wordt daar gescheldt! Dat zal vast noch een brief zijn van mijne Jongens. Van den Bergh: doet spoedig open; er is vast wat goed nieuws. Maar ja wel, van den Bergh heeft opengedaan, maar niemand gevonden, het was slechts een voorbijganger, die in het gaan aan de schel gestoten had. Gij ziet ik ben nieuwsgierig; als ik zoo des avonds alleen zit en den geheele dag druk bezig geweest ben en de Courant wat geleezen heb en een boterham gegeeten heb, en een beschuit er bij gebrokkeld heb, en een glaasje wijn er bij gedronken heb, en mijne laarzen uitgetrokken heb, en mijne pantoffels aangetrokken heb en weder op mijne stoel gezeten ben en eens op het portret van mijn Jantje zie, en wensch er een bij te hebben van mijn Pietje, dan denk ik wat zullen mijne kinderen heden wel uitgevoerd hebben...'

Hendrik vond zo toch nog een vorm van 'onuitsprekelijk huiselijk geluk', zij het op afstand en grotendeels in zijn eentje. Zijn dode baby's hielden hem gezelschap, ze stonden de hele 19e eeuw in hun glazen potten achter in de bibliotheek. Totdat ergens rond 1900 een nieuwe mevrouw Six tegen haar man zei – ik volg nu de overlevering: 'Zeg vader, zullen we oom en tante maar niet eens wegdoen?'

Er was, naast alle huwelijksperikelen, een extra complicatie: Hendrik werkte. Hij brak met het renteniersleven van zijn vader en grootvader. Hij volgde het gebruik van de toenmalige zakenwereld en trad toe tot het kantoor van wijlen zijn schoonvader, Pieter van Winter, de firma Muhl, Van Winter en Co, 'negotie in verfwaren'. Ook handelde hij in hout op Japan en Suriname. Hij koos, kortom, voor een bestaan dat in die tijd ongebruikelijk was voor iemand die een aristocratisch leven wilde leiden.

Hij was er niet aan gewend, waarschijnlijk had hij dat 'werken' ook beter kunnen laten. Neef Maurits van Lennep schreef in zijn memoires dat Lucretia had beschikt over een 'zeer groot fortuin', maar dat Hendrik dit zo slecht had beheerd en dat hij, 'door de zaken van den ouden heer Van Winter voort te zetten', grote sommen had verloren.

Hij blonk uit op andere terreinen. Hij gold als een uitstekend botanicus, hij was een zeer gewaardeerd bestuurslid van de Hortus Botanicus en hij had het geluk dat juist in die periode de ene botanische ontdekking na de andere werd gedaan. Het waren de jaren van de plantenjagers, gespecialiseerde ontdekkingsreizigers die vanuit wildernissen over de hele wereld nieuwe en ongekende soorten naar Europa brachten: azalea, aster, trompetboom, wolfsmelk, hortensia, rododendron, aster, wilde wingerd, wilde kers, plus nog eens een keur aan nieuwe bomen en struiken.

De botanicus Joseph Banks was ermee begonnen, tijdens de expeditie waarin kapitein James Cook tussen 1768 en 1771 het zuidelijk deel van de Stille Oceaan verkende. Toen Cook terugkeerde was zijn ruim volgestouwd met zo'n dertigduizend plantenmonsters, waarvan veertienhonderd nooit eerder waren beschreven. In één klap was het aantal planten dat de westerse wereld kende met een kwart uitgebreid.

De handel in dit zeldzaam groen bleek uitermate lucratief, iedereen met een buitengoed wilde wel opvallen met een paar spraakmakende soorten in de tuin. Het was de start van een groene goldrush. Een hele generatie avonturiers zwermde uit. Aan het eind van de 18e eeuw, eerder dan welke blanke pionier ook, zwierven al plantenjagers door de eindeloze bossen en prairies van het Amerikaanse binnenland. De oerwouden van het Amazonegebied werden verkend, de Maleise archipel, China, overal werden planten vandaan gesleept.

Het waren buitengewoon riskante expedities. Plantenjagers verdronken, verdwenen, stierven aan honger, malaria of de gele koorts. De zoon van de bekende botanicus André Michaux werd gruwelijk verminkt door een zwarte beer. David Douglas, de ontdekker van de douglasspar, werd doodgetrapt door een wilde stier. William Bartram zwierf vijf jaar lang door de Amerikaanse bossen en werd als verloren beschouwd – toen hij weer opdook bleek Amerika al een jaar in oorlog te zijn met Engeland, zijn klanten was hij dus kwijt. Een andere botanicus, Samuel Rafinesque-Schmaltz, trok zeven jaar door de Appalachen en kwam terug met vijftigduizend zaden en stekjes. De Nederlandse plantenjager Frans Nicolaas Meijer, die later vooral in China en Centraal-Azië opereerde, schreef: 'Als ik denk aan al deze nimmer verkende streken duizelt het me, je bent nooit in staat om alles te bereizen. Ik zal (ook) mijn volgende leven moeten rondzwerven.' Hij introduceerde vermoedelijk zo'n 2500 nieuwe plantensoorten bij zijn klanten. Het waren gouden jaren voor botanici, zeker een eeuw lang.

De ontdekkingskoorts had ook Hendrik aangestoken. Bij mijn weten zette hij nooit een voet in welke wildernis ook, maar hij was wel de eerste die rond 1820 de *Camellia japonica* uit Japan – waar de arts Philipp von Siebold op het handelseiland Deshima een botanische tuin had opgezet – naar Nederland liet overbrengen. Waarschijnlijk had hij dat via zijn handelscontacten weten te regelen. Hij liet zich er trots mee portretteren, op de buitenplaats Jagtlust werd de plant gekoesterd. Na 1960 kwijnde de oercamelia helaas weg vanwege 'slootwatervergiftiging' door de omliggende wasserijen.

Binnen de familie circuleren nog wel een paar gestekte nakomelingen.

Hendrik had sowieso een sterke wetenschappelijke nieuwsgierigheid. Hij was lid van de Koninklijke Akademie van Wetenschappen en maakte, samen met zijn vriend Jacob de Vos,
in Amsterdam de eerste – misschien zelfs allereerste – foto's.
In Parijs had de uitvinder Louis Daguerre in 1826 kans gezien
om beelden in zijn camera obscura via licht en chemicaliën
vast te leggen. De eerste opnamen waren vaag, maar op 19 augustus 1839 presenteerde Daguerre de wereld een systeem dat,
via geprepareerde platen, haarscherpe foto's kon afleveren. De
details van zijn uitvinding hield hij wijselijk voor zich.

Zodra beide heren daar lucht van kregen 'ontboden' ze het
'toestel van Daguerre' uit Parijs en vijf jaar lang deden ze er
samen proeven mee. De 'foto' interesseerde Six hevig – wellicht ook omdat hij allerlei toepassingen zag in verband met
zijn kunstverzameling. 'Het procedé van Bayard [eveneens een
fotopionier] is bekend, ik heb het voorschrift en de middelen,
en zal bij de eerste gelegenheid proefnemen,' schreef hij bijvoorbeeld in een krabbeltje aan De Vos. 'Ik ben overtuigd dat
als wij weder zonnelicht hebben, ik in staat zal zijn krachtiger
en zuiverder tekeningen naar Daguerre te bekomen.'

Na de dood van Jacob de Vos, in juli 1844, schonk Six het
apparaat plus toebehoren aan Felix Meritis. De maatschappij
was er bijzonder blij mee, de afdeling Natuurkunde zou doorgaan met de proeven, het ding belandde op de Universiteit
van Amsterdam, maar waar dat eerste 'toestel van Daguerre'
daarna gebleven is weet geen mens. Ook van de foto's ontbreekt ieder spoor.

Wat het stadsbestuur betreft, voor de meeste oude regentenfamilies waren de glorietijden voorgoed voorbij. Dat gold
ook voor de Sixen. 'De familie leefde bescheiden in de schaduw van de financiële en industriële elite van Amsterdam, die
in de loop van de 19e eeuw opkwam,' concludeert historica
Barbara van Vonderen in haar studie over de Amsterdamse
toplaag in die periode. 'Toch was hun aanwezigheid van groot
belang voor Amsterdam en iedere Amsterdammer uit die tijd
heeft van hen geweten.'

Dat gold voor veel prominente families uit de tijd van de

Republiek. Het leek alsof ze geen raad wisten met deze eeuw: de industrialisatie, de opkomst van een nieuwe middenklasse, het liberalisme, de roep om meer macht voor de burgerij, de stad die geen politieke rol meer speelde, de nieuwe Nederlandse natie die nu het debat bepaalde, alles was hun vreemd, niets paste meer in hun wereld van zekerheden en tradities. Terwijl in andere Europese landen de aristocratie en de oude elite zich weer openlijk in de politieke strijd wierpen, hielden de voormalige regentenfamilies zich hier – een enkele uitzondering daargelaten – na de Franse tijd op de achtergrond.

Er was in Nederland sinds Napoleon iets fundamenteel veranderd. Voor 1795 leefden de Sixen in een maatschappij die vrijwel uitsluitend was gebaseerd op rang en stand. Ze hoorden automatisch tot de regentenklasse, simpelweg *omdat* ze Six heetten. Zo stelden ze zich ook voor, met hun achternaam, nooit met hun voornaam. Als ze de gepaste godsdienst aanhingen en zich niet misdroegen lag een hele reeks functies als vanzelfsprekend voor hen open. Na 1795 – en alleen al in die zin was die januarimaand revolutionair – werden steeds vaker mensen benoemd op basis van iets totaal anders: hun opleiding, hun kwaliteiten, hun verdiensten.

'Gelijkwaardigheid' was, kortom, niet alleen een slogan uit de patriottentijd. Het was een principe dat bleef staan, dat paste bij deze veranderde tijd en dat dan ook door alle nieuwe machthebbers, inclusief koning Willem I, werd overgenomen. Een toppositie kwam de adel en het patriciaat niet langer automatisch toe, hun zonen moesten erom concurreren met 'minderen', ja zelfs met de burgerij. Alleen het koningschap bleef erfelijk.

De oude regentenfamilies waren klaarblijkelijk niet in staat om die ontwikkeling te keren. Wel wisten ze zich vaak nog uitstekend te handhaven, tot ver in de 20e eeuw, dankzij hun vermogens, hun opvoeding en opleiding, hun 'clubgevoel' en hun netwerken. De biograaf van de familie Teding van Berkhout, Kees Schmidt, schrijft: 'Hun "macht" in deze bleek uit de mate waarin zij zich aan het verval wisten te onttrekken, niet uit de bestrijding ervan.' Het was afgelopen met de vanzelfsprekendheid.

De gevolgen tekenden zich in de loop van de eeuw steeds duidelijker af. In het begin van de 19e eeuw konden negen van de tien Amsterdamse raadsleden nog worden gerekend tot de oude elite, rond 1850 was dat minder dan de helft. In 1860 waren van de ruim negentig Casinoleden nog maar acht – waaronder de Sixen – afkomstig uit oude regentenfamilies.

Dat ging niet zonder slag of stoot. Ondanks alle theorieën over gelijkwaardigheid, ondanks de democratisering en de snelle groei van de middenklasse, bleef Amsterdam gedurende een groot deel van de 19e eeuw in sociaal opzicht een bevroren samenleving. De verdeling in rangen en standen was nog onverminderd scherp, een onderscheid dat op allerlei manieren – kleding, taal, gedrag – misschien wel sterker werd benadrukt dan voorheen. Een Amsterdammer uit die tijd zag in één oogopslag tot welke klasse iemand behoorde en hoe hij hem of haar – smekend, vragend, eisend, bevelend – moest benaderen.

De aanhef boven de vele brieven van kunstexpert Jeronimo de Vries aan de jonge Lucretia is tekenend: eerst is het 'Mejuffrouw', dan: 'Mejuffrouw, Vriendin' en ten slotte 'Jonkvrouwe'. In één brief excuseert De Vries zich in alle toonaarden voor zijn wat al te familiaire gedrag de avond tevoren: ze hadden te veel plezier gehad, het was wat te amicaal geworden. Hij mocht een groot dichter en kunstkenner zijn, directeur van het Koninklijk Museum, hij bleef een burger, hij wist zijn plaats.

Bínnen de Amsterdamse 'haute bourgeoisie' bestond, daarbij, ook nog eens een onzichtbare maar allesbepalende verdeling in familiegroepen, 'coterieën'. De 'eerste coterie' bestond uit de rechtstreekse nazaten van de oude regenten – onder wie uiteraard de Sixen. De 'tweede coterie', waaronder de Van Winters, bestond uit afstammelingen van families die al tijdens de Republiek tot de zeer gegoede burgerij behoorden, die een uitstekende naam hadden maar die nooit waren toegelaten tot regeringsambten – vaak omdat ze katholiek, joods of doopsgezind waren.

Het ging tussen beide coterieën, afgezien van titel en afkomst, vooral om mentaliteitsverschillen. Voor de eerste coterie telden bovenal immateriële zaken: afkomst, geboorte en maatschappelijk aanzien. Bij de tweede coterie lag de nadruk meer op het familiefortuin, op vermogen en succes.

Op godsdienst of geloof werd, zo werd althans beweerd, na 1815 niet meer sterk gelet: de heren 'maakten zelf wel uit wie erbij hoorde en wie niet'. Toch waren, volgens een latere telling, van de ongeveer tachtig families van de tweede coterie veruit de meesten hervormd, elf waren doopsgezind, drie joods en één katholiek. Ondanks de totale vrijheid van godsdienst tierden 'sociaal antipapisme' en 'sociaal antisemitisme' nog volop in deze Amsterdamse kringen: zelfs voor de eerbiedwaardige Joodse bankier Abraham C. Wertheim en zijn familie bleef het Casino gesloten. De Groote Industrieele Club en later de deftige roeivereniging De Hoop waren tot ver in de twintigste eeuw voor Joden niet toegankelijk.

Er waren een paar families die soepeltjes door dit alles heen manoeuvreerden. Dat gold met name voor de familie Van Lennep – ik noemde al eerder grootvader Cornelis, vader David, zoon Jacob, de schrijver, en kleinzoon Maurits, de chroniqueur van het 19e-eeuwse patriciaat. Overal waren de Van Lenneps, met hun vrije en intellectuele levenshouding, graag geziene gasten. Ze hadden weinig geld en invloed, ze trouwden zowel binnen de eerste als binnen de tweede coterie, maar ze vormden een belangrijke bindende kracht binnen de oude elite. De Van Lenneps waren, zoals men zei, 'het klimop' binnen al deze familieverbanden.

De Sixen behielden in deze Amsterdamse microkosmos eveneens een eigen positie, mede door al hun kunstcontacten. Terwijl de oude regentenfamilies zich verschansten in het oerconservatieve College in de Munt, trokken de nieuwkomers – inclusief de tweede coterie – massaal naar Felix Meritis. Daarbij ging het niet alleen om de concerten, de voordrachten, de proeven met foto's en de talloze andere experimenten. Een lidmaatschap – dat behoorlijk prijzig was – betekende een vorm van status en aanzien. De oude elite voelde niets voor zo'n vermenging met de aanstormende burgerij. Zelden was iemand zowel lid van de Munt als van Felix. Hendrik Six was een van de weinigen die zich daar, op zijn eigen manier, niets van aantrokken. Tussen de brieven van Lucretia stuitte ik op de tafelschikking voor een diner, het was vrijwel allemaal 'eerste coterie' dat daar aan tafel zat, klinkende Amsterdamse namen als Van Loon, Van Lennep en Rendorp. Hendrik hoorde duidelijk bij De Munt. Toch was hij, en bleef hij, net zo goed een enthousiast lid van Felix – net als later zijn zoon.

Misschien had het feit dat hij getrouwd was met een familie uit de tweede coterie iets met zijn relatief open houding te maken – al kan dat subtiele standsverschil tegelijk een rol gespeeld hebben bij zijn huwelijksproblemen. Hij ging echter niet zo ver dat hij meedeed met de elitejeugd toen die in 1843 hun 'Doperwtjes-club' – een libertijns fuifgezelschap – ombouwden tot een serieuze mannenclub waarvan alleen al de naam de exclusiviteit aangaf: Onder Ons. Daarvoor was Hendrik trouwens ook veel te oud: de oprichters waren zonder uitzondering tussen de twintig en dertig, ze waren welgesteld en veelbelovend, ze zouden, met anderen, de aanvoerders worden van het zich verjongende Amsterdam van de tweede helft van de 19e eeuw. De zonen uit oude regentenfamilies schitterden door afwezigheid, inclusief de Sixen – maar al snel veranderde dat.

Onder Ons bestaat nog steeds, het is de meest exclusieve herensociëteit van Amsterdam. De naam moet letterlijk worden genomen, uit de school klappen is taboe. De club is gevestigd in een voormalig bordeel aan de Kalverstaat, een gesloten grijze gevel in deze verder zo uitbundige winkelstraat. In 1868 meldde de Prins van Oranje zich als lid en sindsdien schoven de mannelijke leden van de koninklijke familie er graag naar binnen – de gefrustreerde echtgenoten van de koninginnen Wilhelmina en Juliana voorop. Ook de Sixen behoorden – en behoren – tot de trouwe leden.

Als het om rangen en standen ging was Hendrik Six eigenlijk maar met één ding bezig: zijn adellijke titel. Met de komst van koning Willem 1 had Nederland voor het eerst sinds de 16e eeuw weer een 'adelvormende instantie' – adeldom moet immers verleend worden door een vorst. Eindelijk konden hij en zijn nazaten hun bijzondere positie formaliseren en vastleggen.

Nu was de elite in Nederland vanouds verdeeld in twee groepen. Aan de ene kant was er het patriciaat uit de grote steden, met name Amsterdam. Het waren de aristocraten van de Republiek – maar adellijke titels hadden ze zelden. Aan de andere kant was er de oude adel van de landgoederen, met namen als Van Heeckeren, Van Wassenaer, Bentinck van Schoonheten, Van Regteren Limpurg, Van Limburg Stirum en andere.

Die landadel werd in 1814 direct 'erkend', met titels als graaf of baron. Buitenlandse adel kon, op verzoek, worden 'ingelijfd'. En ten slotte konden eerbiedwaardige families met 'drie generaties aanzienlijkheid' – met ambten als schout, schepen en burgemeester – tot de adelstand worden 'verheven'. Ze kregen het predicaat 'jonkheer'. Dat deed koning Willem I vanaf 1815 op grote schaal – ongeveer de helft van de Nederlandse adel hoort tot deze nieuw gecreëerde stand.

In Amsterdam werd zo een hele reeks oude regentenfamilies tot de adelstand verheven. Deels deed de nieuwe koning dat uit strategische overwegingen, zo bond hij immers deze lastige en nog altijd invloedrijke families aan zijn regime. Deels was het ook een kwestie van machtsevenwicht: door het samengaan van Zuidelijke en Noordelijke Nederlanden waren de verhoudingen binnen het hof van koning Willem I totaal uit balans geraakt. In België bestond vanouds veel hoge adel, er waren meerdere grafelijke en zelfs prinselijke families. In Nederland telde dergelijke adel niet, de oude adel die er was gold als 'arm' – wat in deze kringen natuurlijk altijd een relatief begrip was. Onder al die Amsterdamse families zat wel geld, vandaar dat het aan de grachten opeens jonkheren regende en soms zelfs een enkele baron.

Het bleef een wat wezensvreemde toestand, de adelsverleningen in Amsterdam en de rest van Noord-Nederland. Het zat veel families ook niet lekker. Ooit hoorden de Bickers, de Dedels en de Sixen tot de 'koningen van Amsterdam', ze waren van geen vorst afhankelijk. Nu hing hun status opeens af van wat een hof ervan vond, ergens in Den Haag of Brussel. Zoals de Amsterdamse historicus Bas Dudok van Heel ooit zei: 'In Florence zouden families als Bicker en De Graeff ongekroonde prinsen zijn geweest. In Amsterdam hadden ze in 1815 graaf moeten worden, minstens. Maar dat pikte de Zuid-Nederlandse adel niet. Het bleef hier behelpen.'

Het feest duurde trouwens maar vijftien jaar. In 1830 scheidde België zich alweer af uit het Koninkrijk der Verenigde Nederlanden. Daarna was het op grote schaal strooien met adellijke titels voorbij.

Hoe verging het de Sixen in dit delicate spel? De Haagse tak, de Oterleeks, werden in 1815 direct in de adelstand verheven. Cornelis Charles Six kreeg later bovendien 'wegens persoonlijke verdienste' als minister van Financiën de titel baron – een recht dat werd doorgegeven aan de oudste van iedere generatie. 'Hofsloffen' mompelden de Amsterdammers.

Hendrik Six was principiëler. Hoewel ook zijn tak van de Sixen ruimschoots aan de eisen van 'aanzienlijkheid' voldeed, begon hij met de Hoge Raad van Adel een eindeloze briefwisseling over de cruciale vraag: moeten de Sixen 'verheven' dan wel 'ingelijfd' worden? Hij haalde een geschiedschrijver uit Artois uit de bibliotheek, de 17e-eeuwse Jean le Carpentier, die al in 1080 een zekere Landry Six had aangetroffen, een ridder. Deze Six nam, zo werd gezegd, deel aan de Eerste Kruistocht en hij was – net als zijn zoon Hugues en kleinzoon Simon – slotvoogd van Kamerijk. De Sixen bezaten bovendien grond: op een vroeg-17e-eeuwse kaart van Ieper en omgeving staat, naast het 'Nonnenbosch', even ten noorden van Poperinge, ook een 'Six-Bosch' aangegeven. 'Niks verheffen,' moet Hendrik gedacht hebben, 'wij zijn allang van adel en we blijven dat.' En daarin was hij niet de enige.

Het onderscheid mag voor een buitenstaander nietszeggend zijn, in deze kringen woog het zwaar – en dat doet het soms nog. De familie Teding van Berkhout kon de 'verheffing' tot jonkheer nauwelijks verkroppen – zelfs een eeuw later, in 1920, deden ze nog een poging dit 'onrecht' te herstellen. Ze wilden koste wat kost erkend worden als oude adel, ook al waren hun aanspraken enkel gebaseerd op Waterlandse polderaars. Een deel van de familie Van Lennep weigerde zelfs een titel aan te vragen. Ze vonden het jonkheerschap een vernedering, veel te lage adel gezien de verdiensten van de familie. Toen David Eliza van Lennep in 1909 de titel toch wilde aanvragen schreef zijn broer David Jacob hem dat hij nog liever had dat zijn broers socialist werden, of rooms, of atheïst. 'Pure ijdelheid.'

Bij de Amsterdamse Sixen zit de hele discussie verstopt in de bibliotheek, in een merkwaardige collectie historische boeken en in een enorm pak archiefstukken waarmee ik een hedendaagse lezer niet zal vermoeien. Het kwam erop neer dat Hendrik Six zijn verzoek om inlijving in de Nederlandse adel baseerde op de middeleeuwse Sixen in Armentières. Op basis van het werk van de eerder genoemde Le Carpentier en anderen concludeerde hij dat de toenmalige familie Six afstamde van de kasteelheer Landry Six die in 1080 regeerde over Armentières. De familie behoorde volgens hem dus tot buitenlandse – ofwel Noord-Franse – adel, er moest sprake zijn van inlijving.

Uiteindelijk werden de oude adellijke pretenties van de Sixen gehonoreerd – al had de Hoge Raad van Adel daarbij de nodige kanttekeningen en al volgt het 'Rode' adelsboekje Hendrik's opvattingen evenmin. In 1841 werden Hendrik Six en zijn nakomelingen door een nieuwe vorst, koning Willem II, als jonkheer ingelijfd in de Nederlandse adelstand. Ze hadden daar precies zeven jaar plezier van. Met de grondwet van 1848 werden alle adellijke privileges alweer afgeschaft. Ook de leden van de Eerste Kamer werden, in plaats van benoemd door de koning, voortaan gekozen. Alleen het 'jachtrecht' bleef tot op zekere hoogte bestaan. Plus de erfelijke titels.

Van een innig gezinsleven was ondertussen bij Hendrik en Lucretia geen sprake. Na de geboorte van Jan en Pieter Hendrik draaide het leven van Lucretia grotendeels om haar kinderen. Er is een kort dagboekje van hun zoontje Jan, uit de zomer van 1838, toen hij dertien was. Opwindend is het bepaald niet. In het weekend zijn er wandelingen, er wordt theegedronken, de kerk wordt bezocht. 'Met mijn moeder naar de familie Elias in Beeresteyn.' 'Vroeg naar Voorschoten gegaan aldaar in de Kerk gegaan toen naar Leyden gegaan, te Voorschoten gegeten en papa is 's avonds weder vertrokken.' 'Oom J. Six is hier geweest.'

Diezelfde zomer was hij vertrokken naar de kostschool Noorthey, een robuust gebouwencomplex tussen de bossen van Voorschoten, het Eton van het toenmalige Nederland. Alleen voor de allerrijkste families was het schoolgeld betaalbaar: 1200 gulden per kind per jaar.

Hendrik had deze ingrijpende beslissingen blijkbaar op eigen houtje genomen, tot grote ontsteltenis van Lucretia. In het archief hoor je haar, in een paar kladderige brieven, bijna schreeuwen. 'Six' – dit was haar aanhef als ze razend was. Toen ze hoorde dat Hendrik haar zoon Jan naar Noorthey wilde sturen, waren haar zenuwen 'zoo vreeselijk ontsteld' dat ze haar stem verloor 'door de kramp op de borst'. Ze kon er niet over praten, ze was 'te veel gespannen' om te kunnen 'denken en spreken'. Als hij haar rustig naar haar mening had gevraagd, had hij dat kunnen voorkomen, nu had zij 'in eene foltering geleefd die niet te beschrijven is'.

Een volgende brief: als deze beslissing genomen zou zijn 'met wederzijdse hartelijkheid en onder afbidding van God's Zegen', dan was ze in de gelegenheid geweest met 'helderheid van geest' haar 'onpartijdige inzichten, gevoelens en grondbeginselen' over deze kwestie te uiten, zodat ze samen een beslissing hadden kunnen nemen die voldeed aan 'de toets eener verlichte godsdienst en gezond verstand'.

Weer een brief: op haar leeftijd was het 'te meer grievend deze affectie, die ik natuurlijk voel voor mijn eigen kind, waar dat ik zeventien jaar [...] alles voor over heb gehad en nog had, zo geheel geruïneerd te zien'. Nu mocht ze daar zelfs 'geen ander idee als het uwe' over hebben. Opnieuw vecht ze, tevergeefs, voor een eigen rol, een eigen mening.

De kostschool waar het allemaal om ging was in 1821 opgericht door Petrus de Raadt, een onderwijzer die sterk was beïnvloed door de Zwitserse pedagoog Pestalozzi – de voorloper van het montessorionderwijs. Het onderwijssysteem was, zeker voor die tijd, zeer progressief: iedere leerling had bijvoorbeeld in 1830 een eigen stukje tuin om te bewerken, in 1850 werden er al gymnastieklessen gegeven. Maar de grootste aantrekkingskracht lag in de exclusiviteit: families van aanzien, uit het hele land, stuurden hun kinderen naar Noorthey, tot de Oranjes toe. Daar werden vriendschappen gesloten voor het leven, daar ontstonden de elitenetwerken van het toekomstige Nederland.

Jan had het er in het begin niet gemakkelijk. De andere jongens deden niets dan rennen en vechten, plaagden hem en noemden hem, zo schrijft hij zijn vader, 'soes, konijn, oude sok'. Na een halfjaar ging het beter, hij huilde niet meer, het pesten was verleden tijd. Broer Pieter Hendrik, die een klein jaar later kwam, had nergens last van – maar hij was wel erg ongedurig, schrijft De Raadt. Hij speelde uitstekend viool. De brieven van Lucretia staan ondertussen bol van de gezondheidsadviezen: levertraan, goed eten, niet te wild spelen, ze weet van geen ophouden. Engeland raakt in de mode, ze experimenteert met een brief in het Engels: 'I have begun a conversation by means of paper pen and inkt with mij good dear boy, whichs I long already so much to see again that I don't know.'

Jan klaagt ondertussen over zijn winterbroek die te nauw zit: 'Ik ben bang dat de kleermaker van Voorschoten (welke een gat in eener grijze broek met blauw stopt) een lap van ik weet niet welke couleur, op een zeer dwaze wijze, er in doen zal.' Hij schrijft over een moeizame wandeling over de nieuw aan te leggen spoorweg – waarschijnlijk die van Haarlem naar Den Haag – 'waar de balken reeds liggen'. Over een wandeling naar Voorschoten, waar de tocht uitloopt op een roversspel met een modderschuit. Over een pamflet: 'Laatst heb ik een dier geschriften tegen den gewezen koning [Willem I] gelezen, te weten: de gevlugte administrateur of het gemaskerde bal. Ik vond het wel aardig maar het beviel mij niet dat zij daarin met den tegenwoordige koning [Willem II] ook spotten.'

De werkelijkheid van alledag is vermoedelijk beter beschreven door zijn schoolgenoot Frans Valck: 'Om 7.00 uur was er les. Daarvoor was het ontbijt al geweest. Twee boterhammen met komijnekaas en roggebrood. Onder de bijbellezing kon men goed bedenken hoe aan nog meer boterhammen te komen.'

Lucretia telde ondertussen het aantal dagen zonder haar jongens, ze noteerde die zelfs in haar brieven.

Op 24 juni 1842 ging Jan van school. Van Petrus de Raadt kreeg hij een jubelende afscheidsbrief. Zijn 'eenvoudigheid en oprechtheid van hart', gecombineerd met verstandelijke vermogens 'met welke ge niet karig bedeeld zijt', hadden op hem een onuitwisbare indruk gemaakt. 'Gij hebt u op Noortheij uitmuntend gedragen,' schreef De Raad. Hij hoopte dat hun 'toegenegenheid' ook in de toekomst zal blijven bestaan. 'Bewaar, mijn lieve Jan, daarbij die beminnelijke openheid van gemoed, tot welke gij een zoo gelukkige aanleg hebt.'

Hij ging naar Utrecht om rechten te studeren maar trok zich al snel weer terug in 's-Graveland, waar hij, met zijn broer Pieter Hendrik, een traag vrijgezellenbestaan leidde. Zoals een tijdgenoot later zou schrijven: 'Zijn moeder had wat leeftijd aanging zijn grootmoeder kunnen zijn; zij was ziekelijk en het was dus geen wonder dat de jeugd van Six niet geschikt was om hem gevoelens van krachtige actie in te prenten.'

Maurits van Lennep beschrijft in zijn jeugdherinneringen hoe hij, omstreeks 1844, Hendrik en Lucretia tijdens een logeerpartij op Hilverbeek aantrof. Hij schetst een treurig beeld. 'Zij leefden als kat en hond, en als de een aan hunne zoons iets verbood, stond de andere het toe.' Lucretia klaagde voortdurend haar nood bij de dames uit de buurt, Hendrik betitelt hij als een gierige 'zuurmuil', een 'neetoor' en een 'lastige zeenkip'.

In het verslag ontmoeten we opeens ook weer de bijna vergeten Jan Six van de vroege 19e eeuw, een oude man met 'een geweldige bochel en slechts één oog'. Maurits moest bij deze Jan op één kamer slapen, een vertrek waarin zowel een dubbel als een kinderbed stonden. 'Ik begreep dat die laatste voor mij bestemd was, maar de meid zeide mij: "Neen! daarin slaape meneer Jan!" Ik geloof dat hij ouder was dan Oom [Hendrik], maar wat hiervan ook zij, hem werd niet eens een afzonderlijke logeerkamer en een ordentelijk bed gegund, daar hij zich met een kinderbed moest behelpen.'

De volgende ochtend, bij het ontbijt, werd de logé eerst door Hendrik afgebekt omdat hij ongevraagd 'goede morgen' zei – dat paste niet bij kinderen. Daarna zag hij met verbazing hoe deze 'kleine oom Six' zijn boterham met koek in de lengte sneed, in lange dunne repen, 'en deze achtereenvolgens in hunne volle lengte met het grootste gemak in de mond stak en geheel verdwijnen liet, zonder er een stuk van af te bijten'. Bij de middagmaaltijd had hij zijn bord soep veel sneller leeg dan alle anderen, 'daar hij met zijn hoofd niet ver boven de tafel uitstak, en als hij het op de helft leeg had, het bord met beiden handen aan de lippen zetten en eenvoudig leeg slobberde'.

'Ouwe' Jan Six woonde sinds jaar en dag op kamers in de Spiegelstraat .Van Lennep: 'Als hij de straat op ging gebruikte hij een walvisgraat als wandelstok. Iedereen hield hem voor doodarm, bij zijn dood bleek hij toch een aardig vermogen te bezitten.'

Lucretia overleed kort na deze logeerpartij, in 1845, Hendrik in 1847. Zelfs de dood was voor de rusteloze Lucretia geen bevrijding. Ze was een modegevoelige vrouw en juist in die tijd was 'tafefobie' – de ziekelijke angst om levend te worden begraven – het gesprek van de dag. Overal deden verhalen de ronde over skeletten die, bij het openen van een graf, in een wanhopige verkramping waren aangetroffen, de tijdschriften stonden er vol mee, inclusief nietsverhullende illustraties. Er werden allerlei constructies verzonnen, bijvoorbeeld een alarmkoord in de lijkkist die verbonden was aan een luchtklep, een bel en een vrolijk zwaaiend vlaggetje. Anderen eisten, voor alle zekerheid, verwijdering van hoofd of hart.

Lucretia vond een simpeler oplossing. Zij eiste in haar laatste wilsbeschikking, zoals in deze kringen al veel langer gebruikelijk was, dat ze pas mocht worden begraven als haar lichaam duidelijk begon 'te rieken'. Haar lichaam moest bovendien worden omringd door speciaal aangestelde 'dodenwakers'. Toen ze eind februari 1845 overleed was het ijzig winterweer, overal vroor het vijftien tot twintig graden, het was de koudste februarimaand sinds anderhalve eeuw. De familie liet, uit arren moede, het vuur in de sterfkamer zo hoog mogelijk opstoken, dag en nacht. Toch duurde het lang voordat ze ging 'rieken', ten slotte liet ze, eindelijk, de familie los.

De levens van Hendrik en Lucretia speelden zich af in een tijd waarin, grotendeels buiten hun blikveld, een stille revolutie plaatsvond: de stoommachine, de industrialisatie, de trein, de opkomst van de kranten, al die technische vernieuwingen hadden het dagelijks leven in heel Europa ingrijpend veranderd. Die techniek vroeg om een nieuw leger van ingenieurs, bedrijfsleiders en andere specialisten, er ontstond een snel groeiende middenklasse, men boog niet meer automatisch voor het traditionele gezag van vorsten, magistraten en edellieden.

Tegelijk nam aan de onderkant van de samenleving de ongelijkheid onrustbarend toe. Arbeiders en ambachtslieden in de 17e en 18e eeuw hadden het niet breed, maar met hun werk konden ze in normale omstandigheden een gezin redelijk onderhouden. Voor de 19e-eeuwse fabrieksarbeiders was dat onmogelijk: al maakten ze nog langere dagen dan hun voorouders, al zwoegden vrouw en kinderen mee, nog verdienden ze niet genoeg om van te leven. Er ontstond een ongekend groot lompenproletariaat.

1845 was over heel Europa een rampjaar. Na de eindeloze winter en de koude zomer waren overal de oogsten mislukt en bovendien heerste sinds 1841 de beruchte aardappelziekte. *The Great Famine*, de 'Ierse' hongersnood, werd een van de grootste plagen van de eeuw. De broodprijzen vlogen omhoog, in Ierland crepeerden tussen 1845 en 1852 naar schatting zeshonderdduizend mensen. In Nederland verdubbelde het aantal armen in de 'onderstand' van een achtste naar een kwart van de bevolking. Maurits van Lennep meldde dat bij de intocht van de nieuwe koningin Sophie, de vrouw van koning Willem III, de stank van het 'gespuis' rondom de koets zo ondraaglijk was dat 'wij niet begrepen dat Hare Majesteit niet flauw viel'. 'Malaise' was hét politieke modewoord.

Nog geen halfjaar na de dood van Hendrik Six, begin 1848, riep de aristocraat Alexis de Tocqueville in het Franse Huis van Afgevaardigden: 'We slapen op een vulkaan. Ziet u niet dat de aarde opnieuw trilt? Er blaast een wind van revolutie, er ligt een storm aan de horizon.'

En die storm kwam, door heel Europa, binnen enkele weken. Op 23 februari liep de Parijse menigte te hoop tegen de Tuilerieën, de 'burgerkoning' Louis-Philippe kwam ten val, de Tweede Republiek werd uitgeroepen. In Londen verscheen in dezelfde dagen het *Communistisch Manifest* van Karl Marx en Friedrich Engels. Een week later werd in Italië een nieuwe, liberale grondwet afgekondigd. Overal klonk de roep om vrijheid en gelijkheid, om afschaffing van de standen en de eeuwige willekeur. In Wenen belegerden opstandige studenten en arbeiders de regeringsgebouwen – een volksbeweging die naar Hongarije oversloeg. In Polen en Beieren werden her en der demonstraties gehouden. Op 15 maart braken in Berlijn rellen uit. In Den Haag verklaarde koning Willem ii, grim-lachend, dat hij in vierentwintig uur van 'très conservatif très libéral' was geworden.

In het dommelende Amsterdam bleef de beweging beperkt tot een mislukte bijeenkomst op de Dam – de beloofde spre-kers kwamen niet opdagen – en een paar groepjes rellende jongeren. Maurits van Lennep liep ze op die 24e maart toe-vallig tegemoet op de Leliegracht, 'een tierende hoop volk'. 'Voor hen uit vluchtte een heer, in doodsangst, en zo dikwijls ik dien later ontmoette kon ik mijn lachen niet bedwingen als ik mij zijn verschrikte gelaat te binnen bracht.' Het liep alle-maal met een sisser af, meende Maurits, met één pistoolschot van de hoofdcommissaris *himself* kwam 'het gepeupel' alweer tot bedaren. De eeuwige orde leek hersteld.

Toch hadden deze paar rellen grote gevolgen. Koning Wil-lem ii, doodsbang voor het republikeinse geweld in Duitsland, liet een compleet andere grondwet opstellen. Daarin maakte hij voorgoed een einde aan zijn eigen rol als 'almachtige' huis-vader. Er kwam een nieuw kiesstelsel, de 'standen' werden 'opgeheven', de 'mannen zonder geboorte' mochten voortaan meebesturen. Zoals diezelfde koningin Sophie in die maanden schreef: 'De oude wereld, die wij gekend en – misschien – zelf te gronde gericht hebben is voorbij.'

1848 werd zo, over heel Europa, een historisch scharnier-punt. Het was het einde van het tijdperk dat wel betiteld wordt als 'reactie' of 'restauratie', de fase waarin, na de Verlichting en de Franse Revolutie, de elites nog eenmaal almachtig wa-ren. Daarna begon een fase van 'reformatie', een tijdperk waarin overal in Europa een beweging van voorzichtige her-vormingen in gang werd gezet, met nieuwe grondrechten, een voortgaande democratisering en een toenemende aandacht voor de gewone man en vrouw.

'Het grauw' kreeg een gezicht. De toverwereld van juffrouw Izabela begon, heel langzaam, te schuiven en te breken.

XVII
'Electriciteit, Nijverheid, Stoom'

Een nieuwe Jan Six, een nieuwe stad. We zijn een kwarteeuw verder, het is 1875, en opeens is het voorbij met de gestolde wereld van het vroeg-19e-eeuwse Amsterdam. In 1850 liepen er nog kippen op het Damrak en de Botermarkt, nu flonkeren overal verlichte etalages, op de kades is het vol mensen, stoomschepen varen af en aan, Amsterdam is weer klaarwakker.

We gaan op pad met Eduard, een verder anonieme Amsterdammer die een Haagse vriend in het gidsje *Amsterdam en de Amsterdammers door een Amsterdammer* een trotse rondleiding geeft door zijn herboren stad. Hij begint in de ooit zo kalme Kalverstraat. Die is sinds kort één groot winkelcentrum, je kunt er alles krijgen: hoeden, japonnen, meubels, gasornamenten, boeken in alle talen, 'sierlijke en degelijke voorwerpen' voor het 'duinwater' – het nieuwe waterleidingsysteem dat uit de duinen schoon en helder drinkwater levert. Het plaveisel is zo glad als een 'kolfbaan', er zijn zelfs trottoirs. Voor de opkomende snelle jongens – voor wie 'time money' is – rijden omnibussen naar alle hoeken van de stad, tot aan de jonge aanplant van het pas aangelegde Wandel- of Vondelpark. In de cafés en restaurants is het druk en vol – de verblufte Hagenaar signaleert zelfs 'dames in de koffiehuizen'!

We worden meegetroond naar de schouwburg – alles is 'wel wat veel met verguldsel overladen' – en het Trippenhuis – 'een allerongeschiktste plaats voor een museum van schilderijen'. Eduard laat de beginnende stadsuitbreidingen zien, net buiten de vroegere stadsomwalling, en het enorme viaduct dat wordt aangelegd voor het nieuwe 'centraalstation aan 't IJ'. In de verte blinkt het Amsterdamse Crystal Palace, het fenomenale uit glas en staal opgetrokken Paleis voor Volksvlijt, zo groot als de hele Dam.

Toegegeven, niet alles is bij toverslag veranderd. De grachten stinken meer dan ooit – het witgeverfde houtwerk van de huizen ziet er, door alle zwaveldampen, soms uit 'alsof het gepotlood is'. Ongelijkheid is nog altijd de norm. Ook het nieuwe Amsterdam is verdeeld in rangen en standen, onze metgezel fileert ze vakkundig: van de 'geringe burgers', via wijnhuishouders, slagers en bakkers, boekhandelaren en apothekers, tot, uiteindelijk de oude regenten.

Wel is er, aldus onze zegsman, een categorie 'geldaristocraten' bij gekomen: de zogenaamde parvenu's, de nieuwe 'Indische fortuinen' van het cultuurstelsel en de mensen die rijk zijn geworden 'door noesten vlijt of gelukkige speculatiën'. 'Nu neemt men de hoed voor hen af en noemt hen: knappe koppen, ondernemende kerels. Geld is de grote afgod voor welken allen zich buigen.' Voor wie nog een blik wil werpen op de echte elite, de leden van de echte aristocratie: 'In de opera vindt ge ze in 't balcon, en ze zitten daar verheven genoeg om op 't lagere parterre neder te blikken.'

Daar ergens vinden we onze Jan Six terug – al was hij niet zo'n uitgaanstype.

De 19e-eeuwse Jan – de familie noemt hem Jan Pieter – moet een rustige, ingetogen man zijn geweest, een ouderwetse privégeleerde met een levensstijl die beter paste bij het oude dan bij het nieuwe Amsterdam. Hij en zijn broer Pieter Hendrik werden al jong wees, ze waren drieëntwintig en negentien. Ze zouden jarenlang samenleven in de twee enorme huizen die ze hadden geërfd, deels in 's-Graveland, deels aan de Herengracht, vlak bij de Vijzelstraat.

Het was een typische studentenhuishouding. In 1849 logeerde Maurits van Lennep opnieuw in 's-Graveland en het was er best gezellig nu vader Hendrik met zijn 'zure gelaat' van het toneel was verdwenen. Alleen liepen de gebroeders Six voortdurend te tobben over mogelijke bezuinigingen: de handelsactiviteiten van hun vader hadden een flink deel van het vermogen van hun moeder opgesoupeerd – nog in het jaar voor zijn dood had Hendrik 100 000 gulden verspeeld. De zonen 'vreesden niet op dezelfden voet voort te kunnen blijven leven'. Zouden ze de buitengoederen verkopen? Of juist het huis aan de Herengracht? Nooit werden ze het eens, grapt Van Lennep, 'totdat ze ten laatsten besloten eenige oude kachels, die op zolder stonden, naar de veiling te brengen'.

Het ging echter, zo blijkt uit andere bronnen, om wel iets meer dan een paar oude kachels: in 1851 brachten ze een deel van de collectie van hun ouders op de veiling, vooral moderne en religieuze werken. Het rijk kocht voor een habbekrats een dubbelportret van Frans Hals – het ging om Isaac Abrahamsz Massa en zijn vrouw –, voor de rest was in die tijd weinig belangstelling. De broers redden zich uiteindelijk door zuinig te leven en door een paar riante erfenissen – onder meer van hun 'ouwe' oom Jan – 'en zo restaureerden zij het vermogen hunner moeder'.

Nicht Maria van Loon, in een brief aan haar zuster uit 1855, over een visite aan de broers: 'Wij werden ontvangen door Jan in zijn kamerjas en door Pieter Hendrik met een slaapmuts en gekochte pantoffels, wat mij trof als een duidelijk bewijs van zijn celibaat. Het geheel verkeerde in de bekende staat van wanorde.' Jan was toen al de eeuwig verstrooide professor – al was hij in Utrecht nooit verder gekomen dan een kandidaats in de letteren.

In 1856 trouwde hij met Catherina Teding van Berkhout, een imposante schoonheid die met koning Willem III op een bal van het Casino nog de quadrille had gedanst. Ze was afkomstig uit de gefortuneerde Haarlemse tak van de familie.

Er kwamen snel achter elkaar drie kinderen: Jan (1857), Hester (1858) en Willem (1859). Pas toen ook Pieter Hendrik trouwde, in 1860, kwam er definitief een einde aan de gezamenlijke huishouding van de twee broers. De huizen werden verdeeld: het familiehuis aan de Herengracht viel aan Jan toe, Hilverbeek aan Pieter Hendrik. Een jaar later kocht Jan het naburige buitengoed Jagtlust van de familie Van Sinkel – bekend van de legendarische Winkel van Sinkel, ooit de herberg De Laatste Stuiver. Het landhuis werd, net als ooit Elsbroek, al snel een verzamelplaats van wetenschappers en kunstliefhebbers.

Jan Six was, zo schrijft Van Lennep, 'een put van geleerdheid en kennis'. Op iedere vraag wist hij antwoord, op de meest uiteenlopende terreinen. 'Hij wist meer van zaaien, planten en snoeien dan enig boomkweeker of huisbaas. Alle bloemen, planten en struiken kende hij bij hun Latijnsche en Hollandsche namen.' Hij had een ijzeren geheugen. 'Toen hij zijn honeymoon in 1856 in Parijs zou doorbrengen, maakte zijne vrouw, die Parijs kende, er zich een feest van om hem de stad te wijzen, maar juist het omgekeerde had plaats; hij had een plan van Parijs bestudeerd, en kende er den weg als ware hij er geboren.'

Van jongs af aan was deze Jan Six begeesterd door de Klassieke Oudheid. Al in zijn brieven uit Noorthey, hij was toen een jaar of vijftien, beschreef hij een bezoek aan het Museum van Oudheden in Leiden. Hoewel het gebouw op dat moment nog grotendeels leeg was, raakte hij er niet over uitgepraat, dit had zijn hart. In 1846 kocht hij zijn eerste antieke munten, hij zou zich daarin specialiseren, hij werd een groot verzamelaar van munten en penningen, een internationaal erkende expert.

Zijn oog voor detail was verbluffend. Van Lennep: 'Ik bezocht met hem het Muntenkabinet. Al de vitrines liep hij met zijn glas in 't oog langs, alsof het hem geen belang inbrengde. Totdat hij er plotseling één opende, er één munt uit opnam en daarmee naar het venster liep om die te bekijken. Dit was de enige, die hem onbekend was, en daarop volgde een gesprek met den Directeur, die ijverig bemerkte dat Jan er evenveel of meer van wist dan hij.'

Regelmatig vroeg Jan vakgenoten om een middag op Jagt-lust 'te komen liefhebberen' – zijn woorden – 'in boeken en munten'. Ook in andere opzichten leek deze Jan op de aller-eerste Jan Six: hij was een onderzoeker en verzamelaar met een buitengewoon brede belangstelling, een briljante ama-teur met voldoende middelen om zich al die liefhebberijen te kunnen permitteren. Een tijdgenoot beschreef hem als een 'indrukwekkende' figuur, 'zijn baard zilverschemerend als een bergbeek in april'.

Jan had een grote belangstelling voor archeologie, en tege-lijkertijd was hij, net als zijn vader, een voortreffelijk botani-cus. Hij verzamelde daarnaast oude meubels en manuscripten, maar ook etsen en tekeningen uit de 17e eeuw, zegels, primi-tieven en andere kunstvoorwerpen.

Jaar na jaar verschenen wetenschappelijke publicaties van zijn hand, steeds vaker ook in Franse, Duitse en Britse vaktijd-schriften: over de munten van Tarsus, Cyprus en Macedonië, over Kretenzische 'hiërogliefen', over Hittitische inscripties, kortom, over alles wat hem en zijn vakgenoten fascineerde – en dat was krankzinnig veel. Het was een beginnende weten-schap die hij bedreef, net als ooit Tulp. Niemand wist nog goed wat de letters en tekens op al die nieuwe vondsten beduidden, niemand kon ze in een verantwoorde context plaatsen, die zoektocht moest nog beginnen. Jan's bevindingen waren vaak niet meer dan speculaties, ze zouden door later onderzoek worden weerlegd. Maar hij legde wel een grondslag.

Hij was honorair lid van de Britse Numismatic Society, hij werd er geëerd als 'one of the most distinguished numismatists of the present century'. Hij hoorde, daarnaast, tot de vroege voorvechters op het gebied van musea en monumentenzorg. In de zitkamer van zijn huis aan de Herengracht werd in 1858, in navolging van soortgelijke gezelschappen in Friesland, Limburg en Zeeland, het Koninklijk Oudheidkundig Genoot-schap opgericht. Doelstelling: het nationale verleden bestu-deren en koesteren, en daarbij verzamelingen aanleggen van voorwerpen die betrekking hebben 'op het maatschappelijk le-ven, de zeden, gewoonten, gebruiken, studiën, liefhebberijen enz. onzer voorouders'. De rijksoverheid had op dit terrein geen enkele interesse. Kerken, burchten en andere historische gebouwen werden zonder scrupules gesloopt, schilderijen en andere kunstvoorwerpen verdwenen naar het buitenland. In 1850 was zelfs de koninklijke verzameling van Willem II aan zijn Russische schoonfamilie verkocht. Dat de Nederlandse musea naderhand nog prachtige collecties konden opbouwen is voornamelijk te danken aan deze genootschappen, aan particuliere verzamelaars en aan andere burgerinitiatieven.

In 1869 verleende de Utrechtse universiteit Jan een eredoctoraat in de letteren. Hoogleraar wilde hij nooit worden – volgens neef Maurits omdat hij 'moeilijk voor de vuist kon spreken'. En waarom zou hij ook? Hij was onafhankelijk, ongebonden, een vrije denker en onderzoeker.

Op een portret van August Allebé zie ik deze Jan zitten, nadenkend, een wat gebogen grijsaard, melancholieke baard en ogen. Een Franse collega-geleerde, de grote archeoloog Ernest Babelon, beschreef hem als een 'dienstbare geleerde die onbaatzuchtig werkt voor de wetenschap en alleen voor haar; in allen die hem omgeven ontsteekt hij de vlam die in hem zelf gloeit. Nooit is hij gelukkiger dan wanneer hij zijn vondsten met iemand kan delen, nooit maakt hij zich ongerust over misbruik, nooit vond ik in zijn geschriften iets wat maar zweemde naar grootspraak of kwakzalverskunsten.'

Zijn correspondentie ademt dezelfde geest. De culturele en wetenschappelijke wereld waarin hij leefde was ook toen al sterk Europees gericht – er zijn zelfs historici die menen dat die eensgezindheid voor 1914 misschien wel sterker was dan nu. In de bibliotheek blader ik door de ene map na de andere, hij schreef met Londen, Parijs, Berlijn, Breslau, Straatsburg, Halle, Tübingen, Leipzig, Gotha, München, met half Duitsland. De archeologie stond nog in de kinderschoenen, overal begonnen wetenschappers de geheimen van de antieke wereld te ontrafelen. Het werd een ware rage nadat de Duitse archeoloog Heinrich Schliemann in 1871 het Troje van Homerus had gelokaliseerd. Jan puzzelde gretig mee.

Ik selecteer één willekeurig brievenpak. Bovenop ligt een met zwaar zwart omrande rouwkaart: Dr Wilhelm Deecke, Direktor des Gymnasiums zu Mülhausen i. E., 2 januari 1897. De briefwisseling begint ruim zestien jaar eerder, op 26 november 1880. Op beschaafde maar formele toon – 'Hochgeehrter Heer' – beantwoordt Deecke een paar vragen over een bepaalde Lycische munt. Snel volgen er meer brieven en kaarten, de uitwisseling wordt intensiever, geen frasen en beleefdheden meer, het gaat voortdurend om lettertekens, inscripties en opschriften, de heren vallen direct met de deur in huis: 'Haben sie Mor: Schmidt Commentatio de col. Xanthica (1881) gesehen? Es behandelt dieselbe Stelle, wie der Schluss Ihres briefes.'

Er ontstaat, in al deze monomanie, gaandeweg een mooie mannenvriendschap. Enthousiast sturen Jan en Herr Deecke elkaar nauwkeurig nagetekende opschriften toe, ze discussiëren over de nieuwste vondsten in Cyprus, over bepaalde antieke tekens, ik tref zelfs een groot stuk ruitjespapier waarop een compleet alfabet is uitgetekend. In de paasvakantie van 1888 komt Wilhelm Deecke persoonlijk naar Amsterdam, de heren beleven tussen hun munten en penningen prachtige dagen. Vanaf dat moment is het 'Hochgeehrter Herr und Freund'.

Uit latere brieven wordt duidelijk dat Jan's oudste zoon nu ook intensief meedenkt. De 'hypothese' van Jan junior over een bepaalde kwestie is 'geistvoll', schrijft Deecke, maar klopt niet met de tijdrekening. Even gaat het ook over de politiek: 'Auch hier hat jetzt die Socialdemocratie siegreich ihren Einzug gehalten und bei der Wahl die Fabrikanten geschlagen.'

De correspondentie dooft uit als Deecke in 1889 tot schooldirecteur wordt benoemd. Hij heeft nu veel minder tijd, al blijft de vriendschap voelbaar: 'Ihr treuverbundener W. Deecke.' Ten slotte die rouwkaart.

'Fantasie en esprit bestaan hier niet,' schreef koningin Sophie na een bezoek aan Amsterdam aan een van haar vriendinnen. 'Wat de dames betreft, hoewel mijn ontvangst druk bezocht werd, heb ik geen enkel mooie of elegante vrouw gezien, behalve, ja, een beeldschone joodse.' Maar, gaf ze toe, 'er zijn onder die Amsterdammers een paar heel intelligente merkwaardige oude heren. De mensen verzamelen schatten, mooie oude kabinetten, allerlei werkelijk prachtige dingen, maar nooit zetten ze hun pronkkamers en salons open om er zelf van te genieten.'

Daar zat een kern van waarheid in, het gold alleen niet voor de Sixen. De Galerij-Six, op Herengracht 511, bleef jaar na jaar honderden bezoekers trekken. Jan had het pand in 1854 grondig laten verbouwen en het een meer museaal karakter gegeven. De grote zaal en de eetzaal op de bel-etage en de bovenste verdieping rond de trap – met prachtig bovenlicht – waren ingericht als expositieruimte. In reisgidsen werd een bezoek aan de collectie van harte aanbevolen. Alleen al in de zaal hingen maar liefst vierendertig schilderijen – waaronder de familieportretten van Rembrandt. De kleine galerij op de bovenverdiepingen telde zelfs zo'n veertig stukken, lijst na lijst opeengepropt, enkel gerangschikt naar kleur en formaat.

De Duitse Baedeker meldde dat bezoek op doordeweekse dagen werd toegelaten na aanmelding via een visitekaartje en betaling van een gulden, ten bate van een liefdadig doel. Een 'gut unterrichteter Diener' zorgde voor de rondleiding. Lord Ronald Gower betitelde de verzameling in zijn Belgisch-Nederlandse gids als 'undoubtedly one of the finest private art galleries in the Low Countries'. Victor Hugo, Edgar Degas, Jules Breton, Willem Maris, Jozef en Isaac Israëls, Jan Toorop, Hendrik Mesdag, ze duiken allemaal op in de gastenboeken.

Wat er in dat ene woonhuis werd tentoongesteld en opgeslagen was inderdaad verbluffend. Ik doe een greep: zo'n honderd Hollandse meesters, waaronder vijf Saenredams, drie Rembrandts, *Het straatje* en *Het melkmeisje* van Vermeer en *Het oestereetstertje* van Jan Steen. Uit oude foto's blijkt hoe zelfs de eetkamer helemaal is volgehangen, herkenbaar zijn onder andere *De brief* van Gerard ter Borch, *De visvrouw* van Adriaen van Ostade en *Zee bij maanlicht* van Albert Cuyp. Daarnaast: een enorme verzameling antieke munten en penningen, een grote boekencollectie, waaronder een aantal fraaie getijdenboeken, een porseleinverzameling, beelden, zilverwerk, op zolder ook nog eens de kleding van generaties Sixen, een lawine, kortom, aan kunstzinnig geweld.

In de bovengang van het huis aan de Amstel staat een poppenhuis, een doorsnede van het toenmalige leven aan de Herengracht op de schaal van een kind. Je gaat op je hurken zitten en kijkt bij de 19e eeuw naar binnen: een woonkamer met een eettafel, daaromheen een vader, moeder en een kindje, ze zitten op bankjes, drinken uit kopjes, je ziet een pijpenstandaard en een kroonluchter, op de vloer een handvol piepkleine boekjes, een doosje met dominosteentjes, een hondje, zelfs een minuscuul speelgoedtreintje.

Daaronder woont de meid in een keuken met een aanrecht en een schouw, met zes koperen pannen aan de muur, allerlei koperen bussen en vaten en een bestekbak met piepkleine messen, vorken en lepels. Op zolder een grote blauwe tafel om te strijken, een kast, wat rommel en een oude pispot. En dat alles in een ferm, veilig huis met dertien ramen om naar buiten te kijken en twee grote schoorstenen om de felste kou te weren – maar koud bleef het in die huizen.

Het echte familiehuis van de 19e-eeuwse Jan Six, op Herengracht 509-511, is alweer bijna een eeuw geleden gesloopt. Het was een grachtenpalazzo zoals er in die hoek van de stad een hele reeks stonden, met een grootse zaal om te ontvangen, een elegante salon, een rijk gedecoreerde eetkamer, een fraaie bibliotheek en een schitterende eikenhouten trap naar boven.

Handig waren dit soort huizen zelden. De bel-etage was semiopenbaar, daar lagen de eet- en pronkkamers, plus de 'zaal', een grote ruimte voor feestelijke ontvangsten, diners en danspartijen. Op de tussenetages woonde en sliep de familie zelf. In het souterrain werkten de meiden en bedienden, daar sliepen ook de knechts, de meiden lagen op zolder in simpele getimmerde vertrekjes. Soms kwam het daar tot 'onregelmatigheden' met de zonen des huizes, wellicht ook bij de Sixen.

Kinderen en ouders leefden een gescheiden bestaan. 'Je moeder – dat was een mevrouw die je 's avonds een nachtzoen kwam brengen, en die dan lekker rook,' zou een oude patriciër later vertellen aan de historica Ileen Montijn. Alle oudere kinderen hadden, zoals in dit soort families de gewoonte was, een eigen zitkamer. De slaapgelegenheden waren, althans bij de Sixen, weer primitief, meestal sliepen de jongens bij elkaar op één kamer. De jongsten bivakkeerden op een aparte kinderkamer, waar ze ook aten met de 'kinderjuf'. Vanaf hun vijfde of zesde was er een 'mademoiselle' (een 'sellie'), een Franstalige gouvernante – een figuur die voor de dagelijkse gang van zaken minstens zo belangrijk was als de moeder zelf.

317

Jan en zijn gezin leefden, ondanks hun omvangrijke vermogen, relatief sober. De Sixen hadden, als ik afga op de overlevering, zo'n tien tot dertien mannen en vrouwen in dienst: de Herengracht en Jagtlust werden elk beheerd door een echtpaar dat de huishouding leidde. Daarnaast waren er zeker vier dienstmeisjes, twee tot drie knechts, een paar werksters, een koetsier, een staljongen, een tuinbaas en het nodige tuin- en keukenpersoneel. In de winter was er een speciale knecht om alle haardvuren brandend te houden. Als de familie begin mei uit de stad naar Jagtlust vertrok, verhuisde het personeel grotendeels mee, begin oktober kwam iedereen weer terug.

De onderlinge omgang was vriendelijk. Binnen de familie golden twee hoofdregels: 'Als je het personeel goed behandelt doen ze alles voor je. En dan stelen ze niet.' En: 'Als je vertrouwt, moet je blind vertrouwen.' Tegelijk bleef er een zekere afstand. De 'knecht' aan tafel droeg handschoenen. De meeste andere personeelsleden hoorden, zeker als er bezoek was, zo veel mogelijk onzichtbaar te zijn, alsof ze niet bestonden. Vele tientallen mannen en vrouwen moeten jarenlang lief en leed hebben gedeeld met de Sixen en de Sixen met hen, toch tref ik hun namen zelden aan in de familiestukken. Een tuinman in Hillegom, Hendrik, de huisknecht Van den Bergh, een koetsier, Jan, twee kindermeisjes, Eva en Emma, daar blijft het wel zo'n beetje bij. Het bleven verschillende werelden. Neef Jacob Six schrijft in zijn herinneringen dat zijn adellijke moeder, toen ze klein was, wel eens stiekem een plas deed op de wc van het personeel: 'Wat een waagstuk!'

De situatie in huize Six zal, kortom, gelijkenissen hebben vertoond met de beelden van Britse kostuumseries, maar dan op kleinere schaal. De huismeester fungeerde als butler, hij organiseerde alles, de heer des huizes verstond zich meestal alleen met hem. Zijn vrouw fungeerde als hoofd van de huishouding, ze hield toezicht op de keuken, de eetkamer en de linnenkasten. De vrouw des huizes delegeerde de meeste zaken aan haar. Maar ze droeg wel zelf de belangrijkste sleutels en het allerfijnste kristal, zilver en porselein ging enkel door haar handen, via een apart buffetje in de eetkamer.

Voor de dames Six heeft een van de meiden vermoedelijk gefungeerd als kamenierster. De etiquette eiste immers op verschillende momenten van de dag andere kleding, zeker als men een 'uitgaand' leven leidde. Er werd dus veel ontkleed en gekleed, 's ochtends, 's middags en vaak ook 's avonds. Korsetten moesten worden geregen, kapsels geschikt, enorme hoeden opgetuigd met veren en linten; gezien de complexiteit van de toenmalige dameskleding lukte dat allemaal niet zonder deskundige hulp. Zelfs als er geen gasten waren, verschenen de volwassen familieleden kleurig gekleed aan de avondmaaltijd. Tot in de jaren dertig van de twintigste eeuw aten de kinderen staand aan tafel of apart, met de gouvernante. De meisjes droegen smokjurkjes, jongens, tot hun tiende jaar, korte broeken, op feestdagen blauwe matrozenpakjes. Op hun tiende kregen ze een lange grijze broek, een wit overhemd en een das. Op hun twaalfde kregen ze hun eerste blauwe blazer, met zilveren knopen, en hun eerste sigaar. De voertaal was Frans – het personeel kon dan de gesprekken niet verstaan: 'Piet, ta main gauche!!'

Het waren allemaal 'invented traditions', verzonnen tradities, gebruiken die werden gepresenteerd als oeroud maar die in werkelijkheid een verleden kenden van hooguit een paar decennia. Het waren, ook bij de Sixen, vooral rituelen waarmee stand en eer werden hooggehouden, tot ver in de 20e eeuw. En die strakke, vaak onuitgesproken regels waren essentieel, zeker toen rang en klasse niet meer zo telden en er steeds minder alternatieven waren om je als familie te onderscheiden.

'De polder' heette het stuk van de grachtengordel, tussen de Leidsegracht en de Amstel. Het gebied had eigen gedragscodes, een eigen taalgebruik, zelfs een eigen dialect, het 'hoogheerengrachts'. Die regels verboden bijvoorbeeld moeder Catherina Six en haar dochter Hester om in hun eentje naar buiten te stappen, zoiets zou hun reputatie ernstig schaden. Ook in de nieuw geopende restaurants kon een dame van stand zich nog jarenlang niet vertonen – het was trouwens voor deftige families sowieso 'not done' om daar te gaan dineren. De Kalverstraat was tussen één en drie uur 's middags taboe voor fatsoenlijke dames, dan werd er alleen maar getippeld.

Eigenlijk leefden Amsterdamse elitefamilies als de Sixen vrij geïsoleerd. Altijd weer zagen ze hetzelfde groepje mensen waarmee ze 'op voet van visite' stonden. De sfeer moet, althans in onze ogen, vaak dodelijk saai zijn geweest. Alles was, door de korsetten en de formele kledij, stijf en ingesnoerd, zowel lichaam als geest.

De belangrijkste vorm van elite-samenzijn was het souper, ofwel het 'slaatje', een lichte avondmaaltijd. Het waren vrij informele bijeenkomsten, er werd stevig gedronken, 'niet altijd even kiesche toespelingen' werden niet geschuwd. Diners waren meer bedoeld voor plechtige gelegenheden, hoewel ze gaandeweg het 'slaatje' verdrongen. Nog her en der staan hier in de kasten aan de Amstel de resten van het uitbundige porselein, het servies met de blauwe bloemetjes – bijna verplicht bij de adel –, het 'sterretjesglas' en het zilverwerk dat – tot op de centimeter geordend – tijdens de diners in huize Six het oog streelde. In het oude tafeldamast zijn nog de krassen zichtbaar van de jeugdige Sixen, die, generatie na generatie, verveeld speelden met de zilveren messenleggers.

Veel sociale verplichtingen werden onderhouden volgens een merkwaardig ritueel, het zogenaamde visiterijden. Meestal gebeurde dat op een zondagmiddag. Heer en dame des huizes reden dan in een rijtuig langs de grachten en werkten een lange lijst adressen af, allemaal kennissen die weer eens met een bezoek vereerd moesten worden. Naast de koetsier reed meestal ook een palfrenier mee, in een pak met de kleuren van de familie en knopen met het familiewapen – het hangt nog steeds in de logeerkamer. Bij elk adres stapte hij af, trok aan de bel, overhandigde een visitekaartje en wachtte af. Soms mochten de bezoekers binnenkomen en werd er een praatje gemaakt, soms gaven de bewoners 'niet thuis', dan ging het naar een volgend adres. Vaak opgelucht, want aan de formaliteiten was weer voldaan.

Het ceremonieel werd algemeen als een corvee beschouwd. Het werd mensen 'bijna kwalijk genomen' als ze op zondag ook werkelijk ontvingen, zou Frans van Lennep, de kroniekschrijver van het Amsterdamse patriciaat, zich herinneren. 'De bezoekers moesten erop kunnen rekenen dat ze met het afgeven van kaartjes konden volstaan.' Het was een leven vol plichten, zelfs het houden van een equipage, een rijtuig met paarden, gold als een sociale opdracht. Het duurde tot in de twintigste eeuw voordat deze rituelen uitstierven. Een grootmoeder Six zou nog tot 1948 haar bezoeken afleggen in een koets.

In deze sfeer zakten veel trotse families langzaam weg. Her en der aan de grachten stonden enorme panden die slechts door een enkele laatste erfgenaam werd bewoond. Het huis dat de ooit zo begeerlijke Wijntje Kluppel van haar ouders had geërfd – samen met 2 miljoen gulden – bleef na haar dood bewoond door haar drie ongetrouwde dochters. In het gigantische pand tegenover hen woonden hun vier nichten, de andere kleindochters van Kluppel, ook al ongetrouwd, in hoogste staat van 'deftigheid' en ledigheid, tientallen jaren lang. Zo droogde deze tak van het geslacht Kluppel langzaam uit, daar op Herengracht 450 en 493.

De gelederen van adel en patriciaat bleven ogenschijnlijk gesloten. In werkelijkheid begonnen er overal, bijna onzichtbaar, kleine breuklijnen te ontstaan. Het was een proces dat zich onder de aristocratie in heel Europa voltrok. Sommigen voelden dat haarfijn aan. In de woorden van de hoofdpersoon van *De Buddenbrooks*, Thomas Buddenbrook: 'Ik weet dat de uiterlijke, zichtbare en tastbare tekenen en symbolen van geluk en bloei vaak pas verschijnen als in werkelijkheid alles alweer aan het aftakelen is. Deze uiterlijke tekenen hebben tijd nodig om aan te komen, net als het licht van zo'n ster daar boven ons, waarvan we niet weten of hij niet al bezig is uit te doven, niet al uitgedoofd is, als hij het felst straalt...'

Het was een speciaal soort economie waaraan al deze families deelnamen, een 'erfenis-economie'. Vandaar ook dat de introductie van de belasting op erfenissen in de rechte lijn – in Nederland in 1878 – een enorme ingreep was, verstrekkender nog dan alle grondwetsherzieningen. Aan het eind van de 19e eeuw bestond 90 procent van de Europese vermogens nog uit geërfd geld, slechts 10 procent was verdiend of opgespaard. En al dat geërfde geld was in handen van een zeer kleine groep: het soort adellijke families dat we kennen uit tv-series – *Downton Abbey*, *Upstairs Downstairs* – beheerste in 1910 bijna driekwart van het Britse privévermogen. In Frankrijk waren erfenissen nog goed voor bijna een kwart van het nationale inkomen. (Na de Tweede Wereldoorlog ging het nog maar om 4 procent.) In de overige West-Europese landen, inclusief Nederland, was de situatie niet veel anders.

In de tweede helft van de 19e eeuw begon een verandering in te zetten. Overal in Europa schaafden de belastingen op vermogens en erfenissen bij iedere generatie opnieuw een aanzienlijk deel van het familievermogen weg. Bovendien kwamen er steeds meer kinderen die, anders dan vroeger, de volwassenheid bereikten en die, tenminste in Nederland, ook allemaal deelden in de erfenis.

Ook voor de Nederlandse aristocratie werd geld zo een steeds groter probleem. Het leven in de grachtenhuizen en op al die fraaie buitens kostte jaarlijks een vermogen. Tussen 1875 en 1925 was de Nederlandse adel nog altijd zeer rijk, hoewel die rijkdom gestaag afnam. In 1850 was, van de allerrijkste Nederlanders, ongeveer de helft van adel. Een halve eeuw later was dat minder dan een kwart.

De Sixen hoorden duidelijk tot die laatste toplaag, ze konden zich in financieel opzicht uitstekend handhaven. Op de lijst van de 'hoogst aangeslagenen' van de belasting van 1880 – nodig om vast te stellen wie kiesrecht bezat – staat Jan's naam in de middenmoot, op de vijftigste plaats. ('Kunst' viel toen nog buiten die taxatie, anders zou hij hoger op de ranglijst hebben bestaan.) Hij had, zo vertelde hij in 1878 aan neef Maurits van Lennep, een jaarlijks inkomen van 25 000 gulden tot zijn beschikking, meer dan voldoende om in deze kringen 'fatsoenlijk te kunnen leven'.

Zijn broer Pieter Hendrik stond er nog beter voor, waarschijnlijk omdat hij een in financieel opzicht buitengewoon fortuinlijk huwelijk had gesloten met Henriette Baronesse d'Ablaing van Giessenburg. Zijn dochters Louise en Henriette kregen, althans volgens de familieoverlevering, een bruidsschat mee van een miljoen gulden, bedragen die deze tak van de Sixen blijkbaar probleemloos kon ophoesten. De zonen, Rudolf en Jan Willem, werden navenant bedeeld.

Bij andere families uit de oude elite namen de zorgen echter snel toe. Een groot deel van hun vermogen bestond vaak niet uit effecten, zoals bij andere welgestelde families, maar uit grondbezit. Zulke families waren daardoor veel kwetsbaarder toen in 1878 over heel Europa de grote landbouwcrisis uitbrak. De pachtopbrengsten en grondprijzen stortten in, in Engeland begon de adel massaal landgoederen te verkopen – het aantal gesloopte kastelen en landhuizen liep tegen de tweeduizend –, in Nederland daalden de adellijke inkomens tussen 1880 en 1890 soms wel met een kwart, nog afgezien van de inflatie.

Tegelijkertijd was er een nieuwe categorie notabelen – de parvenu's waarover onze anonieme Amsterdammer Eduard sprak, de families die rijk waren geworden 'door noesten vlijt of gelukkige speculatiën' – die snel groeide. Zij lieten hun welstand breed hangen en namen allerlei uiterlijke kenmerken van de oude aristocratie over.

Eigenlijk gebeurde hetzelfde als in de tijd van de 17e- en 18e-eeuwse Jannen: her en der verrezen nieuwe buitengoederen, zelfs de familienamen kregen pseudo-aristocratische trekjes. Zo wist de zeemanszoon Johannes van de Putte – hij klom op tot een prominent lid van de Eerste Kamer – zijn familienaam te aristocratiseren door simpelweg de naam van zijn moeder (Fransen) te verbinden met die van zijn vader. Het geslacht Fransen van de Putte was geboren.

Net als in andere Europese landen belandden veel oude aristocratische families in een dubbele klem: aan de ene kant kwam er minder geld binnen, aan de andere kant eiste de statuscompetitie met dit 'zelfbenoemde patriciaat' juist veel meer nieuwe uitgaven. De Amerikaanse socioloog Erving Goffman spreekt in dit verband van 'impression management', de pogingen van de oude elite om het exclusieve en superieure beeld naar buiten te blijven beheersen, ondanks hun zorgen en problemen. Veel families hielden dat nog zo'n twee, drie generaties vol, bij sommigen is het vuur nooit gedoofd.

Ze hanteerden daarbij twee tactieken, Goffman spreekt over het 'backstage'-management en het 'frontstage'-management, het gedrag 'achter de schermen' en 'voor de schermen'. Achter de schermen probeerden deze families hun positie te behouden door elkaar de hand boven te hoofd te houden – een goed netwerk was in deze kringen altijd al van vitaal belang – en bovenal door een doordachte en strategische huwelijkspolitiek.

Hendrik Six vertoonde, met zijn Lucretia, een vroeg voorbeeld van dit 'backstage'-management. Later in de 19e eeuw pasten aristocraten overal in Europa deze tactiek toe: ze accepteerden steeds vaker de kinderen van welgestelde kooplieden en industriëlen – 'goudvinkjes' – als huwelijkspartners voor hun zonen en dochters. In Engeland ontstond de zogenaamde Columbiaanse uitwisseling: zonen uit de Britse aristocratie trouwden in groten getale met de dochters van de nieuwe Amerikaanse miljonairs – rond 1900 ging het om 10 procent van de aristocratische huwelijken. De moeder van Winston Churchill, Jennie Jerome, was bijvoorbeeld zo'n Amerikaanse bruid, net als de kasteelvrouwe van *Downton Abbey*. De Siciliaanse edelman Giuseppe Tomasi di Lampedusa sprak, in zijn klassieker *De tijgerkat*, over 'de boekhoudkundige opwinding' die een rijk meisje teweeg kan brengen 'in het brein van een ambitieus maar armlastig man'.

Het waren weldoordachte familietransacties waarbij, zoals de historicus Jaap Moes schrijft, 'sociaal kapitaal werd gemunt, verzilverd en uitgewisseld'. Zo trouwde Hendrik van Loon, een neef van de Sixen, op 6 april 1854 met Louise Catharina Antoinetta Borski, de dochter van de steenrijke bankier Willem Borski. 'Oud geld' kreeg zo een stevige impuls door een huwelijk met 'nieuw geld', maar het was wel een 'engagement' waarover binnen de stadsaristocratie met meewarigheid werd gesproken. Vader Borski was machtig, hij had er op de trouwdag opzettelijk een rommeltje van gemaakt, liet de flessen wijn zomaar op tafel zetten, er waren zelfs geen bloemen. 'Iedereen was geërgerd,' zo meldde Maurits van Lennep, 'maar de oude Borski wilde tonen dat hij slechts een burgerman was en om al die fraaiigheden niets gaf.'

De verschijning van het eerste deel van *Nederland's Adelsboek* in 1903, het zogenaamde Rode Boekje, was een briljante zet in deze statuscompetitie: de stambomen van alle oude adellijke families waren nu erkend en vastgelegd. In 1910 volgde een soortgelijk seriewerk, *Nederland's Patriciaat*, het 'Blauwe Boekje'. Voortaan stond vast wie erbij hoorde en wie niet.

Aan de 'frontstage' werd door sommige aristocratische families ondertussen ook hard gewerkt. Buitengoederen werden voorzien van imposante torens en slotgrachten, vormen en rituelen werden steeds belangrijker, er werd geshowd met paarden, knechts en equipages. Het was een levensstijl die meer dan ooit indruiste tegen het egalitaire karakter van de Nederlandse samenleving – te veel show was not done – en die deze families dan ook steeds meer buiten de gebruikelijke orde plaatste. Dat was wellicht ook de bedoeling. Op het landgoed in Doorn van een van de Van Loons liepen op een gegeven moment zo'n vijftig personeelsleden rond – inclusief tuinlieden, bosarbeiders en stalpersoneel. Er werd een heel nieuw sprookjeskasteel gebouwd, De Haar bij Utrecht, waarvoor overal uit het Gooi met ossenwagens oude bomen werden aangesleept en het dorpje Haarzuilens zelfs een eindje werd verplaatst. De kosten werden naar de toekomst geschoven. Jaap Moes berekende via de inventarisaties van nalatenschappen dat met name de oude landadel zich diep in de schulden stak en na 1848 'het meest op de pof leefde'.

De Sixen konden zich, met hun unieke collectie, nog onttrekken aan deze 'omsingelende somberheid'. Alleen al het bezit van zoveel schilderijen en andere kunstvoorwerpen, over zoveel generaties heen, gaf de familie een uitstraling van traditie en tijdloosheid waar geen Borski aan kon tippen. Jan en zijn gezin leidden dan ook een ouderwets en bedaard bestaan, deden geen excessieve uitgaven, onttrokken zich aan deze bizarre concurrentieslag. Zij hadden status genoeg.

'Zie je, de heren, zoals jij ze noemt, zijn niet zo eenvoudig te begrijpen,' zegt een van de Siciliaanse hoofdpersonen in *De tijgerkat*. 'Ze leven in een bijzondere wereld die niet rechtstreeks door God geschapen is maar door henzelf gedurende eeuwen van heel bijzondere ervaringen, vreugden en verdrietelijkheden. Ze bezitten een collectief geheugen dat zo sterk is als het maar zijn kan, met als gevolg dat zij zich kunnen opwinden of verheugen over details die jou of mij koud laten maar die voor hen van levensbelang zijn omdat ze verband houden met dat erfdeel van hun klasse: al die herinneringen, alles waarop zij hopen en wat zij vrezen.'

Dat subtiele 'doorlopende geheugen', die koestering van voorgaande generaties, werd voor de Sixen vanaf 1878 ruw kapotgescheurd. De introductie van de belasting op erfenissen hoorde bij het rijtje financiële crises die in oude families, overal in Europa, steeds vaker voorkwamen – het dak van een buitengoed dreigde in te storten, een grote pachter ging failliet, een zoon of neef verboemelde het vermogen, een dochter trouwde met een oplichter, een erfenis moest opeens over zes kinderen worden verdeeld, en ja, de schenkings- en successierechten. Vaak werden zulke rampjes en rampen zo lang mogelijk opgevangen door de verkoop van erfstukken.

Vooral in Engeland gebeurde dat op grote schaal: schilderijen, juwelen, kostbare boeken en wandtapijten vertrokken met scheepsladingen naar verzamelaars aan de andere kant van de oceaan – en vandaar naar de Amerikaanse musea. Een van de grootste handelaars, de Brits-Nederlandse Joseph Duveen, hanteerde de regel: 'In Amerika hebben ze geld, in Europa kunst' – maar eigenlijk handelde hij vooral in Europese status. Uit Blenheim Palace, waar Churchill opgroeide, verdwenen zo in korte tijd tientallen schilderijen, van onder anderen Rubens en Van Dyck, totdat de hertogen van Marlborough de Amerikaanse bruiden ontdekten.

In Amsterdam ging het niet anders. Van de vier belangrijke Amsterdamse kunstverzamelingen die Lord Gower in 1875 bezocht was twintig jaar later alleen de Six-collectie nog over. De andere verzamelingen waren verdeeld, weggeschonken aan musea of verkocht. Ook uit huize Six verdween in de loop der jaren het nodige: *Het straatje en Het melkmeisje* van Johannes Vermeer, *De serenade* van Judith Leyster, *De bruiloft* van Jan Steen, werken van Rubens, Van Dyck, Dou, Van Ruisdael, D'Hondecoeter, Van Ostade en anderen, in totaal bijna vijftig schilderijen. Met name het nieuwe Rijksmuseum profiteerde daarvan volop. De Sixen hoorden immers tot de grondleggers, de aankoopbedragen waren 'amicaal', het Rijksmuseum gold in zekere zin als 'familie'.

De familie Van Loon ging wel heel drastisch te werk. Ooit was de helft van de legendarische collectie Van Winter aan de zuster van Lucretia, Anna Louise van Loon, toegevallen en zij had deze kunstschatten, samen met haar man Willem, altijd met liefde beheerd. Toen ze in 1877 op hoge leeftijd overleed viel de nalatenschap bitter tegen. Zij en haar man waren ongekend vruchtbaar geweest, hun boedel moest worden verdeeld over tien kinderen, de spoeling werd dun. Er was één troost: hun schilderijenverzameling was van minstens zo hoge kwaliteit als de Collectie Six, met vele tientallen 17e-eeuwse topstukken, waaronder werken van Frans Hals, Van Ruisdael en de eerder genoemde Rembrandt-portretten van Maerten Soolmans en Oopjen Coppit.

De verleiding was te groot. De Van Loons kozen geld boven kunst. Nog in datzelfde jaar wist zoon Willem jr. de schilderijencollectie in zijn geheel te verkopen aan Gustave Baron de Rothschild in Parijs voor anderhalf miljoen gulden. (Alleen al de twee Rembrandt-portretten werden in 2015 door het Louvre en het Rijksmuseum gezamenlijk teruggekocht voor 160 miljoen euro.) In totaal leverde de nalatenschap van Anna Louise van Loon een bedrag op van bijna 2,5 miljoen gulden. Er ontstonden alsnog flinke ruzies over allerlei bezittingen in Amsterdam, in de Watergraafsmeer, in 's-Graveland en aan de Vecht, maar uiteindelijk kreeg ieder kind zo'n twee en een halve ton. De familie kon opnieuw kalm rentenierend door het leven gaan, zeker nog een generatie lang.

Zoiets was vaker gebeurd, toch werd ditmaal alom in de stad schande gesproken van deze uitverkoop. Het nieuwe Amsterdam van de Tweede Gouden Eeuw voelde zich sterk verbonden met het Amsterdam van de Eerste Gouden Eeuw, het zag zichzelf als een herleving daarvan, als hoofdstad van een nieuwe, trotse Nederlandse natie. Daar hoorden culturele helden bij, met parken en standbeelden, Rembrandt en Vondel voorop. In zo'n stemming was de verkoop van deze belangrijke collectie volgens velen een daad van cultuurverraad. Of hoorde zo'n levenshouding juist tot de nieuwe tijd?

'Electriciteit, Nijverheid, Stoom' was nu het marsritme van de stad. Het motto was gebeiteld in de glanzende torens van het gloednieuwe Centraal Station, naast 'Welvaart, Verbroedering, Beschaving'. Het enorme gebouw verrees voor het oude havenfront, het schoof voor het IJ, het sloot de stad af van het open water – en tegelijk opende het ongekende vertes. Met de razendsnelle stoomtreinen was Jan's generatie voortaan binnen een dag in Parijs of Berlijn – expedities die Hendrik, Lucretia en alle eerdere Jannen al snel een week hadden gekost.

Er was één groot verschil met de Eerste Gouden Eeuw. In de 17e eeuw was de Amsterdamse regering buitengewoon actief, nu kwam alles wat de stad opstuwde aanvankelijk uit de koker van ondernemende particulieren: de aanleg van de Duinwaterleiding in 1851 – eindelijk schoon water! –, de eerste bouwmaatschappij voor de 'mingegoede volksklasse' in de totaal verkrotte Jordaan in 1853, de oprichting van het eerste moderne ziekenhuis aan de Prinsengracht in 1857, de bouw van het Paleis voor Volksvlijt door de visionaire Joodse ondernemer Samuel Sarphati in 1864, de aanleg van het Vondelpark in datzelfde jaar, de oprichting van een Kanaal Maatschappij om de stad direct met de Noordzee te verbinden in 1863, de opening van theater Carré in 1887, van het Concertgebouw in 1888.

De jonge theologiestudent Vincent van Gogh liep op 4 juni 1877 over het enorme kunstmatige eiland dat voor de bouw van het Centraal Station was aangelegd en vanwaar je een schitterend uitzicht had op de oude stad. 'Wij wandelden aan den Buitenkant & daar aan die zandwerken aan de Oosterspoor,' schreef hij zijn broer Theo. 'Kan u niet zeggen hoe schoon het daar was in de schemering. Rembrandt, Michel en anderen hebben het wel geschilderd: de grond donker, de lucht nog verlicht door de ondergegane zon, de rij torens er boven uit, de lichten overal in de vensters, alles weerkaatsende in het water. En de mensen en rijtuigen als kleine figuurtjes overal, zoals men dat op een Rembrandt soms ziet.'

Het nieuwe Noordzeekanaal, dat de stad dwars door de duinen rechtstreeks met de zee verbond, fungeerde als een gigantische dynamo voor dit nieuwe Amsterdam. Door de opening van het Suezkanaal was het Verre Oosten dichtbij gekomen, de Indische winsten stroomden binnen, met grote efficiëntie werden de koloniën nu geëxploiteerd en uitgebuit. De Herengracht-index stond rond 1880 eindelijk weer op het niveau van de Gouden Eeuw.

In cafés als Mille Colonnes en Die Port van Cleve rammelde een nieuwe generatie schilders, schrijvers en dichters – Tachtigers als Willem Kloos, George Hendrik Breitner en Jan Veth – aan de poorten van het establishment: het rauwe leven, de straat, daar ging het om. Daar werd het ondertussen steeds voller en drukker: in 1840 waren er 211000 Amsterdammers, in 1869 265000 en in 1900 meer dan een half miljoen.

Burgemeesterszoon Coo den Tex beschreef in zijn dagboek hoe hij, met een paar chique vriendjes, op zondag 24 februari 1878 zijn paard besteeg en als een branieschopper door de stad galoppeerde: eerst een snelle draf door de splinternieuwe Sarphatistraat, dan een lunch bij de Diemerbrug met oesters en champagne, even langs bij het circus van Oscar Carré en de nieuwe bierbrouwerij van vriend Gerard Heineken, wat rotzooi trappen in het Vondelpark, een sprong op de pas aangelegde brug voor het Rijksmuseum in aanbouw – 'hoewel aan deze kant de brug nog niet gelijk was' –, een rondje te paard door de koffiekamer van de uitspanning de Beerebijt aan de Amstel, ten slotte een afzakkertje in het stralende Paleis voor Volksvlijt. Alles was jong, alles was fonkelnieuw, alles was feest, en 'zijn' Cateau Biben was de mooiste vrouw uit de Amsterdamse geschiedenis.

Dat was de totaal nieuwe stad, met de totaal nieuwe elite, die in nog geen kwarteeuw was ontstaan. Jan Six bleef daarbuiten.

Voor Jan geen champagne, geen wilde ritten, geen Cateau Biben en haar vrolijke aanhang. De spectaculaire metamorfose van slapende waterstad tot dynamische landstad, hij maakte het van begin tot eind mee maar hij nam er, in tegenstelling tot zijn voorouders, nauwelijks actief aan deel.

Hij werkte mee aan de oprichting van het Vondelpark, voor het overige zocht ik in het familiearchief tevergeefs naar, bijvoorbeeld, aandelen in de Duinwaterleiding, het Paleis voor Volksvlijt, het Noordzeekanaal en de andere projecten die Amsterdam een nieuw gezicht gaven. Het slag ondernemers dat nu de toon zette in de stad, hun royale en ogenschijnlijk nonchalante manier van geld uitgeven en verdienen, hun gebrek aan familietradities, het was allemaal niets voor deze classicus.

Ik stuitte op een lijst met beleggingen van zijn vrouw Catherina: een paar stukken grond, verder alleen maar Amerikaanse en Russische spoorwegaandelen, de gebruikelijke portefeuille van de toenmalige aristocratie. Geen gulden voor Amsterdam. Al die initiatieven werden overgelaten aan de nieuwe generatie ondernemers en 'geldaristocraten' zoals

Samuel Sarphati, Gerard Heineken en een paar andere ondernemende families, met namen als Van Eeghen, Den Tex, Boissevain en Van Hall.

Zelfs de financiering van het Noordzeekanaal mislukte aanvankelijk omdat de meerderheid van de Amsterdamse chic – de oude handelshuizen, De Nederlandsche Bank, de grote groep rijke particulieren uit de eerste en tweede coterie – niets in het plan zag. Koning Willem III was zo woedend dat hij zijn jaarlijkse bezoek in 1865 oversloeg. Uiteindelijk besloot de Amsterdamse gemeenteraad, waar de nieuwe elite een meerderheid had, om de financiering van het project veilig te stellen.

Tussen al deze dynamiek leefden de Sixen relatief sober, op een ouderwetse manier bleven ze sociaal actief. Jan was geen raadslid, wel was hij, plichtsgetrouw aan zijn stand, vanaf 1857 bijna twintig jaar lid van de Provinciale Staten. Ook hier begon de vanzelfsprekende juridische orde waarbinnen hij was grootgebracht af te brokkelen. In 1877 trok hij zich terug. De sfeer van nieuwe zakelijkheid en compromissen, 'de politiek' zoals hij het zelf noemde, zette nu de toon in de Staten. Hij wilde het niet meer meemaken.

Amsterdam veranderde ondertussen zo snel dat vijftien jaar na het stadsgidsje van de 'anonieme Amsterdammer' een compleet nieuwe versie verscheen, *Amsterdam in stukken en brokken*. In dit nieuwe gidsje werden de afstammelingen van de 'koningen van de Republiek' omschreven als een 'uitstervend type'. Ze golden als 'gemoedelijk en stijfdeftig' maar volgens de auteur telden ze in de stad niet meer mee – in tegenstelling tot 'de echte kern van de gegoede burgerij', 'de flinke, de krachtige, de deugdelijk ondernemende handelsmannen, met praktischen zin, energie en volhardingsvermogen'.

De patriciër had, naast zijn buiten en zijn club, zijn 'vaste armen, die geregeld bij hem thuis komen om hun gewaarborgde toelagen' – let op het woord 'gewaarborgde', het 'noblesse oblige' stond nog overeind. De goede burgerij, 'deels afstammelingen van oude families, deels "nieuwe menschen"' deed het anders, daar waren vrouwen actief 'die zich van gansher harte en uit ware menschenliefde wijden aan de zorg voor armen en behoeftigen, en niet alleen geld en goed maar ook raad en belangstelling veil hebben'. Ongetwijfeld doelde de schrijver op de liefdadigheidsactiviteiten die aan het eind van de 19e eeuw door deftige families werden opgezet, met name vanuit vrouwencomités. 'Philantropie' was, in de woorden van de sociaal activiste Hélène Mercier, 'de schakel waarmee de vrouw uit de hogere standen haar huiselijk leven aan het openbare had verbonden'. Liefdadigheid was, kortom, voor dit soort vrouwen een uitgelezen manier om, al was het slechts voor een ogenblik, aan hun toverwereld te ontsnappen en kennis te maken met het echte leven.

Voor gezinnen in sloppenwijken was bijvoorbeeld in 1871 het particuliere netwerk Liefdadigheid naar Vermogen opgezet waarbinnen vele tientallen dames actief waren. Het ging daarbij om werkverschaffing, maar ook om duizend-en-een problemen rond drankmisbruik, gezondheid, huisvesting, en onderwijs – een pittige leerschool, kortom, voor vrouwelijke pioniers.

Van al deze nieuwigheden vind ik niets terug in het familiearchief, in de lijsten achter liefdadigheidscomités en andere initiatieven tref ik zelden of nooit de naam Six. Dat was een andere wereld. Alleen dochter Hester schijnt op dit front actief te zijn geweest. Ze was kunstzinnig, ze had talent, ze tekende ook veel na, ze legde zo een groot deel van de collectie vast. Het moet een mooie, serene vrouw zijn geweest, van haar resten alleen een portret – in zwarte japon die tot de hals is dichtgesnoerd –, haar tekeningen, een handvol juwelen, een poëziealbum.

'Als we willen dat alles blijft zoals het is, moet alles anders worden,' riep de onstuimige Siciliaanse edelman Tancredi di Falconeri in *De tijgerkat*. 'Ben ik duidelijk?'

De Sixen kozen hun eigen weg.

XVIII

Revanche

'De burgemeester', 'de Jan Six', 'het Rembrandt-portret', hoe
we dit unieke doek ook noemen, hoe stond het ondertussen
daarmee? Hoe had de eerste Jan de reis door de tijd doorstaan? Zo nu en dan zie je het doek opduiken in testamenten
en boedelbeschrijvingen. In een inventaris na het overlijden
van Margaretha Tulp, in 1709, heet het: '1 portret van de heer
burgemeester Six' – geschat op 15 gulden. In 1811, toen de patriotse Jan hertrouwde, verschijnt het portret opnieuw: 'Een
Mans Pourtrait leevensgroot tot den knie met een Hoed op
't hoofd en een Rodemantel omhangen door Rembrand van
Rijn' – nu is het 500 gulden waard. In het notitieboekje van
zijn zoon, de gebochelde Jan, wordt het in 1827 op exact dezelfde manier vermeld – nu zonder bedrag.

Het portret is eindeloos versleept, met de familie mee, het
hing in de 18e eeuw in Elsbroek, in het Trippenhuis en op Herengracht 495, daarna aan de Keizersgracht 'over de Gouden

Ketting', vervolgens in Het Hof in Hillegom en op de Lange Vijverberg in Den Haag. Rond 1827 belandde het weer in Amsterdam.

En nu, op deze nieuwjaarsavond ergens rond 1910, hing de eerste Jan Six alweer tientallen jaren in de salon van Herengracht 511, het huis van 'de professor', de nieuwe Jan Six. Het vuur brandde, de jongens Six lazen, de meisjes waren al naar boven. Mevrouw Six zat met haar eeuwige borduurwerk bij het theeblad. Door 'het houtvuur in de haard en het flikkerende licht van de kaarsen' kreeg de salon een 'eigenaardige sfeer'.

'De burgemeester', zoals het portret werd genoemd, was altijd aanwezig, maar nooit kwam hij, in de woorden van de huislerares Johanna Kuijer, 'zo schoon uit' als op zo'n avond. Dan 'scheen het mij toe dat de Burgemeester niet alleen in effigie maar ook in levenden lijve in de kring aanwezig was. Dan lag er in het schilderij nog iets anders, dan wanneer de zijkamer leeg was: een gevoel van voldoening dat hij op zo'n talrijk nakomelingschap kon neerzien, waarvan er verschillende mensen zeker naar zijn hart waren.'

Johanna Kuijer was in september 1908 bij de Sixen ingetrokken om de kinderen bijles te geven. Ze was vierentwintig, ze was afgestudeerd bij deze nieuwe Jan en ze gaf les aan de middelbare meisjesschool aan de Herengracht – de 'gouden school' – en ze zou nooit meer weggaan. Al nam haar loopbaan later een heel andere wending, ze bleef zich verbonden voelen met de familie en met name met de drie jongste kinderen die ze onder haar hoede had, Piet, Catharina – in de praktijk Cateau of Totie – en Hieronyma – de kleine Nine.

Juffrouw Kuijer liet bijna een halve eeuw later haar memoires na aan de Sixen. Het is een gouden bron als het gaat om hun huiselijk leven in die jaren. In het begin moest ze nogal wennen aan bepaalde gewoontes, zo schreef ze naderhand. Een knecht bediende aan tafel, er werd uitsluitend Frans gesproken, Piet was wat stil en dwars, Totie was niet te troosten toen haar kindermeisje Eva vertrok, verder was de sfeer 'eenvoudig maar genoegelijk'.

Al snel werd ze opgenomen in het gezin. Ze zeilde mee met de Stella, het familiejacht, naar Volendam – een van de ooms,

Wim, was zo'n verwoed watersporter dat er zelfs een jachthaven naar hem is vernoemd. Ze droomde lange zomerweken onder de enorme eiken en beuken van Jagtlust. Ondertussen zag ze de merkwaardigste gasten passeren, van een arme rabbijn die beweerde dat men 'door weging de zwaarte van de ziel kon achterhalen', via neef Rudolf, de trotse jager die in werkelijkheid doodsbang was in het donker, tot oma Teding van Berkhout die zich, negentig jaar oud, nog altijd kleedde als een meisje van zeventien: 'Een witte hoed met rode rozen, witte geborduurde japon, stelten van hakjes.'

Deze professorale Jan was, in tegenstelling tot zijn vader en zijn grootvader, bepaald geen studeerkamergeleerde: hij timmerde met de jongens een zeilwagen, liet ze een speelhuisje – Heilust – in elkaar zetten en bij de jaarlijkse schoonmaak van de vijver van Jagtlust stond hij steevast vooraan, in lieslaarzen en met een blauwe schipperstrui. Kunst was voor hem niet enkel theorie: hij was een voortreffelijk tekenaar, hij had als student lessen gevolgd aan de Academie voor Beeldende Kunsten, en was daar bovendien goed bevriend geraakt met toonaangevende schilders als Jan Toorop en Jan Veth.

Hij en zijn vrouw Nine – Hieronyma – Bosch Reitz hadden duidelijk een goed huwelijk, de 'sprankelende humor' van mevrouw paste perfect 'in de habitude van de eenvoudige geleerde'. Bovendien kon de nieuwe gouvernante het al snel uitstekend vinden met de vrouw des huizes. Aan tafel hadden ze samen vaak 'binnenpretjes', ze stootten elkaar aan als er wat te lachen viel en 's avonds voor het slapengaan stonden ze soms nog lang te praten, 'met confidenties van weerskanten'. Uiteindelijk kwam Jan dan grommend zijn vrouw halen: 'Nou is 't genoeg, vooruit vrouw, ga naar je nest.'

Nine Bosch Reitz was, in de woorden van chroniqueur Frans van Lennep, een 'levendig vrouwtje, met energie en originaliteit'. Ze was de dochter van een Amsterdamse koopman die goed had verdiend met de exploitatie van een paar Surinaamse plantages. Het leek alsof de geschiedenis zich herhaalde toen ze in maart 1890 bij de Sixen introk: opnieuw belandde een jonge bruid in een typische mannenhuishouding. Vader Jan was in 1887 weduwnaar geworden, zijn dierbare dochter Hester was ook al overleden, er waren een broer Willem, een oom Pieter Hendrik en verder was er haar kersverse echtgenoot Jan. 'Ze bewoonde een huis dat haar nooit geheel toebehoorde,' zou een tijdgenoot later schrijven, het hing stampvol schilderijen, overal stonden oude spullen, voortdurend kwamen er belangstellende bezoekers langs. Ze hanteerde dat allemaal met vrolijke gratie.

Jan was een gevoelige estheet. Een eerder huwelijksplan was afgebroken omdat het meisje in kwestie tijdens een soiree was verschenen met groene mitaines, handschoenen zonder vingers, in Jan's ogen een dodelijke kleur. De gesprekken tijdens de maaltijden moeten van professoraal niveau zijn geweest. Er werd gezegd dat de kinderjuffrouw haar onderwijsdiploma met vlag en wimpel haalde, puur op grond van wat ze in huize Six had opgepikt.

De 19e-eeuwse Jan Six en zijn zoon Jan leken sterk op elkaar, zowel in uiterlijk als in karakter: het waren beide knappe en waardige mannen, ze waren open en gastvrij, lieten anderen graag meedelen in hun materiële en geestelijke rijkdom en presenteerden hun wetenschappelijke prestaties tegelijk met de nodige bescheidenheid. Er was één groot verschil: de jonge Jan was stevig, ondernemend, niet bang om naar buiten te treden. Deze Jan zorgde voor een omslag, hij gaf de familie een nieuwe status in deze jaren van tempo en moderniteit.

Frans van Lennep: 'De vader is een amateur met wereldreputatie, de zoon "slaat de hand aan de ploeg", studeert af en wordt tweemaal hoogleraar.' Eerst als docent kunstgeschiedenis aan de Rijksakademie voor Beeldende Kunsten, later als hoogleraar esthetica en kunstgeschiedenis aan de Universiteit van Amsterdam – uiteindelijk bracht hij het daar zelfs tot rector magnificus. Ook dat tekende hem: waar zijn vader zich schuw terugtrok werd deze Jan al snel een bekende figuur in het Amsterdam van de eeuwwisseling.

Hij promoveerde cum laude op de ontwikkeling van de Gorgonenkop in de Griekse kunst – hierin volgde hij zijn vader als munt-expert –, hij was rector van het Amsterdamse studentencorps, voorzitter van het Koninklijk Oudheidkundig Genootschap, aanvoerder van het ontvangstcomité bij koninklijke bezoeken, bestuurslid van het nieuwe Rijksmuseum, voorzitter van het Casino, als ik al zijn functies optel heb ik meer dan twee handen nodig. De omvang van zijn nagelaten correspondentie is veelzeggend: meer dan twaalfhonderd brieven.

Vader Jan zag hoe zijn zoon boven hem uitgroeide. Met een kwakkelende vrouw en een langdurig zieke dochter had hij zware jaren doorgemaakt. Zijn ogen gingen sterk achteruit. In 's-Graveland werd hij regelmatig wandelend gezien met een toneelkijker voor de ogen, hij wilde, zo werd gezegd, de natuur voor zich laten verschijnen 'met de scherpe duidelijkheid van een toneelvoorstelling'.

Een grote troost waren de kinderen van Jan en Nine, zes in totaal: Jan, Gijs, Willem, Piet, en Totie – Ninetje zou hij niet meer kennen. 'Hoe ziet u mij een brief schrijven,' schreef hij aan een Franse vriend en vakgenoot, 'waarin ik een van uw briljante maar niet altijd overtuigende hypothesen onderuithaal, terwijl een klein kereltje van anderhalf op het punt staat me mijn pen te ontfutselen en een ander, van vier en een half, me een potlood in de hand duwt om voor hem alles wat in zijn hoofd opkomt uit te tekenen?'

Uiteindelijk kreeg hij ook last van het licht zelf, toch liet hij zich de laatste dag voor zijn dood nog in zijn leunstoel naar het raam brengen. Nog eenmaal dronk hij het allemaal in: het land rondom Jagtlust, de velden, de bomen, de tuinen, de natuur die hij zelf met zoveel liefde had beschreven en bewerkt. Zijn kinderen en kleinkinderen stonden om hem heen. Hij stierf in de laatste zomer van de 19e eeuw, op 17 juli 1899.

Ik kan niet zeggen dat families als de Sixen niet in de 20e eeuw thuishoorden. Ze moesten er wel enorm aan wennen. Juffrouw Kuijer beschrijft hoe ze bij een bezoek aan Antwerpen samen met mevrouw Six in de befaamde Poesjenellenkelder belandde, een populair poppentheater. Het was propvol op de houten banken, enkel een paar walmende olielampen zorgden voor verlichting, het publiek bestond voornamelijk uit 'opgeschoten jongens en meiden'. Het stuk zelf stond waarschijnlijk bol van de dubbelzinnigheden, 'de jongens en meiden brulden van het lachen'. Het was in het plat-Antwerps 'zodat wij gelukkig geen woord verstonden'. Het was, kortom, een heel avontuur voor de dames, zo tussen het volk, en na vijf minuten glipten ze alweer naar buiten.

Nog altijd leefden de Sixen, net als veel andere families, tot op zekere hoogte in een eigen zeepbel. Soms kreeg ik zelfs met ze te doen, met hun wereld die aan de ene kant zeldzaam breed en erudiet was, aan de andere kant beperkt.

Tekenend is het woordgebruik dat juffrouw Kuijer noteerde. 'Koffiedrinken' betekende bij de toenmalige Sixen bijvoorbeeld 'koffie met een gehaktbal', ofwel een lichte lunch. De dames Six meenden echter dat heel Nederland hetzelfde zei en deed. Onderling hielden ze soms kleine feestjes en verkleedpartijen – zoals bij een jubileum van juffrouw Kuijer, toen mevrouw zich bij het diner had omgekleed als kind en de kinderen oude avondkleding hadden aangetrokken. Nine had tranen van het lachen, 'een danspartijtje besloot dit eerste feest'. Bij een ander intiem 'feestje' verkleedden de vrouwen zich als Tirolers, met vlechten en al – 'De kleding van mevrouw was de oorzaak waarom de knecht niet binnen mocht komen.' Juffrouw Kuijer is er decennia later nog vol van.

Het waren strikt gescheiden kringen waarin de Sixen leefden, in diverse gradaties van intimiteit: de eigen, bijna ondoordringbare ring van oude families, dan de nieuwe elite en de wetenschap, daarna de gewone burgerij, de knechten en de meiden, ten slotte het grauw van zwoegers, armoedzaaiers, arme Joden, zwervers en immigranten. En daarbuiten lag, nog veel verder weg, het domein van de vage verhalen, de wereld van de tropen, de plantages, de koelies en de knechten.

De Sixen stonden daarin niet alleen, in de ogen van de meeste toenmalige Nederlanders was de wereld verdeeld in strikt gescheiden compartimenten, zo had Onze-Lieve-Heer dat geregeld. Sommigen meenden zelfs dat niet-blanken eigenlijk geen mensen waren. Onder de Nederlandse predikanten woedde vanaf de 17e eeuw een pittige discussie over de vraag of Afrikaanse slaven en Amerikaanse 'afgodendienaars' wel volwaardige medemensen waren, met een menselijke ziel. 'Deze menschen zijn also genaturaliseerd,' schreef bijvoorbeeld dominee J. Picardt uit Coevorden in 1660, 'so wanneer zij in vrijheijdt ghestelt of lieftallig gekoesterd werden, soo en willen zij niet deugen.' Maar, zo voegde hij daaraan toe, wanneer men hen 'gheduerigh met rottingen' slaat, dan kan men 'goede diensten' van hen verwachten. Kortom: 'Hare welvaert bestaat uit slavernije.'

Er klonken ook andere stemmen. De kerkenraden van Amsterdam en Walcheren verklaarden al in 1628 dat het 'niet christelyck was lyffeygene te hebben'. De predikant Jacobus Hondius nam in 1679 'mensendiefstal' op in zijn 'Swart register van duysent Sonden'. De grootvader van Lucretia, Nicolaas van Winter, schreef in 1765 een vlammend toneelstuk, *Monzongo, of de koninklijke slaaf*, om zijn landgenoten 'de onbetaamlykheid der slavernije onder het oog te brengen'. Het stuk was zeer geliefd, vooral vanwege de versregel waarin goud werd vergeleken met 'blinkend slijk, besproeid met zo veel zweet en traanen'.

Het hielp allemaal weinig. De Amsterdamse Sixen van deze tak ontleenden, zoals we zagen, hun vermogen grotendeels aan grondbezit en staatsobligaties, maar andere prominente families hadden geen enkel probleem met dit 'blinkend slijk': Van Baerle, Calkoen, Dedel, Munter, Van Loon, Insinger, Deutz, Van Eeghen, Enschedé en, naast vele anderen, ook Bosch Reitz, de koopmansfamilie waaruit Nine afkomstig was.

Grootvader Gijsbert Bosch Reitz was in 1815 getrouwd met een weduwe, Gertrude – Bébé – Kuvel. Die was, door haar vorige huwelijk, in het bezit van een paar plantages in Suriname. Het waren, volgens een aantekening van hun kleinzoon, 'goudmijnen' – totdat de slavernij in 1863 werd afgeschaft. Hun 'agent' in Paramaribo had de zaken echter flink laten versloffen. Toen Gijsbert en Gertrude daarachter kwamen raakten ze, vanuit hun huis aan de Keizersgracht, zeer 'actief betrokken' bij dit overzeese bezit. Er kwamen steeds meer plantages bij: Libanon – 'met 90 negers' – Geertruidenberg, Berthaudslust, Breukelerwaard, Johanna Catharina en Zoelen – de laatste plantage kocht de familie voor 80 000 gulden met daarbij 'voor 24 000 aan negers'.

Gaandeweg werd dit keurige Amsterdamse echtpaar zo een van de grotere slavenhouders van de kolonie. Zelf zouden ze nooit een voet in Suriname zetten, wel stuurden ze hun zonen Gijsbert en Guillaume naar Paramaribo om er de familiebelangen persoonlijk te behartigen. Guillaume bracht het er tot president van het Hof van Justitie.

De oude Bosch Reitz was de aanvoerder van de Amsterdamse slavenhouders bij de Nederlandse regering toen die, onder druk van de publieke opinie, vanaf 1840 voorzichtig ging nadenken over de bevrijding van de Nederlandse slaven.

De Nederlanders waren laat: in het Britse Rijk was slavernij al in 1834 verboden, bij de Fransen in 1848. Die traagheid had vooral te maken met de dure compensatieregeling die de slavenhouders eisten en waarvoor het geld moest worden gevonden in de opbrengsten van de andere kolonie, Indië. Maar het was ook een principiële zaak: de afschaffing van de slavernij was 'een krenking' van het eigendomsrecht. De huidige eigenaren hadden voor hun slaven gewoon betaald, zo schreef grootvader Bosch Reitz in een gezamenlijke brief van de Amsterdamse slavenhouders aan de regering. De slaaf was misschien een persoon 'doch hij bleef desalniettemin, in regten en vis a vis zijn meester, eene zaak, eene bezitting – een roerende en, zoo als men dit regtens noemt, zich zelve bewegend goed'.

Eindelijk werden op 1 juli 1863 de laatste Nederlandse slaven bevrijd. De Surinaamse slavenhouders kregen 'per stuks slaven' 300 gulden, de Antilliaanse 200 gulden, in totaal werd bijna 10 miljoen gulden uitgekeerd. De vrijgemaakte slaven werden getrakteerd op een drietal vrije feestdagen. De schoenen waren overal direct uitverkocht: slaven mochten nooit schoeisel dragen, nu waren ze ook daarin vrij. Ze werden op die feestelijke 1e juli toegesproken door gouverneur Van Lansberge: 'En weest u vooral dankbaar jegens uw vroegere meesters en vergeet niet wat zij voor u gedaan hebben.' Daarna waren ze verplicht om nog tien jaar voor hun oude baas te werken, nu in loondienst. Pas op 1 juli 1873 waren ze werkelijk vrij.

De familie Bosch Reitz ontving voor hun slaven 185 000 gulden. Die aardige Nine zal er met haar erfdeel nog wel iets van hebben meegekregen. Maar het was voorbij met de 'goudmijn', de plantages verliepen, er werd geen nieuw suikerriet meer geplant, ze werden door de bossen overwoekerd en voorgoed aan het oog onttrokken. In de empirekamer van het Six-huis tikt enkel nog, onder een grote glazen stolp, de vergulde pendule van de familie Bosch Reitz de uren weg. De klok wordt voortgesjouwd op de rug van een zwarte man. Op blote voeten.

Het woord 'revolutionair' gebruik ik niet snel, maar Jan en Nine Six waren in bepaalde opzichten wel degelijk vernieuwend. Voor oude Amsterdamse families waren er eeuwenlang slechts twee plekken waar met fatsoen kon worden gewoond: de Heren- en de Keizersgracht. De Van Loons, de Van Lenneps, de Dedels, 'iedereen' woonde daar – en dan liefst in het oostelijke stuk, 'de polder'. Bij de inhuldiging van koningin Wilhelmina in 1898 moesten de meeste aanzienlijke bezoekers, bij gebrek aan voldoende hotelruimte, bij de Amsterdamse elite worden ondergebracht. Uit die lange gastenlijst blijkt dat bijna al deze families nog leefden achter de statige gevels van deze twee grachten. Slechts vier woonden in de splinternieuwe Sarphatibuurt, slechts één in een van de uitbundige villa's en stadskasteeltjes die langs het Vondelpark waren verrezen.

Het splinternieuwe Amsterdam-Zuid was, achter de poort van het glanzende Rijksmuseum, een oase van rust en groen, doorsneden met lommerrijke lanen onder mooie en vertrouwde namen: Vondelstraat, Tesselschadestraat, Vossiusstraat. Tegelijk waren alle nieuwe uitgaansgelegenheden vlakbij: het Concertgebouw, de Manege, de Stadsschouwburg, 's winters de ijsbaan op het Museumplein. Toch werd deze moderne buurt van stand aanvankelijk vrijwel alleen bewoond door de 'nieuwe elite', plus een handvol leden van de tweede coterie die alle codes aan hun laars lapten. Bijvoorbeeld de eerste grote feministe van Nederland, de arts Aletta Jacobs. En de voortvarende redersfamilie Boissevain, waarvan de zoon, Charles Boissevain, journalist was geworden bij het liberale *Algemeen Handelsblad* – later was hij eigenaar en hoofdredacteur.

Ook Jan en Nine durfden te breken met de 'polder'. Gedurende de eerste tien jaar na hun huwelijk huurden ze een huis op Tesselschadestraat 23 – waarmee ze tegelijk lieten zien dat het strikte onderscheid in rangen, standen en coterieën langzamerhand in onbruik raakte. Pas na de dood van vader Jan verhuisden ze terug naar het ouderlijk huis aan de Herengracht.

Deze zoon Jan hoefde inderdaad niet meer prat te gaan op zijn grachtenhuis, zijn titel of zijn afkomst om zich te onderscheiden. Hij was een man van de inhoud. Zijn duizelingwekkende productie op kunsthistorisch gebied, zijn talloze activiteiten voor stad en land, zijn diepgaande kennis op allerlei terreinen, het leek wel alsof in hem de talenten en kwaliteiten van alle voorgaande generaties Six nog één keer tegelijk tot leven kwamen.

Ieder jaar publiceerde hij wel vijf of zes wetenschappelijke verhandelingen: over Griekse, Syrische en Egyptische munten en vazen, over 'het probleem van de geopende mond in de Grieksche kunst', over primitieven en Michelangelo, over de musea van Italië en Griekenland: 'Rome is toch Athene niet, waar iedere steen en iedere potscherf belangrijk is.'

Jan de professor leek van alle markten thuis: op reis in Egypte corrigeerde hij de gangbare archeologische bevindingen omdat hij, met alle botanische kennis van zijn vader en grootvader, een bepaalde constructie onmiddellijk herkende als hangende tuinen. Hij besprak, bij de overdracht van Vermeer's *Melkmeisje* aan het Rijksmuseum, de techniek van het schilderij tot in de finesses, met de waarschuwing om van de vernis af te blijven, die zou volgens hem een deel van de kleuren bevatten. Hij ontwierp eigenhandig patronen voor allerlei borduurwerk, waaruit weer verhandelingen voortkwamen over de kragen van Amsterdamse burgers en de geometrische patronen op Griekse vazen. Ook al lijken zijn bevindingen nu vaak achterhaald, zijn scherpe blik en zijn enorme kennis blijven indrukwekkend.

Een begaafd docent was hij niet – ook in die zin leek hij op zijn vader. 'Zijn worsteling met de taal gaf zijn voordracht een zekere matheid en moeizaamheid,' schreef een van zijn collega's naderhand. Die stroefheid gold ook voor het contact met zijn studenten – al was er, aldus een studente, 'ook nooit valsch contact'. In kleine kring, waar hij bijvoorbeeld colleges gaf over Griekse vazen, brandde het vuur opeens wel. Zijn favoriete studente, Milie Haspels: 'Hij was geen docent, maar hij gaf een voorbeeld. Hij voedde op tot zelfstandigheid.'

Met sommige kunstenaars had hij sterke banden, met name met de schilder en tekenaar Jan Veth. Hij bestelde bij Veth portretten van Nine en hemzelf en toen Veth tijdens het Rembrandtjaar een eredoctoraat kreeg van de Universiteit van Amsterdam was Jan de promotor. Beiden voelden, in deze

'Tweede Gouden Eeuw', een sterke verwantschap met het Amsterdam van de Eerste Gouden Eeuw en droegen dat gevoel ook uit, op allerlei manieren. Jan Veth was een van de eersten die de aandacht vestigden op iets wat vroeger als een – soms lastige – vanzelfsprekendheid werd beschouwd: de grachten, de pittoreske chaos van de oude buurten, de schoonheid van de oude stad.

Toen de manie om de ene gracht na de andere te dempen op zijn dieptepunt was en toen, na de Nieuwezijds Voorburgwal – ooit, in al zijn variatie, de mooiste gracht –, ook de Reguliersgracht en de Spiegelgracht dreigden te verdwijnen klom een woedende Veth in de pen. Onder de titel *Stedenschennis* beschreef hij de steden van de toekomst, met 'louter saamgestopte massa's van magazijnen en pakhuizen en kantoren'. 'Steden waarin 's mensen belang niet in het leven ligt, maar in de arbeid; steden waarin de straten niet de vrije banen zijn voor het opgaan en voorbijtrekken van een gelukkig volk, maar de afvoerkanalen voor het loozen van een gefolterd slavendom.' De dempingsplannen verdwenen van tafel.

Vaak deed deze professorale Jan Six aan de eerste Jan denken – en ik verdenk hem er stilletjes van dat hij die overeenkomst ook cultiveerde. Het begon al bij zijn huwelijk met Nine, toen broers en neven een zelfgemaakt toneelstuk opvoerden onder de titel *Het Huisgezin van Dr. Nicolaes Tulp. Blijspel in één bedrijf.* Zodra hij in 1919 tot rector was benoemd liet hij een ambtsketen smeden, naar eigen ontwerp – net als de eerste Jan met zijn medailles. Hij adviseerde, net als zijn voorvader, over bouwplannen – onder andere bij de restauratie van de aula van de Universiteit, de Agnietenkapel – en ontwierp zelf ook het nodige. En uiteraard schreef hij veel over Rembrandt – hij publiceerde veertien studies, onder andere een uitvoerig onderzoek naar Rembrandt's etsen.

Jan was de motor achter de feesten rond het driehonderdste geboortejaar van de kunstenaar in 1906. In de Westerkerk werd een gedenksteen onthuld, in het Rijksmuseum werd de aparte Nachtwachtzaal in gebruik genomen – Jan had met de schilder George Hendrik Breitner in een proefzaal eindeloos met de lichtval geëxperimenteerd –, in de Stadsschouwburg werd een feestvoorstelling gehouden waarvoor Jan de tableaus had ontworpen. Met de verbouwing van het Rembrandthuis, de oorspronkelijke woning van de schilder in de Jodenbreestraat, wilde hij echter niets te maken hebben: restauratie diende volgens hem enkel met de grootst mogelijke terughoudendheid plaats te vinden. Hier metselde men een compleet nieuw verleden bij elkaar.

Hij overspeelde zijn hand toen hij, in navolging van *Medea* van de eerste Jan, met een eigen toneelstuk op de proppen kwam. Voor de galavoorstelling in de Stadsschouwburg bij het zilveren regeringsjubileum van koningin Wilhelmina, in 1923, had Jan ongevraagd *De Koningin van Scheba* geschreven. Niemand bleek echter geïnteresseerd, de keuze viel op een revue van een toen populaire stukjesschrijver, Charivarius. Een jaar later kon het, door tussenkomst van zijn vrouw, toch nog door een studentengezelschap worden opgevoerd. De professor zorgde persoonlijk voor de oosterse sjaals – de sjaals vormen tegenwoordig trouwens een gewaardeerd onderdeel van de collectie van het Rijksmuseum.

Ondertussen bleef de Collectie Six een belangrijke trekpleister. Op 1 mei 1910 kwamen de Amerikaanse oud-president Theodore Roosevelt en zijn vrouw op bezoek. Ze waren op dat moment bezig met een wereldreis, deden daarbij ook Europa aan en brachten, na Brussel, een drietal drukke dagen door in Nederland. Roosevelt's humeur was niet al te best, overal was hij met presidentiële eer ontvangen maar koningin Wilhelmina wilde alleen maar met hem lunchen. Hij vond haar burgerlijk, bekrompen en vol misplaatste pretenties. Haar echtgenoot Hendrik vond hij vooral zielig, hij vond het pijnlijk om te zien hoe de prins voortdurend door zijn vrouw werd gekoeioneerd.

De voormalige president trad op in het gebouw van de Vrije Gemeente – de huidige poptempel Paradiso – voor een uitzinnig publiek, daarna werd het echtpaar Roosevelt in rap tempo langs de bezienswaardigheden van Amsterdam en Den Haag gesleept. Zelfs voor de onstuimige 'Teddy' was het allemaal behoorlijk vermoeiend, in het Rijksmuseum zat hij zeker een kwartier voor *De Nachtwacht* uit te blazen, tot verbazing van de directeur: 'Zulk een innige bewondering voor een schilderij heb ik nog nooit bijgewoond.' Ook bij de Sixen kwamen ze op de thee. Terwijl de heren al rokend langs de schilderijen liepen viel mevrouw Roosevelt vooral voor de krakelingen: 'Teddy-dear, come and taste!'

Koningin Wilhelmina en haar man kwamen uiteraard ook langs, in 1915. Er was duidelijk weer eens 'hommeles' geweest aan het hof, aldus juffrouw Kuijer in haar herinneringen, de koets van het tweetal stond eerder voor de deur dan iedereen verwachtte, het gevolg kwam er in vliegende haast achteraan gestoven, 'een paar dames met de hoed scheef op'. De koningin rende langs de schilderijen, alleen bij de Six van Rembrandt werd iets langer stilgehouden. 'Ik weet niet of het een grapje was,' schreef juffrouw Kuijer, 'maar de prins vroeg: "Is dat de vader van de tegenwoordige mijnheer Six?"'

De haast van de koningin viel dubbel slecht omdat de prins 'stijf was van de reumatiek'. Maar daar hield niemand rekening mee, zelfs toen Nine Six de koningin bij het vertrek waarschuwde dat haar strompelende man er nog niet was. 'Das macht nichts,' antwoordde de koningin – Duits was waarschijnlijk de voertaal vanwege Hendrik. 'Der Heinrich wird schon hinterdrein galoppieren.'

Op 20 maart van datzelfde jaar vierden Jan en Nine hun zilveren huwelijksfeest. Het was de laatste luisterrijke ontvangst in het oude familiehuis aan de Herengracht. De stad wilde de smalle Vijzelstraat verbreden tot een verkeersader waarin de razendsnelle elektrische trams vrij baan zouden hebben en daarvoor moest ook huize Six wijken – plus de complete collectie.

Jan vond gelukkig een ander monumentaal pand met voldoende ruimte voor de collectie, het huidige huis aan de Amstel, naast de vroegere woning van Coenraad van Beuningen, vlak bij de hoek Amstel-Herengracht waar de eerste Jan Six ooit zijn huis liet bouwen. Een binnenplaatsje werd speciaal omgebouwd tot 'Potterkamer', een speciale ruimte voor het enorme ruiterportret van Diederick Tulp – de ingenieuze lichtval was een vinding van Jan zelf. In de laatste dagen van 1915 verhuisden, in een grootse operatie met twee houten verhuiskarren van de firma Van der Hoop, drie eeuwen familiebezit.

Dat huwelijksfeest in 1915 was niet alleen het afscheid van een lange geschiedenis aan de Herengracht, het was op een bepaalde manier ook een hoogtepunt, net zoals het huwelijk van de 18e-eeuwse Jan met Anna van den Bempden in 1730 een hoogtepunt was. De Sixen hadden weer aanzien en gezag, zeker in wetenschappelijke kringen. De Collectie Six was alom vermaard. Hun vermogenspositie was, dankzij een tweetal fortuinlijke huwelijken, voortreffelijk – Jan hoorde opnieuw tot de meest welgestelde Amsterdammers.

Het was een moment dat hij wilde vastleggen. Al in februari begon de schilder-lithograaf David Bueno de Mesquita met de voorstudies voor een grote litho waarop de feestelijke ontvangst in de grote voorkamer werd vastgelegd. Er zijn nog tientallen schetsen bewaard gebleven: een paar stijfdeftige ooms, een elegante moeder Nine, haar twee dochters, de kater Mimi. Het eindresultaat geeft een levendig beeld van de familie op zo'n hoogtijdag: Jan en Nine die de gasten ontvangen – Nine in een zeer modieuze tuniekjapon van zijden mousseline met zilverborduurwerk, de ooms Willem en Rudolf Six, de broers Jan, Gijs, Willem en Piet in uniform – alle zonen waren gemobiliseerd, de Eerste Wereldoorlog was in volle gang –, dwars daardoorheen achtervolgt de kleine Nine in een witte feestjurk, samen met haar boezemvriendin Mia den Tex, de huiskat Mimi. Door de hoge ramen zien we buiten nog vaag, op de bok van een van de koetsen, Van Leeuwen, de koetsier van de familie Van Loon. En uiteraard is ook de eerste Jan sterk aanwezig: met zijn melancholische blik kijkt hij peinzend neer op dit 20e-eeuwse feestgedruis.

Was er veel veranderd in die drie eeuwen? Ja en nee. De samenleving was dynamischer, de stad was groter, er waren een hele reeks verbluffende uitvindingen gedaan – stoom, elektriciteit, telefoon –, afstanden van dagen waren nu, met het spoor, een kwestie van uren, begrenzingen die het dromen en denken sinds mensenheugenis hadden bepaald waren verdwenen. Toch lag de grote waterscheiding pas ergens rond 1900.

De klassieker van historicus Jan Romein draagt als titel *Op het breukvlak van twee eeuwen*, de hedendaagse historicus Auke van der Woud spreekt over een 'culturele revolutie', beiden wijzen op hetzelfde verschijnsel: rond 1900 werd alles anders, werden de Nederlanders op een bepaalde manier 'nieuwe' mensen. Er kwam pas rond die tijd een einde aan de allesbepalende invloed van het klassieke beschavingsideaal van de eerste Jan Six, de erfenis van de Renaissance en de Verlichting die werd uitgedragen en verder ontwikkeld in de min of meer gesloten cultuur van een kleine elite, in de letteren, de beeldende kunsten, de muziek. Daarvoor in de plaats kwam, zo stelt Van der Woud, een compleet nieuwe cultuur: massaal, open, Amerikaans, alledaags en bovenal materialistisch.

Ook het besef van ordening en stelselmatigheid veranderde, vervaagde, zo men wil. Anders dan wij sprak de 19e-eeuwer nooit over 'de samenleving'. In plaats van deze vrijblijvende term had hij het over 'de maatschappij', een stevige sociale structuur waarin mensen, gebeurtenissen, instituties en ook families hun vaste plaats hadden.

Professor Jan Six en zijn vader, de briljante amateurpenningkundige, leefden nog volop in die denkwereld waarin, onuitgesproken, het woord 'beschaving' centraal stond. 'Die beschaving van de 19e eeuw had een idealistisch karakter en een idealistisch streven, met verheven ideeën als ijkpunten,' schrijft Auke van der Woud. 'In een cultureel vooraanstaand gezelschap kan vandaag de dag alleen al het uitspreken van het woord "beschaving" een pijnlijke stilte doen vallen. Er is in de tijd die tussen ons en 1850 ligt, op dit gebied blijkbaar iets fundamenteel veranderd.'

De Eerste Wereldoorlog was het ultieme breekpunt. Na afloop waren twee imperia – het Habsburgse en het Osmaanse – en zeker een half dozijn koninkrijken ineengestort. Het feodale Europa, het Europa van de vanzelfsprekende voorrechten voor bepaalde families, het was voorbij – op een paar rituele monarchieën na.

Nederland bleef neutraal. Veel ellende bleef Amsterdam en de Sixen zo bespaard, aan de andere kant miste het land daardoor ook een allesbepalend deel van de Europese geschiedenis. Nog lang koesterden veel Nederlanders zich in dat gedroomde maar uiterst behaaglijke isolement.

Het optimisme van de Verlichting was in de loopgraven en de slagvelden van Ieper en Verdun voorgoed verdwenen. Ruim zeventig miljoen jonge Europese mannen hadden aan de fronten gevochten, bijna tien miljoen hadden het niet overleefd. In die intense leegte, en in alle chaos daaromheen, sprongen magiërs en volksmenners met nieuwe geloofswaarheden: communisme, fascisme, nationaalsocialisme.

'Een heerlijk rustige tijd vol schone illusies was plotseling afgebroken,' zou zoon Piet naderhand schrijven over het begin van de oorlog. Hij had zich, samen met zijn broers Jan, Gijs en Willem, op 2 augustus 1914 direct gemeld als cavalerist bij het 1e Regiment Huzaren in Amersfoort, elk met een eigen paard. Zo werd ook hij gemobiliseerd, maar wel op stand: de brieven van Piet ademen exact dezelfde sfeer als die van zijn grootvader Hendrik tijdens zijn gardistentijd in 1813, met veel kaarten, 'zwammen' en sociëteitsbezoek, altijd in gezelschap van dezelfde stokoude namen: Hooft, Van de Poll, Van Styrum, Den Tex, Sillem, Van Harinxma thoe Slooten, Van Limburg Stirum en anderen. Hij belandde uiteindelijk bij het Derde Eskadron Huzaren Wielrijders – een noodoplossing omdat het leger niet voldoende paarden beschikbaar had.

Op 24 juli 1916 werd hij, samen met twee broers Hooft, beëdigd tot officier. De families waren uiteraard stevig vertegenwoordigd. 'Na de beëdiging een vlotte charge, daarna muziek, sandwiches en champagne, aangevoerd door enkele Bossche families. Nine galoppeerde alleen over de Vughterheide, tot groot vermaak van iedereen.'

De brieven van Jan zijn daarentegen kort en zorgelijk. 'De stad is hier vol vluchtelingen, duizenden en duizenden,' schreef hij op 12 oktober 1914 uit Roosendaal. 'Langs de straten trekken karavanen van de vreemdste vehikels en velen te voet met pakken op de rug. De Belgen zijn eenvoudig gek van angst, welgestelde mensen die geen schot hebben zien vallen vluchten en laten alles achter zodat zij volkomen geruïneerd zijn.' Voor hemzelf was het leven verder niet slecht: 'Vanavond eten we patrijs, terwijl er nog twee eenden en drie hazen hangen.'

Vier jaar later was een van de grootste aanstichters van dit drama, de Duitse keizer Wilhelm, zelf op de vlucht naar het neutrale Nederland. Na de nederlaag waren overal in Duitsland sociaaldemocratische en communistische revoluties losgebarsten. De kroonprins – 'de Slager van Verdun' – arriveerde twee dagen na zijn vader. Op 12 november 1918 loodste Piet Six, die toevallig in Maastricht was gelegerd, hem met zijn wielrijders naar het Gouvernementshuis, achtervolgd door een woedende menigte. Aan de jonge luitenant Six moest de prins zijn revolver afgeven. Het was een pijnlijk moment, wellicht ook voor Six. Daarna werd hij verbannen naar het eiland Wieringen, 'het Elba in de Zuiderzee'.

Het waren historische dagen. Het algemeen kiesrecht was net ingevoerd, alle mannen mochten nu stemmen – de vrouwen volgden een jaar later – maar dat was niet genoeg. Even leek de revolutionaire koorts uit Rusland en Duitsland naar Nederland over te waaien. Soldaten sloegen aan het muiten, er waren wat plunderpartijtjes, de sociaaldemocratische leider Pieter Jelles Troelstra meende dat de tijd rijp was voor een revolutie. Zijn eerste doelwit was de monarchie, het symbool bij uitstek van de oude standensamenleving: 'Erfelijkheid moge een geschikt leidend beginsel zijn voor paard- en rundveestamboeken, voor het bekleden van publieke ambten kan het nu eenmaal geen leidraad geven.' Toen het kersverse Landelijk Revolutionair-Socialistisch Comité op 13 november in Amsterdam een grote demonstratie hield werd die vanuit een kazerne beschoten: er vielen drie doden en achttien gewonden. Daarmee was het vuur alweer uitgetrapt.

Een paar dagen later werd op het Haagse Malieveld een verpletterende tegenbetoging gehouden, een huldiging van de gevestigde orde – in de persoon van koningin Wilhelmina en prinses Juliana – die zo massaal was dat ieder alternatief geluid voorlopig was gesmoord. Toch bleef de oproep van Troelstra lang naklinken: 'Vergeet niet, wanneer het eenmaal zover is, dat gij u niet meer staande kunt houden, dan zullen er andere krachten komen die uw plaats innemen.' Piet Six zou niets vergeten.

De Duitse keizer Wilhelm werd weggestopt in een kasteel in Doorn. Hij draaide de film van zijn leven dag na dag terug alsof er niets was gebeurd, hield er een soort minihofhouding op na, al zijn woede en frustratie vierde hij bot op de omringende bossen. Zagen en hakken, hij kon er geen genoeg van krijgen. De adellijke families in de buurt hadden geen enkele moeite met zijn oorlogsverleden. Ze kwamen al snel langs, ook sommige Sixen. Het huis stond stampvol met portretten, boeken en snuisterijen, de inhoud van minstens drie paleizen plus zijn zeiljacht de Hohenzollern leek in het gebouw te zijn samengeperst. Tijdens de diners praatte de oude keizer uren aan één stuk, soms over heel intieme kwesties. Hij zat daarbij vaak op een zadel alsof hij een parade afnam. En altijd ging het over de oude glorie, en het waarom van de grote neergang.

De geduldige toehoorders werden beloond. In het Six-archief ligt nog een papiertje met daaraan een stuk hout. Het is een briefje van graaf Bentinck, die het kasteel bewoonde waar de keizer verbleef. Tekst: 'Zijne Majesteit de Keizer heeft mij opgedragen u het nevengaande te doen toekomen, zijnde een blok van de 3000ste boom, door Zijne Majesteit alhier gezaagd.'

De wereldoorlog was een industriële oorlog, de allereerste, en tijdens die vier desastreuze jaren waren grote sprongen voorwaarts gemaakt. Auto's en fietsen veroverden na 1918 massaal de Amsterdamse straten, telefoon en radio werden gemeengoed, de Eerste Luchtverkeer Tentoonstelling Amsterdam (ELTA) was de sensatie van 1919: dit was de nieuwe eeuw in volle glorie.

Ook in de kleine wereld aan de Herengracht en, na 1915, aan de Amstel kwam in deze jaren een eind aan 'de gouden eeuw van zekerheid'. Door de mobilisatie ontstond een tekort aan arbeidskracht. Voor 1900 was personeel goedkoop, goederen en andere materiële zaken waren relatief kostbaar. Tijdens de Eerste Wereldoorlog draaide dat om: arbeid werd beter betaald, personeel werd steeds duurder. De allerrijkste aristocraten konden dergelijke klappen nog wel opvangen, hun minder vermogende standgenoten kwamen nu hopeloos in de problemen. Het werd voor hen steeds lastiger om de frontstage overeind te houden. Evelyn Waugh signaleert hetzelfde probleem in *Brideshead Revisited*, als hij over de hoofdpersonen schrijft: 'Ze zijn rijk op de manier van mensen die niets doen met hun geld. Dat soort mensen zijn allemaal armer dan ze in 1914 waren maar [ze] schijnen dat niet te beseffen.'

De Eerste Wereldoorlog was ook in Nederland het begin van de onttakeling. 'Het grote wegkruipen' – de term is afkomstig van de antropoloog Yme Kuiper – was allereerst zichtbaar rond de landgoederen. De Sixen konden nog tot het midden van de 20e eeuw de seizoenen volgen: de zeven 'koude' maanden in de stad, de rest van de tijd buiten. Voor veel oude stadsfamilies was dat echter vanaf de Eerste Wereldoorlog niet meer weggelegd, ze kozen voor de stad of ze trokken naar buiten – richting Bloemendaal, Aerdenhout, het Gooi of de Utrechtse Heuvelrug – waar het klimaat in alle opzichten aangenamer was. Zoiets viel, zeker vanaf de jaren twintig, uitstekend te combineren met een werkend bestaan in de stad dankzij de telefoon, de auto en eventueel de forensentrein. Steeds meer grote grachtenhuizen kregen een nieuwe eigenaar. De wereld van de 'stijfdeftige' coterieën, van 'de grote stijl' en 'de oude chic', van het visite rijden en de strakke rituelen, dat hele exclusieve kaartenhuis stortte razendsnel ineen.

Juffrouw Kuijer beschrijft hoe de opgroeiende schoolmeisjes van de Herengracht plotseling zonder geleide door de stad liepen – kort daarvoor nog volstrekt ongepast. Hun scholen waren verplaatst, dichter naar de nieuwe Vondelparkbuurten, de afstand werd groter, er was geen tijd meer om ze voortdurend te begeleiden. In het najaar van 1918 komt ze op een brug twee van die meisjes tegen: 'Mogen wij een eindje met u mee? Wij zijn voor 't eerst alleen uit.'

De vrijheid bleef niet zonder gevolgen. 'Mevrouw de C. kwam eens zeer ontdaan in de docentenkamer. Zij had gezien dat drie meisjes van haar school, háár school, bij een ijskarretje een ijsje hadden staan eten.' Haar pupil Nine zou haar een paar jaar later even naar Edam rijden, in een woeste winterse autorit. Al bij de Keizersgracht schoten ze bijna tussen de bomen door het water in, claxon en ruitenwisser weigerden, verderop was de weg bar slecht, 'voor iedere hondenkar die we tegenkwamen moesten we een erf op draaien', ten slotte klapte er ook nog een band.

Het werd voor Totie en Nine tijd voor de Casinofeesten. De meisjes Six schitterden daar, jaar na jaar. Op het feest van 1925 won Totie de eerste prijs van een gekostumeerd bal als Catharina de Cazenave, met een schitterende 18e-eeuwse zijden japon, dezelfde die haar moeder op het bal van 1896 had gedragen. Het ding was zo breed dat ze alleen zijdelings lopend door de deur kon.

Er werd in die jaren veel gewalst, volgens ooggetuige Frans van Lennep leek de zaal voor en na het souper wel een bloemencorso, de dames droegen hun bloemen dan hoog in de hand bij het dansen. Ondertussen hielden de oudjes in de hoeken de puntentelling in de gaten: wie maakte een kans, wie niet?

Wie goed keek kon de voorgebakken huwelijken al via de boeketten aan zien komen. Die kenden een eigen codetaal: als een meisje roze anjers kreeg was dat slechts 'een attentie', viooltjes, lelietjes en fresia's drukten de hoop uit 'op een goede vriendschap', rozen waren een teken van grote genegenheid, 'bij rode rozen ging het sein bepaald op onveilig'.

Orchideeën betekenden gegarandeerd een aanzoek, 'maar helaas waren die niet voor alle beurzen bereikbaar'. Tussen de oude families werd sowieso steeds minder getrouwd, ze verdwenen van de dansvloer: op de gastenlijst van 1922 stonden nog maar dertig namen uit de eerste en tweede coterie, tegenover vierenveertig namen uit de nieuwe elite.

Op hun manier waren Totie en Nine moderne meiden, ze hadden een vrijheid die voor hun moeder en grootmoeders ondenkbaar was geweest. Maar voor hen kwamen geen orchideeën aanzeilen, al kenden beiden een grote liefde. Volgens de familieoverlevering werd het hun verboden om met deze mannen te trouwen, de ene viel buiten het milieu, de andere – de geliefde van Nine, de befaamde keramist Chris Lanooy – werd afgewezen omdat hij een kunstenaar was. Beide dochters bogen voor de druk, de loyaliteit aan de familie was sterker dan hun gevoelens van het hart. Ze werden geen tweede Henriette, al zie je op foto's dat Lanooy's portret tot het einde van haar leven in Nine's werkplaats hing, pal boven haar werkbank.

Uit de keuzes van Totie en Nine blijkt dat de basiscode van de Sixen in de kern nog altijd dezelfde was als in de 17e en de 18e eeuw: de familie ging voor alles. De familie in de breedste zin van het woord, met banden en loyaliteiten die zowel ruimte als tijd omspannen. Het familievermogen en de familiecollectie moesten zo ongeschonden mogelijk door de tijd worden geloodst, omwille van toekomstige generaties en uit respect voor voorgaande generaties.

De Franse essayist Alexis de Tocqueville beschreef in 1840

zijn aristocratische ideaal: een samenleving waarin families, eeuwenlang, dezelfde plaats hebben. 'Dat maakt als het ware van alle generaties tijdgenoten. Een mens kent bijna altijd zijn voorouders en respecteert die; hij meent zijn achterkleinzonen reeds te zien en houdt van hen. Hij neemt graag verplichtingen op zich jegens beide generaties en hij offert zijn persoonlijke genoegens regelmatig op voor deze wezens die niet meer of nog niet bestaan.'

Daarmee trotseerde Tocqueville – zelf een aristocraat, maar gefascineerd door het 'democratische' Amerika – de tijdgeest, de 'nieuwe vrijheid' van de 19e eeuw, die niet meer was gebaseerd op de groep, de familie, maar op het individu. Democratie, meende hij, doet niet alleen elk mens zijn voorouders vergeten, maar scheidt hem ook van zijn nakomelingen en zijn tijdgenoten. 'Zij werpt hem steeds op zichzelf terug en dreigt hem ten slotte geheel en al op te sluiten in de eenzaamheid van zijn eigen hart.'

Hij omschreef het fenomeen 'individualisering' als 'een weloverwogen en vreedzaam gevoel dat elke burger ertoe brengt zich van de massa van zijn medemensen te isoleren en zich met zijn vrienden en familie af te zonderen, zodat hij, na zich zo een kleine samenleving voor eigen gebruik te hebben gecreëerd, de grote samenleving met genoegen aan zichzelf overlaat.' Egoïsme is iets anders, benadrukt hij, het is een 'ondeugd', een 'blind instinct'. 'Individualisme is van oorsprong democratisch en dreigt zich te ontwikkelen naarmate de standen gelijker worden.'

Het was, in dat licht, een kunst apart om met de enorme familievermogens om te gaan, met alles wat generatie na generatie bijeen was gesleept. Het vereiste een zekere zelfbeheersing, een balans tussen generositeit en ingetogenheid, tussen ondernemingsdrift en spaarzaamheid, en het kostte telkens weer grote moeite om het goede evenwicht te vinden. Bij het overlijden van een welgestelde echtgenoot werd, vanachter de glazen aan de Herengracht, altijd scherp opgelet: wat gaat de weduwe doen? Krimpt ze in omwille van haar kinderen? Of blijft ze op grote voet leven en laat ze de kinderen achter met weinig of niets?

In sommige huizen sloeg de schaal door naar extreme zuinigheid. In iedere oude familie doen sterke verhalen de ronde over deze 'grauwe goudvinken', zoals stadsarchivaris Isabella van Eeghen ze noemde, deze vermogende mannen en vrouwen die geen stuiver durfden te besteden. Over sigaren van zes voor een dubbeltje, over gaten in het zeil die waren opgevuld met een oud portret, over wegduiken bij ieder rondje op de sociëteit – maar wel een vermogen van een miljoen. Bij de Sixen hadden Hendrik en zijn vader die neiging, maar ook professor Jan wilde het graag sober houden: toen Nine in 1890 met hem trouwde moest ze hemel en aarde bewegen voor de aanleg van een badkamer op Jagtlust. Nog in de jaren vijftig lag daar 's winters het ijs in de lampetkan, als toetje na de maaltijd mocht je blij zijn met een half sterappeltje. Uit eigen moestuin.

Daartegenover stonden de nazaten die met graagte het credo van de individualisering omarmden: 'Leef nu, geniet nu.' Ook die figuren komen in bijna iedere oude familie voor, de laat-19e-eeuwse adel die, zoals me ooit een edelman over zijn grootvader zei, 'enkel en uitsluitend leefde voor zichzelf'.

Hendrik van Loon en Louise Borski verspilden bijvoorbeeld een groot deel van hun familievermogens – deels afkomstig uit de collectie Van Winter – in Cannes, Amsterdam en Doorn. Hier liet het echtpaar tussen 1886 en 1888 een nooit eerder vertoond prolpaleis neerzetten, het immense Hydepark. Het telde tachtig kamers, in alle mogelijke stijlen: een salon in Louis xv-stijl, een bibliotheek in Louis xvi, een laatgotische jachtkamer, een Moorse biljartzaal, een eetvertrek weer in zogenaamd oud-Hollandse stijl. Het stromend water – heel modern – was afkomstig uit een eigen watertoren die in het park stond, vermomd als middeleeuwse ruïne. Al dit prestige hield het nog geen zestig jaar vol, in 1942 brandde het toen al vervallen Hydepark tot de grond toe af.

Andere aristocraten kozen, als ze de middelen hadden, voor een jetsetachtige levensstijl. Zo eindigt de biografie van de Amsterdamse Teding van Berkhouts bij Pieter Paul, een jonkheer die voornamelijk geïnteresseerd was in snelle automobielen, seks en drank, 'welke vermakelijkheden naar zijn zeggen ook door zijn moeder op hoge prijs werden gesteld'. Hij was vrijwel permanent aan de boemel in Parijs, San Remo en Genève met een paar andere 'schatrijke doordraaiers', voordat hij zich in 1938 te pletter reed.

Ook de Sixen kenden twee spectaculaire 'doordraaiers': neef Jan Willem en oom Frans Blaauw, de echtgenoot van nicht Louise. Jan Willem en Louise waren beiden afkomstig uit de tak van Hilverbeek, het waren kinderen van Pieter Hendrik, maar ze voelden zich hecht verbonden aan de nakomelingen van Jan en Nine op Jagtlust.

Neef Jan Willem had een verbluffend groot gat in zijn hand. Hij jaste zijn deel van het familievermogen – en wel wat meer – er met grote creativiteit doorheen. Hij leefde volgens juffrouw Kuijer samen met een 'naaistertje', een zekere Frieda Louise Henriette – Hanny – Metzner. In 1916, na het overlijden van zijn oudste broer Rudolf, durfde hij met haar te trouwen – tot grote ergernis van de familie. Het paar werd desondanks door de Sixen 'ontvangen', men kon Jan Willem immers niet 'van alle omgang met gelijken afsnijden'.

Kort daarna vertrok hij naar de rand van de Sahara, met twaalf man personeel, inclusief 'een neger voor zijn vrouw'. Ze bleven er jaren hangen en werden, aldus juffrouw Kuijer, 'zeer intiem' met de Arabische sjeik Abdella. Toen ze de sjeik tijdens een gezamenlijk bezoek aan Amsterdam meetroonden naar de Kalverstraat, verwekte hij met zijn traditionele kledij zo'n opzien dat ze in het warenhuis Vroom & Dreesmann een veilig heenkomen moesten zoeken. Ook hierover moet in huize Six eindeloos zijn gezucht en gezwegen, vooral toen Jan Willem argeloos vertelde dat Hanny en Abdella soms samen in een ton 'schuilden tegen de hitte'.

Hanny werd zwanger, haar dochter Henriette werd in 1927 geboren, Jan Willem was toen vijfenvijftig. 'Echt een Arabiertje' vond de hele familie toen de eerste foto's rondgingen. Nine: 'Wat een geluk dat het geen jongen is! Stel je voor, een Arabische Six!' Het gezin trok later naar Parijs. Langzaam luwden de familieroddels, vooral toen het meisje opgroeide en steeds meer op Jan Willem ging lijken. 'Wat de verbeelding toch vermag,' schreef juffrouw Kuijer.

Onder de statige bomen van 's-Graveland werd ondertussen de verveling verdreven met een project dat eveneens fortuinen kostte – plus de nodige kopzorgen voor Jan en Nine. De oudste zuster van Jan Willem, Louise – in de wandeling Louke – Six, was in 1890 getrouwd met de zoon van een Amsterdamse reder, Frans Blaauw. Het tweetal kende elkaar van de feesten van het Casino, bovendien waren de families in 's-Graveland min of meer buren.

Frans was een rijzige man, een knappe kerel met een snor en een pet, 'geliefd bij de dames' en een gedreven jager. Hij verzamelde zeldzame en wilde dieren en hij zou, aldus Frans van Lennep, 'een goed figuur hebben gemaakt in Duitsland in de keizertijd'. Op foto's uit die tijd zit ook Louke te paard, chic en ingetogen. Haar gezicht was vlak en effen, ze was zacht, intelligent, verlegen en onhandig, haar kleding was nogal eens aan de sjofele kant, toch was ze steenrijk.

Van vader Pieter Hendrik kreeg ze een formidabele bruidsschat mee, bovendien was ze drie jaar eerder benoemd tot enige en algemene erfgename van haar ongetrouwde tante Margaretha Hooft. Daardoor kreeg ze in 1895 de beschikking over een buurhuis in 's-Graveland, de riante buitenplaats Gooilust, plus een hele reeks boerderijen, weilanden en akkers. Ze trouwde – opzienbarend voor die tijd – in het wit.

Het werd een zelfs voor deze kringen zeldzaam beroerd huwelijk. Frans Blaauw leefde zich uit in jachtpartijen met de Europese adel, besteedde fortuinen aan de aankoop van wilde dieren, haalde op het nieuw verworven Gooilust alles overhoop, herschiep de tuinen gaandeweg tot een wildpark en deed dat alles zonder enig overleg met Louke – hoewel zij wel voor alle kosten opdraaide. Ze trok zich steeds meer terug, somber en verzenuwd. Kinderen zouden ze nooit krijgen, Blaauw had meer belangstelling voor de stalknecht.

Er bestaat een langgerekte karikatuur van de verhuizing van de manege van Frans Blaauw naar Gooilust: voorop twee lakeien, dan Louke en Frans te paard, daarbij een handvol helpers en wat schuwe dorpelingen, en dan is het alsof er een ark van Noach leegloopt, een karavaan van ganzen, eenden, zwanen, struisvogels, gnoes, ezels, wisenten, daarachter een kar vol vogelkooien, tientallen soorten, en dat was nog maar het begin.

In 1909 telde de privédierentuin van Frans Blaauw in totaal bijna vierhonderd dieren, meer dan honderd verschillende soorten. Frans van Lennep, ooit als jongen op bezoek, beschrijft hoe hele stukken bos waren afgezet om de beesten de illusie van vrije natuur te geven. Hij kwam in het eikenhakhout kangoeroes tegen, maar ook Japanse herten en Patagonische hazen. In de weiden liepen bizons, herten, zebra's en wilde paarden uit de Gobi-woestijn.

'De hele wereld' kwam kijken in het 'Bos van Blaauw', tot koningin Wilhelmina en keizerin Eugénie toe. In kringen van natuurbeschermers en verzamelaars verwierf Blaauw een grote faam. Hij werd een geliefde gast aan de 'Abendtafel', de 'Mittagtafel' en de 'Tee' in huize Doorn, Frans en Kaiser Wilhelm raakten zelfs goed bevriend. Gooilust lag binnen de toegestane actieradius van de verbannen keizer, hij kwam er graag, vaak samen met keizerin Hermine. Er werden steevast foto's genomen: een stijf gezelschap dat met grote plechtigheid naar een stel eenden staat te kijken.

Bij de Sixen lag Frans Blaauw minder goed. 'Oom Boef had twee interessen: beesten en zuipen,' werd mij verteld. 'Zijn grootste plezier was om de Duitse keizer te eten te hebben. Met een knikje riep Wilhelm dan: "Zagen, zagen!" en dan stond hij ernaast te kijken met zijn horrelarmpje. Dat "Bos van Blaauw" zou eigenlijk "Bos van Six" moeten heten, want het geld komt allemaal bij Louke vandaan.'

Over de besteding van haar vermogen had Louke Six echter niets te zeggen, gehuwde vrouwen waren in Nederland tot 1956 handelingsonbekwaam. Frans hield haar bovendien extreem kort, zelfs voor simpele huishoudelijke uitgaven moest ze soms geld lenen bij vrienden. Van een scheiding kon geen sprake zijn, dat was volstrekt not done en bovendien zou Frans nooit toelaten dat dit lucratieve huwelijkscontract werd ontbonden. Vol stille woede liet ze tijdens een van zijn buitenlandse reizen de dorpstimmerman komen: in hun gezamenlijke slaapkamer werd een enorm houten schot opgericht.

Gaandeweg werd Louke verward, ze begon in extreme mate te lijden aan de 'ziekte van Six' zoals haar neef Jan Six het wel noemde, de neiging om werkelijk alles te verzamelen: vogelveren, schedeltjes van muizen en konijnen, kranten, plukjes hoofdhaar, papiertjes. In het najaar van 1910 liet Frans

Blaauw de Leidse prof. G. Jelgersma naar Gooilust komen. Jaren later zou deze psychiater verklaren dat hij in zijn praktijk nog nooit zoiets had meegemaakt. 'In de kamers van mevrouw Blaauw lagen stofmassa's en steenkolengruis. Ik zag ergens een hoop met botjes, beenderen en verrot vlees liggen. Ik zag er kleren hangen, die enige jaren daar al gehangen hadden en er verschrikkelijk smerig uitzagen.' Hij sprak een poosje met Louke zelf, daarna was hij snel met zijn diagnose. 'De gehele familie Six heeft, zoals ik wel eens gehoord heb, een sterke neiging tot verzamelen. Bij mevrouw Blaauw was deze neiging ziekelijk geworden. Ik heb geen ogenblik geaarzeld om een verklaring van krankzinnigheid af te geven.'

De daaropvolgende ochtend, op maandag 7 november 1910, werd Louke door de huisknecht en ander personeel beetgepakt en, hevig tegenstribbelend, op een brancard gebonden en naar het sanatorium Vogel- en Plantentuin in Arnhem afgevoerd. De familie was razend: Blaauw had dit verzonnen om voorgoed van Louke af te zijn en toch alle zeggenschap over haar vermogen te behouden. Bovendien was het natuurlijk ondenkbaar dat bij een telg van deze deftige familie een draadje los zou zitten. Toen Frans Blaauw de bewuste kamers aan Louke's zusje Henriette liet zien, moest die echter wel inbinden: het was inderdaad een verbijsterende bende. 'Het gold mijn eigen zuster,' schreef ze naderhand aan Nine Six. 'Heb Frans gevraagd het mij verder te sparen. Dit doet geen normaal mens, maar hoe was zij zo geworden? Nine, begrijp jij het? Ik niet.'

Uit het 'gekkenhuis' kwam brief na brief van Louke, meelevend, gezellig, vol verstandige zinnen, niemand geloofde meer dat ze echt zo gek was. Nine Six ging er op bezoek, Blaauw vertrok ondertussen voor een lange reis naar Zuid-Amerika. De gedwongen opname van Louke bleek juridisch niet in de haak te zijn. De relatiemachine van de Sixen draaide nu op volle toeren.

Op 9 juni 1911 stuurde Louke aan Nine een kaartje: Frans was terug, hij wilde haar onder curatele vasthouden. 'Ik kom je bij deze vragen, red en help mij en verlos mij uit deze muizenval. Maar gauw, voor de toekomende week.' (Ze voegt eraan toe: 'Dit geldt in plaats van de onbeschreven prentbriefkaart' – blijkbaar waren er al afspraken voor zo'n noodsituatie.) Jan en Nine gingen onmiddellijk op pad: nog diezelfde dag ontvoerden ze Louke in een open koets uit de inrichting, niemand legde hun een strobreed in de weg.

De rest van haar leven bracht Louke door bij haar tante Julia, op een buitenplaats in Zeist. In 1931 – ze was toen bijna zeventig – maakte ze met haar trouwe dienstbode Keetje nog een lange reis door Amerika. Er is een drietal foto's van haar uit 1933, klein, gekromd en in het zwart loopt ze aan de arm van Kee door de lanen van Hilverbeek. Ze overleed een jaar later. Toen kwam haar revanche.

De uitbundige levensstijl van Frans Blaauw en Jan Willem Six was niet Jan's enige zorg. Het grote probleem voor de toekomst was – althans in financieel opzicht – zijn royale kindertal. In de eerdere generaties bleven uiteindelijk altijd maar één of twee kinderen in leven, tot het begin van de 20e eeuw was het bijeenhouden van het familievermogen nooit een groot probleem geweest. Nu zouden zijn kinderen alle zes ook weer kinderen krijgen, het zou al snel om vele tientallen familieleden gaan die volgens de Nederlandse wet – elders was dat soms anders – allemaal recht hadden op een aandeel.

Daarbij kwamen nog eens, bij iedere generatiewisseling, de successierechten. Jan had al een paar keer forse bedragen moeten vrijmaken om aan dit soort verplichtingen te voldoen. Er begonnen aasgieren rond de collectie te cirkelen, Amerikaanse en Britse handelaren maar ook de directies van Nederlandse musea die aan een inhaalslag waren begonnen, het Rijksmuseum voorop. Alleen al voor Rembrandt's portret van Jan Six werd rond 1900 een miljoen geboden.

Bij een eerste successieronde van 25 procent zou ongeveer de helft van de collectie verkocht moeten worden, bij een tweede ronde zou ook 'de burgemeester' eraan moeten geloven. Tegelijkertijd wilde hij de historische collectie zo veel mogelijk behouden, en zeker de familieportretten. Het ging daarbij vooral om de verzameling Van Winter. De helft van die collectie was, zoals gezegd, al in 1877 vertrokken, toen de Van Loons hun deel verkochten aan Baron de Rothschild. De andere helft was bij Hendrik en Lucretia gebleven en later zo'n beetje verdeeld tussen hun kinderen, Jan en Pieter Hendrik Six – 'zo'n beetje', want de familie was hecht, het grootste deel van de collectie was gewoon in het huis aan de Herengracht blijven hangen, en ook aan de wanden van Hilverbeek en Jagtlust hingen veel oude meesters stof te vangen.

Na de dood van Jan en Pieter Hendrik besloten de erven Six om, mede vanwege de successierechten, in totaal zestig schilderijen te gelde te maken. Een kwarteeuw eerder had de verkoop van de halve collectie Van Winter aan Frankrijk al veel onrust gewekt, daarna besloot een groep kunstliefhebbers dat zo'n verlies van nationaal erfgoed verder koste wat kost moest worden voorkomen. Er was daartoe, als onderdeel van de Vereeniging Rembrandt, een speciaal fonds opgericht, het Franken-fonds – genoemd naar de oprichter, de bankier Daan Franken – dat als enig doel had om stukken uit de Collectie Six aan te kopen, mochten die ooit worden aangeboden.

In 1907 gebeurde dat inderdaad: de schenking van Franken – 100 000 gulden – werd door de Vereeniging Rembrandt gebruikt om *Het Melkmeisje* van Vermeer en enkele andere stukken van de familie Six veilig te stellen. Het bedrag was bij lange na niet genoeg, bovendien zetten de erven Six de vereniging en de Staat der Nederlanden voor het blok: óf de Vermeer plus nog achtendertig andere schilderijen voor 750 000 gulden, of niets. Het aanbod leidde tot een vertrouwd publiek debat: is deze kunst wel zoveel waard, en moet dat allemaal van ons belastinggeld? Uiteindelijk werd alles aangekocht: *De serenade* van Judith Leyster, *Christus en Maria Magdalena* van Peter Paul Rubens, twee zeegezichten van Ludolf Bakhuizen, twee portretten van Anthony van Dyck, een drieluik van Gerard Dou, *De schaatsenrijders* van Adriaen van Ostade, *Vogels in een park* van Melchior d'Hondecoeter, twee Italiaanse taferelen van Jan Asselijn en nog vijfentwintig andere stukken, zeker twee zalen vol. Het Rijksmuseum was er dolblij mee.

Jan Six, zelf een prominent beschermer van het Nederlandse cultuurgoed, moet zich niet al te behaaglijk hebben gevoeld bij deze gang van zaken. Hij zocht een andere uitweg, een lijn die later veel adellijke families met landgoederen zouden volgen: het historische bezit werd ondergebracht in een stichting. Daardoor was de familie in één klap verlost van veel fiscale zorgen en bleef het oude familiegoed toch intact. De familie bleef zeggenschap houden in een particuliere stichting.

Jan moet lang hebben nagedacht over deze stichtingsvorm, steeds meer erfgenamen vielen weg, en in 1921 zag hij zijn kans schoon: op dat moment restten er maar twee personen die vrijuit konden beschikken over de Collectie Six, zijn neef Jan Willem en hijzelf. Jan wilde ongeveer honderd familieportretten, plus een aantal andere belangrijke erfstukken – de *Grote* en de *Kleine Pandora*, het borstbeeld van Tulp, tekeningen, schetsen en etsplaten – onderbrengen in een Six-stichting. Jan Six zou na het overlijden van neef Jan Willem de enige bestuurder worden van zijn stichting, zijn oudste zoon na hem moest dat overnemen en daarna de oudste zonen van de volgende generaties: 'Eén kapitein op het schip.' Een familieraad zou toezicht houden.

Om dit allemaal mogelijk te maken schonk Jan Willem, die op dat moment nog geen kinderen had, zijn erfdeel weg aan Jan en zijn nazaten – op voorwaarde dat hij en zijn vrouw op hun kosten hun verdere leven in stijl zouden kunnen doorbrengen. Toen deze overeenkomst bij de notaris werd vastgelegd vroeg neef Jan Willem, volgens de familieoverlevering, terloops aan Jan of niet ook zijn eventuele kinderen door de Sixen zouden worden onderhouden. Jan lachte: 'Je bent vijftig, had je nog wat in je hoofd of zo?' Waarop Jan Willem sussend zei: 'Nee, maar dat is standaard, dat moet er wel in.' Vijf jaar later kwam er inderdaad nog een dochter, de 'Arabische' Henriette.

Voor de financiering van deze opzet moest Jan weer een aantal doeken uit de Six-Van Winter-collectie verkopen. Opnieuw werden de musea verrijkt: in 1922 en 1928 kwamen onder andere *Het oestereetstertje* van Jan Steen en *De brief* van Gerard ter Borch onder de hamer, naast tientallen werken van schilders als De Hoogh, Saenredam, Van Ostade, Van Ruisdael en anderen. De schatrijke Sir Henri Deterding, directeur van de Koninklijke Nederlandse Petroleum Maatschappij (Shell) wist *Het straatje* van Vermeer te bemachtigen voor de 'vriendenprijs' van 680 000 gulden – onder de toezegging dat het geschonken zou worden aan het Rijksmuseum. Hij hoopte op een adellijke titel, die hem nimmer zou worden verleend.

Later ontstonden er alsnog problemen rond de successierechten, uiteindelijk werden die van hogerhand weggestreken. In de bibliotheek ligt nog ergens het briefje: 'Hoog geachte heer Six, Wij hebben het geregeld. Wilhelmina.'

Nog éénmaal danste de familie Six in vrede en glorie op een Casinobal, het gekostumeerde bal van 20 maart 1925 waar Totie de eerste prijs binnenhaalde. De kledingzolder van de familie was flink geplunderd. Moeder Nine droeg, als 'barones van Slingelandt' (haar grootmoeder van moederszijde) een *robe à l'anglaise* uit de late 18e eeuw, compleet met staart en waaier. Nine was verkleed als 'Maatje van Zuid-Beveland', Piet als 'Philip de Savoie, Comte de Genève'. Jan stal de show, al was hij toen al flink ziek. Niet zonder ironie verscheen hij als Argan uit Molière's *Malade imaginaire*, gekleed in een antieke kamerjapon, een 'Japonse rok' die in de 18e eeuw uit Deshima was geïmporteerd. Het was voor de Sixen de laatste keer. Jan stierf anderhalf jaar later, op 8 december 1926. Zijn weduwe en zijn kinderen zouden daarna niet meer verschijnen. Het Casino doofde in de jaren dertig uit.

Jan had de kern van de collectie behouden en de hele familie voorzien van voldoende contanten om voorlopig in stijl te kunnen voortleven. Maar was daarmee alles opgelost?

Nog geen jaar na Jan's dood, op 27 november 1927, schreef de oude Louke Six in haar beverige handschrift een bezorgde brief aan haar vriendin Nine. Het epistel had, zoals het hoort, nog een dikke rouwrand. Louke bedankte voor een visite en excuseerde zich voor haar gejaagdheid, 'maar dat komt door dat ellendige verhuren van Hilverbeek'. Haar broer Jan Willem verkeerde blijkbaar toch weer in geldnood en probeerde zijn kastekorten opnieuw wat aan te vullen. Ze vond dat 'Jan Willem en aanhangsel' onverantwoord met Hilverbeek omsprongen. 'Kan J.W. met ruim 30000 steun nog niet leven? Op de slaapkamer boven de zijkamer zijn wij geboren en zijn mijne ouders en Rudolf gestorven, en moeten daar nu vreemde menschen zijn?' Vroeger dacht ze dat Jan Willem Hilverbeek 'voor het kind wilde houden', nu was ze doodsbang dat hij het ging verkopen aan, ja, totale vreemden.

De stille Louke was het soort vrouw dat, al tobbend, plotseling tot de blijde ontdekking komt dat ze wel degelijk wapens heeft. Haar bevrijdende toverspreuk bestond uit haar testament. Tijdens haar leven had ze als gehuwde vrouw nooit kunnen beschikken over haar geld, na haar dood kon ze dat, bizar genoeg, wel. Daarop baseerde ze het plan waarmee ze de twee grote uitdagingen van haar leven in één klap zou aanpakken, al was het na haar dood: Gooilust aan Blaauw ontfutselen, Hilverbeek fatsoenlijk te gelde maken voor haar 'arme' broer.

In 1930 liet ze een testament maken waarin ze Gooilust – inclusief de antieke inboedel en de rest van haar vermogen – naliet aan Natuurmonumenten, op voorwaarde dat de vereniging dan ook Hilverbeek zou kopen van haar broer Jan Willem. Ze had over de toekomst van Gooilust duidelijke ideeën: 'De knecht, de koetsier en de tuinman moeten vertrekken.' 'Verder wens ik geen socialisten, geen Duitsers en geen Roomsen op de plaats te hebben. De socialisten horen in Rusland thuis en niet bij onze lieve koningin.'

Natuurmonumenten ging maar al te graag akkoord. 'Ik had het helemaal alleen bedacht,' schreef ze aan de voorzitter, mr. G.P. van Tienhoven. 'Ik heb mij de begrafenis al zo dikwijls voorgesteld, en de verbaasde gezichten van kennissen en familieleden als zij alles horen.'

Zo verdampte weer een deel van het Six-vermogen, maar Frans Blaauw had het nakijken. Hij overleed in 1936.

Genoegdoening zocht ook 'het aanhangsel', 'het naaistertje', de vrouw van Jan Willem, de eeuwig beroddelde Hanny. Kort na diens overlijden op Hilverbeek, in datzelfde jaar 1936, maakte ze op het achterplein een grote brandstapel van oude familiepapieren en spullen, zeker acht kisten vol. De Sixen van Jagtlust wisten, gealarmeerd door de huisknecht, nog een deel te redden – waaronder de eerder genoemde verfzakjes van, wellicht, Rembrandt. Maar veel familiegeschiedenis ging verloren. Hanny leefde verder lang en aangenaam van de jaarlijkse Six-uitkering, eerst in Parijs, later in Nice. Ze overleed in 1967.

De revanche van 'het kind', de 'Arabische' Six, was subtieler: ook zij moest, volgens de afspraak van 1922, haar leven lang in stijl worden onderhouden. Kinderen kreeg ze niet. Toen ze in 1996 overleed liet ze een paar miljoen na aan twee verre nichtjes in Amerika die ze nooit had ontmoet. De familie Six zag geen gulden terug.

XIX
Dubbellevens

Hieronyma Maria Antonia Fortunata Six-Bosch Reitz, ofwel 'Grootemoes', is van al die fluisterende familieportretten
de eerste die ik bijna levend kan aanraken. De heer des huizes heeft haar nog net meegemaakt, hij heeft een paar vage
herinneringen aan haar. 'Het was een kleine vrouw, altijd in
het zwart, wel met schitterende sieraden. Op Jagtlust reed ze
rond op een speciale dubbele fiets, dat weet ik nog.' Als oudste kleinzoon was hij haar lievelingetje. 'Een van mijn eerste
herinneringen heeft met haar te maken, ik werd op haar bed
getild. Ik zie me nog zitten, zij met haar hoofd op het kussen,
ik ernaast. Ik voel haar handen, die rimpels op haar duim. Dat
moet vlak voor haar dood zijn geweest.'

Grootemoes leefde in twee eeuwen, de 19e en de 20e eeuw,
maar gevoelsmatig waren het er zeker drie of vier. Ze was geboren in het oude, besloten en vervallen Amsterdam van 1867,
een stad waarin paard en wandelaar het tempo bepaalden. Ze

stierf in de naoorlogse stad van 1951, vol auto's, fietsers en rinkelende trams.

Grootemoes was tot het eind toe een dame van stand. Het moet een kleine, mooie vrouw zijn geweest, zachtaardig maar met een scherpe tong. Ze had een natuurlijke dwang: het gebeurde gewoon zoals zij dat wilde. Als ze zei: 'We gaan fietsen', dan werd er gefietst, regen of niet. Ze was niet geschikt voor tegenspraak.

Aan de Amstel en op Jagtlust was ze de koningin, de spil van de huishouding – en haar man zal daarover weinig te zeggen hebben gehad. Er was minder personeel dan een halve eeuw eerder, maar aan de Amstel beschikte ze nog steeds over een huismeester en zijn vrouw, drie tot vier dienstboden, een paar werksters en één of twee huisknechten. In het archief liggen haar 'werkboekjes', de schriftjes met de dagelijkse instructies voor het personeel:

'Hendrik: Voor den ontbijt opensluiten. Verwarming verzorgen. Kleren en schoenen van den jonker en alle anderen halen, schoonmaken en wegbrengen. Fiets nazien, hoed en jas borstelen. Zilverpoetsen. Stookmachines nazien. Op bel en telefoon letten, waarschuwen als ge weggaat. Brieven en pakjes dadelijk boven brengen. Schilderijen: alleen toegang met getekende kaart. Niet meer dan tien menschen tegelijk, geen kinderen. Stokken, hoeden, jassen, fototoestellen beneden laten. Goed opletten dat men aan niets raakt, ook niet aan de schilderijen, en niet gaat zitten. De menschen mogen onder geen voorwaarde ook maar een ogenblik alleen gelaten worden.
Antje: Voor den ontbijt kamer freule en jonker P. Vrijdag en zaterdag alleen stof afnemen. Na den koffie helpen omwassen, eetkamer aanvegen en stof afnemen, om 5½ naar beneden, in de keuken helpen, lift bedienen.
Gerrit: Kachels aanmaken. Krant brengen. Schoenen poetsen. Messen slijpen. Lampen. Zilverpoetsen. Donderdag en vrijdag jongens halen en brengen om 4 uur. 's Middags open doen.'

De verhuizingen naar en van Jagtlust waren strak geregeld:

'Wasch verzenden bij vertrek uit Amsterdam, lijfgoed wordt onopgemaakt meegenomen, behalve overhemden. Betje komt daarvoor, en voor het huishoudgoed. Koosje en Hendrik gaan Maandag naar 't huis om alles in orde te maken, dan komt Janne om te helpen oppakken. Anne gaat maandagavond nog na den eten. Dadelijk na aankomst glazen wasschen.'

Wanneer een man in een familie als deze overleed viel de status van zijn vrouw opeens totaal weg, althans voor de buitenwereld. Vanaf dat moment ging alle prestige naar de oudste zoon. Dat gold ook voor Grootemoes, al bleef ze binnen de familie de machtige matriarch. Na de dood van haar man bracht ze de meeste tijd door op Jagtlust, samen met haar ongetrouwde dochters Totie en Nine. Ze kon daar veel informeler leven, sociale verplichtingen waren er nauwelijks. Haar zoon Piet, ook ongetrouwd, leefde zo'n beetje tussen beide huizen in. Hij hield kantoor aan de Amstel, voor de rest werd het pand tussen 1930 en 1948 nauwelijks gebruikt. De collectie hing in die jaren grotendeels in het woonhuis van de nieuwe Jan Six.

Er circuleerde in die tijd behoorlijk wat geld bij de Sixen. Afgaande op de fotoalbums gingen de jongens zeker twee, drie keer per jaar op reis. Reizen werd in toenemende mate een onderdeel van het aristocratische bestaan: het vervoer was veel comfortabeler dan voorheen, de families zaten minder vast aan de buitenplaatsen, een regelmatig verblijf in het buitenland maakte deel uit van het leven op stand. Op een van de foto's staat, pal tegen de voordeur van het huis aan de Amstel, een exclusieve Bugatti geparkeerd, het zogenaamde scheepsmodel, spits naar achteren, twee stoelen voor, één stoel achter. Zoon Piet kocht de auto in 1919, hij jakkerde er als een playboy mee naar het zuiden van Frankrijk en terug.

Hij was, daarnaast, een verwoed paardrijder. Voor het overige scharrelde hij wat rond, hij was onder andere secretaris van de Nederlands-Amerikaanse Kamer van Koophandel. Avontuur schuwde hij niet: er is nog een filmpje waarop hij trots het luchtruim kiest in de allereerste Nederlandse *heli-*

coptère. Van 1928 tot 1930 was hij de piloot die het ding op Schiphol mocht invliegen. Zelf had hij op Jagtlust een soort vliegende zeepkist geconstrueerd, met een A-Ford-motor en een soort peddels als rotoren, verder dan wat sprongen kwam hij echter niet.

Dochter Nine werd keramiste en edelsmid, ze had een schitterend atelier in het koetshuis onder het veelzeggende uithangbord 'De geketende draak'. Totie was uitverkoren om haar moeder te dienen, gaandeweg ontwikkelde ze zich tot de archivaris van de familie. Ze deed, daarnaast, ook uitvoerig onderzoek naar de kledingcollectie: wie droeg een bepaald kledingstuk, bij welke gelegenheid, waarom, wie was de maker en zo meer. De fabelachtige jurk van Helena Schlicher uit 1759 zou zonder de zorgen van tante Totie wellicht een anoniem pak lichtblauwe zijde zijn gebleven. Haar huiskat Mimi had ze na zijn dood laten villen, de kater lag nog jaren als voetenkleedje voor haar bed.

Het drietal leefde op Jagtlust voornamelijk van het Six-vermogen, zoals de generaties vóór hen. Dat ontspannen bestaan was echter voor de meeste 20e-eeuwse Sixen niet meer weggelegd. Nog altijd was er vrij veel grond: in de Haarlemmermeer beschikte de familie over 480 hectare, in Egmond besloegen de Six-duinen 395 hectare. Ook de verkoop van een deel van de collectie had het nodige opgeleverd. Het was echter lang niet voldoende om alle familieleden nog een bestaan als vrijgestelde te garanderen. De hele aristocratie kampte in de jaren twintig en dertig met dit probleem – op een paar uitzonderingen na.

'Van de velen die in de statuscompetitie met de gegoede burgerij en de almaar oplopende representatiekosten meegingen raakten de financiële middelen uiteindelijk uitgeput,' schrijft onderzoeker Jaap Moes over deze fase. 'Zij konden niet meer voldoen aan het aristocratische ideaalbeeld.' En als aristocraten de overstap naar een 'normaal' bestaan – bijvoorbeeld van een paar onbezoldigde erebanen naar een goedbetaalde functie in het bedrijfsleven – wel met succes hadden gemaakt, voldeden ze niet meer aan het traditionele ideaal van de aristocraat. 'Zo werden de meesten steeds minder herkenbaar als aristocraten in de Nederlandse samenleving.'

Dat gold tot op zekere hoogte ook voor de gebroeders Six. 'In deze tijd zijn goede posities dun gezaaid,' schreef de Amsterdamse notabel Coo den Tex in 1923. 'Pietje Six loopt alweer een tijd rond zonder iets en zijn broer Jan komt ook niet vooruit.' Hun broer Willem was bij Philips gaan werken, als elektrotechnisch ingenieur. Gijs had zich tot architect ontwikkeld en, volgens de beproefde methode van een 'goed' huwelijk, zijn financiële positie veiliggesteld.

Het valt, eerlijk gezegd, moeilijk om de 20e-eeuwse Jan Six in deze familie te plaatsen. Na al die studieuze Jannen was er nu opeens een Jan die zelden of nooit een boek las, die ten enenmale de wetenschappelijke talenten van zijn vader en grootvader miste, die zich daar misschien ook wel tegen afzette, die als student volkomen was 'gesjeesd'.

In 1915 trouwde hij met Christina – Tiny – van der Crab, daarna vluchtte het jonge paar min of meer naar Indië. In de koloniale wereld leefden de oude verhoudingen immers nog enigszins voort, er was goedkoop personeel in overvloed, je kon er, als je geluk had, nog altijd een fortuin verwerven. Jan werkte er een poosje als secretaris van de Vereenigde Javaasche Houthandel in Semarang, er werden twee kinderen geboren, weer een Nine en weer een Jan, na vier jaar verhuisde het jonge gezin ijlings terug naar Nederland. Tiny hield het niet vol in de tropen – 'last van de warmte', 'hoofdpijn', 'die ellendige moeheid en apathie', het komt telkens terug in haar brieven.

De familie bivakkeerde enige tijd op Jagtlust, later verhuisden ze net als ooit Jan's ouders naar Amsterdam-Zuid, naar de Vondelstraat. Hun 'huishoudgeld' – in de ruimste zin van het woord – betaalde Grootemoes. Ze had, zoals ze in de familie zeiden, 'een brede portemonnee.' Voor het eerst was er een werkzoekende Jan Six.

Hij vond in een grote brouwerij de baan van zijn leven. Het was iets heel anders dan de loopbaan die zijn vader en zijn grootvader, beide erudiete wetenschappers, vermoedelijk voor hun 'kroonprins' in gedachten hadden gehad. Toeval of niet, een paar maanden na de dood van zijn vader, in 1927, accepteerde Jan de functie van adjunct-verkoopdirecteur van brouwerij De Amstel. Amstel was na Heineken de grootste bierproducent van het land, het was het favoriete bier van de Amsterdammers. Onder Jan wist het merk echter, via de overname van kleinere brouwerijen, ook in de rest van het land voet aan de grond te krijgen, met name in Limburg. Bovendien legde Amstel, na het opheffen van de Amerikaanse drooglegging in 1933, razendsnel contact met een paar Amerikaanse importeurs: een enorme nieuwe markt werd ontgonnen. Uiteindelijk zou meer dan een kwart van het geproduceerde Amstel-bier in het buitenland belanden, in meer dan honderd landen.

Het was werk waarin de eigen kwaliteiten van deze Jan konden opbloeien: gezag, gecombineerd met flair, vrolijkheid, creativiteit, toewijding en flexibiliteit. Vanaf 1933 was hij directeur van Amstel. Hij was thuis in alle kringen en bovenal was hij een geestdriftig Amsterdammer. Ieder jaar bezocht hij elk Amsterdams café dat Amstel tapte, tegelijkertijd was hij, net als zijn vader, bestuurder en commissaris van een hele reeks stedelijke 'instituten': de dierentuin Artis, het circustheater Carré, de grands hôtels Schiller en Krasnapolsky en nog veel meer.

Jan behield iets aristocratisch. 'Goede smaak prevaleerde meer dan eens boven de commerciële werkelijkheid,' zou een Amstel-gedenkboek over hem schrijven. Voor hem was het geen 'directeur' maar 'president' en ook Amstel zelf had iets deftigs, het was eeuwig en altijd 'u' onder het kantoorpersoneel. Dit in tegenstelling tot aartsrivaal Heineken. Geen Amstelman of -vrouw zou ooit een glas drinken in een café waar het proletarische Heineken werd geschonken. Toen het in 1968 tussen die twee toch tot een fusie kwam, was, zo hoorde ik van een voormalige werknemer, de cultuurschok groot: 'Dat zat maar te jijen en te jouen!'

De Olympische Spelen zetten in de zomer van 1928 de stad op zijn kop, al was het maar voor twee weken. Broer Willem zeilde mee met de wedstrijden op het Buiten-IJ, de paarden voor de ruiterkampioenschappen – bij Hilversum – werden onder andere op Jagtlust gestald, Jan was alom aanwezig. In Amsterdam-Zuid was een olympisch stadion neergezet voor 31500 toeschouwers, daar vlakbij kwam een roeibaan, een zwemstadion, plus twee gebouwen voor schermen en krachtsporten. Het complex stond aan de rand van een van de modernste wijken van Europa, een elegant en gedurfd ontwerp van de architect Berlage, de 20e-eeuwse pendant van de 17e-eeuwse grachtengordel.

Voor de rest was de sfeer nog bijna dorps. Voor speciale huisvesting was geen geld: de bijna drieduizend deelnemers waren ondergebracht bij particulieren en in lege schoolgebouwen – het was tenslotte vakantietijd. Koningin Wilhelmina weigerde om de Spelen te openen, ze was gepikeerd omdat de openingsdatum niet in goed overleg met haar was vastgesteld en vertrok naar Noorwegen. De Amsterdamse burgemeester De Vlugt kwam in zware problemen omdat hij, als gelovig christen, was betrapt bij de zondagse voetbalwedstrijd Uruguay-Argentinië. De predikanten donderden ondertussen alsof er sinds de eerste Jan Six niets was veranderd: de olympiade was 'een werk des duivels', in 'het ruwe spel van der voetballers' was duidelijk de hand zichtbaar 'van den vader van al het boze'.

Er verscheen een nieuwe prins in het land. Jarenlang was er tevergeefs gezocht naar een echtgenoot voor prinses Juliana, het enige kind van Wilhelmina en Hendrik. Het was een aardige en intelligente vrouw maar ze had haar uiterlijk niet mee, alles ademde de kamferlucht van de toenmalige hofhouding. De opluchting was dan ook immens toen uit het 'onuitputtelijke reservoir van Duitse prinsen' een arme en onbekende prins haar toch het hof maakte. Op 8 september 1936 stond ze met Bernhard van Lippe-Biesterfeld stralend op het balkon van paleis Noordeinde in Den Haag, de menigte jubelde, het land was eufoor, de monarchie was voor de zoveelste keer gered.

Vier maanden later werd er getrouwd, op 7 januari 1937. Voor de tussenliggende periode werd in alle haast een introductieprogramma in elkaar gezet, met kennismakingsbezoeken aan grote bedrijven – Fokker, Hoogovens, Werkspoor, Philips – en bezichtigingen van alles waar het land trots op was, van Schiphol en de Amsterdamse effectenbeurs tot de Eerste en Tweede Kamer, de nieuwste pantserwagens van het leger en de jachtterreinen van Het Loo. De nieuwe prins werd nadrukkelijk als 'prins uit Lippe' aan het land voorgesteld – volgens een van zijn mentoren, de Amsterdamse tycoon Ernst Heldring, kon nadruk op de Duitse afkomst van de prins de neutraliteitspolitiek van Nederland in gevaar brengen. 'Als deze jongeling een nazi is, heeft dat ook zonder oorlog veel bedenkelijks.'

Jan Six hoorde tot de belangrijkste begeleiders van de nieuwe prins. Het feit dat hij voor deze eervolle taak werd aangezocht zegt alles over de toenmalige status van de familie.

Al was het overgrote deel van de aristocratie en het oude Amsterdamse patriciaat na 1900 in de coulissen verdwenen, er bestond nog altijd een exclusief netwerk van zeer machtige en welgestelde families. Tot ver in de twintigste eeuw waren zulke namen, zo toonde Jaap Moes aan, in onevenredige mate vertegenwoordigd in het parlement, de regering en de toppen van het bedrijfsleven. Ze hadden deze machtsbasis, ondanks alle democratisering, kunnen vasthouden door zich strak te houden aan de traditionele gedragscodes: 'een verstandig ver-mogensbeheer', 'een streven naar behoud van het familiegoed' – plus de daarbij horende ambten –, 'een weloverwogen hu-welijkspolitiek' – waarbij andere welgestelde en machtige re-laties stevig werden gecultiveerd – en 'een wakend oog voor de eer van de familie en reputatie van het geslacht'. Moes schatte, op basis van zijn onderzoek, dat het ging om hooguit 270 families. Zo'n 60 procent was van adel. Binnen die denk-beeldige piramide hoorden de Sixen nog altijd tot de bovenste regionen, zeker in Amsterdam.

Dat wisten ze heel goed. Hoogmoed was uit den boze, maar stand moest in ere worden gehouden. De heer des huizes vertelde me hoe hij begin jaren vijftig als klein jongetje met zijn broertje op Jagtlust logeerde. Het was een dag waarop het stortregende, er werd gebeld, de jongens deden open. Er stond een motorrijder op de stoep die vroeg of hij even mocht schuilen. Tante Totie: 'Is het een man of een mijnheer?' Het bleek 'een man' te zijn, hij mocht schuilen in het prieel, niet in huis. 'Nog hoor ik oom Piet tegen de tuinbaas zeggen: "Hé Bart, zijn wel de jonkers, ja!" Bart was toen vierenzestig. Ik was zes.'

En toen kwam de oorlog. Op vrijdag 10 mei 1940 om vijf voor vier in de vroege ochtend werd de stilte van het slapende Amsterdam-Zuid opeens verscheurd door het gedonder van luchtafweer, explosies en overscherende vliegtuigen. Op Schiphol en in de havens woedden felle branden. Een Duitse jager raasde, vurend uit al zijn kanonnen, over de vijvers en speelweides van het Amsterdamse Bos.

In de rest van Europa was de oorlog al maanden aan de gang. In januari hadden Ed Murrow en William Shirer, CBS-correspondenten in Londen en Berlijn, even de sfeer geproefd in het neutrale Nederland. De twee Amerikanen hadden in Amsterdam voornamelijk feestgevierd, 'dronken van de lichtjes 's avonds, het lekkere eten en de compleet andere sfeer', zoals Shirer schreef. 'De Hollanders genieten onverminderd van het leven. Ze eten en feesten, gaan naar de kerk, schaatsen op de grachten en bemoeien zich nergens mee. En ze zijn blind, volkomen blind voor het gevaar dat ze bedreigt.'

Nu stonden de buitenlandse journalisten op het dak van het Carlton Hotel te kijken naar de drommen vliegtuigen die dreunend overvlogen in de lichte lentenacht. 'I think this is the real thing, babe,' gromde een ervaren Amerikaan tegen zijn Nederlandse begeleidster. 'Yes, this must be the real thing...'

Broer Piet was, als de enige Six, enigszins betrokken bij de oorlogshandelingen. Hij was vanaf augustus 1939 gemobiliseerd en tijdens de meidagen maakte hij met zijn huzaren onderdeel uit van de verdediging van de Noord-Veluwe. De strijd duurde in Nederland amper vijf dagen. De koninklijke familie vluchtte naar Londen, Rotterdam werd gebombardeerd en Piet zou geen schot lossen. Na de capitulatie pakte hij op Jagtlust zijn leventje als landeigenaar en paardenliefhebber weer op. Via de Vereniging Officieren Cavalerie – hij was een van de initiatiefnemers geweest – bleef hij echter in contact met zijn medeofficieren. De bezetters waren nog niet van hen af.

Zijn broer Jan maakte zich vooral druk over iets totaal anders: het behoud van de kunstcollectie. Volgens de familieverhalen – documentatie is niet voorhanden – had hij uit voorzorg de meest waardevolle stukken al weggestopt achter een dubbele muur in de grote kelder onder de Amstelbrouwerij.

De twee portretten van Rembrandt hingen gewoon bij hem thuis, in de Vondelstraat. Van de Duitsers wist hij bovendien een plakkaat los te peuteren waarbij het huis aan de Amstel officieel tot museum werd verklaard, een cultureel erfgoed dat iedere militair diende te respecteren.

Jan's houding als directeur van Amstel was, op het oog, weinig principieel. Al snel was de brouwerij de vaste leverancier van de Wehrmacht, een uitstekende klant gezien de bierconsumptie van de gemiddelde Duitse militair. De brouwerij kreeg daarbij alle medewerking van de bezetters. De vrachtauto's – later vooral karren met paarden – moesten blijven rijden, de eigen elektriciteitscentrale – nodig voor het koelen van de kelders – moest blijven draaien. De relatie werd nog inniger toen Amstel de grote 'Gijsbrechtkelder' ter beschikking stelde aan de Duitsers, als een soort officiersmess. Schuin tegenover de brouwerij was de Grüne Polizei gelegerd, het moet een interessant gezelschap zijn geweest dat daar avond na avond Amstel zat te drinken. Dat achter de muur waartegen men leunde een felbegeerde kunstschat was verstopt – men had geen idee.

De nazi's waren gretige en gevaarlijke verzamelaars. Kunst, en zeker 17e-eeuwse kunst, was voor hen een obsessie. Toen de oorlog voorbij was stuitten de geallieerde troepen op meer dan duizend geheime opslagplaatsen met kunst, grotendeels geroofd van de Europese Joden, vaak ook verworven via afpersing, soms ook gekocht. Alleen al in een oude zoutmijn bij het Oostenrijkse dorpje Altaussee lagen, naast honderden andere kunstvoorwerpen, 6577 schilderijen opgeslagen: Michelangelo, Van Eyck, Rubens, Rembrandt, Vermeer, Brueghel de Oude, Cranach, Dürer, het kon niet op.

Adolf Hitler droomde jarenlang van zijn eigen Führermuseum in Linz, de stad van zijn jeugd. Hermann Göring had soortgelijke fantasieën, hij reisde zelfs een paar keer met zijn eigen trein naar Amsterdam om daar musea en handelaren te bezoeken. Beiden waren dol op Rembrandt. Hij werd gezien als 'de personificatie van de Germaanse kunstenaarsziel', geheel vrij van 'intellectualisme' en 'decadentie', 'een der grootste en edelste scheppingen van den Germaanschen geest'. In de propagandafilm *Rembrandt* van Hans Steinhoff werd hij gretig gebruikt voor de antisemitische campagne: het waren de Joden die, volgens Steinhoff, deze heroïsche Arische schilder bankroet hadden laten gaan en de dood in hadden gejaagd. De schilder kreeg een eigen postzegel en zijn gebruik van licht en donker werd zelfs overgenomen in allerlei nazi-films en -spektakelstukken.

De Collectie Six bevatte precies de stukken waar al deze romantische nazi's dol op waren. In de familie wordt gezegd dat de Duitsers nog geen week na de capitulatie al aanbelden bij het huis aan de Amstel. Dat kan kloppen: de belangrijkste 'kunstverzamelaar' voor de nazi's, Kajetan Mühlmann, was onmiddellijk na de capitulatie uit Polen naar Nederland vertrokken om daar zijn activiteiten voort te zetten. Hij deed dat op uitnodiging van zijn goede vriend en landgenoot Arthur Seyss-Inquart, die in diezelfde dagen benoemd was tot Rijks-commissaris, de machtigste man in het bezette Nederland.

Toch lieten de bezetters de verzameling, inclusief Rembrandt's Six-portret, ongemoeid. Naar de oorzaak kan ik slechts gissen. Het kan zijn dat Jan het ook wat dit betreft met de bezetters op een akkoordje had gegooid, al lijkt me die theorie onwaarschijnlijk: als Berlijn werkelijk het Six-portret van Rembrandt had willen hebben, had een lokale bevelhebber in Amsterdam het nooit kunnen tegenhouden.

Ik denk eerder dat ze er nooit aan toe zijn gekomen. In Nederland – en ook in Frankrijk – leefden de Duitsers hun verzameldrift subtieler uit dan in Oost-Europa. Hun rover-hoofdman, Mühlmann, werkte hier niet in zijn ss-uniform maar keurig in burger – en dat was tekenend. Het omvang-rijke Joodse kunstbezit – bijvoorbeeld de honderden oude meesters van de kunsthandelaar Jacques Goudstikker – werd zonder meer geconfisqueerd en naar Duitsland weggevoerd. Bij het overige kunstbezit hechtten ze echter sterk aan 'le-gale' aankopen – al was zo'n verkoop niet altijd vrijwillig. De kunsthandel werkte gretig mee. Hitler besteedde bijvoorbeeld een groot deel van de opbrengst van *Mein Kampf* aan kunst-aankopen. Göring rivaliseerde daarin met zijn leider, ook hij kon met honderdduizenden Reichsmarken over de brug ko-men als hij een bepaald stuk absoluut wilde hebben. Geschat wordt dat de nazitop in Nederland voor 20 miljoen Reichs-mark aan kunst heeft gekocht.

Inmiddels leerden de stad en de bezetters elkaar beter kennen. De eerste maanden keken veel Amsterdammers nog enigszins de kat uit de boom. Er heerste vooral verbijstering over de snelle nederlaag, woede over 'de vlucht' van de koningin en verwarring over het ogenschijnlijk correcte gedrag van de Duitsers. Sommigen – met name de Duitse ballingen en de communisten – koesterden geen enkele illusie, vanaf het allereerste begin. In mei en juni 1940 heerste echter in veel kringen de stille overtuiging dat Duitsland de oorlog met vlag en wimpel had gewonnen en dat een nieuw Duits-Europees tijdperk voor de deur stond. Het Nederlandse bedrijfsleven paste zich daar onmiddellijk bij aan, Duitse opdrachten werden meestal probleemloos geaccepteerd. Binnen enkele maanden heerste in Nederland een hoogconjunctuur zoals sinds de jaren twintig niet meer was gezien. Iedereen profiteerde, de Nederlanders besteedden de eerste twee oorlogsjaren opmerkelijk veel geld in de horeca, de bierconsumptie – mede dankzij de vele Duitsers – was ongekend.

Ondanks de economische opleving verkoelden de verhoudingen vanaf het najaar van 1940 snel. De ene golf antisemitisme – vernielingen, molestaties, overheidsmaatregelen, ontslagen – volgde op de andere. Eind februari 1941 kwam Amsterdam massaal in verzet, twee dagen werd er hevig gestaakt, een Duits politiebataljon en twee ss-Totenkopf-Infanterieregimenten drukten daarna iedere actie met geweld de kop in. Toen wisten de meeste Amsterdammers hoe de zaken werkelijk lagen. Vier stakers werden gefusilleerd, tweeëntwintig tot tuchthuisstraffen veroordeeld, de bij de razzia's gearresteerde Joden – enkele honderden – werden afgevoerd naar het dodenkamp Mauthausen. Al een paar dagen na aankomst sprong een tiental mannen, elkaar bij de hand houdend, gezamenlijk in de diepte van de groeve.

Al die razzia's speelden zich af aan de overkant van de Amstel, een brug en twee minuten lopen van het huis van de Sixen. Zoals dat vaker gaat sloot een groot deel van de bevolking zich af voor deze gruwelijke tragedie, men keek weg, het alternatief – hulp, verzet – betekende immers het einde van een 'normaal' bestaan. Veel daadwerkelijk verzet was er die eerste jaren dan ook niet. Het moest in het brave Nederland nog grotendeels worden uitgevonden, zelfs het gevoel dat men zich kón verzetten moest vaak nog worden geboren.

Tot de verzetsmensen van het eerste uur hoorden de communisten – die in februari 1941 al over een geoliede organisatie van zo'n twaalfhonderd uiterst actieve partijleden beschikten –, de gereformeerden – de hoofdredacteur van het felle *Friesch Dagblad* was al in augustus 1940 opgepakt – en moedige eenlingen als onderwijzer Bernard IJzerdraat, die al in mei 1940 het eerste illegale bulletin de wereld in stuurde, het *Geuzenbericht*: 'Nederland zal zijn vrijheidsberoving niet voor zoete koek opeten. Wij weten wat ons te wachten staat.'

Gold dat ook voor het Amsterdamse patriciaat, de families die in vredestijd zo vaak stijf stonden van vaderlandslievende pretenties? Ik liep de 372 verzetslieden na die begraven liggen op de Erebegraafplaats Bloemendaal, ik vond inderdaad een paar oude namen terug.

Binnert de Beaufort, student, spioneerde al vanaf het najaar van 1940 voor de Britten – hij stierf na een schietpartij in de Kalverstraat. Walraven – Wally – van Hall, bankier, regelde samen met zijn broer Gijsbert geld en bonkaarten voor de honderdduizenden onderduikers, een miljoenenbedrijf dat werd gefinancierd via een ingenieuze bankfraude. Dankzij het werk van tientallen bankiers heeft het Nederlandse verzet één probleem nooit gekend: geldzorgen. Hun activiteiten zouden uitgroeien tot een enorm netwerk van verzetsgroepen, het Nationaal Steun Fonds (NSF) en de Landelijke Organisatie voor Hulp aan Onderduikers (LO).

Ook een paar Van Lenneps – met name Hester en Adrienne ('Mies') van Lennep – waren al vroeg actief in het verzet. Mies was getrouwd met de bankier Jan Boissevain. Ze was fel anti-nazi, haar zonen Gideon Willem en Jan Karel herschiepen in de winter van 1941 hun ouderlijk huis aan de Corellistraat tot een compleet verzetsnest. De groep – merendeels studenten – hield zich met de meest uiteenlopende activiteiten bezig: hulp aan Joden, sabotages, het vervalsen van persoonsbewijzen en bonkaarten, opslag en reparatie van wapens, het verzamelen van inlichtingen, het voorbereiden van aanslagen. Het was te veel, er was nauwelijks ervaring, het ging snel mis. Na driekwart jaar werd de groep opgerold. De twee zonen van Mies van Lennep werden, met zestien andere studenten, op 1 oktober 1943 in de duinen van Overveen doodgeschoten.

De sociëteit Onder Ons schorste de paar leden die aanhangers waren van de NSB al direct na de Duitse inval 'omdat zij het hier gangbare gedachtegoed niet langer deelden'. Onder dit kleine gezelschap vielen eveneens slachtoffers: Binnert Harinxma thoe Slooten, Eddy Bosch van Rosenthal en Jan van Boetzelaer. Andere leden wisten ternauwernood de concentratiekampen Vught en Amersfoort te overleven, twee bleven ongedeerd hoewel ze een leidende rol in het verzet speelden.

Is dat relatief veel of weinig? Op de *Erelijst van Gevallenen 1940-1945* van het NIOD staan in totaal 54 adellijke verzetsdoden, 7,7 promille van het totale aantal aristocraten. Dat is bijna achtmaal zoveel als onder de doorsneebevolking. Zoals Ileen Montijn terecht schrijft: 'Voor de suggestie dat de adel tijdens de Tweede Wereldoorlog niet zo heldhaftig is gebleken lijkt in elk geval geen grond te bestaan.'

En dan de Sixen zelf. 'Misschien is het meest duivelse van een regime als dat van Hitler niet zijn terreur, maar het feit dat gewone alledaagse mensen werden opgejaagd naar het vlijmscherpe punt waar elke daad óf goed óf slecht kon zijn,' schreef de oud-verzetsman Henk van Randwijk jaren later. Dat gold ook voor de Sixen. In de familie weerspiegelde zich, grof gezegd, het patroon dat de hele Nederlandse samenleving in die jaren kenmerkte.

De *chef de la famille*, Jan, was een typische 'burgemeester in oorlogstijd'. Hij was anti-Duits, net als het overgrote deel van de Amsterdamse elite. Toch boog hij mee met de bezetters, zijn grootste prioriteit was overleving: voor zichzelf, zijn familie, zijn collectie, zijn bedrijf.

Tegelijkertijd gebruikte hij zijn positie voor een aantal vormen van verzet. De Gijsbrechtkelder waar de Duitsers feestvierden zat, zo werd later verteld, vol afluisterapparatuur. De auto's en karren van de brouwerij kwamen overal waar Duitse troepen waren gelegerd, de afleverschema's van het bier vormden interessant materiaal voor de geallieerde inlichtingendiensten, ze werden doorgeseind en gebruikt. Op de zolder van een dienstwoning van de brouwerij zaten bovendien een paar Joodse families ondergedoken – al heeft Jan daar waarschijnlijk nooit weet van gehad.

Zijn zonen gingen hun eigen weg. Zoon Diederik wilde zijn 'normale' studentenleven niet onderbreken, negeerde de felle protesten van zijn medestudenten en tekende in het voorjaar van 1943 de zogenaamde loyaliteitsverklaring waarin hij plechtig beloofde om zich te onderwerpen aan het Duitse gezag. Hij hoorde daarmee tot een kleine minderheid, slechts één op de zes studenten koos voor deze vorm van collaboratie. Na de oorlog zou hij door het studentencorps een jaar worden geschorst.

De oudste zoon Jan werd, onder de schuilnaam Pieter Verburg, daarentegen al snel actief in het verzet als verbindingsman. In het najaar van 1943 ontsprong hij ternauwernood de dans: hij was toevallig aanwezig bij een overal op het illegale blad *Vrij Nederland* waarbij een drukpers werd gevonden. Hij werd drie uur lang vastgehouden, daarna lieten de Duitsers hem weer gaan.

Ergens in het huis aan de Amstel ligt nog het kristalontvangertje waarmee hij probeerde naar Radio Oranje te luisteren, de Londense zender van de Nederlandse regering in ballingschap. Het miniradiootje is een prachtig product van illegale huisvlijt: een klein oranje geschilderd kastje dat op een ingenieuze manier onder het ouderlijk huis in de Vondelstraat was verstopt, dat hangend aan een gordijnrail tot ver onder de vloer kon worden weggerold en met een bijna onzichtbaar vislijntje ook zo weer tevoorschijn worden getakeld.

Het verste ging oom Piet. Met hem was iets geheimzinnigs aan de hand. De familie vermoedde wel dat deze zwijgzame landjonker 'iets deed' in het verzet, maar pas na de oorlog werd duidelijk wat: hij bleek vanaf augustus 1942 de opperbevelhebber te zijn geweest van een van de belangrijkste verzetsorganisaties van het land, de Ordedienst ofwel OD.

Nu is 'organisatie' een misleidend woord in verband met de Nederlandse illegaliteit. Het 'verzet' was jarenlang eerder een vaag verband van ad-hoccontacten waarbij alle betrokkenen, omwille van de veiligheid, het liefst zo min mogelijk van elkaar wisten. Tekenend is hoe Henk van Randwijk, de voorman van

Vrij Nederland, in zijn herinneringen de eerste ontmoetingen met oom Piet beschrijft: 'Er was een klein drukkertje in Diemen. Bezitster was eigenlijk een vrouw, die wij tante noemden. Er werkte een jongeman daar op de secretarie en we konden illegale krantjes en andere gevaarlijke dingen bij hem op het raadhuis opbergen. Hij had contact met een "heel hoge officier" die "door de regering aangewezen was". Er volgden ontmoetingen in Den Haag, in Amsterdam-Zuid en op vele andere plaatsen. De officier bleek later Six te zijn.'

Via de 'Zwitserse weg' – een koeriersverbinding via het neutrale Zwitserland die *Vrij Nederland* had verkend – konden zo de eerste contacten tussen de OD en Londen worden gelegd. Dat gebeurde onder de letters KB – een afkorting die niets te maken had met Koninklijk Besluit. 'K stond voor de jonge man die iets wat goed was "knots" noemde, en vandaar door ons Knotsie werd genoemd, B stond voor "baas", zo noemde Knotsie de heer Six.'

Binnen het verzet vormde de OD een buitenbeentje. Het was, in de kern, het Nederlandse leger dat ondergronds was gegaan. De organisatie was op militaire leest geschoeid, het voornaamste doel lag pas op het moment van bevrijding: de handhaving van de orde na het vertrek van de Duitsers. Vrouwen speelden binnen de organisatie nagenoeg geen rol, naderhand, toen veel mannen waren opgepakt, werden ze wel ingezet in allerlei uitvoerende taken. Zoals de naam al doet vermoeden stond de OD uiterst rechts van het politieke spectrum. De leiding bestond grotendeels uit reserveofficieren, relatief veel leden van aristocratische families namen eraan deel. En zij dachten al aan de periode ná de bevrijding: de revolutie van Troelstra en het latere Jordaanoproer – waarbij ook Piet Six moest optreden – lagen nog vers in het geheugen.

De OD valt dan ook te plaatsen in de tradities van de Vrijwillige Burgerwacht uit de novemberdagen van 1918 en het Verbond voor Nationaal Herstel dat in de jaren dertig alle 'nationaal voelenden' wilde verenigen tegen 'de lamlendigen en de slappen'. De angst voor een communistische staatsgreep was groot. In sommige OD-kringen leefden ook gedachten over een naoorlogse coup, maar dan in rechts-autoritaire zin.

Het gewapend verzet was in Nederland niet groot – in

Frankrijk was zeker een kwart van de verzetsmensen zwaarbewapend, in Nederland was dat slechts een fractie. De OD was naar eigen zeggen veruit de grootste organisatie: in 1944 zouden zo'n tienduizend leden min of meer actief zijn, slechts een klein deel bewapend. Terwijl de rest van de illegaliteit, zeker vanaf 1942, dag na dag bezig was met het drukken en verspreiden van kranten, het verzorgen van onderduikers – tegen het eind van de oorlog zo'n 350 000 man –, het regelen en vervalsen van bonkaarten, het overvallen van distributiekantoren en alles wat daar verder bij kwam kijken, konden sommige OD'ers echter nauwelijks verzetsmensen worden genoemd. Ze bleven tot de laatste dagen van de oorlog passief, totdat ze opeens met een ferme armband de held konden uithangen.

Andere leden van de OD waren daarentegen buitengewoon moedig en actief: ze waren, ter bespoediging van de bevrijding, overgegaan tot alle mogelijke vormen van verzet: spionage, vervalsing van papieren, overvallen, sabotage, liquidaties van verraders en dergelijke. Een oud en vergeten militair telefoonnet werd omgebouwd tot communicatiesysteem. Gaandeweg specialiseerde de OD zich vooral in het inlichtingenwerk en het onderhouden van contacten met de Londense regering. Meer dan driehonderd OD'ers moesten hun verzet met de dood bekopen.

Over dit zeldzaam gecompliceerde gezelschap had Piet Six het grootste deel van de oorlog de leiding. Hij was er terechtgekomen via zijn officiersvrienden van de cavalerie. Tweemaal was een groot deel van de organisatie – inclusief de leiding – door de Duitsers opgerold. Tweeënzeventig OD'ers waren ter dood veroordeeld, op 3 mei 1942 waren ze in Sachsenhausen met een nekschot omgebracht. Drie maanden later, in augustus 1942 accepteerde Six de toppositie, 'ongewild maar noodgedwongen'.

De familie zou zich deze zelfde 'oom Piet' vooral herinneren als een ongetrouwde oom, een binnenvetter die sober leefde, die woedend werd als een kind aan tafel iets opmerkte, die geen verjaardag en geen reünie oversloeg maar die verder niet uit de verf kwam. Zoals ik van meerdere kanten hoorde: 'Als die oorlog er niet was geweest, was hij de boeken in gegaan als een non-valeur.' Toen hij voor het familiearchief werd geïnterviewd vertelde hij graag over het huiselijk leven aan de Amstel maar over de oorlog wilde hij, ondanks alle aandrang, niets kwijt. Prins Bernhard kwam wel eens op bezoek, maar als oom Piet ergens zijn medeverzetsman Pim Boellaard trof – de contacten tussen beide families waren buitengewoon hartelijk – wisselden ze geen woord.

Er heerste vanaf 1945 een grote stilte rondom Piet Six. Wellicht was het voor hem een tweede natuur geworden, misschien kon hij ook niet anders meer. Hij was verantwoordelijk geweest voor het wel en wee van duizenden verzetsmensen, hij had bevel gegeven tot ettelijke liquidaties, hij had riskante operaties in gang gezet die soms pijnlijk waren mislukt, hij was verraden en blind geweest voor verraad, hij had daarbij ook zelf voortdurend dodelijke risico's gelopen, hij had bij een razzia op Jagtlust moeten rennen voor zijn leven.

Er was te veel gepasseerd.

Tijdens de oorlog was Piet, in zijn stijfhoofdige zwijgzaamheid, geknipt voor een bestaan van meerdere levens, volstrekt gescheiden van elkaar. Dat was in 1942 bittere noodzaak: van de twintig verzetsmensen die wisten wie hij was waren op een gegeven moment twaalf in Duitse handen. Hij besloot om zichzelf op te splitsen in twee, drie totaal verschillende persoonlijkheden, en hij verstond die kunst als geen ander. In het Six-archief liggen nog zijn echte en valse persoonsbewijzen – bijvoorbeeld eentje onder de naam Pieter Jan Smit, administrateur landelijke eigendommen, wonend in Zwartsluis, geboren op 8 mei 1895, met daaronder een wat stijve handtekening van deze niet-bestaande Pieter Smit.

Aan de Amstel en op Jagtlust bleef hij gewoon de oude Piet, een vredig rondscharrelende landjonker. Hij bleef een trouw bezoeker van Onder Ons. Toen hij, vanwege een ernstige oorontsteking, in april 1944 geopereerd moest worden, lag hij gewoon als Pieter Six in het Wilhelmina Gasthuis. Grootemoes heeft waarschijnlijk nooit in de gaten gehad dat haar zoon zo actief was in de illegaliteit – 'Hij weet alles van mij, ik weet niets van hem,' klaagde ze wel eens. Ook haar hartsvriendin, juffrouw Kuijer, rept in haar memoires met geen woord over verzetsactiviteiten. Piet's zusters Nine en Totie maakten op

Jagtlust een huiszoeking mee waarbij zelfs door de vloeren werd geschoten, zij moeten hebben beseft dat er iets aan de hand was met hun broer, maar meer ook niet.

In de illegaliteit opereerde hij onder de naam Van Santen. Met Londen communiceerde hij onder het pseudoniem Stella – een tikje onvoorzichtig voor wie toevallig de wapenspreuk van de Sixen kende: Stella Duce. Hij maakte voortdurend gebruik van tussenpersonen, de meeste verzetsmensen wisten dan ook niet dat Van Santen dezelfde persoon was als de chef-staf van de OD. Zonder dit soort veiligheidsmaatregelen zou hij de bezetting vermoedelijk niet hebben overleefd: vanaf 1943 waren de Duitsers voortdurend naar deze Van Santen op jacht, onder andere door middel van infiltranten in het verzet, zogenaamde V-Männer.

Op Piet's initiatief begon de OD in oktober 1943 met het *Signalementenblad*, een zeldzaam nuttige uitgave voor alle verzetsgroepen, waarin de bekende V-Männer uitvoerig stonden beschreven:

'Waals*, Anthonius van der,
Geb. te Rotterdam 11-10-1902, monteur. Schuilnamen: de Wilde, Ton, Schmid, Casimir, v.d. Woude, van Looy. Sign. 1.80 M, blanke huid, ietwat spleetogen, kleine neus, vrij grote oren, slank gebouwd, handen met aders, knobbeltje linkerbovenzijde neus, donker golvend haar. Geeft voor invasie in Nederland voor te bereiden en daartoe sabotage en weerstandsgroepen te vormen. Ook zou hij materiaal als papier, wapens, postduiven en sigaretten ontvangen. Is technisch zeer goed onderlegd. **Zeer gevaarlijk!** Maakte reeds vele slachtoffers.'

De samenstellers van het *Signalementenblad* waren, ondanks een aantal pijnlijke fouten, over het algemeen goedgeïnformeerd. Opvallend zijn trouwens de meer dan honderd vermeldingen van verraders uit Joodse kringen, van wie sommigen, al dan niet onder dwang, vele tientallen onderduikers hadden aangegeven. Zelf werden Piet Six en de zijnen ook het slachtoffer van een V-Mann, 'Wolf' Pasdeloup, bijgenaamd Padje, een cadet-sergeant van de OD, een van de koeriers van zijn Onder Ons-vriend Pim Boellaard. Pasdeloup was op 18 januari 1942 bij toeval op het Scheveningse strand opgepakt toen hij assisteerde bij een vluchtpoging van twee prominente sociaal-democraten, Frans Goedhart en Herman Wiardi Beckman, naar Engeland.

Boellaard rook direct onraad: de SD stond daarna opeens op de stoep bij zijn voormalige onderduikadres, er werd hem vervolgens een iets te aanlokkelijk wapenaanbod gedaan waar hij wijselijk niet op inging en opeens was er het bericht dat 'zijn vriend Wolf zonder betalen' was vertrokken uit 'het hotel waar hij logeerde'. Dat betekende dat hij was ontsnapt. Of had de SD hem omgekocht en was hij vrijgelaten omdat hij, als V-Mann, nu voor hen werkte? Toch maakte Boellaard op 3 mei 1942 een afspraak met 'Wolf'. Hij werd prompt gearresteerd.

Toen Boellaard's vrouw in de gevangenis op bezoek kwam streelde hij de twee herdershonden die daar rondliepen en zei: 'Dit is Max, een beste hond. Die andere is Wolf, een rothond, die zou ik laten afmaken.' Zijn vrouw begreep genoeg, ze stelde 'Max' – een contactvrouw van de OD – van het verraad op de hoogte, en via haar Piet Six. Die aarzelde echter, hield vertrouwen in Pasdeloup en kwam pas een halfjaar later in actie. 'Een onbegrijpelijke blunder van zulke geroutineerde mannen!!!' schreef Boellaard later in zijn memoires.

Het verraad kostte, naast de twee metgezellen van Boellaard, nog diverse andere levens. Pim Boellaard zelf genoot de dubieuze eer om tijdens zijn gevangenschap te mogen discussiëren met zowel Himmler als Heydrich. Ze waren op bezoek in Nederland en ze wilden zo'n prominente verzetsman wel eens persoonlijk ontmoeten. Boellaard maakte van zijn hart geen moordkuil. Naderhand vertelde hij dat hij 'beleefd maar brutaal' was, hij gaf toch geen cent meer voor zijn leven. Hij werd weggevoerd naar het 'Nacht und Nebel'-concentratie-kamp Natzweiler, daarna belandde hij in Dachau. En dan zie je hem op een Amerikaans filmpje over de bevrijding van het kamp opeens weer tussen zijn gehavende kampgenoten opduiken, ogenschijnlijk ongebroken.

Pasdeloup was een ervaren verzetsman, toch verklaarden de betrokken Gestapo-agenten later dat ze hem fysiek nooit onder druk hebben gezet. Ze kenden echter zijn zwakke punt: zijn Joodse verloofde. Vermoedelijk werd hij gechanteerd. Op 6 januari 1943 kreeg het verzet hem te pakken, vijf dagen later werd hij geliquideerd, zijn lijk werd in de Amsterdamse Baarsjesgracht gegooid, waar het pas in maart, toen het ijs wegdooide, boven kwam drijven.

Nogmaals: 'het verzet' bestond niet. De Nederlandse illegaliteit omvatte in werkelijkheid een wirwar van groepjes en netwerken, van communistisch tot uiterst rechts, van de Landelijke Organisatie en het Nationaal Steunfonds tot de Knokploegen, de Raad van Verzet en de OD, van bladen als *Vrij Nederland*, *Trouw*, *De Waarheid* en *Het Parool* tot het Kunstenaarsverzet, het Studentenverzet en de Persoonsbewijzencentrale – de grote specialisten in vervalsingen.

Piet Six zag kans binnen die schemerige constellatie binnen een jaar tijd een solide verzetsorganisatie op te bouwen. In 1943 beschikte de OD weer over een effectieve staf, met een hoofdkwartier in de – in 1972 gesloopte – Koepelkerk bij het Amsterdamse Leidsebosje. Er waren, via de Radiodienst, goed functionerende verbindingen met Londen en met de eigen districten. Het *Signalementenblad* verscheen regelmatig en samen met een paar Londense agenten was een effectieve inlichtingen- en spionagedienst opgezet. De organisatie was veel steviger en veiliger – het aantal OD-arrestaties liep sterk terug. Hier waren geen amateurs meer aan het werk.

Tegelijkertijd waren er voortdurend fricties met andere verzetsgroepen, mede ook door de bijzondere rol die de OD en Piet Six zichzelf hadden toebedeeld als voortzetting van het vooroorlogse 'militair gezag'. Met de sociaaldemocratische voorman Koos Vorrink en met Van Randwijk ontstond bijvoorbeeld een hooglopend conflict over het gebruik van de Zwitserse weg naar Londen. En toen een prominent lid van de OD, Jan Thijssen – 'Lange Jan' –, in mei 1943 de Raad van Verzet oprichtte om het verzet beter te coördineren en daarbij de Radiodienst van de OD wilde inzetten voor alle verzetsgroepen, beschouwde Piet dat als een regelrechte rebellie: Thijssen werd door Six ontslagen, zelfs Londen werd erin betrokken. Rondrijdend in een ambulance met valse papieren werd hij begin november 1944 gearresteerd. 'De vijand zorgde voor de oplossing,' schreef Piet Six zonder veel subtiliteit in zijn na-oorlogse rapportage. 'Lange Jan' werd op 8 maart 1945, samen met 116 anderen, bij Apeldoorn gefusilleerd.

Geheimzinnigheid, niet weten en niet willen weten wat de ander deed, het was binnen de illegaliteit een vorm van lijfsbehoud. Iedere bijeenkomst, zeker van de toppen van het verzet, was vanuit veiligheidsoogpunt levensgevaarlijk. Tegelijkertijd werd samenwerking, naarmate de bezetting langer duurde, steeds noodzakelijker. Wally van Hall, de 'olieman' van het verzet, wist de belangrijkste groepen bijeen te brengen in 'de Kern'. Alleen de illegale pers deed er niet aan mee, die vond het te gevaarlijk.

Vanaf februari 1944 kwam zo iedere donderdagmiddag een tiental verzetsleiders van allerlei pluimage in Amsterdam bijeen om te overleggen. 'Daar was het als het ware een beurs voor de practici van de techniek der illegaliteit,' zou een van de deelnemers later vertellen. 'Daar werden bonnen verruild, "hoekjes" bij duizenden overhandigd, illegale papieren ontworpen, offensieve handelingen besproken. Daar werd nimmer aan politiek gedaan en daar wist men niet eens tot welke partij de andere behoorde.' De onderlinge verhoudingen verbeterden zo enorm – Six kreeg bijvoorbeeld een grote waardering voor 'Freek', de leider van de Raad van Verzet, de communist Gerben Wagenaar.

Tijdens deze bijeenkomsten werd de basis gelegd voor de Binnenlandse Strijdkrachten, een gezamenlijk 'leger' van het gewapend verzet, de OD, de Knokploegen en de Raad van Verzet, onder de formele leiding van prins Bernhard. Dat samengaan voltrok zich in september 1944. Opnieuw was, achter de schermen, Wally van Hall de motor achter dit project – al klaagde hij wel dat hij 'met een stel kerels' zat 'die van illegaal werk geen bliksem weten'. Hij zorgde voor hoofdkwartieren en, via zijn gigantische netwerk, voor een snelle uitbreiding van dit binnenlandse legertje.

Eind september telden de Binnenlandse Strijdkrachten 6800 gewapende strijders: 4000 man OD, 1800 deelnemers aan de Knokploegen en 1000 leden van de Raad van Verzet. 'Strijdkrachten' was een zwaar woord: er is in de archieven vrijwel geen spoor te vinden van systematische trainingen, geheime legerplaatsen, bevoorradingslijnen en alles wat er verder bij een georganiseerde krijgsmacht hoort. Het bleef een geïmproviseerd samenraapsel van groepjes die vaak voornamelijk op hun eigen houtje opereerden. De ergernis bij het reguliere verzet nam snel toe, vooral toen er uit het prinselijk hoofdkwartier ook 'legerorders' kwamen: 'Je proefde het soldaatje spelen van lieden die zich hadden geschaard rond hun op handen gedragen, geestdriftige, avontuurlijke prins-commandant,' schreef een verzetsman. Piet Six werd een van de twee ondercommandanten van dit broze samenwerkingsverband.

Eerder die zomer, op 3 juli, waren ook de vertegenwoordigers van de meeste andere Nederlandse verzetsorganisaties voor het eerst bijeengekomen, in een pand aan het Amsterdamse Singel. Het waren, zoals Henk van Randwijk later zou schrijven, '"Generaals" die men niet eens bij hun ware naam kende. Vertegenwoordigers van organisaties waarvan men de grootte, de belangrijkheid slechts kon raden. Niettemin schonk men elkaar vertrouwen!' Uit deze bijeenkomst ontstond de zogenaamde Contact Commissie, een overkoepelende organisatie die alle groepen en gezindten omvatte, die democratisch was opgebouwd en die bovendien slagvaardig kon opereren. Het was een gezelschap dat na de oorlog nauwelijks sporen heeft nagelaten, schrijft Van Randwijk, toch was deze samenwerking in de laatste maanden van de bezetting van vitaal belang: 'Op deze wijze is in Nederland een tragische en gevaarlijke splijting in de illegaliteit voorkomen, is het contact tussen het in bezettingstijd opgekomen verzet en de vooroorlogse politieke partijen bewaard gebleven, is een dwaze en onnodige militaire dictatuur (hoe kort ook) als de od voorstond, niet doorgegaan.'

Piet Six speelde daarbinnen een eigen rol. 'Zijn' od was juist opgezet om tijdens de overgangsfase, kort voor en tijdens de bevrijding, het roer in handen te nemen. De Nederlandse regering in Londen, die besefte dat de andere verzetsorganisaties dit nooit zouden pikken, kwam met een tussenvoorstel: een College van Vertrouwensmannen. Er werd een zestal prominente figuren uit diverse politieke richtingen benoemd

– onder wie Willem Drees, de latere premier – die in deze periode gezamenlijk het gezag zouden uitoefenen. Six ging nauw met hen samenwerken. Tegelijkertijd werd besloten tot een Militair Gezag, dat in de pas bevrijde gebieden zou fungeren als een soort voorpost van de regering.

Het was een typisch Hollandse polderconstructie, en het werkte slechts tot op zekere hoogte. Dat bleek in april 1945. Het zuidelijke deel van Nederland was toen allang bevrijd, het noorden was, na de gruwelijke Hongerwinter, nog altijd bezet. De opmars van de geallieerden voltrok zich echter snel, vooral in het oosten van het land. De Duitse troepen in de Randstad en de rest van het westen liepen daardoor groot gevaar: ze zouden opeens van Duitsland kunnen worden afgesneden, met alle gevolgen van dien. Het zou de bezetters daarom heel wat waard zijn als er, in afwachting van de definitieve capitulatie, een soort onofficiële wapenstilstand kon worden afgesproken: in ruil voor een reeks concessies aan het verzet zouden de geallieerden hun opmars tijdelijk staken.

Ook voor de Nederlanders stond veel op het spel. De toestand in het uitgemergelde West-Nederland was explosief: er waren nog zo'n honderdduizend zwaarbewapende Duitse manschappen gelegerd, er liepen tienduizenden SD'ers en collaborateurs rond die, in het nauw gedreven, buitengewoon gevaarlijk konden zijn, aan de andere kant was de wanhopige en woedende bevolking ook tot alles in staat. De situatie escaleerde tijdens die voorjaarsweken al stevig: schietpartijen, sabotages, aanslagen op Duitse militairen, fusillades als represaille, liquidaties van verraders, het kwam steeds vaker voor. Bovendien was – en is – dit stedelijke Holland, dat grotendeels onder de zeespiegel ligt en dat permanent kunstmatig droog wordt gehouden, extreem kwetsbaar voor sabotage.

De Duitsers lieten, via de Finse consul-generaal Van der Vlugt, weten dat ze wilden praten. Piet Six had, als vertegenwoordiger van de vertrouwensmannen, vervolgens samen met Van der Vlugt op de avond van 12 april als eerste verzetsman een oriënterend gesprek met Seyss-Inquart. Het moet een vreemde conversatie zijn geweest: eerst over koetjes en kalfjes, zeker een uur lang, pas daarna kwamen de eisen op tafel: de voedselvoorziening, het mogelijk maken van voedseldroppings, het voorkomen van verdere vernielingen en gewelddadigheden, het stoppen met het executeren van verzetsstrijders.

De volgende dag werden de onderhandelingen voortgezet. Een memorandum over die gesprekken, uit maart 1946, rolde uit het Six-archief. Nog steeds is het boeiende lectuur. Seyss-Inquart bleek bereid tot vergaande concessies mits de Duitsers het kustgebied mochten vasthouden en de geallieerden voor de Grebbelinie bleven staan. Er zou in dat geval massale hulp voor de bevolking kunnen komen, er zouden geen inundaties en geen grootscheepse vernielingen meer plaatsvinden, de executies zouden ophouden, de politieke gevangenen zouden naar 'behoorlijke kampen' worden overgebracht, de SD zou alle acties en razzia's staken.

Six en zijn collega wezen erop dat de vernietigingsprojecten 'waardoor het land voor meerdere millioenen menschen gedurende een aantal jaren onbewoonbaar zou zijn' – het opblazen van de sluizen van IJmuiden en Vreeswijk, het doorsteken van de Lekdijk, het vernietigen van de elektrische centrales – absoluut moesten worden geblokkeerd.

Vervolgens moest met de Nederlandse regering en de geallieerden over het Duitse aanbod worden overlegd. Aan die kant bestond grote aarzeling. Deze 'wapenstilstand' zou andere onderhandelingen met de vijand immers doorkruisen.

Er bleven ondertussen executies plaatsvinden. Op 17 april werd de Wieringermeerdijk alsnog opgeblazen, waardoor de hele Wieringermeer onder water liep, een volkomen zinloze destructie. Aan de Nederlandse kant sloeg de twijfel toe: kon je nog wel afspraken maken met deze wanhopige bezetters? Toch gingen Six en de vertrouwensmannen door. Het risico was te groot, de Duitsers waren ook in staat om Noord- en Zuid-Holland, plus twee derde van Utrecht, onder water te zetten. Uit een bijlage bij het memorandum blijkt dat de gemalen al nauwelijks meer werkten, de riolering van de grote steden al problemen gaf, in Amsterdam de kelders onder water liepen, het Westland begon te verzilten, de Lekdijk water doorliet, polderkanalen overliepen, de toegang tot het Noordzeekanaal versperd dreigde te worden, en overal verkeers- en spoorbruggen ondermijnd waren, klaar om opgeblazen te worden.

Er ontstond een rechtstreeks overleg tussen de bezetters en de staf van de geallieerde generaal Eisenhower – de Duitsers moesten daarvoor bij Amersfoort de frontlinies kruisen, ze kregen een vrijgeleide – dat werd ingehaald door de officiële capitulatiebesprekingen. Beide partijen erkenden nu dat 'te dezen beter een uur te vroeg dan een minuut te laat' kon worden gehandeld, vooral omdat de bewapende collaborateurs, de Landwacht en de Nederlandse ss, wel eens heel gevaarlijk konden worden. Ondertussen begonnen de geallieerden al op eigen initiatief met voedseldroppings.

De gebeurtenissen buitelden daarna over elkaar heen. Op vrijdag 4 mei, om halfzeven 's avonds, vond op de Lüneburger Heide de capitulatie plaats van de Duitse troepen in Noordwest-Europa. De volgende ochtend om 8 uur zouden alle vijandelijkheden worden gestaakt. De verdere afwikkeling was een taak van de verschillende commandanten van de Brits-Canadese legergroep. Die moesten binnen hun sectoren de zogenaamde *orders on surrender*, de overgavebevelen en de technische uitwerking daarvan, overhandigen aan de bevelhebbers van het gecapituleerde Duitse leger.

Dat gebeurde voor de sector Vesting Nederland aan een cafétafel in de kale zaal van hotel De Wereld in Wageningen. Onderhandeld werd er niet meer, de capitulatie had immers al plaatsgevonden. *Generaloberst* Johannes Blaskowitz kreeg van de Canadese luitenant-generaal Charles Foulkes enkel nog de vraag voorgelegd of hij de capitulatie op de Lüneburger Heide erkende. Blaskowitz zei: 'Jawohl', beide generaals ondertekenden de bevelen en daarmee was het overleg – want meer was het niet – afgerond.

Tussen de Britse en Canadese legerleiders dook opeens prins Bernhard op. De prins had er niets te zoeken, maar hij had een voortreffelijk gevoel voor pr. Hij had daarbij hulp gekregen van luitenant-generaal Foulkes, die, ook niet wars van publiciteit, tientallen journalisten en fotografen had ontboden om deze historische 'plechtigheid' te verslaan. Decennialang zou het Nederlandse volk zo in de waan verkeren dat de Duitse strijdkrachten zich in Wageningen aan 'onze' prins Bernhard hadden overgegeven.

Op filmopnames is duidelijk de verwarring zichtbaar, de

prins wil in het midden gaan zitten, uiteindelijk mag hij op een stoel aan de verste zijkant plaatsnemen. Het contrast tussen de versleten en dodelijk vermoeide militairen en de ontspannen prins is opvallend, vooral als hij daarna poseert bij de blinkende Mercedes die hij kort daarvoor als krijgsbuit aan Seyss-Inquart had ontfutseld, lachend, sigaret in de mond.

De volgende dag, op zondag 6 mei, werd door Six en anderen het echte overleg met de Duitsers voortgezet, de eindeloze details over de wisseling van de wacht – vaak letterlijk – en de aftocht van de Duitse troepen. Voor Piet zelf was het moment van bevrijding al veel eerder aangebroken, bij zijn eerste bezoek aan Seyss-Inquart. Hij had er keurig zijn visitekaartje afgegeven, met zijn echte naam: jhr. P.J. Six. Het nieuwe Amsterdamse hoofdkwartier van de Binnenlandse Strijdkrachten vestigde hij open en bloot in de Amstelbrouwerij van zijn broer Jan – op foto's zie je de mannen van de Grüne Polizei nog bij hun oude feestkelder samendrommen, niet wetend wat te doen. Opeens waren de verhoudingen omgekeerd, de dubbellevens waren voorbij.

Walraven van Hall, de feitelijke leider van de illegaliteit, maakte het niet meer mee. Hij was op 27 januari 1945 verraden en gearresteerd, twee weken later, op 12 februari, was hij al gefusilleerd. Waarschijnlijk hebben de Duitsers nooit precies geweten wie ze in handen hadden. De verzetsmensen die de oorlog wel hadden overleefd, zoals Van Randwijk, stonden die laatste bezettingsweken met verbijstering te kijken. De Binnenlandse Strijdkrachten, die in september 1944 slechts 6800 man telden, waren in mei 1945 plotseling uitgegroeid tot een leger van 150 000 à 200 000 ferme 'verzetsstrijders'. In de bevrijde gebieden opereerden ze naar willekeur, het regende klachten. 'De O(ranje) D(ieven), de W.A. van de Prins en de Witte Terreur' waren, zo schreef premier Gerbrandy aan koningin Wilhelmina de gangbare termen waarmee de bevolking over deze BS'ers sprak. Door Six en de vertrouwensmannen was ondertussen met de Duitsers onderhandeld alsof er geen Contact Commissie en geen verzet bestond. Vervolgens kwam het Militair Gezag, dat weer handelde alsof er geen vertrouwensmannen bestonden.

'Vijf jaar lang is de verzetsbeweging het geweten en de voorhoede van het Nederlandse volk geweest,' schreef Van Randwijk, 'moesten beslissingen genomen worden van een zwaarte waaronder ook regeringen gebukt zouden gaan, maar ze wérden genomen en het waren goede besluiten.' In de laatste weken van de bezetting waren er opnieuw zaken aan de orde die over leven of dood beslisten, maar nu zonder dat de verzetsbeweging daarin gekend is, 'zelfs zònder dat de verzetsbeweging op de hoogte gesteld wordt...'

Zo werd binnen een paar weken, bijna geruisloos, de oude orde weer opgetuigd. In verzetskringen was de verbittering groot, ook jegens de OD. Voor de Parlementaire Enquêtecommissie zei de sociaaldemocraat Koos Vorrink: 'Ik zeg het zonder reserve: in de OD moest je zien een prototype van de militaire dictatuur [...] die kereltjes speelden met de gedachte, onnozel, maar ze deden het.' De schrijver J.B. Charles, ook een voormalig verzetsman, heeft het in zijn polemische *Volg het spoor terug* over 'de conservatoren van de half-vergane militaire stand' die vooral bezig waren om datgene te redden wat, in extreme vorm uitgegroeid, 'de Duitsers juist tot oorlog gebracht had: het burgerdom'. De 'nationale' geschiedschrijver Loe de Jong prees, in zijn standaardwerk over de Tweede Wereldoorlog, Piet Six als 'een kundig leider' en een man 'van zeldzame koelbloedigheid'. Over de OD zelf is echter ook hij kritisch: de organisatie bevatte veel 'slapende leden', hun activiteiten brachten de bezetter vaak geen enkele schade toe, met verzet had dat allemaal niets te maken.

Een nieuwe generatie historici nuanceerde dat beeld. De militair-historicus Jan Schulten kwam, na een grondig onderzoek, tot de conclusie dat de OD wel degelijk een grote en serieuze verzetsorganisatie was die vooral uit praktische overwegingen een militair karakter had. Militaristisch waren de leden echter niet – het merendeel bestond uit reservisten, als ze al militair waren. Van de mannen die bij het eerste OD-proces ter dood werden veroordeeld was bijna de helft nooit in dienst geweest.

Ursula den Tex en Jolande Withuis bevestigen dat beeld in hun oorlogsgeschiedenissen van de OD'ers Coo den Tex en Pim Boellaard. Boellaard zou later zelfs verklaren dat de naam Ordedienst alleen maar bedoeld was als schuilnaam, om de Duitsers het idee te geven dat de OD pas aan het eind van de oorlog actief wilde worden. Politieke aspiraties had de groep volgens Boellaard niet, alle stromingen – met uitzondering van de communisten – waren in de OD vertegenwoordigd.

Piet Six blijft een gecompliceerde figuur, wel corresponderen Schulten's observaties met mijn eigen indrukken. 'Zijn' OD hief hij bijvoorbeeld al direct bij de bevrijding op. Al na een paar dagen kreeg hij het verzoek om over te stappen naar de staf van prins Bernhard. Hij weigerde, hij werkte liever op het Haagse kantoor van het Militair Gezag, hij fungeerde daar als voorzitter van het stafbureau totdat het Gezag in maart 1946 werd opgeheven.

In datzelfde jaar kreeg hij de hoogste militaire onderscheiding van Nederland, de Militaire Willemsorde. Wel bleef hij actief in militair-rechtse kringen. Hij bleef een gangmaker binnen de Vereniging Officieren Cavalerie – toen hij een heupprothese moest hebben was hij zelfs van plan om van het bot van zijn eigen heupkop een voorzittershamer te laten maken. In 1947 was hij een van de initiatiefnemers van de Nationale Vereniging tot Bijstand, een soort voortzetting van de OD, met als doel 'de gezagsgetrouwen aan te trekken, om te komen tot een volkomen betrouwbaar hulpapparaat, hetwelk ter beschikking staat van de regering'. Het bleef bij, inderdaad, 'de gedachte'. Met de naoorlogse coupplannen rond prins Bernhard en later rond de voormalige minister-president Gerbrandy heeft Piet Six, voor zover ik kan nagaan, nooit iets te maken gehad. Als het erop aankwam was hij op een apolitieke manier gezagsgetrouw, hij diende enkel koningin en vaderland. Zijn verzet hoorde bij zijn strijd om het behoud van de gevestigde orde. Het was, uiteindelijk, een laatste gevecht voor familie en stand.

Nu ik alle stukken en literatuur over Piet Six nalees vraag ik me opnieuw af: was dit werkelijk dezelfde man? Was dit dezelfde oom Piet die vanaf de jaren vijftig weer voornamelijk op Jagtlust rondhing, die de ochtenden in bed doorbracht en daarna een rondje maakte door de moestuin, die eens per week een bezoekje bracht aan Onder Ons en die opmerkingen van neefjes of nichtjes afkapte met: 'Dat kan niet waar zijn want anders had ik het wel geweten'?

Het zwaargewonde Amsterdam krabbelde weer overeind. De overkant van de Amstel, ooit bruisend en levend, was stilgevallen. Het oude buurtje rondom de Zuiderkerk was verkrot, veel huizen aan Rembrandt's drukke Jodenbreestraat stonden leeg, sommige panden waren ingezakt omdat al het hout eruit was gesloopt in die laatste ijskoude Hongerwinter. Meer dan tachtigduizend Joden, een tiende van de stadsbevolking, waren weggevoerd, slechts vijfduizend waren levend teruggekeerd.

Er werd, zeker die eerste jaren, liever niet over gepraat. Nederland had een nieuw verhaal nodig, zonder verontrustende feiten en details, een groots nationaal verhaal over vrijheid en verzet dat paste bij het zelfvertrouwen van een moderne natie. En dat verhaal werd ook prompt geleverd, door talloze journalisten, politici, schrijvers en kunstenaars. Opnieuw werd er weggekeken, nu van de intense ontreddering van de overlevenden van de concentratiekampen en alle andere slachtoffers. In de gesloopte Weesperstraat – ooit een smalle en drukke winkelstraat, nu groeide er gras – werd een 'Dankbaarheidsmonument' opgericht, als dankbetuiging van de Joodse Amsterdammers aan al degenen die hen tijdens de oorlog hadden beschermd. Pas veel later kwam de twijfel.

Grootemoes wilde sterven in Amsterdam, en zo ging het, in juni 1951. Jan en Tiny betrokken het huis aan de Amstel. Jan groeide uit tot een imposante *chef de la famille*, een grote kalende figuur met een kleine snor, stijf in het altijd blauwe pak, ondertussen luchtig converserend met de hoogheden van stad en land, een glas bier in de hand. Amstel had moeilijke jaren achter de rug, de Nederlanders dronken in de straatarme jaren na de oorlog opeens veel minder bier, jenever was veel goedkoper. Maar in 1955 werden alle vooroorlogse productierecords alweer gebroken.

Een jaar daarna werd de Amerikaanse markt bestormd. In het New Yorkse Empire State Building opende het bedrijf een eigen verkoopkantoor, de Amstel American Corporation. Bier uit blik werd er razend populair. Het marktaandeel van Amstel versloeg alle buitenlandse concurrenten, inclusief Heineken. In Hollywood lieten Jan en Tiny zich gretig fotograferen met Audrey Hepburn – die trouwens, via de Van Asbecks, een achternicht van de Sixen was –, in New York met prins Bernhard.

De zonen van Jan en Tiny werkten nu ook volop, de oudste als directeur van een beleggingsmaatschappij – later was hij een van de oprichters van een nieuwe omroep, de TROS – een andere als keel-, neus- en oorarts, de derde als ingenieur.

Jan was, net als Piet, nauw betrokken bij de inhuldiging van koningin Juliana in 1948, overal in de stad speelde hij zijn eigen rol. In de wereld van de exclusieve herensociëteiten leidde hij een historisch samengaan. In 1922 was de Sociëteit 1885 – een gelijksoortige herenclub – al ondergebracht in Onder Ons, in 1950 gebeurde dat ook met Hertog Hendrik, een nog veel deftiger gezelschap. Alles zat nu onder één dak, het onderscheid tussen de hoofdstedelijke adel en de 'nieuwe rijkdom' telde alleen nog voor een handvol hoogbejaarde liefhebbers.

'Grootvader was een overweldigende figuur,' vertelde een van de Sixen me. Hij herinnerde zich nog hoe hij met zijn broertje, als kleine jongens, voor zijn huis langs de Amstel scharrelde. Uit een rioolpijp in de kademuur kwam opeens iets enorms naar buiten schuiven. 'We zwegen respectvol, fluisterden toen tegen elkaar: "Grootvader."'

De 'drie op Jagtlust' leidden ondertussen jaar na jaar het tijdloze landleven van een oude familie, gefortuneerd en sober tegelijk. Er werden bezoekjes afgelegd, in de zomer kwamen de neefjes en nichtjes logeren. Tante Nine trad in de voetsporen van haar vader en grootvader, ze werkte jarenlang als conservator bij het Koninklijk Oudheidkundig Genootschap. De rest van de tijd bracht ze door in haar atelier, ze maakte schitterende glazuren.

Oom Piet teerde, na zijn handvol glorieuze jaren, op zijn status. Op de voorgrond trad hij nooit, hij kon uitstekend observeren, wist alles en deelde niets. Hij behield zijn vaardigheid in het leiden van dubbellevens: zo nu en dan was hij even helemaal weg, dat was iedereen van hem gewend. Na zijn dood bleek dat hij er in Spanje een gezinnetje op na had gehouden. Jarenlang sliep hij nog met een pistool onder zijn kussen, nog altijd beducht voor revanche, van welke zijde ook.

Tante Totie werd gaandeweg de spil van het familieleven. Iedere week was ze een dag aan de Amstel, ze nam alle archiefstukken door, noteerde op allerlei papiertjes wat ze er zelf nog van wist, bracht met vaste hand ordening in de fabelachtige papierchaos die vier eeuwen Six hadden nagelaten.

Een vast familieritueel was het eieren zoeken met Pasen, op Jagtlust. De tantes maakten er veel werk van, beschilderden eieren, maakten zakjes snoep voor de kleintjes. In de eetkamer schonk tante Totie warme chocolademelk – met vel –, in de moestuin hield de *chef de la famille* een toespraak, de kleintjes zochten eieren, er werd een enorm paasvuur aangestoken en daartussendoor werd er geluncht. Er was altijd één groot kartonnen ei, het Koningsei. Wie dat vond was de rest van de dag de Koning, de Paashaas, het gevierde kind.

Daarna pakten de twee freules en de jonker hun gewone dagritme weer op. Er werd eenvoudig gegeten, groenten en vruchten kwamen uit de eigen moestuin. In de herinneringen van neef Jacob: 'Na tafel las men zwijgzaam de kranten. Bij het lezen van de familieadvertenties kon een van de aanwezigen zeggen: "Frederik is overleden." Dan stond er één op en haalde het bijbehorende Rode Boekje (*Nederlands' Adelsboek*) uit de boekenkamer en werd het lemma in de kantlijn met een fijn potloodje bijgewerkt. Het leven was er doordesemd van standsbesef.'

Jan's huwelijk met Tiny van der Crab was niet al te best – Tiny had volgens de familie altijd wel ruzie met een van de kinderen – maar de rituelen werden hooggehouden, ook aan de Amstel. Op de nieuwjaarsreceptie van de familie was de kledingcode nog altijd strak: de jongens tot hun tiende in hun traditionele matrozenpakjes, vanaf hun twaalfde een blauwe blazer. De kinderen moesten alle ooms en tantes een hand geven, daarna kregen ze van elk de 'nieuwjaarsfooi', een grote zilveren rijksdaalder. De heer des huizes: 'Ik weet nog dat wij, als neefjes, die dikke munten dan door de marmeren gang lieten rollen. In onze matrozenpakjes.' Een paar dagen later, op 6 januari, kwamen Jan's kinderen en kleinkinderen opnieuw bijeen voor zijn verjaardag. Nu in de vorm van een uitbundige familielunch aan de lange uitgeschoven tafel, gedekt met oud damast, antiek zilver, kristal en kostbaar familieservies, omringd door 17e-eeuwse meesters. Rond de tafel, strak en wit als hun kanten eva's, de dienstmeisjes. Even nog flonkerde de wereld.

Eind 1958 ging Jan met pensioen. Hij bleef, in het voetspoor van zijn vader, een actieve Amsterdammer, vooral als het ging om het behoud van de oude stad. In 1954 was hij een van de initiatiefnemers van het Comité De Stad Amsterdam. De Amsterdamse binnenstad verkeerde die jaren in een fase van romantisch verval, overal waren de krotten ingepakt met dikke balken om ze voor instorting te behoeden, in de Jordaan waren de panden scheefgezakt met de loop van de voormalige poldersloten mee. Er werden al plannen ontwikkeld om grote delen van de historische stad te slopen en omwille van het autoverkeer de Amstel en een aantal grachten te dempen – voor het huis aan de Amstel kon dan een verkeersboulevard worden aangelegd. Er braken immers nieuwe tijden aan!

De radicale verkeersplannen hadden één grote verdienste: ze schudden de stad in één klap wakker. Een uitermate gevarieerd gezelschap begon een lang en taai gevecht tegen deze betonnen moderniteit in: een handvol actievoerders, plus de aannemer Van Saane, de jonkheer Jan Six van Hillegom en de bevlogen christendemocraat Geurt Brinkgreve. In hun conservatisme waren ze hun tijd vooruit: met hun Maatschappij tot Stadsherstel en hun Vereniging Hendrik de Keyser begonnen ze de oude stad nieuw leven in te blazen, een stad met grote monumenten maar ook met 17e-eeuwse arbeidersbuurten, een stad waar gewerkt én gewoond kon worden.

Ze kochten panden aan, lieten die zorgvuldig restaureren en zochten daarna een nieuwe gebruiker. Er bestond een voorkeur voor hoekpanden, die hielden een straat letterlijk en figuurlijk overeind. Hun initiatief was aanstekelijk: particulieren begonnen ook oude panden aan te kopen en op te knappen. Aannemers specialiseerden zich in restauratie, de kennis en kwaliteit werden almaar beter. Het was het begin van een verbluffende wederopstanding van het oude Amsterdam, tegen al het betonnen geweld van die jaren in.

Alles ging goed. Jan reed in zijn lichtblauwe Mercedes door een land dat in hoog tempo veranderde. De welvaart nam opeens snel toe, ditmaal voor bijna iedereen. De lonen sprongen omhoog, jaar na jaar. In 1950 was er voor zeventig Nederlanders één auto beschikbaar, in 1960 was er al een auto voor iedere twintig. De vanzelfsprekende hokjesgeest begon te verdwijnen, er werden steeds meer vragen gesteld, een nieuwe wind begon het stof weg te blazen: over geloofswaarheden, over het gezag, over rang en stand, over eeuwige zekerheden.

Er hing iets in de lucht. De geest van vernieuwing, die in mei 1945 zo vakkundig in de fles was teruggeduwd, begon zich opnieuw te roeren. Jan en Tiny hadden hun oudste kleinzoon begin mei 1961 een gitaar op zijn verjaardag gegeven, hij wilde pertinent zo'n ding, de jeugd dweepte met dat soort muziek. Het leek almaar lente. Ze waren net op kraamvisite geweest, er was weer een kleinkind geboren, Albert. Op de terugweg schoot hun Mercedes met grote snelheid opeens naar de middenberm – Jan kreeg vermoedelijk een hartaanval –, daarna zeilden ze naar de andere kant – Tiny gaf waarschijnlijk nog een ruk aan het stuur –, de auto belandde met een keiharde klap in een sloot, in volle vaart werden ze – veiligheidsgordels waren er nog niet – door het open dak weggeslingerd. Opeens lag Jan dood in een weiland bij Roelofarendsveen.

Tiny stierf een halfuur later. Het was 31 mei 1961.

'Ik heb die gitaar nooit meer aangeraakt,' zegt de heer des huizes. 'Naar de begrafenis mochten we niet, we werden naar een park gestuurd, met de gouvernante, daar speelden we spelletjes.' Het feit dat Tiny niet tegelijk met Jan overleed gaf naderhand nog flinke complicaties: voor de belasting had ze in dat ellendige halve uur nog gauw even een vermogen van Jan geërfd. De familie moest tweemaal successierechten betalen.

Na die meidag in 1961 gingen de Sixen steeds meer hun eigen gang. Natuurlijk, de familiebanden bleven hecht, maar dwingend en alomvattend waren ze niet meer. De saamhorigheid werd verstopt in meer subtiele codes. Sixen eten, bijvoorbeeld, het liefst alleen met een vork, Sixen tutoyeren, ook als kind, zelfs de oudste ooms en tantes: 'Denk eraan, we zeggen onderling altijd "je", we zijn immers familie!'

Op Jagtlust verdwenen de rituelen. Nine begon te dementeren. Oom Piet kreeg het aan zijn hart. Hij overleed in 1986 en werd met militaire eer begraven. In datzelfde jaar bleef Totie opeens dood op de wc. Nine overleed in 1992. Jagtlust werd ontmanteld, de kunstvoorwerpen en de antieke boedel werden geveild, het oude buitengoed werd verkocht aan een zakenman die rijk was geworden met 'human capital advies, interim management en executive search'.

De Sixen waren de laatsten in Nederland die nog een stuk eigen kust hadden, plus drie kilometer de zee in. Het was het ongerepte duingebied Wimmenum, bij Egmond, dat de eerste Jan al in 1679 had aangekocht. In de twintigste eeuw moest er alleen maar geld bij, alleen al voor de boswachters die er rondliepen. Pas in 1996 werd het verkocht, het ging voor enkele miljoenen naar de overheid. Dit laatste grote familievermogen werd, zoals dat meestal gaat met oud geld, versnipperd onder het grote aantal achterneven en nichten dat daar inmiddels recht op had.

Het huis aan de Amstel werd in het begin van de 21e eeuw totaal gerestaureerd. Jan Six – althans zijn portret – moest tijdens de verbouwing opnieuw verhuizen, ditmaal mocht hij op paleis Huis ten Bosch logeren, in de ontvangstkamer van de toenmalige koningin Beatrix.

Zijn nazaten kom je vandaag de dag overal tegen. Sommigen dragen hun titels nog, de meesten niet, ze bouwen met eigen kracht een bestaan op, los van alle tradities. Ze zijn, naar verluidt, aardiger dan voorgaande generaties.

Er zijn onder de hedendaagse Sixen artsen en natuurkundigen, een paar hoogleraren, een archeoloog, een Rembrandt-expert, een schapenhouder, een taxionderneemster, een uitvinder, een verloskundige, een advocate, een filmproducente, een psychiater, een oncoloog, een officier van justitie, een vertaalster, een handelaar in zeilwagens, een hovenier, een verpleger, een notaris, een harplerares – en nog veel meer.

Ze zijn uitgevlogen, al die Sixen. Ze redden zich uitstekend buiten de kooien van rang en stand. En toch nemen ze ook, of ze willen of niet, de resten van het oude nest mee op hun vlucht.

XX

Epiloog

'Voor de grote oorlog, in de tijd waarin zich de gebeurtenissen afspeelden waarover op deze bladzijden wordt bericht, was het nog niet om het even of een mens leefde of stierf. Als iemand uit de schare der stervelingen trad, nam niet meteen een ander zijn plaats in om de dode te doen vergeten, er bleef een leegte waar hij ontbrak en zij die van verre of van nabij getuige waren geweest van zijn ondergang, verstomden als ze die leegte zagen. [...] Zo was het toen! Alles wat groeide, had veel tijd nodig om te groeien, en alles wat ten onder ging had veel tijd nodig om vergeten te worden.'

JOSEPH ROTH, *RADETZKYMARS*

De Sixen komen van ver. Aan de keukentafel hebben we het er soms over. Bijvoorbeeld afgelopen winter, toen in het Metropolitan Museum of Art in New York een familiewapen tevoorschijn kwam als van de Sixen, en wel op het portret van een middeleeuwse jonge man. Ooit was het een onderdeel van een drieluik waarvan het middelste deel verloren is gegaan, een vroeg werkstuk van de Wittenbergse schilder Lucas Cranach de Oude. De man kijkt devoot en geconcentreerd naar het hart van het drieluik – wellicht Christus of Maria –, hij is rijk gekleed, hij heeft een rozenkrans in de hand en hij draagt twee gouden ringen. Het schilderij is schoongemaakt. En nu blijkt in de steen van een van die ringen een wapen zichtbaar dat veel weg heeft van dat van de Amsterdamse Sixen: twee manen en een ster.

Opwinding alom. Cranach was rond 1508 in Brussel, hij reisde wellicht via Kamerijk, deze jonge man kan dus inderdaad een vroege Six zijn. Maar wie? We speculeren erop los.

Het zou, gezien zijn leeftijd, een zoon kunnen zijn van Guillaume Six die in 1489 baljuw was van Walincourt, vlak bij Kamerijk. Maar wie van de drie zonen? Gilles of Michel Six? Of was het de schildknaap Jean Six die in 1511 uit Kamerijk verhuisde naar Saint-Omer, de vader van Charles, met wie dit hele verhaal begon?

We zullen het waarschijnlijk nooit weten, maar ik herken wel onmiddellijk de kleine welving in het midden van de neus. Dezelfde als bij de eerste Jan, en ook bij latere Sixen komt hij terug, zo'n eindeloos doorgegeven erfstukje van de Sixen uit Artois.

Ik weet nog steeds niet goed wat me bezielde toen ik, na lang aarzelen, voor de verleiding bezweek. Het huis aan de Amstel en zijn bewoners fascineerden me, vanaf het allereerste moment. Dat had te maken met de collectie, de familieverhalen, het archief, met al die ongekende kijkjes in de binnenwereld van de oude elite van stad en land.

Maar het was niet alleen nieuwsgierigheid. Ik raakte vrijwel direct ook betoverd door het verschijnsel dat Johan Huizinga ooit betitelde als 'historische sensatie': het gevoel dat hem beving als hij 'met kinderlijke graagte' bepaalde oude prenten bekeek. Die gaven hem 'een onmiddellijk contact met het verleden, een sensatie even diep als het zuiverste kunstgenot'.

Iedere liefhebber van geschiedenis herkent dat. Huizinga's

biograaf Léon Hanssen spreekt over 'contact krijgen met de verleden tijd, erin overgaan en ermee samensmelten, al is het maar voor de beperkte duur dat men een oude penning in handen houdt, door de ruïne van een middeleeuws kasteel stapt, of naar een lied van Schumann luistert en een déjà-vu-ervaring meemaakt waardoor men zich voelt teruggevoerd naar een plaats en een tijd die herkenbaar zijn, maar waar men toch nooit was.'

Het is wel een ervaring die zeldzamer wordt. Veel verleden dat echt bestond – variërend van uitgesleten trappen tot frommelige archiefstukken – is immers weggerestaureerd en van de aardbodem verdwenen. In het huis aan de Amstel was dat unieke avontuur voor mij, als bevoorrechte onderzoeker, nog volop aanwezig. Aan de wanden en in de kasten en vitrines, op de zolders, maar ook in de duizenden prenten, boeken en archiefmappen. Ik lees bij Hans Bontemantel over een gouden penning die Nicolaes Tulp in 1672 kreeg bij zijn ambtsjubileum, en daar is hij, ik kan hem gewoon vasthouden en bekijken. Ik ontcijfer de krabbels van de eerste Jan in de kantlijn van zijn toneelstuk *Medea*, regieaanwijzingen uit 1647. De woedende uithalen van Lucretia uit 1838, de druk van haar pen op het papier is tastbaar.

Het was verleidelijk om deze geschiedenis enkel te baseren op al die losse flarden, op al die Sixen die zich met vallen en opstaan een weg baanden door de tijd. Die brieven, dagboekjes en andere losse archiefstukken kunnen zo'n vergeten Six zo dichtbij brengen dat je hem of haar bijna kunt aanraken. Maar het blijven enkel brokken, losse tegels tussen het onkruid waarover auteur en lezer moeizaam stappend een weg moeten zien te vinden. Een compleet leven is zelden of nooit te reconstrueren – en dat geldt al helemaal voor een familiebiografie die zich uitstrekt over ruim acht eeuwen. Veel archiefmateriaal is verloren gegaan, in het vuur dat de boze schoonzus Hanny ooit op Hilverbeek stookte, maar ook elders. Overal in deze geschiedenis liggen enorme blanco plekken, als op oude landkaarten, en alleen romanschrijvers hebben het recht om die te betreden. Het is spelen met een legpuzzel waarvan de meeste stukjes zoek zijn geraakt, een zoektocht door een doolhof van kelders met enkel een kaars in de hand.

Dat wil niet zeggen dat de hoofdpersonen van dit verhaal me vreemd zijn gebleven. Twee, drie jaar lang ging ik dagelijks met ze om, niet zelden op vrij intieme voet, ik leerde hun karakters enigszins kennen, ik kan, zij het met moeite, een paar lijnen uitzetten. Marguerite Yourcenar noemde dit 'de grafiek van een mensenleven', een grafiek die geen rechte lijn is van de wieg tot het graf maar drie curven 'die elkaar voortdurend naderen en zich van elkaar verwijderen: dat wat een mens geweest meent te zijn, dat wat hij heeft willen zijn, en dat wat hij werkelijk was'.

Natuurlijk blijven er duizend vragen. Het liefste had ik al die Sixen nog eens bijeen gezien in de grote zaal van het huis, uitkijkend op de tuin. Met Anna van den Bempden had ik bijvoorbeeld graag eens een praatje gemaakt, het leek me, ondanks alle gecorrumpeerde deftigheid, een bijzondere vrouw. Ook haar zoon, de rentenierende Jan, had ik lang willen spreken, zijn leven is voor mij nog altijd zo'n blanco plek, het liet te weinig sporen na – behalve dan een uitbundig verbouwd grachtenhuis.

De patriotse Jan kon me uitleggen waar de terugval van de Sixen in status en inkomen, rond 1800, nu werkelijk aan te wijten was. Henriette wilde ik uithoren over haar liefde voor de schoutsdienaar – en vooral over de nasleep van deze affaire, over de abrupte overstap van een elitebestaan naar de 19e-eeuwse burgerwereld. Jan met de bochel had me eindelijk eens verteld hoe híj die jaren had beleefd, eeuwig aan de zijlijn, als mislukte kroonprins. En de eerste Jan had klip-en-klaar antwoord kunnen geven op de vraag: schilderde Rembrandt zijn portret inderdaad in 1654, of is het Six-portret van een andere datum? Bleef hun vriendschap toch stilletjes in stand?

Virginia Woolf schreef *Orlando*, over de man/vrouw die eeuwig bleef leven, eindeloos buitelend door de Britse geschiedenis. Een soortgelijk verhaal valt te vertellen over Jan Six: opgegroeid in het Amsterdam waar de grachten werden gegraven en het immense stadhuis werd neergezet, bevriend met Rembrandt en Vondel, getrouwd met de dochter van de arts Tulp van de *Anatomische les*, burgemeester van een 17e- en

18e-eeuwse metropool, projectontwikkelaar in de Hollandse duinen, gastheer van de jonge Mozart tijdens zijn verblijf in Amsterdam, smadelijk afgezet als maire bij de val van Napoleon, studeerkamergeleerde en hoogleraar in het herrijzende 19e-eeuwse Amsterdam, industrieel in de dynamische 20e eeuw. Het verhaal, kortom, van de 'koningen van de Republiek', hun opkomst, hun schittering aan de toppen van de macht en, in de eeuwen daarna, hun trage landing op aarde.

De veranderingen in hun bestaan – het is trouwens een algemeen historisch verschijnsel – verliepen zelden geleidelijk. Decennialang gebeurde er weinig of niets, en dan, opeens, sprong de geschiedenis twintig of honderd jaar vooruit. Drie, vier eeuwen lang werd Amsterdam geregeerd door dezelfde familiegroepen, volgens dezelfde regels van rang en stand. Op de ijskoude maandagochtend van 19 januari 1795 was dat voor Jan Six en zijn nazaten in één pennenstreek voorbij. En wat was het geheugen kort: rond Lucretia van Merken bestond bijvoorbeeld een bloeiend 18e-eeuws feminisme, een cultuur van verlichte en zeer intelligente vrouwen met een vanzelfsprekende zelfstandigheid. Eén generatie verder, rond 1820, was daar niets meer van over, alsof die vrouwen nooit hadden bestaan.

Ik moet bekennen dat ik bij deze expeditie ook mijn persoonlijke motieven had. Ik had eindeloos rondgereisd, voelde me wat ontworteld, en wat is dan verleidelijker om je een poosje enkel bezig te houden met een oud huis, met een reisverhaal over twee trappen en drie gangen en met mijn eigen Amsterdam. Het hielp niet echt: het heden bleef me tijdens dit project voortdurend achtervolgen, de associaties drongen zich telkens weer op. Bijvoorbeeld bij de graaicultuur van de 18e-eeuwse regenten, met hun nepfuncties en opgeblazen ambten, waarbij op dezelfde manier op de publieke sector werd geparasiteerd als in de huidige managerscultuur. En bij het wankele systeem van de Republiek met zijn zeven losse provincies: de Amerikaanse founding fathers vonden de constructie lang niet degelijk genoeg en schiepen een echte federatie, de situatie lijkt verdacht veel op de huidige Europese Unie. En bij de worsteling van de eerste Jan met de revolutionaire opvattingen van de beginnende Verlichting – leven we niet in eenzelfde tijd van grote verschuivingen?

Ook associaties met mijn eigen familieverleden waren, bij een project als dit, uiteraard onvermijdelijk. Terwijl Pieter Hendrik Six zijn dochter Louke een miljoen meegaf als bruidsschat sjokte mijn ene overgrootvader achter een bakkerskar van Leeuwarden naar Drachtstercompagnie en naaide mijn andere overgrootvader van 's ochtends vroeg tot 's avonds laat zeilen voor de Vlaardingse en Schiedamse loggers. Ze keken stilletjes mee over mijn schouder als ik me door de archiefstukken ploegde, ze verwonderden zich over de slapende pracht van de collectie, ze verbaasden zich tegelijk over de vanzelfsprekendheid waarmee begrippen als 'stand' en 'familie' alom de toon bleven zetten in plaats van, pakweg, 'vrijheid', 'gelijkheid' of 'broederschap'. Ik hoor ze denken: Waarom konden die mensen, met hun geld en hun status, altijd maar alles blijven doen wat ze wilden, generatie na generatie?

Het tegendeel was waar: de Sixen waren opgesloten in ijzeren familieverbanden, gebonden aan duizend-en-een verplichtingen. Het meest ingrijpend was, in onze ogen, de afgedwongen relatie tussen man en vrouw. Gearrangeerde huwelijken hoorden in deze kringen tot de normale gang van zaken. Nog ver in de twintigste eeuw trouwden de Sixen enkel binnen de eigen stand, nu nog hoorde ik verhalen over een dochter die rebelleerde met een partner van eigen keuze. Níet trouwen kon trouwens net zo goed een dwingende verplichting zijn, vooral als er veel dochters waren die het familievermogen te zeer zouden 'verdunnen'. Dat zou zelfs bij Nine en Totie het geval kunnen zijn geweest. Maar nooit werd daarover gepraat, het tonen van gevoelens, althans naar de buitenwereld, bleef taboe.

Alleen: verborgen al die uiterlijkheden van rang en stand, al die deftigheid en al die rituelen nu werkelijk zo'n grote emotionele armoede? Soms wel, met name in de omgang met mensen buiten de 'eigen' kring. Ik trof bijvoorbeeld een 19e-eeuwse dame, een aangetrouwd familielid van de Sixen, die zo stijf stond van bekaktheid dat ze haar personeel niet meer rechtstreeks wilde aanspreken – het feit dat ze *dame du palais* was geworden was haar duidelijk naar het hoofd gestegen. Maar door alle eeuwen heen stuitte ik ook op hartelijke brieven, warme gebaren, doorleefde gevoelens. Bijvoorbeeld de 18e-eeuwse Anna van den Bempden, zo druk bezig met het wel en wee van haar kleine Jantje. Of de 19e-eeuwse Hendrik Six, ogenschijnlijk een knorrige man, die 's avonds nog schrijft aan zijn twee jongens. 'Lieve kinderen, knolleboutjes...'

Regelmatig proefde ik vormen van liefde en trouw die ik bijna niet begreep. Met name betrof dat de immense loyaliteit aan de doden, aan voorgaande generaties, aan de familie. 'Mensen die in aristocratische eeuwen leven, zijn bijna altijd verbonden met iets wat zich buiten hen bevindt, en zij zijn bereid zichzelf te vergeten,' meende Alexis de Tocqueville, al gaf hij toe dat in die eeuwen het begrip 'medemens' duister was en men er nauwelijks aan dacht 'om zich aan de zaak van de mensheid te wijden'.

In wezen gaat dit boek – dat zie je vaak pas achteraf – over ongelijkheid en ongelijkwaardigheid. Het is bijna komisch hoe de bezoekers zichzelf soms neerzetten in het gastenboek van de Six-collectie: natuurlijk had koningin Wilhelmina een volle pagina nodig, terwijl Claude Monet zich verstopte in een klein hoekje en de theologiestudent Vincent van Gogh zelfs geen kans kreeg om te tekenen. (Toch heeft Van Gogh tijdens zijn verblijf in Amsterdam de collectie vrijwel zeker gezien, anders had hij nooit zo gedetailleerd over het Six-portret – het 'rood' – kunnen jubelen.)

Ongelijkheid was voor de meeste hoofdpersonen van dit boek een vaststaand gegeven, een onderdeel van de van God gegeven ordening die ieder een eigen plaats gaf, man en vrouw, zoon en dochter, dienstmeisje en burgemeester. Ondanks alle democratische revoluties was dat tot zeker 1900 de gangbare opvatting – en ook die overgrootvaders van mij zullen in dit soort termen hebben gedacht over mens en samenleving. De historicus en politicoloog Siep Stuurman beschrijft gelijkheid als een 'uitvinding', 'een voorstel om de menselijke verhoudingen op een nieuwe manier te bekijken en te waarderen'. Ongelijkheid is immers, net als gelijkheid, een abstract begrip, het is geen feit maar een manier van kijken. Daarop was in het verleden een hele samenleving gebaseerd, met talloze vormen, rituelen en instituties, van familiekongsi's tot stedelijke ambten tot buitengoederen en gedragscodes. Het idee van ongelijkheid schiep zo een eigen realiteit, net zoals daarna het idee van gelijkwaardigheid gaandeweg een nieuw soort samenleving creëerde. Daarom was de Amerikaanse Revolutie zo razend interessant voor oplettende tijdgenoten, van Lucretia van Merken tot, wat later, Alexis de Tocqueville.

De 'uitvinding' van gelijkheid zien we al opduiken bij de eerste Jan, als hij in zijn notities het gedachtegoed van Descartes onder de loep neemt. Descartes benadrukte, met zijn 'Ik denk, dus ik ben', keer op keer het individuele, eigenzinnige denken van de mens, en daarmee zijn zelfstandigheid. Daarin lag reeds, in de kiem, het idee van individuele vrijheid – en dus gelijkwaardigheid – dat later de motor zou worden van de Verlichting en de democratiseringsbewegingen die daarna volgden. Vanaf dat moment had, zoals Stuurman het uitdrukt, 'gelijkheid het voordeel van de twijfel en moesten voor de ongelijkheid argumenten worden aangevoerd, terwijl het in alle voorafgaande tijdperken omgekeerd was geweest'.

Het fort van ongelijkheid zien we ook in deze familiegeschiedenis verkruimelen. Bij het doelistenoproer van 1748 werd het voor het eerst aan het wankelen gebracht, het werd verder ondermijnd door de Amerikaanse vrijheidsoorlog, de Franse filosofen en de patriotse beweging, totdat in 1795 de definitieve politieke omslag kwam: afkomst en stand waren niet meer bepalend voor het vervullen van publieke ambten, professionele normen kregen langzaam de overhand.

Op het persoonlijke vlak begon de ongelijkheid eveneens te vervagen: tekenend zijn de 'ongeoorloofde liefde' van Henriette Six voor haar schoutsdienaar, haar minirevolutie en haar moedige uitbraak. Zo wandelden de Sixen langzaam van het ene waardesysteem naar het andere – hoewel sommige zich, net als bij andere oude families, nog lang vastklampten aan hun verloren wereld.

Het had een zekere noodlottigheid, die trage neergang van bijna alle oude Europese families, met overal hetzelfde patroon. De 'uitvinding' van de gelijkheid en de Verlichting waren immers Europese bewegingen, en dat gold ook voor de democratisering, de sociale revoluties en wat daar verder uit voortkwam. De reactie was eveneens Europees. Het lezen van bijvoorbeeld *De Buddenbrooks* was, terwijl ik met de Sixen bezig was, een feest van herkenning: een dochter die beneden haar stand dreigde te trouwen, het belang van een prestigieuze woning, broers en echtgenoten die het familievermogen verkwistten – 'Er is te veel geld door ongeluk, dwaasheid en infamie verloren gegaan' –, een afkeer van de politiek en een almaar toenemende zuinigheid – 'Gedurende vrij lange tijd was een dessert alleen op zondag toegestaan.'

Toch waren er ook grote verschillen. De Sixen werden, na een luwte van enkele decennia, in de 19e eeuw opnieuw actief in de stad. Met hun verzameling waren ze een schoolvoorbeeld van het begrip 'sociale status door tijd': een maatschappelijke positie die wordt gedragen door sporen van een lang verleden: aristocratische namen, titels, kastelen en buitengoederen, schilderijen en verzamelingen, alles, kortom, wat alleen verworven kan worden door middel van tijd.

De Sixen voerden, daarnaast, een slimme huwelijkspolitiek. Ze letten scherper op dan de Buddenbrooks, ze konden dat ook omdat de huwelijkspartners meestal uit de stad of de nabije omgeving werden betrokken. Na drie van zulke fortuinlijke huwelijken mochten de Sixen, die na een diepe terugval in de napoleontische tijd binnen de aristocratie als 'arm' bekendstonden, zich rond 1890 weer rekenen tot de rijkste families van Amsterdam. Pas in de 20e eeuw moesten de kinderen een baan gaan zoeken.

'Oud geld bestaat niet meer,' hoorde ik keer op keer aan de keukentafel in dit huis. 'Als oude families geld hebben is dat nieuw geld, geld dat de afgelopen decennia is verworven.' De laatste jaren is, daarbij, in rap tempo een hedendaags systeem van rangen en standen in opkomst. De rijkste 1,3 procent van de Nederlandse huishoudens heeft, althans volgens de privébank Van Lanschot, alweer meer dan 40 procent van het totale Nederlandse privévermogen in handen. Daarmee slingert de pendule terug naar het vooroorlogse niveau van ongelijkheid. Mondiaal zijn de verschillen nog veel extremer: 1 procent van de wereldbevolking bezit momenteel evenveel als de resterende 99 procent.

Op een bepaalde manier kan dit boek worden gelezen als een kleine geschiedenis van dit soort ongelijkheid: van de gestolde verhoudingen die extreme ongelijkheid op den duur met zich meebrengt, van het gebrek aan dynamiek en samenhang binnen al te ongelijke samenlevingen, van de benauwdheid, de blindheid en de waandenkbeelden die ongelijkheid met zich mee kan brengen binnen een al te gevestigde elite. Opnieuw openbaart de huidige ongelijkheid zich, net als in de 17e eeuw, vooral achter gesloten deuren: in gated community's, in exclusieve vakantieoorden en privévliegtuigen, in de toverwereld die het nieuwe geld opnieuw voor zichzelf heeft geschapen.

Adellijke namen komen tegenwoordig op de lijstjes met 'rijkste families' en 'meest invloedrijke Nederlanders' nauwelijks of niet meer voor. De neergang van deze notabele families is echter betrekkelijk. Ze pronken niet meer met hun titels, hun extreme rijkdom is aan het verdunnen en verdampen, hun imposante grachtenhuizen zijn overgenomen door banken en multinationals, hun buitengoederen zijn gesloopt of verbouwd tot congrescentra, toch wisten ze zich overal in Europa redelijk goed te handhaven in de toplagen van de samenleving.

In Nederland deed de socioloog Jaap Dronkers onderzoek naar bijna vierduizend adellijke personen, een steekproef uit het fameuze 'Rode Boekje'. Zijn conclusie: 'De adel is geen fossiel, maar een levend verschijnsel van onderschat maatschappelijk belang.' Een omvangrijke enquête onder de adel in 2005 bevestigde dit beeld. Nog altijd blijken deze families onevenredig veel topposities te bezetten – zij het minder in de diplomatie – en overmatig aanwezig te zijn in de meest vermogende kringen. Hun traditionele netwerken – bijvoorbeeld de studentencorpora en clubs als Onder Ons – zijn daarbij van groot belang. Ook het woordgebruik fungeerde nog lang als een subtiel codesysteem: iemand van de eigen stand kon onmiddellijk worden herkend als hij 'wc' zei in plaats van 'toilet', of 'ijskast' in plaats van 'koelkast', 'taartje' in plaats van 'gebakje' en 'zin' in plaats van 'trek'.

Huwelijkspolitiek speelt ook nog steeds een rol: adellijke personen blijken vele malen vaker – om precies te zijn: 24 keer – te trouwen met iemand anders van adel dan niet-adellijke personen. Hun familiegeschiedenis en familiebanden maken hun tijdshorizon breder, wat ze ook ondernemen. En, laten we wel wezen, erin geramde discipline, gevoel voor eigenwaarde en talent dragen zeker bij aan hun posities: in veel families is men vanouds gewend om te besturen – en daarvan is men zich maar al te bewust.

Die erfelijke ongelijkheid is ook overal elders ter wereld waarneembaar. Bijzondere familienamen die vele generaties geleden al werden geassocieerd met de elite komen nog steeds onevenredig veel voor in de huidige toplaag. In Stockholm is het belastbare inkomen van de 'oude namen' 44 procent hoger dan gemiddeld. In Oxford en Cambridge zijn de kansen om toegelaten te worden voor 'oude namen' viermaal hoger. In Hongarije zijn gigantische lappen grond nog altijd in handen van 'oude namen'. Amerika, het gelijkheidsland bij uitstek, kent desondanks een hele reeks familiedynastieën van senatoren, gouverneurs en presidenten. Zelfs in China komen de dertien 'oude namen' die de toon zetten in de 19e-eeuwse keizerlijke examens bovenmatig vaak terug onder topfunctionarissen en hoogleraren van elite-universiteiten in de 21e eeuw.

De Sixen passen wel en niet in dit beeld. In hun familiegeschiedenis speelt ondernemerschap een rol, maar het is niet overheersend. Ze bestuurden, ze hadden al generatie na generatie een groot hart voor monumenten en cultureel erfgoed, ze waren en zijn vooral kunstliefhebbers en verzamelaars: bij de eerste Jan en zijn zonen, bij Hendrik en Lucretia, bij de 19e-eeuwse Jan en diens kinderen en kleinkinderen, overal duikt die eigenschap weer op, tot op de dag van vandaag.

De psychiater van Louise Blaauw, G. Jelgersma, beschouwde hun verzameldrift als een ziektebeeld, volgens hem had 'de gehele familie Six, zoals ik wel eens gehoord heb, een sterke neiging tot verzamelen'.

Ik zie dat anders. 'Mooie dingen zijn er niet voor bedoeld om in musea te staan en als rariteiten te worden bekeken, je mond open van verbazing. Ze horen deel uit te maken van je leven,' schreef Konstantin Paustovski ooit. Hij beschreef 'de onuitwisbare indruk' die de dagelijkse omgang met schoonheid achterlaat. 'Ongemerkt groeit dan je ziel.'

Het koesteren van zulke collecties is zo een vorm van verzet, een subtiele poging om bepaalde zaken buiten de tijd en de tijdgeest te plaatsen. Het zijn 'multigeneratieondernemingen', met als voornaamste doel om de levensloop van een generatie te overstijgen, om alles te behouden wat van waarde is, om de eindigheid van het leven te weerstaan.

De tiende Jan Six, de heer des huizes, staat daar ogenschijnlijk nuchter tegenover. 'Ik heb dit allemaal in de wieg meegekregen,' zegt hij. Hij ziet het niet als zijn eigendom, het is enkel bezit waar hij, zoals de wet het uitdrukt, 'als een goed huisvader' op moet passen. 'Ik loop wel eens naar boven, en dan denk ik: Dat we dit allemaal nog steeds bij elkaar hebben!'

Het is een herfstmiddag, ik kom even langs, zomaar, voor een praatje. In de gang ligt weer zo'n enorme doos, bekleed met piepschuim. De eerste Jan Six staat op de grond, het portret van Wallerant Vaillant, het gaat zo meteen op transport, uitgeleend voor een tentoonstelling. 'Kijk eens, dat is nog even iets anders,' zegt de heer des huizes. Hij wijst op de *Kleine Pandora* die op een gangkastje ligt. Ja, Vondel, Rembrandt, Hooft en de uitzinnige Coenraad van Beuningen mogen ook op pad.

Er is weer een kind op komst, bij de jongste zoon Bas. Aan de keukentafel wordt er druk over gepraat. De echo's gaan rond, een paar spartelende lijnen in het zwart, de 'oh's' en 'ah's' zijn niet van de lucht. Het is het Hansje in de kelder van de 21e eeuw: opnieuw laat een nieuwe Six zich zien.

Ik wandel nog maar eens naar boven, de klok tikt door alle gangen, maar bij de eerste Jan Six is het stil. Het licht kaatst over het water van de Amstel, de kamer kleurt op, zelfs de donkere hoed die Jan draagt is zichtbaar tegen het zwart. Het wordt tijd. Jan kijkt me aandachtig aan, een tikje weemoedig, alsof hij een beeld wil vasthouden in zijn herinnering. Zelf zal hij blijven wie hij was: altijd in zijn rode cape, altijd met die handschoenen, altijd op de rand van het afscheid.

Amsterdam, mei 2016

Verantwoording

Dit boek had nooit geschreven kunnen worden als aan de Amstel niet een voordeur was geopend, met daarachter de geur van koffie, een warm welkom en de inspiratie van een verbluffend huis, altijd maar weer, zeker drie jaar lang. Dit project kon wortel schieten in een unieke sfeer van openheid, gastvrijheid en onderling vertrouwen, en dat zette ook de toon van dit boek. 'De heer des huizes', jhr. Jan Six van Hillegom, blijf ik, naast zijn ideeën en adviezen, vooral daarvoor dankbaar. Vanzelfsprekend geldt dat ook voor zijn familieleden, de zonen Jan en Bas en de stille kracht op de achtergrond, Annabelle Six.

Nikki den Dekker en Milou Ulrich maakten, elk op hun eigen wijze, ook deel uit van die huiselijke sfeer. Nikki kende het archief als geen ander, altijd was ze een deskundige en toegewijde gids in deze doolhof. Ook Bas Dudok van Heel, kenner bij uitstek van het Amsterdamse patriciaat, ben ik veel verschuldigd. Genereus liet hij me meedelen in zijn enorme historische kennis en behoedde me voor misverstanden, familiesprookjes en subtiele fouten: 'Denk eraan, Geert, het is bij ons nooit "zus". Wij zeggen "zuster".'

Mijn vriend René van Stipriaan speelde een soortgelijke rol – zijn klassieker over de Gouden Eeuw, *Het volle leven*, geeft bovendien een schitterend beeld van de culturele context waarbinnen de levens van de eerste drie Jannen zich afspeelden. Hulp en adviezen kreeg ik, daarnaast, van allerlei kanten, van Gary Schwartz, David Rijser, Pieter Vlaardingerbroek en Bianca du Mortier tot Alex Lande, Michiel Verweij, Bea den Dekker, Veronica Handgraaf, Eveline Sint Nicolaas, Geertje Mak en Annejet van der Zijl.

Uitgeverij Atlas Contact was in dit schrijfproces, zoals altijd, een vertrouwd baken. Het was opnieuw een feestje om samen te werken met Emile Brugman, Ellen Schalker, Mizzi van der Pluijm, Leonoor Broeder, Marjet Knake en Anita Roeland.

Mijn eigen huis werd zeker twee jaar lang bezet door de geesten van al die Sixen. Het is geen pretje om op te trekken met een man die maandenlang leeft met een emmer over zijn hoofd, enkel nog gepreoccupeerd met de huwelijksproblemen van een zekere Lucretia Six uit 1833. Toch bleef mijn vrouw Mietsie al die tijd vrolijk, liefdevol en immens solidair. Iedereen ben ik dankbaar, en haar vooral.

Dit boek is, wat de familie betreft, gebaseerd op gedetailleerd archiefonderzoek. Cornelia van Spaendonck en jkvr. Catharina Six – 'tante Totie' – wil ik in dit verband met ere noemen: met eindeloze zorg brachten zij ordening in de chaos van het toenmalige familiearchief, een gigantische klus waarop latere generaties konden voortbouwen. Deels geeft dit boek echter ook telkens weer een schets van de tijd en de denkwereld waarin al deze Jannen leefden. Wat dat laatste betreft stond ik op de schouders van een hele reeks voorgangers: specialisten in de diverse tijdvakken, cultuur- en literatuurhistorici, nationale en lokale geschiedschrijvers, maar ook beoefenaars van het fijne historische onderzoekswerk. U vindt ze in de literatuurlijst. Sommige bronnen verdienen echter een speciale vermelding.

Algemeen

Ten aanzien van de lokale geschiedenis van Amsterdam baseerde ik me, afgezien van tientallen detailstudies, uiteraard op het monumentale standaardwerk *Geschiedenis van Amsterdam*, het collectieve product van de Amsterdamse stadshistorici dat vanaf 2004 onder leiding van Marijke Carasso-Kok verscheen. Soms greep ik echter ook nog terug op het veel oudere overzicht van prof. H. Brugmans, *Geschiedenis van Amsterdam*, en op mijn eigen *Kleine geschiedenis van Amsterdam*.

Een beknopt maar fraai geïllustreerd beeld van het huis aan de Amstel geeft *The House of Six*, het in eigen beheer uitgegeven overzicht van de collectie.

Hoofdstuk 2

Dankbaar maakte ik gebruik van de uitstekende stamboom van de vroege familie Six van de hand van Wim Blok, die daarvoor zijn gegevens putte uit het *Groot Algemeen Historisch, Geografisch, Genealogisch en Oordeelkundig Woordenboek*, deel 9.

Over de rol van kleur in de late Middeleeuwen had ik, onder meer, veel baat bij bij het overzicht van Herman Pleij, *Kleuren van de Middeleeuwen*. En natuurlijk de Nederlandse vertaling die de kleurexpert Jaap den Hollander maakte van het middeleeuwse handboek van Petrus de Audomaro: *De coloribus faciendis/Over het maken van kleuren*.

De vermogens van veel toenmalige Amsterdammers, onder anderen van de Sixen, waren moeilijk te taxeren – er vielen nogal wat vermogensbestanddelen buiten de belastingkohieren. Ik ontleende, met de nodige voorzichtigheid, deze gegevens aan meerdere bronnen, met name ook aan Kees Zandvliet, *De 250 rijksten van de Gouden Eeuw*.

Sommige auteurs menen dat het gedicht van Vondel doelt op een ander portret van Anna Wijmer, namelijk dat van Jacob Adriaensz. Backer, dat in de nalatenschap van Pieter Six werd aangetroffen. Wie meer wil weten over dit portret en met name over de verandering van Anna Wijmer van een staande in een zittende dame: zie het restauratierapport van Laurent Sozzani en Eneida Parreira, 4 juli 2012, Collectie Six.

Hoofdstuk 3

Ik ben wat betreft de Gouden Eeuw schatplichtig aan een hele reeks auteurs, maar een viertal springt eruit: René van Stipriaan, Maarten

Prak, Willem Frijhoff en Marijke Spies. René van Stipriaan noemde ik al. Prak's diepzinnige analyse van de Republiek als vertrouwenssamenleving in *Gouden Eeuw. Het Raadsel van de Republiek* is nog altijd waardevol. Willem Frijhoff en Marijke Spies schreven een indrukwekkend overzicht van de hele periode: *1650. Bevochten eendracht*. Daarnaast blijven de standaardwerken van Jonathan Israel – *De Republiek, I en II* en *Radicale Verlichting* – belangwekkend.

Voor de geschiedenis van de panden Kloveniersburgwal 101 en 103 maakte ik dankbaar gebruik van de monografie (Amsterdam, 2014, privé-uitgave) die Gee de Wilde daarover schreef. Ook over het Glashuys: I.H. van Eeghen, *De buurhuizen van het Glashuys*.

Hendrik Battjes beschreef gedetailleerd de Zuiderkerk in *Zuidertoren 400 jaar*. Over het schildersleven in diezelfde buurt is het proefschrift van S.A.C. Dudok van Heel zeer informatief: *De jonge Rembrandt onder tijdgenoten*. De explosieve groei van Amsterdam en de bouw van de grachtengordel beschreef Jaap Evert Abrahamse uitvoerig in *De grote uitleg van Amsterdam*.

Over de kleding van Jan Six, de ruiterijgezelschappen, zijn jachtpartijen, zijn Italiaanse reis en de interpretatie van het beroemde Six-portret van Rembrandt: Marieke de Winkel, *A Gentleman in a Grey Riding Coat*. Ook René van Stipriaan en Frank van Westreenen schreven over de Italiaanse reizen.

Hoofdstuk 4

Over de verzameling van Rembrandt was Ben Broos een goede bron: 'Rembrandt en zijn schilderachtig universum'. De dichtersnegotie van Jan Vos werd mooi beschreven door Nina Geerdink: *Dichters en verdiensten. De sociale verankering van het dichterschap van Jan Vos (1610-1667)*. Wat betreft mythe en werkelijkheid rond de Muiderkring: L. Strengholt, 'Over de Muiderkring'.

Het verhaal over de Amsterdamse bibliofielen, de Amsterdamse Caesar-codex en Jan Six ontleende ik grotendeels aan H. de la Fontaine Verwey, *De geschiedenis van het Amsterdamse Caesar-handschrift*.

P.J. Six behandelde uitvoerig de 'chronosticha' van zijn voorvader Jan Six: *Nogmaals Omnia Orta Occidunt*. Nikki den Dekker zag in haar scriptie kans om Bailly's prent *Jeugdige heer met zijn knecht* te herleiden tot een jachtportret van de jeugdige Jan Six: *Een opmerkelijk portret van Jan Six door Jan Stolker*. Auke van der Woud beschreef het voormalige Nederlandse landschap, inclusief de streken rondom Elshout, in *De nieuwe mens. De culturele revolutie in Nederland rond 1900*.

Hoofdstuk 5

Het raam waarvoor Jan Six op Rembrandt's ets uit 1647 poseerde is door de huidige bewoners van de Blauwe Arend nauwkeurig getraceerd. Op de twee voorstudies is, naast de rechtermouw, nog net een hoekje van een bordesbalustrade zichtbaar – rekening houdend met het spiegelbeeld van de ets. Precies dat hoekje is nog steeds te zien vanuit een voorkamer van de huidige Kloveniersburgwal 103.

Bij de beschrijving van de *Pandora* had ik veel baat bij de doortimmerde Leidse scriptie van H.C. Sterkenburg *Over Pandora van Jan Six.*

De sombere voorspellingen over het levenseinde van Coenraad van Beuningen – 'of een hoer trouwen' – zijn opgetekend door Hans Bontemantel. Over Jan Vos en de nieuwbouw van de Amsterdamse Schouwburg in 1665: Timothy De Paepe, 'De Amsterdamse Schouwburg (1637-1774): een zoektocht naar het ideale theater'.

Over Rembrandt zijn boekenkasten volgeschreven, ik maakte daar uiteraard gretig gebruik van. Rond dit Six-project had ik vooral veel baat bij de studies naar de familienetwerken rondom de schilder van Bas Dudok van Heel – *De jonge Rembrandt onder tijdgenoten en* Gary Schwartz – *Rembrandt. Zijn leven, zijn schilderijen.*

Over de veiling van Uylenburgh: Jhr. Dr. J. Six, 'De Pandora van Jan Six'.

Een goed beeld van de relatie tussen Jan Six en Rembrandt geeft Caroline Rhodius in haar doctoraalscriptie: *'Rembrandt aen Ionnus Sicx', Een overzicht van de kunstwerken die Rembrandt voor Jan Six heeft gemaakt en een beschouwing over de relatie tussen deze schilder en zijn mecenas.* De bijzondere benadering van *Medea* door Jan Six is ontleend aan Gary Schwartz, 'Though Deficient in Beauty: A Documentary History and Interpretation of Rembrandt's 1654 Painting of Bathsheba'.

Het citaat van Huygens over Rembrandt, oorspronkelijk in het Latijn, is ontleend aan de vertaling van René van Stipriaan in *Ooggetuigen van de Gouden Eeuw.* Zie ook Gary Schwartz, *Rembrandt. Zijn leven, zijn schilderijen.*

Hoofdstuk 6

De belangrijkste bron voor het hoofdstuk over Nicolaes Tulp was uiteraard de serie diepgravende biografische essays die in 1991 over hem verscheen in *Nicolaes Tulp. Leven en werk van een Amsterdams geneesheer en magistraat.* Over zijn bestuurlijke loopbaan schreven, onder anderen, ook zijn tijdgenoot Hans Bontemantel, *De regeeringe van Amsterdam. Soo in 't civiel als crimineel en militair, 1653-1672* en S.A.C. Dudok van Heel, 'Tulpen uit Amsterdam'. Het grafologisch onderzoek naar het handschrift van Tulp werd, op basis van een aantal van zijn brieven, verricht door G. Nolthenius de Man.

Voor dit hoofdstuk had ik ook veel aan de twee prachtige studies van Luuc Kooijmans. *Gevaarlijke kennis. Inzicht en angst in de dagen van Jan Swammerdam* beschrijft de wetenschappelijke wereld waarin Tulp verkeerde en de dilemma's van de toenmalige onderzoekers. Het boeiende *Vriendschap en de kunst van het overleven in de zeventiende en achttiende eeuw* behandelt aan de hand van talloze persoonlijke documenten de aard van familiebanden en het begrip 'vriendschap' in de toenmalige Republiek.

De anatomische lessen in de Waag beschreef Ernest Kurpershoek in *De Waag op de Nieuwmarkt.* Over de speciale betekenis van anatomie in die tijd: Gary Schwartz en Philipp Blom. De specifieke situatie rond de *Anatomische les* van Tulp wordt uitvoerig behandeld in Frank IJpma en Thomas van Gulik, *Amsterdamse anatomische lessen ontleed* en in Norbert E. Middelkoop e.a., *Rembrandt onder het mes. De anatomische les van Dr Nicolaes Tulp ontleed.* De concentratie van de chirurgijns wordt verklaard door William Schupbach, *The Paradox of Rembrandt's Anatomy of Dr. Tulp.* Over het 'citaat' van Vesalius in *Tulps Anatomische les*: Rudi Fuchs, *Gebaren.*

Over het bijzondere karakter van Rembrandt's portret van Jan Six, zijn 'ruwe' stijl en het verband met het fenomeen 'sprezzatura': Jonathan Bikker en Anna Krekeler, 'De schilderijen, experimentele techniek'; Thijs Weststeijn, '"Zoo eigenzinnig in zyne verkiezingen"': Rembrandt in de ogen van tijdgenoten 1630-1730'; Ernst van de Wetering, *Rembrandt: The Painter at Work.*

Veel baat had ik bij de analyse van Larry Siedentop over de groei van het fenomeen individualiteit tijdens deze periode, in *The Origins of Western Liberalism.* Interessant was eveneens Rienk Vermij, *De geest uit de fles. De Verlichting en het verval van de confessionele samenleving.* De dame, ten slotte, die haar voeten zelden waste was Lady Dorset, meesteres van Knole. Ontleend aan Vita Sackville-West, *Knole and the Sackvilles*, ook een inspiratiebron voor dit boek.

Hoofdstuk 7
De datering van het befaamde Six-portret blijft discutabel. Taalkundig is het immers goed mogelijk dat het chronostichum van Jan Six daar *niet* op slaat. 'Uiteraard is dit verband niet uit te sluiten,' schreef de Leuvense latinist Michiel Verweij in een mailcorrespondentie, 'maar het is – vanuit het gedicht zelf – niet te leggen of te bewijzen.' Hij wees daarbij op het laatste woord 'tuli' (56 als getalswaarde), een werkwoord in de voltooide tijd: 'Het gedicht zegt niet: "Ik zie er zo uit", maar "Ik zag er zo uit". Het eerste had "fero" moeten zijn, wat metrisch gezien evengoed kan. Nu zou het kunnen zijn dat Jan Six hier met opzet gesmokkeld heeft en vanwege de getalswaarde het perfectum heeft gebruikt. Een andere mogelijkheid is dat hij in 1654 (het jaar van het chronogram) over een ouder schilderij een chronogram schrijft: op dat moment is het perfectum namelijk wel gerechtvaardigd. En er is een dergelijk schilderij, namelijk het kleine portret dat samengaat met het portret van "Chloris". Chloris is een typische naam uit de literatuur, zodat het verband met het epigram ineens wel door het schilderij wordt ondersteund. Dit is uiteraard maar een los idee, een hypothese, die vooral tot doel heeft om te laten zien dat het verband tussen het chronogram en het grote portret niet de enige mogelijkheid vormt. Ik zou in ieder geval achter het jaartal 1654 voor het grote schilderij een vraagteken zetten...'

Een argument voor 1654 – of zelfs nog een eerdere datering – komt echter van Isabella van Eeghen, die erop wijst dat de moeder van Jan Six op 21 juni 1654 overleed. 'Gezien de [rode] kleur van de cape lijkt het mij aannemelijk dat het schilderij vóór die dag dateert.' Zie I.H.

van Eeghen, 'De familie Six en Rembrandts portretten'.

De voorhuwelijkse manoeuvres van Johan de Witt worden uitvoerig beschreven door Luc Panhuysen in *De Ware Vrijheid. De levens van Johan en Cornelis de Witt*. Het citaat over 'regeringsschuitje' is, met meer, ontleend aan zijn bezorger, G.W. Kernkamp.

Jan Six XI deed interessant en nog ongepubliceerd onderzoek naar de latere gang van Rembrandt's Saskia-portret – de veilingstukken wijzen inderdaad op een bewuste strategie van zeker drie generaties Sixen om het portret zo lang mogelijk 'binnenboord' te houden.

Hoofdstuk 8

Bij dit hoofdstuk over de *Grote Pandora* baseerde ik mij uiteraard op de originele tekst en daarnaast op de transcripties die dr. Johanna Kuijer daarvan voor de familie maakte in de jaren veertig van de vorige eeuw. Veel plezier had ik ook van het doctoraalonderzoek van George Möller, *Het album Pandora van Jan Six (1618-1700)*.

Het gedonder van de predikanten over de aardbeving van 1692 ontleende ik aan het anonieme *Christelijke Aanmerkingen op de Sware Aardbevinge*. Maarten Hell was een goede bron als het ging om het dagelijkse werk van Jan als schepen: *Een veilige metropool. Handhaven en gedogen. 1578-1669*.

Wat betreft de kwestie Koerbagh ben ik schatplichtig aan de voortreffelijke studie van Bart Leeuwenburgh, *Het noodlot van een ketter, Adriaan Koerbagh 1633-1669*. Ook Adriaan Koerbagh zelf blijft zeer leesbaar: *Een licht dat schijnt in duistere plaatsen*, hertaald door Michiel Wielema. De biografieën van Spinoza beslaan een halve boekenplank. Ik baseerde me voornamelijk op Steven Nadler, *Spinoza*.

Over het ontwerp van huize Six aan de Herengracht door Adriaan Dortsman schreef Pieter Vlaardingerbroek, 'Adriaan Dortsman en Jan Six' en: I.H. van Eeghen, 'Adriaan Dortsman en Jan Six'.

Hoofdstuk 9

Een gouden bron over het fenomeen aristocratisering bleek de familiebiografie van Kees Schmidt, *Om de eer van de familie. Het geslacht Teding van Berkhout, 1500-1950*. Ook ontleende ik het nodige aan Willem Frijhoff en Marijke Spies, met name wat betreft de gelijkwaardigheid van de Nederlandse vroeg-17e-eeuwse samenleving en de onderhandelingshuishouding die daaruit voortvloeide. S.A.C. Dudok van Heel geeft in *Van Amsterdamse burgers tot Europese aristocraten. Hun geschiedenis en hun portretten* eveneens een belangwekkend inzicht in het Amsterdamse patriciaat. Over de afkomst van de familie Teding van Berkhout – zie, naast Kees Schmidt, Hendrick S. van Lennep, *Genealogie van de familie Teding van Berkhout*.

Over de opkomst en neergang van de schuttersstukken: Maarten Hell e.a., *Hollanders van de Gouden Eeuw*.

De Van Beuningens stammen in werkelijkheid af van de ondernemende 16e-eeuwse zuivelverkoper uit de Kalverstraat Geurt Dirkszoon van Beuningen. Zie C.W. Roldanus, *Coenraad van Beuningen. Staats-*

man en Libertijn. Een mooie familiebiografie schreef Mieke Breij, *Een vigilante familie*.

Hoofdstuk 10

Gegevens over klimaat en weersomstandigheden worden vaak ontleend, ook door mij, aan losse opmerkingen in dagboeken en brieven. Een voortreffelijk algemeen overzicht geeft het meerdelige werk van Jan Buisman. Een korte versie, mede samengesteld door A.F.V. van Engelen, geeft *Duizend jaar weer, wind en water in de Lage Landen, 1675-1750*. Over het verband tussen de Kleine IJstijd en de 'algemene Europese crisis' tussen 1618 en 1685: zie Geoffrey Parker, *Global Crises. War, Climate and Catastrophe in the Seventeenth Century*.

Bij het schrijven van dit hoofdstuk leunde ik regelmatig op het werk van Luc Panhuysen: *De Ware Vrijheid. De levens van Johan en Cornelis de Witt* en vooral ook op zijn meesterlijke *Rampjaar 1672. Hoe de Republiek aan de ondergang ontsnapte*.

Hoofdstuk 11

In 1985 verscheen een drietal belangrijke studies naar regentenelites in Hollandse steden waarvan ik dankbaar gebruikmaakte: J.J. de Jong, *Met goed fatsoen. De elite in een Hollandse Stad. Gouda 1700-1780*; Luuc Kooijmans, *Onder regenten. De elite in een Hollandse stad. Hoorn 1700-1780*; Maarten Prak, *Gezeten burgers. De elite in een Hollandse Stad, Leiden 1700-1780*.

Een goed overzicht van de zakelijke activiteiten van Jan II biedt de bachelorscriptie van Frank Verveld, *Jan Six II. Theorieën over vroegmoderne regentenfamilies getoetst aan een vermogend bestuurder*. Hij stuitte in het stadsarchief ook op de 'secrete notule'. De term 'optimaal kapitaalbindend' in de beschouwing over adellijke huwelijken ontleende ik aan Yme Kuiper.

Van Jacob Bicker Raye bestaat een nieuwe uitgave in modern Nederlands, bewerkt door Machiel Bosman, *Polsslag van de stad. De Amsterdamse stadskroniek van Jacob Bicker Raye (1732-1772)*. Ook: Beijerinck, F. en M.G. de Boer, *Het dagboek van Jacob Bicker Raye*.

Het grachtenhuis van Jan II, Herengracht 495, wordt uitvoerig beschreven door Paul Spies e.a. in *Het Grachtenboek*. Ook, anoniem, 'Huis Heerengracht 495' in het Jaarboek *Amstelodamum* nr. 5.

De Hillegomse historicus A.M. Hulkenberg beschreef uitvoerig de belangrijke rol van Jan II in Hillegom: *'t Vermaaklijk Hillegom* en *Hillegomse geschiedenissen*. Volgens de familieoverlevering had Jan voor Hillegom zelfs een hele eigen markt georganiseerd, de Noordermarkt werd vaak genoemd. Dat is niet juist. De verkoop van groenten was in de 17e en 18e eeuw geconcentreerd aan de Prinsengracht, tussen de Egelantiers- en de Looiersgracht, ook langs de Westermarkt. Om de chaos enigszins in te tomen waren de verkopers en hun schepen verdeeld naar de streek van herkomst. De kwekers uit Zuid-Holland stonden bijvoorbeeld gescheiden van de Noord-Hollandse, die uit de Bijlmer en Diemen hadden weer een andere plaats. Rondom die schepen ontstonden overal kleine marktjes. Vermoedelijk heeft Jan, binnen dit kader, voor 'zijn' Hillegommers wel een paar speciale ligplaatsen geregeld, maar meer ook niet. Zie Peter-Paul de Baar, 'Schadelijk of gezond?' en Theo Bakker, *Amsterdamse markten door de eeuwen heen gevolgd door de stad.*

Ten slotte de pruiken. Het feit dat ze in Amsterdam al vroeg in de mode raakten, blijkt onder andere uit een portret van de regent Andries de Graeff uit 1650. Daarop is hij duidelijk kaal aan het worden. Zes jaar later maakt Quellinus een beeld van hem: hij beschikt opeens weer over een flinke haardos. Duidelijk een pruik.

Hoofdstuk 12
De correspondentie tussen Anna van den Bempden en Cornelis Calkoen kwam mede boven water dankzij de hulp van Eveline Sint Nicolaas, conservator afdeling Geschiedenis van het Rijksmuseum, die onderzoek doet naar Calkoen (1696-1764) en zijn verblijf in Istanbul (1727-1744).

Het systeem van familieclans, maagschappen en corruptie wordt uitvoerig beschreven door Joost Kloek en Wijnand Mijnhardt in *1800. Blauwdrukken voor een samenleving* en door Maarten Prak in *Gouden Eeuw.* Over de bijzondere gang van zaken in Amsterdam, Johan E. Elias, *Geschiedenis van het Amsterdamse regentenpatriciaat* en Maarten Hell, 'Revolte, rust en revolutie, 1747-1795'.

Voor de gang van zaken tijdens het pachtersoproer raadpleegde ik een keur aan bronnen: twee contemporaine verslagen – *Het ontroerd Holland* en het ooggetuigenverslag van A.C. Braatbard, bewerkt door L. Fuchs, in *De Zeven Provinciën in beroering –*, René van Stipriaan, *Het volle leven*; R.M. Dekker, *Oproeren in Holland gezien door tijdgenoten*; mijn eigen *Kleine Geschiedenis van Amsterdam*, en uiteraard Jacob Bicker Raye. Over de aard van het pachtersoproer als sociale beweging: Rosa Deen, Jerney Hakkenberg, Annika Meijer en Jan Tervoort, 'De revoluties van 1747-1748'.

Het citaat van L.P. Hartley is afkomstig uit *The Go-Between.*

Hoofdstuk 13
Wat betreft de kleedgewoonten van de Sixen was Bianca du Mortier, conservator Kostuum van het Rijksmuseum, een voortreffelijke adviseuse, ook via haar boek, *Aristocratic Attire.*

Over de mentaliteit onder de elite van de 18e eeuw schreef Kees Schmidt uitvoerig in zijn eerder genoemde familiebiografie van de Teding van Berkhouts. De dagindeling van Coenraad Teding van Berkhout komt uiteraard ook bij hem vandaan. Veel had ik ook aan de beschouwingen van Joost Kloek en Wijnand Mijnhardt in *1800.* Daartegenover: Johan Huizinga, *Nederland's beschaving in de zeventiende eeuw.* Arianne Baggerman en Rudolf Dekker ontwikkelden eveneens een boeiende visie op het ontstaan van de verlichte burgerbeweging in de 18e eeuw: *Kind van de Toekomst.*

Het klavichord waarop Mozart in huize Six speelde was vervaardigd door J.A. Haas in Hamburg; het is nu onderdeel van de Russell Collection in Edinburgh.

Over het planetarium in huize Six en de opvattingen van de maker, Jan van den Dam: Huib J. Zuidervaart en Charlotte C.S. Rulkens, 'De Amsterdamse mathematicus Jan van den Dam (1706-1770) en zijn vernuftige planetaria'.

Over de mogelijke invloed van de Republiek op de Amerikaanse founding fathers publiceerde J.W. Schulte Nordholt al in 1979 een buitengewoon interessant onderzoek: 'The Example of the Dutch Republic for American Federation'. Boeiend is ook Janet Polasky, *Revolutions Without Borders: The Call to Liberty in the Atlantic World*.

Een meesterlijk boek over de leescultuur in de 18e eeuw, en met name over Nicolaas van Winter en Lucretia van Merken, schreven Inger Leemans en Gert-Jan Johannes, *Worm en donder. Geschiedenis van de Nederlandse literatuur 1700-1800*. Ook uitvoerig over Lucretia van Merken: Jan te Winkel, *De ontwikkelingsgang der Nederlandsche letterkunde. Deel 5. Geschiedenis der Nederlandsche letterkunde van de Republiek der Nederlanden*. Ik ontleende eveneens het nodige aan de beknopte biografie van Elly van Logchem, 'Merken, Lucretia Wilhelmina van'. Over de correspondentie van Lucretia van Merken met Gerard Vogels, Gilbert de la Fayette en George Washington: S.C. Bosch Reitz, *An Unpublished Correspondence of George Washington*. Eveneens: H.A. Höweler, *Lucretia Wilhelmina van Merken en George Washington*.

Hoofdstuk 14

De analyse van het schilderij van de kermis te Rijswijk van Esaias van de Velde is ontleend aan het werkstuk van Jan Six jr., *Een hondje van Nassau*.

Remieg Aerts voedde het idee van de periode 1770-1813 als 'broedfase' in 'Het eigenlijke begin van Nederland'. Het citaat uit de brief van Cornelis van Lennep aan zijn vrouw is afkomstig van jhr. F.J.E. van Lennep, *Als vorsten*. De citaten uit de fraaie levensbeschrijving van Jacob Frederic Serrurier komen uit Jan Drentje, '"Oud-Nederlandse hebbelijkheden". Twee Zwollenaren tegen de oligarchie, Jacob Frederik Serrurier en Johan Rudolf Thorbecke'.

Hoofdstuk 15

Een goede bron over het lot van de Nederlandse gardisten d'honneur was W.F. Lichtenauer, *De Nederlanders in Napoleons Garde d'Honneur*. Over de Franse veldtocht van 1812: Dominic Lieven, *Rusland tegen Napoleon. De strijd om Europa (1807-1814)* en Bart Funnekotter, *De hel van 1812. Nederlanders met Napoleon op veldtocht in Rusland*.

Het portretje dat op het theekopje stond – het zou de zogenaamde Franse minnares van Hendrik zijn – dateerde Bianca du Mortier, gezien haar kleding, op ongeveer 1795. Ze leidde dat af uit de haardracht, de zoom van de jurk en bovenal aan het zwarte bandje dat net onder de kin zichtbaar was – een vreemde mode tijdens de Terreurfase van de

Franse Revolutie, als verwijzing naar de talloze onthoofdingen. De vernederende afzetting van de patriotse Jan als 'maire' wordt levendig beschreven door J.B. van Loenen, *Beschrijving en kleine kroniek van de gemeente Hillegom*. Het is mogelijk dat hij dit verhaal nog uit de eerste hand hoorde.

Het citaat over de beperkte vrouwenbezigheden in de 18e eeuw is van de vrouwenhistorica avant la lettre, Suzanna von Wolzogen Kühr – *De Nederlandsche Vrouw in de eerste helft der 18e eeuw*.

De 'kwestie' Henriette: met dank aan Veronica Handgraaf, die de hele affaire nog eens uitspitte en gebruikte voor een historische roman: *Het deurtje van Henriëtte Six*.

Frans van Lennep beschreef, als eerste, uitvoerig het Casino in *Als vorsten*.

Hoofdstuk 16

Het 'grote wegkruipen' van het Amsterdamse patriciaat – en de adel in zijn algemeenheid – tijdens de 19e en de eerste helft van de 20e eeuw is de laatste jaren door een aantal auteurs in kaart gebracht. Van hun bevindingen maakte ik dankbaar gebruik: Barbara van Vonderen in *Deftig en ondernemend. Amsterdam 1870-1910*; Ileen Montijn in *Leven op stand 1890-1940* en *Hoog geboren. 250 jaar adellijk leven in Nederland*; Kees Bruin in *Een heerenwereld ontleed. Over Amsterdamse oude en nieuwe elites in de tweede helft van de negentiende eeuw*; Ursula den Tex in *Anna baronesse Bentinck, 1902-1989. Een vrouw van stand* en *Erfgenamen. Het verhaal van een Nederlandse familie van aanzien en vermogen*.

Ouder, maar nog altijd leesbaar en informatief zijn de beschrijvingen van binnenuit door Frans van Lennep: *Als vorsten* en *Late regenten*. Uitermate belangrijk is, naast al deze verhalen, het nuchtere onderzoekswerk naar de vermogensposities en de huwelijkspolitiek van de aristocratie door Jaap Moes, Yme Kuiper en anderen, onder meer in *Onder aristocraten. Over hegemonie, welstand en aanzien van adel, patriciaat en andere notabelen in Nederland, 1848-1914* en *Adel in Nederland*.

Hoe het 'volksgeluk' zich in de 19e eeuw versmalde tot huiselijk geluk en een cultuur van huiselijke gezelligheid beschrijft Remieg Aerts overtuigend in 'Het ingetogen vaderland: huiselijkheid, maatschappelijke orde en publieke ruimte'. Ook: Lotte Jensen, *Verzet tegen Napoleon*, Nijmegen 2013.

De roddelbrief van mevr. Croese over Lucretia is ontleend aan het dagboek van Willem Theodore Bauhauer.

Over de plantenjagers: Bill Bryson, *Terug in Amerika*; Peter Zwaal, *Frans Nicolaas Meijer (Frank N. Meyer), plantenjager in Centraal- en Oost-Azië*; Maarten J.M. Christenhusz en Gerda A. van Uffelen, 'Verwilderde Japanse planten in Nederland, ingevoerd door Von Siebold'.

Over het Daguerre-toestel van Hendrik Six: A.C. Hofman-Allema, 'Het oudste toestel van Daguerre te Amsterdam'.

Boudien de Vries en Thimo de Nijs schreven een interessante scriptie over de vooruitstrevende kostschool van Jan en Pieter Six, *De Droom en de ontvangen werkelijkheid. Een vergelijking tussen het beschreven ideaal van Petrus de Raadt over zijn kostschool Noorthey en de beschreven beleving van enkele van zijn leerlingen in de periode 1826-1842.* De beschrijvingen van de jeugd van Jan-Pieter Six zijn ontleend aan de levensberichten van de Maatschappij der Nederlandse Letterkunde en de Koninklijke Academie der Wetenschappen.

Hoofdstuk 17
Leven en werk in de 19e-eeuwse Jan werden uitvoerig beschreven door H.J. de Dompierre de Chaufepié in zijn 'Levensbericht van J.P. Six' en A.E.J. Holwerda, 'Levensbericht van Jan Pieter Six'. De beschrijving van zijn Museum Six trof ik bij David Mulder, 'Museum-Six'.

Over de opkomst en het belang van de oudheidkundige genootschappen schreef Ad de Jong, 'Verzamelen bij volle maan, Oudheidkundige genootschappen en hun museale initiatieven in de 19e en 20e eeuw'.

De citaten uit *De tijgerkat* zijn ontleend aan de vertaling van Anthonie Kee. Die uit *De Buddenbrooks* komen uit de vertalingen van Thomas Graftdijk.

Hoofdstuk 18
I.H. van Eeghen beschreef de eeuwenlange zwerftocht van het Six-portret in 'De familie Six' en 'Rembrandts portretten'.

Het verhaal over de toneelkijker van de 19e-eeuwse Jan is afkomstig van Lodewijk van Deyssel, *De wereld van mijn vader.* Jan Six was de opvolger van de hooggeleerde J.A. Alberdingk Thijm, de vader van de auteur.

Over de Nederlandse slavernij en de slavenhandel: P.C. Emmer, *De Nederlandse slavenhandel, 1500-1850*; John Jansen van Galen, *Afscheid van de koloniën*; Cynthia McLeod, *Slavernij en de Memorie*; Leo Balai, *Geschiedenis van de Amsterdamse slavenhandel. Over de belangen van Amsterdamse regenten bij de trans-Atlantische slavenhandel.* De economische gevolgen van de slavenhandel beschreven Matthias van Rossum en Karwan Fatah-Black, 'Wat is winst?'

Leven en werk van Jan de professor werden uitvoerig beschreven door U.Ph. Boissevain in het *Jaarboek van de Koninklijke Academie van Wetenschappen 1928-1929* en door G. van Hoorn in de *Levensberichten van de Maatschappij der Nederlandse Letterkunde, 1926-1927.*

Over het bezoek van Teddy Roosevelt schreven Marius van Melle en Niels Wisman, '"Teddy" Roosevelt in Amsterdam, 29 april 1910'.

Naar de affaire Blaauw deed Ton Coops onderzoek, het werd een schitterend boek: *Het Bos van Blaauw, Gooilust en het Corversbos. Biografie van een 's-Gravelandse buitenplaats.* Verder: jhr. F. van Lennep, *Late regenten* en *De tamme kastanje.*

Een inspirerende analyse van Auke van der Woud over de cultuurveranderingen rond 1900 valt te lezen in *De nieuwe mens. De culturele revolutie in Nederland tot 1900.*

Hoofdstuk 19

Peter Zwaal en Peter de Brock beschreven de geschiedenis van de Amstelbrouwerij: *Amstel. Het verhaal van ons bier, 1870-heden*. Het citaat van William Shirer is ontleend aan de rubriek 'Dagboek' van *de Volkskrant* van 18 januari 2016.

Over de Duitse kunstroof en -handel: Anders Rydell, *De plunderaars. De nazi-obsessie met kunst*. De namenlijsten van de erebegraafplaats Bloemendaal ontleende ik aan het indrukwekkende overzichtswerk van Peter H. Heere en Arnold Th. Vernooij, *De Eerebegraafplaats te Bloemendaal*.

Rond Piet Six en de OD gebruikte ik een keur aan bronnen: Ursula den Tex, *Erfgenamen*; Jolande Withuis, *Weest manlijk, zijt sterk* over Pim Boellaard; dr. C.M. Schulten, *Jonkheer P.J. Six. Amsterdammer en verzetsstrijder*; J.W.M. Schulten, *De geschiedenis van de Ordedienst*; H.M. van Randwijk, *In de schaduw van gisteren. Kroniek van het verzet 1940-1945*; Sytze van der Zee, *Vogelvrij. De jacht op de joodse onderduiker*; Erik Schaap, *Walraven van Hall. Premier van het verzet (1906-1945)*, Annejet van der Zijl, *Bernhard. Een verborgen geschiedenis*.

Dankbaar maakte ik ook gebruik van enkele herinneringen van neef Jacob Six in *De genen van de kunstverzamelaar*.

Hoofdstuk 20

Een aantal gedachten over het schrijven van een biografie ontleende ik mede aan Richard Holmes, *Footsteps. Adventures of a Romantic Biographer* en aan *Met open ogen*, de interviews van Matthieu Galey met Marguerite Yourcenar. Vol herkenning las ik ook het essay van de biografe Annet Mooij, 'Een wandeling door de nacht'.

Siep Stuurman schreef een magistrale studie over het historische fenomeen ongelijkheid: *De uitvinding van de mensheid. Korte wereldgeschiedenis van het denken over gelijkheid en cultuurverschil*.

Voor de beschouwingen over het fenomeen verzamelen had ik, mede, baat bij Philipp Blom, *To Have and to Hold*. Het bijbehorende begrip 'sociale status door tijd' is ontleend aan de Franse socioloog Pierre Bourdieu; de term 'multigeneratieondernemingen' is afkomstig van de New Yorkse filosoof Samuel Scheffler.

Mijn opmerkingen over de huidige positie van de 'oude families' in Nederland zijn grotendeels gebaseerd op het onderzoek van Jaap Dronkers en de zijnen in *De maatschappelijke relevantie van hedendaagse Nederlandse adel* en, samen met Yme Kuiper en Auke Huistra, 'Hoe "adellijk" is de huidige adel in Nederland? Antropologische en sociologische aantekeningen bij de in 2005 gehouden enquête onder de Nederlandse adel'. Zie ook Gregory Clark over zijn internationale onderzoek naar 'oude namen': 'Your Fate? Thank Your Ancestors'.

Literatuur

Abrahamse, Jaap Evert, *De grote uitleg van Amsterdam*, Bussum, 2010

Aerts, Remieg, 'Het eigenlijke begin van Nederland', in: *De Gids*, 2/2014, Amsterdam, 2014

Aerts, Remieg, 'Het ingetogen vaderland: huiselijkheid, maatschappelijke orde en publieke ruimte', in: *Een nieuwe staat. Het begin van het Koninkrijk Nederland*, Amsterdam, 2013

Alpers, Svetlana, *De firma Rembrandt. Schilder tussen handel en kunst*, Amsterdam, 1989

Anoniem (werkelijke auteur: Mattheus Tengnagel), *St. Nicolaes milde gaven, aen d'Amstelse jonckheyt*, Amsterdam, 1640

Anoniem, 'De Weergalooze Amsterdamsche Kiekkas', in: *Dichtkundig praal-toneel van Neerlands wonderen*, Amsterdam, 1748

Anoniem, *Christelijke Aanmerkingen op de Sware Aardbevinge*, etc., Utrecht, 1692

Anoniem, *Groot Algemeen Historisch, Geografisch, Genealogisch en Oordeelkundig Woordenboek*, deel 9, Amsterdam/Leiden/Den Haag, 1725

Anoniem, *Het ontroerd Holland*, Harderwijk, z.j.

Anoniem, *Amsterdam en de Amsterdammers, door een Amsterdammer*, Amsterdam, 1875

Anomiem, *Amsterdam in stukken en brokken*, Amsterdam 1891/1969

Anoniem, 'Huis Heerengracht 495', in: *Jaarboek Amstelodamum* nr. 5, p. 99, Amsterdam, 1907

Anoniem, *Het Duitsche aanbod tot een beëindiging der feitelijke vijandelijkheden in het nog bezette Nederlandsche gebied van april 1945. Memorandum van de bij besluit van Harer Majesteits Regeering van 2 augustus 1944 aangewezen Vertrouwensmannen, opgesteld in overleg met den commandant der Binnenlandsche Strijdkrachten*, Den Haag, 1946

Baar, Peter-Paul de, 'Schadelijk of gezond?', in: *Ons Amsterdam*, dossier, z.j.

Baggerman, Arianne, en Rudolf Dekker, *Kind van de toekomst*, Amsterdam, 2005

Bakker, Boudewijn, 'De stadsuitleg van 1610 en het ideaal van de "volcomen stadt"', in: *Jaarboek Amstelodamum* nr. 87, p. 71, 1995

Bakker, Theo, *Amsterdamse markten door de eeuwen heen gevolgd door de stad*, Theo Bakker's Domein, z.j.

Balai, Leo, *Geschiedenis van de Amsterdamse slavenhandel. Over de belangen van Amsterdamse regenten bij de trans-Atlantische slavenhandel*, Zutphen, 2013

Battjes, Hendrik, *Zuidertoren 400 jaar*, Amsterdam, 2014

Beets, Nicolaas, *Camera Obscura*, Haarlem/Utrecht, 1839/1987

Beijer, T. e.a., *Nicolaas Tulp. Leven en werk van een Amsterdams geneesheer en magistraat*, Amsterdam, 1991

Beijerinck, F., en M.G. de Boer, *Het dagboek van Jacob Bicker Raye*, Amsterdam, z.j.

Bikker, Jonathan, en Anna Krekeler, 'De schilderijen, experimentele techniek', in: Jonathan Bikker e.a., *Late Rembrandt*, Amsterdam, 2015

Blom, Philipp, *To Have and to Hold*, London, 2002

Boer, M.G. de, 'Vergeten leden van een bekend geslacht', in: *Jaarboek Amstelodamum* nr. 42, p. 10, Amsterdam, 1948

Boissevain, U.Ph., 'Levensbericht van Jhr. Dr. Jan Six', in: *Jaarboek van de Koninklijke Academie van Wetenschappen 1928-1929*, Levensberichten, p. 1, Amsterdam, 1929

Bontemantel, Hans, *De regeeringe van Amsterdam. Soo in 't civiel als crimineel en militair, 1653-1672*, uitgegeven door G.W. Kernkamp, Den Haag, 1897

Bosch Reitz, S.C., *An Unpublished Correspondence of George Washington*, z.j.

Bosman, Machiel, *Polsslag van de stad. De Amsterdamse stadskroniek van Jacob Bicker Raye (1732-1772)*, Amsterdam, 2009

Braatbard, A.C., *De Zeven Provinciën in beroering*, bewerkt door L. Fuks, Amsterdam, 1960

Broos, Ben, 'Rembrandt en zijn schilderachtig universum', in: Bob van den Boogert e.a., *Rembrandts schatkamer*, Amsterdam/Zwolle, 1999

Brugmans, prof. dr. H., *Geschiedenis van Amsterdam*, Utrecht/ Antwerpen, 1972

Bruin, Kees, *Een heerenwereld ontleed. Over Amsterdamse oude en nieuwe elites in de tweede helft van de 19e eeuw*, Amsterdam, 1980

Bryson, Bill, *Een huis vol*, Amsterdam, 2010

Bryson, Bill, *Terug in Amerika*, Amsterdam, 2015

Buisman, Jan, en A.F.V. van Engelen (red.), *Duizend jaar weer, wind en water in de Lage Landen, 1675-1750*, Franeker, 2006

Bush, Vince and Robert Lacey, *The House of Six*, Amsterdam, 2001

Carasso-Kok, Marijke (eindred.), *Geschiedenis van Amsterdam tot 1578. Een stad uit het niets*, Amsterdam, 2004

Charles, J.B., *Volg het spoor terug*, Amsterdam, 1953

Charpentier, Jean le, *De l'Estat de la Noblesse du Cambresis*, part III, p. 1010, Cambrai, 1664

Christenhusz, Maarten J.M., en Gerda A. van Uffelen, 'Verwilderde Japanse planten in Nederland, ingevoerd door Von Siebold', in: *Gorteria*, 2001

Clark, Gregory, 'Your Fate? Thank Your Ancestors', in: *The New York Times*, 22-23 February 2014

Commelin, Casparus, *Beschrijvinge der stadt Amsterdam*, Amsterdam, 1693

Coops, Ton, *Het Bos van Blaauw, Gooilust en het Corversbos. Biografie van een 's-Gravelandse buitenplaats*, Warnsveld/Tielt, 2003

Deen, Rosa e.a., 'De revoluties van 1747-1748', in: *Skript*, jrg. 36, nr. 1, Amsterdam, 2014

Dekker, Nikki den, *Een opmerkelijk portret van Jan Six door Jan Stolker*, scriptie UvA, Amsterdam, 2013

Dekker, R.M., *Oproeren in Holland gezien door tijdgenoten*, Assen, 1979

Derheims, Jean, *Histoire Civile, Politique, Militaire de La Ville de St. Omer ou Annales Historiques depuis Son Origine jusqu'à Nos Jours*, St. Omer, 1843

Deyssel, Lodewijk van, *De wereld van mijn Vader*, Amsterdam, 1885/1986

Does, J.C. van der e.a., *Ons Amsterdam. De historische ontwikkeling van Amsterdam*, Amsterdam, z.j.

Dompierre de Chaufepié, H.J. de, 'Levensbericht van J.P. Six', bijlage van de *Handelingen van de Maatschappij der Nederlandse Letterkunde*, Leiden, 1902

Drentje, Jan, '"Oud-Nederlandse hebbelijkheden". Twee Zwollenaren tegen de oligarchie, Jacob Frederik Serrurier en Johan Rudolf Thorbecke', in: *Deze lange eeuw. Metamorfosen van het vaderland, 1780-1950*, Amsterdam, 2015

Dronkers, J., *De maatschappelijke relevantie van hedendaagse Nederlandse adel*, Amsterdam, 2000

Dronkers, J., Y. Kuiper en A. Huistra, 'Hoe "adellijk" is de huidige adel in Nederland? Antropologische en sociologische aantekeningen bij de in 2005 gehouden enquête onder de Nederlandse adel', in: *Virtus* nr. 13, Zwolle, 2006

Dudok van Heel, S.A.C., 'Tulpen uit Amsterdam', in: *Maandblad Amstelodamum*, 79e jrg., p. 1, Amsterdam, 1992

Dudok van Heel, S.A.C., *De jonge Rembrandt onder tijdgenoten. Godsdienst en schilderkunst in Leiden en Amsterdam*, proefschrift, Nijmegen, 2006

Dudok van Heel, S.A.C., *Van Amsterdamse burgers tot Europese aristocraten. Hun geschiedenis en hun portretten. De Heijnen-maagschap 1400-1800*, Den Haag, 2008

Eeghen, I.H. van, 'Adriaan Dortsman en Jan Six', in: *Maandblad Amstelodamum*, 57e jrg., augustus-september 1970

Eeghen, I.H. van, 'De familie Six en Rembrandts portretten', in: *Maandblad Amstelodamum*, 1971, p. 112, Amsterdam, 1971

Eeghen, I.H. van, 'De huizen van Coenraad van Beuningen', in: *Maandblad Amstelodamum*, 58e jrg., nr. 5, p. 98, Amsterdam, 1971

Eeghen, I.H. van, 'De buurhuizen van het Glashuys', in: *Maandblad Amstelodamum*, 58e jrg., nr. 7, p. 182, Amsterdam, 1971

Eeghen, I.H. van, 'Jan Six en de schutterij', in: *Maandblad Amstelodamum*, 63e jrg., p. 97, Amsterdam, 1976

Elias, Johan E., *Geschiedenis van het Amsterdamse Regentenpatriciaat*, Amsterdam, 1923

Emmer, P.C., *De Nederlandse slavenhandel, 1500-1850*, Amsterdam, 2003

Fasseur, Cees, *Juliana & Bernhard. Het verhaal van een huwelijk. De jaren 1936-1956*, Amsterdam, 2008

Ferdinandusse, Rinus, en Ann Blokland, *Sigisbert Chrétien Bosch Reitz. Schilder en wereldreiziger rond 1900*, Amsterdam, 2002

Fontaine Verwey, H. de la, 'De geschiedenis van het Amsterdamse Caesar-handschrift', in: *Uit de wereld van het boek III*, Amsterdam, 1979

Frijhoff, Willem, en Marijke Spies, *1650. Bevochten eendracht*, Den Haag, 1999

Frijhoff, Willem, en Maarten Prak (red.), *Geschiedenis van Amsterdam: centrum van de wereld, 1578-1650*, Amsterdam, 2004

Frijhoff, Willem, en Maarten Prak (red.), *Geschiedenis van Amsterdam: zelfbewuste stadstaat, 1650-1813*, Amsterdam, 2004

Frossard, C.L., *L'Église sous la Croix pendant la domination espagnole*, Paris-Lille, 1857

Fuchs, J.M., en W.J. Simons, *Nou hoor je het eens van een ander. Buitenlanders over Amsterdam*, Den Haag, 1975

Fuchs, Rudi, 'Gebaren', in: *De Groene Amsterdammer*, 6 november 2014

Funnekotter, Bart, *De hel van 1812. Nederlanders met Napoleon op veldtocht in Rusland*, Amsterdam, 2015

Galey, Matthieu, *Met open ogen*, interviews met Marguerite Yourcenar, Amsterdam, 1985

Geerdink, Ninia, *Dichters en verdiensten. De sociale verankering van het dichterschap van Jan Vos*, Hilversum, 2012

Gogh, Vincent van, bezorgd door Leon Hansen, Hans Luijten en Nienke Bakker, *De kunst van het woord. Zijn mooiste brieven*, Amsterdam, 2014

Grandin, Greg, *The Empire of Necessity: Slavery, Freedom and Deception in the New World*, New York, 2015

Groot, Reindert, en Teio Meedendorp, *Vincent van Gogh over Amsterdam. Een stadswandeling rond 1880*, Bussum, 2003

Guwy, France, *De Hollandse ervaringen van Voltaire en de invloed op zijn denken*, Amsterdam, 1995

Haasse, Hella, en S.W. Jackman (bew.), *Een vreemdelinge in Den Haag. Uit de brieven van Koningin Sophie der Nederlanden aan Lady Malet*, Amsterdam, 1984

Hall, M.C. van, *Drie eeuwen. De kroniek van een Nederlandse familie*, Den Haag, 1961

Handgraaf, Veronica, *Het deurtje van Henriëtte Six*, Zoetermeer, 2011

Hartley, L.P., *The Go-Between*, London, 1953

Hecht, Peter, *Van Gogh en Rembrandt*, Amsterdam, z.j.

Heere, Peter H., en Arnold Th. Vernooij, *De Eerebegraafplaats te Bloemendaal*, Den Haag, 2005

Hell, Maarten, 'Revolte, rust en revolutie, 1747-1795', in: *Geschiedenis van Amsterdam*, deel II-2, Amsterdam, 2005

Hell, Maarten e.a., *Hollanders van de Gouden Eeuw*, Amsterdam, 2014

Hofman-Allema, A.C., 'Het oudste toestel van Daguerre te Amsterdam', in: *Maandblad Genootschap Amstelodamum*, 55e jrg. nr. 10, december 1968

Holmes, Richard, *Footsteps, Adventures of a Romantic Biographer*, London, 1985

Holwerda, A.E.J., 'Levensbericht van Jan Pieter Six', in: overdruk *Jaarboek der Koninklijke Academie van Wetenschappen*, Amsterdam, 1902

Hoorn, G. van, 'Levensbericht van Prof. Jhr. Dr. J. Six', in: *Levensberichten van de Maatschappij der Nederlandse Letterkunde, 1926-1927*, Leiden, 1927

Horst, Han van der, *Nederland. De vaderlandse geschiedenis vanaf de prehistorie tot nu*, Amsterdam, 2007

Höweler, H.A., *Lucretia Wilhelmina van Merken en George Washington*, z.j.

Huizinga, Johan, *Nederland's beschaving in de 17e eeuw*, Groningen, 1941/1972

IJpma, Frank, en Thomas van Gulik, *Amsterdamse anatomische lessen ontleed*, Amsterdam, 2013

Israel, Jonathan, *De Republiek, I en II*, Franeker, 1996

Israel, Jonathan, *Radicale Verlichting*, Franeker, 2005

Israel, Jonathan, *Revolutionary Ideas: An Intellectual History of the French Revolution from the Rights of Man to Robespierre*, Princeton, 2014

Jansen van Galen, John, *Afscheid van de koloniën*, Amsterdam, 2013

Jensen, Lotte, *Verzet tegen Napoleon*, Nijmegen, 2013

Jong, Ad de, 'Verzamelen bij volle maan. Oudheidkundige genootschappen en hun museale initiatieven in de 19e en 20e eeuw', in: Ad de Jong e.a., *Zou Huizinga tevreden zijn?*, symposium ter gelegenheid van het afscheid van Ad de Jong als KOG-hoogleraar, Amsterdam, 2014

Jong, J.J. de, *Met goed fatsoen, De elite in een Hollandse Stad. Gouda 1700-1780*, Amsterdam, 1985

Kattenberg, Lisa, en Rosanne Baars, 'Het leezen van goede boeken... is al te noodigen zaek. Boekenbezit van Amsterdamse kunstenaars, 1650-1800', in: *Maandblad Amstelodamum*, 101e jrg., p. 134, Amsterdam, 2014
Kloek, Joost, en Wijnand Mijnhardt, *1800. Blauwdrukken voor een samenleving*, Den Haag, 2001
Koch, Jeroen, *Koning Willem I, 1772-1843*, Amsterdam, 2013
Koerbagh, Adriaan, *Een licht dat schijnt in duistere plaatsen*, hertaald voor Michiel Wielema, Nijmegen, 2014
Kooijmans, Luuc, *Onder regenten. De elite in een Hollandse stad. Hoorn 1700-1780*, Amsterdam, 1985
Kooijmans, Luuc, *Vriendschap en de kunst van het overleven in de zeventiende en achttiende eeuw*, Amsterdam, 1997
Kooijmans, Luuc, *Gevaarlijke kennis. Inzicht en angst in de dagen van Jan Swammerdam*, Amsterdam, 2007
Kuiper, Y., *Adel in Friesland, 1780-1880*, Groningen, 1993
Kuiper, Y., 'Adel in Nederland', in: Els Ketelaar en Yme Kuiper, *Edel voor adel*, Den Haag, 2000
Kurpershoek, Ernest, *De Waag op de Nieuwmarkt*, Amsterdam, 1994

Lampedusa, Giuseppe Tomasi di, *De tijgerkat*, vertaling Anthonie Kee, Amsterdam, 2012
Leemans, Inger, en Gert-Jan Johannes, *Worm en donder. Geschiedenis van de Nederlandse literatuur 1700-1800*, Amsterdam, 2013
Leeuwen, Boeli van, *De eerste Adam*, Haarlem, 1966
Leeuwenburgh, Bart, *Het noodlot van een ketter, Adriaan Koerbagh 1633-1669*, Nijmegen, 2013
Lennep, Hendrick S. van, *Genealogie van de Familie Teding van Berkhout*, 2015, z.p.
Lennep, F.J.E. van, *Herinneringen aan 'Onder Ons'*, ongepubliceerd, Amsterdam, 1951
Lennep, F.J.E. van, *Mensen in 's-Graveland*, manuscript, 1958
Lennep, F.J.E. van, *Late regenten*, Haarlem, 1962
Lennep, F.J.E. van, *Als vorsten*, Haarlem, 1967
Lennep, F.J.E. van, *De tamme kastanje*, Haarlem, 1969
Lennep, Jacob van, *Ferdinand Huyck*, Leiden, z.j.
Lennep, M.J. van, Dagboeken 1830-1912, ongepubliceerd manuscript, Stadsarchief Amsterdam, arch. 238 no 537-540, www.vanlennep. nl/dagboeken
Lichtenauer, W.F., *De Nederlanders in Napoleons Garde d'Honneur*, Den Haag, 1971
Lieven, Dominic, *Rusland tegen Napoleon. De strijd om Europa (1807-1814)*, Houten, 2009
Loenen, J.B. van, *Beschrijving en Kleine Kroniek van de Gemeente Hillegom*, Hillegom, 1916

Logchem, Elly van, 'Merken, Lucretia Wilhelmina van', in: *Digitaal Vrouwenlexicon van Nederland*, Amsterdam, 2014

Mak, Geert, *Een kleine geschiedenis van Amsterdam*, Amsterdam, 1995/2005
Mak, Geert, *Het stadspaleis*, Amsterdam, 1997
Mak, Geert, *Rembrandt en Jan Six. Contouren van een vriendschap*, Amsterdam, 2005
Mak, Geert, e.a., *Verleden van Nederland*, Amsterdam, 2008
Mak, Geert, en Russell Shorto, *1609. De vergeten geschiedenis van Hudson, Amsterdam en New York*, Amsterdam, 2009
Mak, Geert, en René van Stipriaan, *Ooggetuigen van de wereldgeschiedenis*, Amsterdam, 2009
Mann, Thomas, *De Buddenbrooks*, vertaling Thomas Graftdijk, Amsterdam, 1989
McLeod, Cynthia, *Slavernij en de Memorie*, Schoorl, 2002
Méchoulan, Henry, *Amsterdam ten tijde van Spinoza, Geld en Vrijheid*, Amsterdam, 1990
Meerkerk, Erwin van, *De gebroeders Van Hogendorp. Botsende idealen in de kraamkamer van het koninkrijk*. Amsterdam, 2013
Melle, Marius van, en Niels Wisman, '"Teddy" Roosevelt in Amsterdam, 29 april 1910', in: *Ons Amsterdam*, januari 2009
Merken, Lucretia Wilhelmina van, *Nut der Tegenspoeden*, Amsterdam, 1762
Merken, Lucretia Wilhelmina van, en Nicolaas van Winter, *Toneelpoëzij*, Amsterdam, 1774, 1786
Merken, Lucretia Wilhelmina van, en Nicolaas van Winter, 'Aan de Britten', in: *De waare geluksbedeeling*, Amsterdam, 1792
Meulen, Dik van der, *Koning Willem III, 1817-1890*, Amsterdam, 2013
Middelkoop, Norbert E., e.a., *Rembrandt onder het mes. De anatomische les van Dr Nicolaes Tulp ontleed*, Den Haag/Amsterdam, 1998
Moes, Jaap, *Onder aristocraten. Over hegemonie, welstand en aanzien van adel, patriciaat en andere notabelen in Nederland, 1848-1914*, Hilversum, 2012
Möller, George, *Het album Pandora van Jan Six (1618-1700)*, doctoraalscriptie UvA, Amsterdam, 1983
Montijn, Ileen, *Leven op stand 1890-1940*, Amsterdam, 1998
Montijn, Ileen, *Hoog geboren, 250 jaar adellijk leven in Nederland*, Amsterdam, 2012
Mooij, Annet, 'Een wandeling door de nacht', in: *De Gids* 6/2015, Amsterdam, 2015
Mortier, Bianca M. du, *Aristocratic Attire. The Donation of the Six Family*, Amsterdam, 2000
Mortier, Bianca M. du, 'Features of Fashion in the Netherlands in the Seventeenth Century', in: J. Pietsch, A. Jolly (eds.), *Netherlandish Fashion in the Seventeenth Century*, Riggisberger Berichte 19, Abegg-Stiftung, 2012, p. 17-40

Mulder, David, 'Museum-Six', in: *De Gouden Bocht van Amsterdam*, Den Haag, 2006

Nadler, Steven, *Spinoza*, Amsterdam, 2001

Os, Henk van, *Beeldenstorm. Close-ups van kunst uit Nederlandse musea*, deel 3, Amsterdam, 1999

Paepe, Timothy De, 'De Amsterdamse Schouwburg (1637-1774): een zoektocht naar het ideale theater', in: *Amstelodamum*, 101-1, Amsterdam, 2014
Panhuysen, Luc, *De Ware Vrijheid. De levens van Johan en Cornelis de Witt*, Amsterdam, 2005
Panhuysen, Luc, *Rampjaar 1672. Hoe de Republiek aan de ondergang ontsnapte*, Amsterdam, 2009
Parker, Geoffrey, *Global Crises, War, Climate and Catastrophe in the Seventeenth Century*, New Haven/London, 2013
Paustovski, Konstantin, *Een gietijzeren tijd. Het jaar 1920*, vertaling Wim Hartog, Amsterdam, 2016
Piketty, Thomas, *Kapitaal in de 21ste eeuw*, Amsterdam, 2015
Pleij, Herman, *Kleuren van de Middeleeuwen*, Utrecht, z.j.
Polasky, Janet, *Revolutions Without Borders: The Call to Liberty in the Atlantic World*, New Haven, 2015
Poll, Frank van de, en Sarah Bakker, *Schreden naar Parnas. De onderkomens van de Amsterdamse rechtbank van middeleeuwen tot heden*, Amsterdam, 1991
Prak, Maarten, *Gezeten burgers. De elite in een Hollandse stad, Leiden 1700-1780*, Amsterdam, 1985
Prak, Maarten, *Gouden Eeuw. Het raadsel van de Republiek*, Nijmegen, 2002
Priem, Ruud, 'The "most excellent collection" of Lucretia Johanna van Winter; the years 1809-22, with a catalogue of the works purchased', in: *Simiolus: Netherlands Quarterly for the History of Art*, no. 25, p. 103-235, 1997
Prus, Bolesław, *De pop*, vertaling Karol Lesman, Amsterdam 2015

Randwijk, H.M. van, *In de schaduw van gisteren. Kroniek van het verzet 1940-1945*, Amsterdam, 1967
Reet, H. van der, e.a., *De familie Six*, Hillegom, 2008
Rhodius, Caroline, 'Rembrandt aen Ionnus Sicx'. Een overzicht van de kunstwerken die Rembrandt voor Jan Six heeft gemaakt en een beschouwing over de relatie tussen deze schilder en zijn mecenas*, scriptie UvA, Amsterdam, 2002
Roldanus, C.W., *Coenraad van Beuningen. Staatsman en Libertijn*, Den Haag, 1931
Rooy, Piet de (red.), *Geschiedenis van Amsterdam. Tweestrijd om de hoofdstad, 1900-2000*, Amsterdam, 2007
Rooy, Piet de, e.a., *Waakzaam in Amsterdam*, Amsterdam, 2011

Rooy, Piet de, *Ons stipje op de waereldkaart. De politieke cultuur van modern Nederland*, Amsterdam, 2014

Rossum, Matthias van, en Karwan Fatah-Black, 'Wat is winst?', in: *Tijdschrift voor Economische en Sociale Geschiedenis*, jrg. 2012, nr. 1, Amsterdam, 2012

Roth, Joseph, *Radetzkymars*, vertaling W. Wielek-Berg, Amsterdam, 1994

Rotthier, Rudi, *De naakte perenboom. Op reis met Spinoza*, Amsterdam, 2013

Rutgers, Jaco, en Mieke Rijnders (red.), *Rembrandt in perspectief. De veranderende visie op de meester en zijn werk*, Zwolle, 2014

Rydell, Anders, *De plunderaars: de nazi-obsessie met kunst*, Amsterdam, 2015

Sackville-West, Vita, *Knole and the Sackvilles*, Tonbridge, 1922

Salomons, A.F., *De rol van de Amsterdamse burgerbeweging in de wetsverzetting van 1672*, BMGN, afl. 2, p. 198-219, Den Haag, 1991

Sas, N.C.F. van, *De metamorfose van Nederland. Van oude orde naar moderniteit, 1750-1900*, Amsterdam, 2004

Schaap, Erik, *Walraven van Hall. Premier van het verzet (1906-1945)*, Zaanstad, 2006

Schama, Simon, *Overvloed en onbehagen. De Nederlandse cultuur in de Gouden Eeuw*, Amsterdam, 1988

Scheffler, Samuel, *Death and the Afterlife*, Oxford, 2015

Schmidt, Cees, *Om de eer van de familie. Het geslacht Teding van Berkhout, 1500-1950*, Amsterdam, 1986

Schulten, dr. C.M., *Jonkheer P.J. Six. Amsterdammer en verzetsstrijder*, Nijmegen, 1987

Schulten, J.W.M., *De geschiedenis van de Ordedienst*, Den Haag, 1998

Schulte Nordholt, J.W., 'The Example of the Dutch Republic for American Federation', in: *Bijdragen en Mededelingen betreffende de Geschiedenis der Nederlanden*, deel 94, Den Haag, 1979

Schuyt, Kees, en Ed Taverne, *1950. Welvaart in zwart-wit*, Den Haag, 2000

Schwartz, Gary, *Rembrandt. Zijn leven, zijn schilderijen*, Maarssen, 1984

Schwartz, Gary, '"Though Deficient in Beauty": A Documentary History and Interpretation of Rembrandt's 1654 Painting of Bathsheba', in: Ann Jensen Adams (ed.), *Rembrandt's Bathsheba reading King David's letter*, Cambridge, 1998

Schwartz, Gary, *De grote Rembrandt*, Amsterdam, 2006

Schwartz, Gary, *Ontmoet Rembrandt*, Amsterdam, 2009

Shirer, William, *Berlin Diary*, New York, 1941

Siedentop, Larry, *The Origins of Western Liberalism*, London, 2014

Six, J., 'De Pandora van Jan Six', overdruk uit het *Haagsch Maandblad*, april 1924, Den Haag, 1924

Six, Jacob, *De genen van de kunstverzamelaar. 50 collecties in de familie Six*, Zwolle, 2016

Six, Jan jr., *Een hondje van Nassau,* werkstuk UvA, kunstgeschiedenis iconografie, ongepubliceerd, Six-archief, Amsterdam, 2000

Six, P.J., 'Nogmaals Omnia Orta Occidunt', in: *Maandblad Amstelodamum,* 57e jrg., p. 145, Amsterdam, 1970

Six, P.J., 'OMnia orta oCCIDVnt', in: *Maandblad Amstelodamum,* 58e jrg., nr. 5, Amsterdam, 1971

Smeets, Hubert, 'Waar komt al dat schelden op de grachtengordel vandaan?', in: *Ons Amsterdam,* februari 2013

Spies, Paul, e.a., *Het Grachtenboek,* Den Haag, 1991

Sterkenburg, H.C., *Over Pandora van Jan Six,* doctoraalscriptie Nederlandse taal- en letterkunde, Leiden, 1988

Sterre, Jan Pieter van der, *Voltaire en de Republiek. Teksten van Voltaire over Holland en de Hollanders,* Amsterdam/Antwerpen, 2006

Stipriaan, René, *Het volle leven. Nederlandse literatuur en cultuur ten tijde van de Republiek,* Amsterdam, 2002

Stipriaan, René, *Ooggetuigen van de Gouden Eeuw,* Amsterdam, 2005

Stouppe, Jean-Baptiste, *La religion des hollandais,* Paris, 1673

Strengholt, L., 'Over de Muiderkring', in: *Cultuurgeschiedenis in de Nederlanden van de Renaissance naar de Romantiek,* Leuven, 1986, p. 265-277

Stuurman, Siep, *De uitvinding van de mensheid. Korte wereldgeschiedenis van het denken over gelijkheid en cultuurverschil,* Amsterdam, 2009

Tex, Ursula den, *Anna baronesse Bentinck, 1902-1989. Een vrouw van stand,* Amsterdam, 2003

Tex, Ursula den, *Erfgenamen. Het verhaal van een Nederlandse familie van aanzien en vermogen,* Amsterdam, 2009

Thomas, Casper, 'Een leven zonder gaten. Napoleon volgens Patrice Gueniffey', in: *De Groene Amsterdammer,* 3 juni 2015

Tocqueville, Alexis de, *Over de democratie in Amerika,* vertaling Hessel Daalder en Steven Van Luchene, Rotterdam, 2011

Tulp, Nicolaes, *Insighten,* transcriptie door C.G.L. Apeldoorn en T. Beijer, Amsterdam, 1641, 1651, 1991

Vermij, Rienk, *De geest uit de fles. De Verlichting en het verval van de confessionele samenleving,* Amsterdam, 2014

Verveld, Frank, *Jan Six II, Theorieën over vroegmoderne regentenfamilies getoetst aan een vermogend bestuurder,* bachelorscriptie geschiedenis UvA, Amsterdam, 2015

Vis, Dirk, *Rembrandt naderbij,* z.p., z.j.

Vis, Pieter C., *Andries de Graeff, 1611-1678. 't Gezag is heerelyck, doch vol bekommeringen,* scriptie UvA kunstgeschiedenis, ongepubliceerd, Rhenen, 2010

Vlaardingenbroek, Pieter, 'Adriaan Dortsman en Jan Six', in:
De ideale gracht, Amsterdam, 2013
Vlasblom, Dirk, 'De adel trekt nog steeds aan de touwtjes', in:
NRC *Handelsblad*, 11 oktober 2014
Vonderen, Barbara van, *Deftig en ondernemend. Amsterdam
1870-1910*, Amsterdam, 2013
Vries, Boudien de, en Thimo de Nijs, *De Droom en de ontvangen
werkelijkheid. Een vergelijking tussen het beschreven ideaal van
Petrus de Raadt over zijn kostschool Noorthey en de beschreven
beleving van enkele van zijn leerlingen in de periode 1826-1842*,
scriptie Universiteit Leiden, Leiden, 1999
Vries, Jeronimo de, *Proeve eener Geschiedenis der Nederduitsche
dichtkunst*, Amsterdam, 1810

Waugh, Evelyn, *Terugkeer naar Brideshead*, vertaling Luc Jalvingh,
Amsterdam, 2008
Weststeijn, Thijs, '"Zoo eigenzinnig in zyne verkiezingen":
Rembrandt in de ogen van tijdgenoten, 1630-1730', in: Jaco
Rutgers en Mieke Rijnders, *Rembrandt in perspectief. De
veranderende visie op de meester en zijn werk*, Zwolle, 2014
Wetering, Ernst van de, *Rembrandt: The Painter at Work*,
Amsterdam, 1997
Winkel, Jan te, *De ontwikkelingsgang der Nederlandsche letterkunde.
Deel 5. Geschiedenis der Nederlandsche letterkunde van de
Republiek der Nederlanden*, Haarlem, 1924
Winkel, Marieke de, 'A Gentleman in a Grey Riding Coat. Dress in
Rembrandt's Portrait of Jan Six', in: *Fashion and Fancy. Dress and
Meaning in Rembrandt's Paintings*, Amsterdam, 2006, p. 93 e.v.
Withuis, Jolande, *Weest manlijk, zijt sterk. Pim Boellaard
(1903-2001). Het leven van een verzetsheld*, Amsterdam, 2008
Wolzogen Kühr, Suzanna von, *De Nederlandsche Vrouw in de eerste
helft van de 18e eeuw*, Leiden, 1914
Woolf, Virginia, *Orlando*, London, 1928/Amsterdam, 1976
Woud, Auke van der, *Koninkrijk vol sloppen. Achterbuurten en vuil in
de negentiende eeuw*, Amsterdam, 2010
Woud, Auke van der, *De nieuwe mens. De culturele revolutie in
Nederland rond 1900*, Amsterdam, 2015

Zandvliet, Kees, *De 250 rijksten van de Gouden Eeuw*, Amsterdam,
2006
Zanten, Jeroen, *Koning Willem II, 1792-1849*, Amsterdam, 2013
Zee, Sytze van der, *Vogelvrij. De jacht op de joodse onderduiker*,
Amsterdam, 2010
Zee, Sytze van der, *Harer Majesteits loyaalste onderdaan. François
van 't Sant, 1883-1966*, Amsterdam, 2015
Zijl, Annejet van der, *Bernhard. Een verborgen geschiedenis*,
Amsterdam, 2010

Zuidervaart, Huib J., en Charlotte C.S. Rulkens, 'De Amsterdamse mathematicus Jan van den Dam (1706-1770) en zijn vernuftige planetaria', in: *Jaarboek Amstelodamum*, nr. 106, Amsterdam, 2014

Zwaag, Marianna (samensteller), *Verborgen verhalen. Wijze lessen in de decoratie van het voormalige Stadhuis van Amsterdam*, Amsterdam, 2015

Zwaal, Peter, *Frans Nicolaas Meijer (Frank N. Meyer), plantenjager in Centraal- en Oost-Azië*, internetpublicatie, website Peter Zwaal, 2014

Zwaal, Peter, en Peter de Brock, *Amstel. Het verhaal van ons bier, 1870-heden*, Amsterdam, 2014

Personenregister

Adams, John 228, 230
Aleksandr I, tsaar 281-282
Allebé, August 314
Alva, hertog van 28-29, 116
Arents, Marretje 208
Arminius, Jacobus 95
Arnoudsz., Jacob Elias 245
Asselijn, Jan 360

Babelon, Ernest 314
Bach, Johann Sebastian 151
Bailly, David 71
Bakhuizen, Ludolf 360
Barlaeus, Caspar 67, 106
Baldinucci, Filippo 119
Banks, Joseph 292
Banninck Cocq, Frans 159
Bartram, William 293
Beatrix, koningin der
   Nederlanden 399
Beaufort, Binnert de 377
Becher, Johann Joachim 160
Becker, Herman 61
Beieren, Albrecht van 51
Bempden, Anna Elisabeth
   van den 188-189, 197-200,
   202-203, 218-219, 346, 404,
   407
Bempden, Ester Aagien van
   den 215
Bempden, Gillis van den 190,
   202-203, 214
Bempden, Jan van den 13
Bempden, Jodocus van den 152,
   254
Bentinck, Charlotte gravin 288
Berlage, Hendrik 317
Berlaymont, Charles de 26

Bernhard, prins der Nederlanden
   371, 382, 386, 390, 393, 395
Beuningen, Coenraad van 77-78,
   96, 117-118, 144, 146, 168, 171,
   173, 177, 178-179. 185, 345, 412
Beuningen, Jan van 226
Biben, Cateau 329
Bicker, Andries 96, 155
Bicker, Cornelis 104
Bicker, Gerard 155, 185
Bicker, Jan Bernd 244, 250
Bicker, Wendela 111, 113, 167
Bicker Raye, Jacob 185-187,
   199-204, 207, 215, 219, 243
Bilderdijk, Willem 280
Blaauw, Frans 355-359, 363
Blaeu, Johan 62
Blaskowitz, Johannes 390
Boellaard, Pim 382, 384,
   392-393
Boetzelaer, Jan van 378
Boissevain, Charles 341
Boissevain, Gideon
   Willem 377-378
Boissevain, Jan 377
Boissevain, Jan Karel 377-378
Bol, Ferdinand 66, 114, 152, 254
Bontemantel, Hans 48, 115,
   137-138, 140, 145, 147, 154, 162,
   165-166, 172-173, 185, 403
Borch, Gerard ter 50, 316, 361
Bors van Waveren, Susanna
   Catharina 189, 219-220
Borski, Louise Catharina
   Antoinetta 324, 354
Borski, Willem 324
Bosch van Rosenthal, Eddy 378

Bosch Reitz, Gijsbert
  (1792-1866) 339
Bosch Reitz, Gijsbert
  (1817-1851) 339
Bosch Reitz, Guillaume 339
Bosch Reitz, Hieronyma Maria
  Antonia Fortunata 15, 335,
  337-343, 345-346, 354-356,
  358-359, 362, 365-367, 369,
  382, 394
Boswell, James 288
Brandt, Geraerdt 59, 77, 82
Bray, Salomon de 68
Bredero, Gerbrand Adriaensz.
  van 39
Brederode, Pieter van 162
Breitner, George Hendrik 328,
  343
Breton, Jules 316
Brinkgreve, Geurt 397
Brownlow, William 151
Brueghel de Oude, Pieter 13, 23,
  66, 183, 273, 374
Burgh, Albert Coenraads 71-72
Burgh, Anna 154
Burgh, Coenraad 142

Calkoen, Cornelis 198, 215
Calkoen, Maria 188-189, 191,
  194
Calvijn, Johannes 25, 94
Campen, Jacob van 48, 59, 120,
  135
Capellen tot den Pol, Joan Derk
  van der 228, 230, 241, 248
Carpentier, Jean le 300-301
Carré, Oscar 329
Castiglione, Baldassare 65-66,
  161
Cats, Jacob 62, 68, 111
Charivarius 344
Charles, J.B. 392
Chloris (aanbedene) 49-50, 77
Churchill, Winston 324, 326
Clifford, Johanna 189, 219
Clifford, Pieter George 263
Commelin, Casper 190
Compe, Jan ten 282

Constant, Benjamin 288
Cook, James 292
Coornhert, Dirck Volkertsz. 28
Corver, Joan 177, 187
Coster, Samuel 59
Crab, Christina Diederika van
  der 369, 394-396, 398
Cranach de Oude, Lucas 374,
  402
Cromhout, Adriaan 34
Cuyp, Albert 316

Daguerre, Louis 294
Dam, Jan van den 222-223
Datheen, Petrus 231
Decquer, Agatha 187-188
Deecke, Wilhelm 314-315
Degas, Edgar 316
Deken, Aagje 186, 232, 248,
  288
Descartes, René 62, 102, 129,
  134, 142-144, 408
Deterding, Henri 361
Deutz, Joseph 61
Diderot, Denis 245
Dircx, Geertje 119-120
Dort, Pieter van 208
Dortsman, Adriaan 76, 118, 148
Dou, Gerard 124, 326, 360
Douglas, David 293
Drees, Willem 388
Dubois Drahonet, Alexandre-
  Jean 282, 290
Dunkin, Robert Henry 238
Dürer, Albrecht 88, 374
Duveen, Joseph 326
Dyck, Anthony van 66, 326, 360

Effen, Justus van 223-224
Eisenhower, Dwight D. 390
Elias, Johan E. 189
Elizabeth 1, koningin van
  Engeland 84
Engels, Friedrich 306
Erasmus, Desiderius 28
Ernst Casimir, graaf van
  Nassau-Dietz 107

Eugénie de Montijo, keizerin der
    Fransen 357
Eyck, Jan van 374

Fagel, Hendrik 203, 205, 210
Fayette, Gilbert de la 235-236
Feitama, Sybrand 200
Feith, Rhijnvis 269
Filips II, koning van Spanje 24,
    26, 28-29
Flinck, Govert 66, 82, 88, 104,
    118, 120, 124, 135
Foulkes, Charles 390
Francius, Petrus 73, 179
Franken, Daan 360
Frederik I, koning van Bohemen
    239
Frederik Hendrik, stadhouder
    43-44
Frederik Willem II, koning van
    Pruisen 245

Galenus 98
Geelvinck, Cornelis 162
Gelé Twent, Anna Margaretha
    Cornelia van 256, 260
George IV, koning van
    Engeland 215
Gerbrandy, Pieter Sjoerds 391,
    393
Gersaint, Edmé-François 85
Giardini, Felice 234
Gichtel, Johann Georg 178
Goedhart, Frans 384
Goes, Antonides van der 148, 170
Gogh, Theo van 328
Gogh, Vincent van 87, 109, 124,
    328, 407
Gomarus, Franciscus 95
Göring, Hermann 374-375
Goudstikker, Jacques 375
Gouthoeven, Wouter van 162
Gower, Lord Ronald 316, 326
Graeff, Andries de 140, 167, 173
Graeff, Cornelis de 111, 167
Graeff, Jacob Dircksz de 159
Grevius, Johannes 146
Grey, Catherine 202-203

Grisone, Federico 47
Groot, Hugo de 241, 67
Gruterus, Janus 64-65

Haes, Frans de 231
Hall, Gijsbert van 377
Hall, Maurits van 264
Hall, Walraven van 377, 386,
    391
Hals, Frans 66, 149, 273, 311,
    327
Händel, Georg Friedrich 234
Harinxma Thoe Slooten,
    Binnert 378
Hartley, L.P. 202
Harvey, William 98
Haspels, Milie 342
Hasselaer, Gerard Nicolaas 199
Hein, Piet 43
Heineken, Gerard 329-330
Heinsius, Nicolaas 65
Heldring, Ernst 372
Helmers, Jan Frederik 280
Helst, Bartholomeus van der 155
Hendrik V, koning van
    Engeland 21
Hendrik, prins der
    Nederlanden 344-345, 371
Hepburn, Audrey 395
Heuvel, Isaac van den 177
Heuvel, Jacoba Bartolotti van
    den 178
Heyden, Jan van der 141
Heydrich, Reinhardt 384
Himmler, Heinrich 384
Hitler, Adolf 374-375, 378
Hogendorp, Dirk van 279
Hogendorp, Gijsbert Karel
    van 241, 279
Holbein, Hans 66, 183
Hondecoeter, Melchior d' 326,
    360
Hondius, Jacobus 339
Honert, Taco van den 128
Hooft, Hendrik 46, 73, 76-77,
    115, 117, 173, 176, 412
Hooft, Margaretha 356
Hooft, Pieter 246

Hooft, Pieter Cornelisz. 48, 51, 62, 67-68
Hoogh, Pieter de 136, 361
Hoop, Joan Cornelis van der 263
Hop, Hendrik 246
Hop, Jan 201, 246
Hop, Johanna Maria 246, 255
Houbraken, Arnold 66, 88, 119
Hudde, Johannes 145
Hudson, Henry 103
Hugo, Victor 316
Huizinga, Johan 216, 402
Hulft, Sara Johanna 283
Huydecoper, Joan 46, 72, 91, 96, 114-115, 121, 171
Huygens, Constantijn 62, 67-69, 87, 160, 178

IJzerdraat, Bernard 377
Israëls, Isaac 316
Israëls, Jozef 316

Jacobs, Aletta 341
Jefferson, Thomas 241
Jelgersma, prof. Gerbrandus 358, 411
Jerome, Jennie 324
Johan Maurits van Nassau-Siegen 154
Jones, John Paul 229
Juliana, koningin der Nederlanden 349, 371, 395
Juvenalis 78

Kaal, Frederik 243
Karel II, koning van Engeland 155, 169, 175
Karel V, keizer 28
Karel VI, koning van Frankrijk 21
Keyser, Hendrik de 41
Kint, Adriaen Adriaenszoon 92
Kloos, Willem 328
Kluppel, Johannes 267-268, 321
Kluppel, Wijnanda 267-268, 321
Koerbagh, Adriaen 141, 143-147
Koerbagh, Johannes 143-147
Komans, Michiel 77

Krayenhoff, Cornelis 244, 248
Kuijer, Johanna 334, 337-338, 345, 351, 355, 382
Kuvel, Gertrude 339

Lairesse, Gérard de 108
Lampedusa, Giuseppe Tomasi di 324
Langendijk, Pieter 254
Lanooy, Chris 352
Lansberge, Reinhart van 340
Lastman, Pieter 40, 81
Lattre, Alix de 30
Leeuwenhoek, Anthoni van 45, 98
Lennep, Anna van 11
Lennep, Cornelis van 245, 247, 297
Lennep, David Eliza van 300
Lennep, David Jacob van 297, 300
Lennep, Frans van 320, 335-336, 352, 356-357
Lennep, Hester van 377
Lennep, Jacob van 279, 297
Lennep, Jan van
Lennep, Maurits van 288, 292, 297, 304-307, 311-312, 322, 324
Lennep, Mies (Adrienne) van 377-378
Leonardo da Vinci 65
Lepic, Louis 262
Lescaille, Jacob 68-69, 78, 231
Leyden, Lucas van 88, 183
Leyster, Judith 326, 360
Locatelli, Pietro 216
Lodewijk XIV, koning van Frankrijk 167-168, 172, 174, 184
Lodewijk Napoleon Bonaparte 252, 265
Loon, Anna Louise van zie Winter, Anna Louise van
Loon, Hendrik van 324, 354
Loon, Maria van 311
Louis-Philippe, koning van Frankrijk 306
Lucretius 134

Lutma, Johannes 92
Madison, James 228-229
Mann, Thomas 269
Margaretha van Parma 26
Maria II Stuart 179
Maria Henriëtte Stuart 51,
  104-105
Maria Stuart, koningin van
  Schotland 84
Maris, Willem 316
Marx, Karl 306
Matte, Sebastian 27
Maurits van Oranje 83, 94-95,
  240
Medici, Maria de' 155
Meijer, Frans Nicolaas 293
Meijer, Pieter 231, 233
Mercier, Hélène 331
Merken, Lucretia van 230-237,
  240-241, 247, 278, 280,
  288-289, 405, 408
Merken, Wilhelmina van 231
Merwede, Matthijs van der 49
Mesdag, Hendrik 316
Mesquita, David Bueno de 346
Metsu, Gabriël 135-136
Metzner, Hanny 355, 363, 403
Michaux, André 293
Michelangelo 65, 342, 374
Molitor, Gabriel Jean Joseph
  263
Moryson, Fynes 31
Moulder, Elizabeth 237
Moulder, Joseph 237
Monet, Claude 407
Montague, William 140
Montaigne, Michel de 129
Montelatici, Francesco 51
Mozart, Wolfgang Amadeus
  220, 405
Muhl, Jacob 280
Mühl, Johanna 232
Mühlmann, Kajetan 375
Mulcrius, Nicolaas 35, 46
Murrow, Ed 373

Napoleon Bonaparte 15, 251-253,
  257-260, 262, 266, 280, 287,
  295, 405
Nes, Willem van 208
Netscher, Caspar 150
Neufville, Jean de 229

Oldenbarnevelt, Johan van 83,
  94-96
Ornia, Gerbrand 118
Ostade, Adriaen van 316, 326,
  360-361

Paape, Gerrit 223
Parival, Jean-Nicolas de 29
Pascal, Blaise 129
Pasdeloup, 'Wolf' 383-384
Paustovski, Konstantin 411
Pauw, Reinier 83, 95-96
Pels, Andries 191
Pepys, Samuel 129, 184
Pestalozzi, Johann Heinrich 302
Picardt, J. 338
Plancius, Petrus 95, 103
Pol, Jan van de 173
Poll, Pieter van de 190
Potter, Hebelius 254
Potter, Paulus 153-155, 273
Putte, Johannes van de 323
Prus, Bolesław 277

Quellinus, Artus 91

Raadt, Petrus de 302-303
Racine, Jean 282
Rafaël 65, 88
Rafinesque-Schmaltz, Samuel
  293
Raimondi, Marcantonio 88
Randwijk, Henk van 378-379,
  385, 387, 391-392
Reael, Frans 33
Reede, Godard Adriaan van 168
Rembrandt van Rijn 12, 14, 16,
  19-20, 36, 60-61, 66, 68-69,
  71-72, 76, 83-89, 92, 96,
  99-100, 106-109, 118-125, 129,
  135, 137, 149, 157, 179, 183, 254,

274, 280, 286, 316, 327-328,
333, 343, 345, 359, 363,
374-375, 394, 399, 404, 412
Rendorp van Marquette,
Joachim 245
Reuss, Hermine 357
Reynst, Lambert 141
Roede, Zacharias 154
Roemer, Anna 67, 130
Roeters, Hendrik 141
Romein, Jan 346
Roosevelt, Theodore 344
Roth, Joseph 401
Rotschild, Gustave Baron de
327, 359
Rousseau, Jean-Jacques 216, 245,
288
Rubens, Peter Paul 66, 79, 149,
183, 326, 360, 374
Ruisdael, Jacob van 61, 326-327,
361
Ruyter, Michiel de 77, 172, 174

Sade, markies de 187
Saenredam, Pieter 316, 361
Sarphati, Samuel 328, 330
Sautijn, Jan 10, 200, 204-205
Schaep, Gerard 104
Schimmelpenninck, Rutger
Jan 249
Schliemann, Heinrich 314
Scorel, Jan van 66
Serrurier, Jacob 250, 252-253
Seyss-Inquart, Arthur 375,
388-389, 391
Shakespeare, William 88
Shirer, William 373
Sidney, Henry 173
Siebold, Philipp von 293
Six, Catharina 'Totie' 14, 334,
337, 351-352, 362, 367-368,
372, 382, 396, 399, 406
Six, Charles (1535-1595) 21,
24-27, 29-35, 59, 402
Six, Chrétienne 25, 30, 35, 46
Six, Guillaume 30, 33-35. 206
Six, Hendrik 255, 257-261,
266-269, 271, 273, 278,

283-294, 297-298, 300-302,
304-306, 311, 324, 327, 348,
354, 359, 407, 411
Six, Henriette 'de Arabische'
355, 361, 364
Six, Hester 312, 319, 331, 335
Six, Jacob 318
Six, Jan I (1618-1700) 14-16, 19,
26, 35, 37-43, 46-53, 55, 57,
59, 62-73, 75-81, 84-89, 92,
96, 101-102, 104-125, 127-142,
144, 147-153, 155-161, 163, 166,
168-170, 172-179, 182-183, 192,
204, 215, 222, 275
Six, Jan II (1668-1750) 181-185,
187-195, 197-211, 217
Six, Jan III (1730-1779) 218-221,
226-227, 244
Six, Jan IV (1756-1827) 220, 244,
246-247, 249-256, 264-265,
268-270, 272-274
Six, Jan V (1788-1863) 255, 260,
262-263, 266, 268, 271-273,
277, 279, 286, 304-305
Six, Jan Pieter VI
(1824-1899) 290, 309-322,
329-330, 335, 347, 360
Six, Jan VII (1857-1927) 315,
334-336, 341-347, 354-364
Six, Jan VIII (1891-1961) 348,
367, 369-374, 379, 395-398
Six, Jan IX (1919-1999) 379,
396
Six, Jan X (1947) 12-14, 17, 20,
36, 60, 69, 75, 211, 365, 372,
396, 398, 412
Six, Jan XI (1978) 14
Six, Jan Willem 322, 355-356,
359, 361-363
Six, Jean (1575-1617) 19-21, 30,
33-35, 37-38, 46, 51, 62-263
Six, Louise 'Louke' 356-359,
362-363, 406
Six, Marie Henriette 255,
260-261, 263, 268-272, 352,
404, 408
Six, Nicolaas 131, 150, 182-183

Six, Nine 'Ninetje' 334, 337, 346, 351-352, 362, 367-368, 382, 395, 399, 406
Six, Piet 337, 346, 348-349, 362, 367, 369, 372-373, 379-393, 395, 399
Six, Pieter 37, 46, 48, 51-52, 66, 105, 121, 161
Six, Pieter Hendrik 290, 301, 303-304, 310-312, 322, 336, 355-356, 360, 406
Six, Rudolf 322, 335, 346, 355, 362
Six, Suzette 255, 260, 261, 268, 271
Six, Willem (zoon Jan VI) 312, 336, 346
Six van Chandelier, Jan 42, 49
Sixtinus, Suffridus 61, 64-65
Sladus, Mattheus 41-42, 78
Slicher, Helena 213, 219
Sluys, Dirk van der 60
Sophie, koningin der Nederlanden 306-307, 315
Spinola, markies van 156
Spinoza, Baruch 40, 68, 123, 134, 142-145, 147, 172
Stael, Madame de 288
Stedman, John Gabriel 225
Steen, Jan 280, 316, 326, 361
Steinhoff, Hans 374-375
Stensen, Niels 102, 129
Stoffels, Hendrickje 87, 123, 119
Stoop, Pieter 46
Stouppe, Jean-Baptiste 167
Stuyvesant, Peter 62
Svenson, Margaretha 19
Swammerdam, Jan 98, 101-102
Sweelinck, Dick 67
Sweelinck, Jan 67

Taets van Amerongen, Joost 284
Teding van Berkhout, Catherina 311, 335
Teding van Berkhout, Coenraad 221
Tedingh, Cornelia 162
Temple, William 205

Tengnagel, Jan 39
Tengnagel, Mattheus 47
Tesselschade, Maria 67-68
Tex, Coo den 329, 369, 392
Tex, Mia den 346
Thijssen, Jan 385
Tholincx, Arnout 46
Thopas, Johan 103
Tienhoven, G.P. van 363
Tintoretto 66, 149
Titiaan 66, 88, 108, 149
Titus van Rijn 87, 122-123
Tocqueville, Alexis de 306, 352-353, 407-408
Tollens, Hendrik 280
Tombe, A.A. des 274
Toorop, Jan 316, 335
Torrentius, Johannes 39, 66
Touret, Francois 62
Trip, Hendrick 57
Trip, Jan Willem 202-203
Trip, Louis 53, 57
Troelstra, Pieter Jelles 349, 380
Tulp, Diederick 104, 116, 153-155, 157-159, 165, 170, 176, 184, 189, 273, 286, 345
Tulp, Margaretha 15, 104, 110-112, 120, 333
Tulp, Nicolaes 12, 23, 53, 81, 91-94, 96-104, 110-117, 120, 133, 136, 138-139, 145, 148-149, 154, 157-159, 165-166, 169, 171, 173, 176, 183, 204, 224, 274, 313, 343, 361, 403-404
Tulp, Pieter 116, 154

Uylenbroek, Pieter Johannes 280
Uylenburgh, Gerrit van 120
Uylenburgh, Hendrick van 39-40, 84
Uylenburgh, Saskia van 40, 85-86, 122-124

Vaillant, Wallerant 149, 412
Valck, Frans 303
Valckenier, Emerentia 182
Valckenier, Gillis 154, 162, 173, 176

Velde, Esaias van de 239
Vermeer, Johannes 280, 283, 316, 326. 342, 360-361, 374
Verwou, Aeltje 68
Vesalius, Andreas 100
Veth, Jan 328, 335, 342-343
Vettre, Claudine le 25, 28, 35
Vingboons, Philip 39
Visscher, Roemer 67, 156
Visser, Willem de 269, 271-272
Vlaming van Oudshoorn, Margaretha de 93
Vlugt, Willem de 371
Vlugt, A.J.Th. van der 388
Voech, Eva van der 93
Vogels, Gerard 233-235, 237
Vogels, Sara Lucretia 237
Voltaire 156-157, 187, 216, 245
Vondel, Joost van den 14, 20, 35, 44, 52, 59, 66, 67-68, 73, 76-77, 81-84, 91, 95-96, 105, 110-111, 113-114, 117-118, 121, 151, 162, 167, 176, 230, 327, 404, 412
Vorrink, Koos 385, 392
Vos, Jacob de 294
Vos, Jan 59, 63, 67-68, 70, 76, 78-82, 84, 96, 105
Vossius, Isaac 53, 64-65, 144
Vries, Jeronimo de 254, 283, 296
Vrij, Frederick de 96

Wagenaar, Gerben 386
Wagenaar, Jan 201
Warnsinck, Willem Hendrik 278
Washington, George 230, 232-237, 241
Waugh, Evelyn 350
Wedgwood, Josiah 241
Wertheim, Abraham C. 297
Wiardi Beckman, Willem 384
Wijmer, Anna 15, 19-21, 35-38, 40, 46, 48, 51, 75, 81, 84-85, 110, 112, 124, 149, 151, 183
Wijmer, Johanna 35
Wijmer, Pieter 38, 110
Wilhelm, keizer 348-349, 357

Wilhelmina, koningin der Nederlanden 298, 341, 344-345, 349, 357, 362, 371, 391, 407
Wilhelmina, prinses van Pruisen 264
Willem I, koning der Nederlanden 264-265, 281, 287, 295, 298-299, 303
Willem II, koning der Nederlanden 301, 303, 307, 314
Willem III, koning der Nederlanden 306, 311, 330
Willem II, stadhouder 51, 167, 169
Willem III, stadhouder 104, 155, 163, 167-169, 175, 179, 207
Willem IV, stadhouder 207, 209, 244
Willem V, stadhouder 220, 242, 245, 248, 252, 264
Willem van Oranje 28-29, 83
Wilp, Sara Maria van der 231
Winter, Anna Louise van 283, 326-327
Winter, Josua van 281-283
Winter, Lucretia Johanna van 15, 238, 277-309, 324, 326-327, 339, 359, 403, 411
Winter, Nicolaas van 230-232, 339
Winter, Pieter van 232-233, 238, 240, 278, 280-281, 292
Witsen, Cornelis 141, 145-146
Witt, Cornelis de 167, 172-173
Witt, Johan de 62, 105, 110-113, 134, 167-168, 172-173
Wolff, Betje 186, 224-225, 232-233, 248, 269, 288
Woolf, Virginia 404
Wouwerman, Flip 208

Yourcenar, Marguerite 404

Zuylen, Belle van 288

Charles Six
(1535-1595)

Alix de Lattre
(15..-1602)

Johanna Wijmer
(v. 1584-1624)

Guillaume Six
(1564-1619)

Jean Six
(1575-1617)

Anna Wijmer
(1584-1654)

Johanna Six
(1628-1689)

Pieter Six
(1612-1680)

Jan Six I
(1618-1700)

Margaretha Tulp
(1634-1709)

Emmeritia Valckenier
(1674-1727)

Nicolaas Six
(1662-1710)

Agatha Decquer
(1668-1693)

Jan Six II
(1668-1750)

Anna Elisabeth
Bempde
(1695-177

Maria Calkoen
(1674-1728)

Jan Six
(1692-1713)

Jacobus Trip
(1695-1729)

Maria Jacoba Six
(1693-1716)

Susanna Catharin
van Waveren
(1730-1760)

Jan Bernd Bicker
(1746-1812)

Catharina Six
(1752-1793)

Johanna Maria Hop
(1769-1809)

Jan Six IV
(1756-1827)

Anna Margaretha
van Gelé Twe
(1782-1861)

Jan Six V
(1788-1863)

Maria Henrietta Six
(1794-1854)

Willem de Visser
(1794-1868)

Hendrik Six
(1790-1847)

Lucretia Joha
van Winte
(1785-184

Jan Pieter Six VI
(1824-1899)

Catharina Teding van
Berkhout
(1834-1887)

Jan Six VII
(1857-1926)

Hieronyma Maria Antonia
Fortunata Bosch Reitz
(1867-1951)

Hester Sophie Six
(1858-1885)

Willem Six
(1859-1919)

Louisa Digna Cathar
Six (1862-1934)

Jan Six VIII
(1891-1961)

Christina Diederika
van der Crab
(1892-1961)

Gijsbert Christiaan Six
(1892-1975)

Anne Maurice Adrienne
Repelaar
(1894-1972)

Willem Six
(1893-1971)

Arnoldina
de V
(1895-

nazaten

nazaten

nazaten

Stamboom van de familie Six, met de personen die voorkomen in het boek.

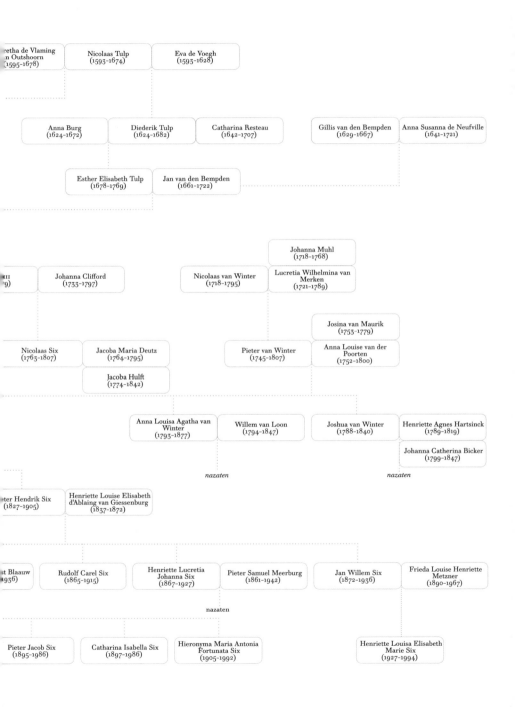

retha de Vlaming
n Outshoorn
(1595-1678)

Nicolaas Tulp
(1593-1674)

Eva de Voegh
(1593-1628)

Anna Burg
(1624-1672)

Diederik Tulp
(1624-1682)

Catharina Resteau
(1642-1707)

Gillis van den Bempden
(1629-1667)

Anna Susanna de Neufville
(1641-1721)

Esther Elisabeth Tulp
(1678-1769)

Jan van den Bempden
(1661-1722)

Johanna Muhl
(1718-1768)

III
9)

Johanna Clifford
(1733-1797)

Nicolaas van Winter
(1718-1795)

Lucretia Wilhelmina van
Merken
(1721-1789)

Josina van Maurik
(1753-1779)

Nicolaas Six
(1763-1807)

Jacoba Maria Deutz
(1764-1795)

Pieter van Winter
(1745-1807)

Anna Louise van der
Poorten
(1752-1800)

Jacoba Hulft
(1774-1842)

Anna Louisa Agatha van
Winter
(1793-1877)

Willem van Loon
(1794-1847)

Joshua van Winter
(1788-1840)

Henriette Agnes Hartsinck
(1789-1819)

Johanna Catherina Bicker
(1799-1847)

nazaten

nazaten

ter Hendrik Six
(1827-1905)

Henriette Louise Elisabeth
d'Ablaing van Giessenburg
(1837-1872)

st Blaauw
936)

Rudolf Carel Six
(1865-1915)

Henriette Lucretia
Johanna Six
(1867-1927)

Pieter Samuel Meerburg
(1861-1942)

Jan Willem Six
(1872-1936)

Frieda Louise Henriette
Metzner
(1890-1967)

nazaten

Pieter Jacob Six
(1895-1986)

Catharina Isabella Six
(1897-1986)

Hieronyma Maria Antonia
Fortunata Six
(1905-1992)

Henriette Louisa Elisabeth
Marie Six
(1927-1994)

Dit boek werd nog beter dankzij

Albert Beukenhorst
Gert Blokland
Anske Bouman
Cees Broekhof
Stef Broks
Irene Dewald
Arthur Elias
Maja van der Goes
Herman Kievits
Meine Henk Klijnsma
Yme Kuiper
Lex Landmeter
Jos Odekerken
Harma Overwater-Sloots
Truus Pinkster
Bob Pluijter
Henk-Jelle Reitsma
Edward Roussou
Eva Rutgers-Baracs
Alma van Saane
Leendert van der Velden
Hein van der Zande
Rie Zwart-Wissink

Wilt u op de hoogte blijven van het laatste nieuws over onze boeken, schrijvers en activiteiten?
Meld u dan aan op www.atlascontact.nl voor onze maandelijkse nieuwsbrief.